LES SUPERSTARS
des affaires

Éditeurs:
LES ÉDITIONS LA PRESSE, LTÉE
7, rue Saint-Jacques
Montréal H2Y 1K9

Conception graphique de la couverture:
JEAN PROVENCHER

Photographie de la couverture:
JOSEPH DIAMOND, reproduction
autorisée par Alexander & Alexander

Traduction française de *The Big Time*
publiée à la suite d'une entente entre le détenteur
des droits de traduction, Saint Martin's Press, Inc.,
New York, N.Y. 10010, USA, et Les Éditions La Presse, Ltée.

©Copyright, Ottawa, 1984

Dépôt légal:
BIBLIOTHÈQUE NATIONALE DU QUÉBEC
2e trimestre 1984

ISBN 2-89043-125-8

LES SUPERSTARS
des affaires

LA RECETTE AMÉRICAINE DU SUCCÈS

GRANDE CORPORATION/CONSEIL EN GESTION/FINANCE/BANQUE
COMPTABILITÉ/QUOTIDIENS/PÉRIODIQUES/PUBLICITÉ/DROIT
IMMOBILIER/TÉLÉVISION ET CÂBLE/DISQUE/CINÉMA/ÉDITION

GLENN KAPLAN

la presse

REMERCIEMENTS

J'aimerais remercier les personnes suivantes :

Les gens et les entreprises qui m'ont accueilli dans leur bureau et qui ont consacré du temps et de l'énergie à nos entrevues. Ce livre leur appartient vraiment.

H.V.K. et I.R.K. pour les fondements du livre.

Jane Weaver et son joyeux groupe de chez « A » Steno Service à New York, qui se sont admirablement acquittés de leur tâche, avec précision et dans des circonstances difficiles.

Tom Congdon, dont je prise beaucoup le considérable talent d'éditeur ainsi que le cran et la perspicacité en matière d'entreprise. Aucun auteur ne pourrait désirer collaborateur plus compréhensif et appui plus déterminé.

Evelyn Rodstein, qui a joué le rôle de conseillère en relations humaines pendant tout le travail, et dont la compréhension de la nature des organisations s'est révélée inestimable.

A Charlie Hayward sans qui...
A Evelyn avec qui...

Table des matières

AVANT-PROPOS:
LES RÈGLES DU JEU

Les Américains ont toujours été tourmentés par l'idée de « grande réussite ». Devenir riche ne suffit pas. Il faut devenir riche de la façon la plus spectaculaire et la plus complète qui soit. Nos efforts doivent nous apporter non seulement l'argent mais aussi le pouvoir, le prestige et le sentiment d'accomplir quelque chose.

Tel est le rêve. La plupart des gens doivent, bien sûr, se contenter de la deuxième place. Ils n'entreront jamais dans un domaine passionnant. Et, s'ils y entrent, ils ne travailleront pas pour l'une des plus importantes compagnies. Mais il y a ceux qui ne se démontent pas. Ils veulent vraiment échapper à cette sombre perspective. Ils font le serment d'échapper à une médiocrité respectable... de faire une carrière fabuleuse... d'accéder au plus haut niveau... de tout réussir.

C'est dans cet espoir que beaucoup de gens lisent des livres sur le succès. Ces livres expliquent de quelle façon s'habiller pour impressionner, ou comment il faut placer son bureau pour intimider l'interlocuteur, ou comment façonner son esprit pour en faire un instrument infaillible de promotion personnelle. Cette façon d'aborder la question est superficielle, tendancieuse et de portée trop générale.

Ce livre est différent. Il n'accepte pas les prémisses des livres sur le succès voulant que ce dernier soit homogène, que les carrières se ressemblent pratiquement toutes, que les règles et les obligations soient applicables indifféremment à chacun. Il nie que le succès puisse être le fruit d'une recette magique concoctée en secret dans une quelconque cuisine.

S'il existe une telle chose que le « secret de la réussite », le voici: savoir précisément comment les choses fonctionnent dans un domaine donné et ce que l'on attendra de vous. Les différences sont énormes d'un secteur à l'autre. Un comportement qui, dans tel domaine, pourrait propulser quelqu'un au sommet le fera échouer dans un autre.

Ce livre ne présente pas une approche normative mais recourt à l'information. Il répond aux plus simples et aux plus évidentes de toutes les questions : « Qu'est-ce que cela *veut dire* de réussir dans cette carrière précise ? » « En quoi consiste la réussite dans ce domaine ? » « Que faut-il faire pour l'atteindre ? » « Quels en sont les récompenses et les coûts ? » « En quoi consiste le travail, que font réellement les gens dans ce domaine ? » Et la question sans doute la plus importante : « Dans cette quête, comment le succès façonne-t-il la vie de ceux qui sont à sa poursuite ? » Ce livre n'explique pas seulement quel genre de personnes réussissent le mieux dans chaque domaine, mais en quel genre de personne la carrière les a transformées.

En lisant ces pages, les lecteurs se verront embarqués dans l'odyssée de quatorze des carrières commerciales les plus influentes, les plus attirantes et les plus satisfaisantes en Amérique — bref, les grandes réussites. Ils verront que chaque carrière est un monde à part. Chacune a sa propre culture. Chacune a ses rites, ses coutumes et ses prises de position qui définissent le travail lui-même et ceux qui l'accomplissent.

En écoutant les quelque trois cents personnes qui ont été interviewées — des directeurs généraux jusqu'aux nouveaux aspirants —, les lecteurs *entendront* les différences. Pour certains des interviewés, le succès se mesure en millions de dollars. D'autres se battent pour obtenir le pouvoir d'organiser ou pour l'influence dans le milieu artistique, d'autres encore pour tenter un coup de génie. Il n'y a pas de formule unique capable de les résumer tous. Il vaut mieux les laisser parler, et que le lecteur ou la lectrice trouve sa place parmi ceux qui lui semblent le plus sympathiques.

PREMIÈRE PARTIE

les professionnels

*Ils vivent pour résoudre
les problèmes de leurs clients
et se complaisent dans l'exercice
de leurs compétences.*

CONSEIL EN GESTION
Personne intelligente, prête à voyager

Le petit prodige

Appelons-le Dave Wilcox. Il a trente-trois ans, il est grand, blond et beau, et son coup de revers au tennis est presque impossible à rattraper.

Il a très bien réussi à Princeton et est sorti diplômé de Harvard Business School avec le titre convoité de boursier George Baker. A part le kiosque de limonade qu'il a tenu une journée, quand il était gamin à Lake Forest, en Illinois, Dave n'a jamais dirigé d'entreprise. Pourtant, quotidiennement, il s'assoit maintenant avec les directeurs généraux de certaines des plus grandes firmes mondiales pour leur dire comment planifier leurs entreprises, qui représentent des milliards et des milliards de dollars dans le monde entier.

Dave Wilcox est conseiller en gestion auprès de l'une des plus importantes firmes-conseils au monde. Il gagne environ 70 000 $ par an, assez pour donner à sa femme, à sa petite fille et à lui-même l'élégant mode de vie de banlieue auquel il a toujours été habitué. Si tout se passe bien, il pourrait devenir associé dans deux ans. Ce qui signifierait un revenu de plus de 100 000 $ par an pour toute la vie, lui conférant un statut social des plus prestigieux.

« De nos jours, quiconque étudie dans une école d'administration sait que le métier d'expert-conseil jouit d'une aura particulière, déclare-t-il. Le métier d'expert-conseil et l'investissement bancaire sont des carrières à la mode. On dirait que tout le monde veut en faire partie — avant même de savoir en quoi elles consistent vraiment. » En fait, certaines des plus grandes firmes-conseils ont courtisé les meilleurs nouveaux diplômés en administration des affaires (M.B.A.) en leur offrant des salaires de départ qui dépassent les 50 000 $. Mais Dave insiste pour dire qu'il ne fait pas ce métier pour l'argent. « Je reçois des offres assez fréquemment de Wall Street et de certaines corporations, dit-il. Je pourrais gagner beaucoup plus d'argent si j'étais prêt à abandonner mon genre de vie actuel. Mais dans le travail d'expert-conseil, le défi et la stimulation sont imbattables. »

Les camarades que Dave avait dans ses classes à Harvard et qui ont choisi d'entrer dans une entreprise se trouvent à présent, pour la plupart, à l'échelon de cadre intermédiaire. Ils font face à des problèmes banals de chiffres et de production. Ils se battent fébrilement pour s'attirer les faveurs et l'attention de leurs supérieurs. Mais Dave, lui, appelle les patrons de ses camarades par leurs prénoms ainsi que les patrons de leurs patrons. Et lorsqu'il rencontre ces derniers, il parle de stratégie à long terme et leur explique comment mieux faire leur travail.

Le jeune Dave possède-t-il un génie particulier pour que des directeurs généraux chevronnés s'assoient et l'écoutent quand il parle ? « Pas du tout, dit-il avec une certaine modestie, c'est à la fois le cerveau et la compétence de la firme que nos clients achètent. On peut même dire que la discipline de l'expert-conseil consiste à conceptualiser et à résoudre les problèmes. L'administrateur perçoit le monde de l'intérieur de son entreprise. Les experts-conseils lui apportent la perspective qu'ils ont acquise au contact de nombreuses sociétés dans différentes industries. Intellectuellement, notre travail est bien plus varié que celui qu'on pourrait avoir au sein d'une entreprise unique. Et c'est là notre apport. »

Dave aime son travail, en tout cas pour l'instant. Il veut tellement devenir associé qu'il en savoure déjà la réalisation. Il n'est pourtant pas sûr de la durée de cet engouement. « C'est le travail le plus contraignant que je connaisse, dit-il. Nous travaillons constamment jusqu'à plus de dix heures du soir. Les fins de semaine vous appartiennent à peine. Vous pouvez arriver à voyager au point d'oublier où vous habitez. J'ai entendu dire que la durée moyenne de la fonction d'expert-conseil était d'environ trois ans. Et je le crois. La pression ne diminue jamais. Vous vous y habituez simplement davantage. Chaque projet est urgent. Chaque projet est unique. Vous ne pouvez jamais donner moins de cent pour cent de vous-même. Cela exige un niveau d'énergie terriblement élevé : intellectuellement, émotivement et physiquement. Je ne sais vraiment pas ce que je pourrais faire d'autre, mais je ne crois pas être en mesure d'exercer ce métier pendant encore trente ans. Et franchement, je ne pense pas que je voudrais le faire. »

Mais pour l'instant, Dave ne cesse de courir d'un aéroport à l'autre. Il rédige souvent de volumineuses études dans des délais impossibles, « maîtrisant » en quelques semaines un secteur auquel ses clients ont voué toute leur vie. Son horaire de travail est quasi inhumain et préjudiciable à sa santé. Et pourtant, ce genre de vie lui réussit dans l'atmosphère électrisante de sa firme, au milieu de gens triés sur le volet qui, comme lui, assument de lourdes charges et n'ont d'autre ambition que de se voir confier un problème sur lequel ils s'acharneront. jusqu'à ce qu'une solution soit trouvée.

Nous partons voir les sorciers

Tout a commencé assez modestement.

« Au début de ce siècle », déclare Joseph Brady, président de l'Association of Consulting Management Engineers (ACME), un groupe d'experts-conseils en commerce, « des hommes se cachaient dans des tonneaux pour photographier les ouvriers d'une usine afin de faire des études de temps et de mouvement ». Les premiers experts-conseils en gestion furent formés dans la discipline alors nouvelle du génie industriel, la conception et la gestion des processus de travail. Quelques-uns des chefs des grandes compagnies d'aujourd'hui ont fait leurs débuts dans ce domaine.

Mais le conseil en gestion englobe à présent infiniment plus que des études de production à la chaîne. Il n'existe pour ainsi dire plus de sujet pour lequel il n'y a pas des hordes d'experts-conseils prêts à offrir leurs services moyennant honoraires. Tout le monde utilise les services d'experts-conseils de nos jours — les grandes comme les petites entreprises; les organismes gouvernementaux, que ce soit au niveau fédéral, d'État, de comté ou local; les organismes à but non lucratif; et même les gouvernements d'autres pays. De la biologie moléculaire jusqu'à la commercialisation, en passant par les systèmes de missiles téléguidés et à l'aménagement des entrepôts, il existe quelque part un expert-conseil qui peut vous aider à faire mieux et plus vite.

Lorsque quelqu'un vous dit qu'il est expert-conseil, cela ne vous dit pas quel genre de travail il fait. Il se pourrait qu'il soit en train d'évaluer le système qui émet les chèques du Bien-être social au Delaware ou que l'Arabie Saoudite lui ait demandé de concevoir les besoins en infrastructure d'une ville qu'elle désire construire près d'une nouvelle raffinerie. Un directeur de division dans un conglomérat peut l'avoir engagé pour savoir s'il doit acheter ou louer sa prochaine flotte de camions de livraison. Le président d'une autre entreprise peut avoir besoin de savoir quelles acquisitions il devra faire au cours des cinq prochaines années. Il peut aussi vouloir qu'on analyse pourquoi sa division des gadgets est moins rentable que celle de ses concurrents.

La tâche d'un expert-conseil peut être extrêmement précise et pratique, comme celle d'aider un client à acheter un ordinateur, ou elle peut être spéculative comme celle de calculer l'ampleur du marché de la robotique en 1990 pour une entreprise qui envisage de se lancer dans ce domaine. Dans tous les domaines imaginables, qu'il s'agisse d'un gouvernement ou d'un organisme à but non lucratif, les experts-conseils offrent un savoir-faire immédiat. Ils fournissent des évaluations objectives comme seule une personne de l'extérieur peut le faire. Quand des questions et des problèmes sont trop délicats pour les membres d'une compagnie, les experts-conseils sont ceux qui peuvent poser les questions gênantes, faire les recommandations douloureuses tout en restant hors de portée de la politique de la «famille». Qui plus est, les experts-conseils peuvent travailler vite et efficacement puisqu'ils concentrent leur attention sur un seul sujet. Le savoir-faire particulier, la rapidité et l'impartialité ne sont que certaines des raisons pour lesquelles tout le monde fait appel aux experts-conseils.

Cette impartialité est particulièrement importante pour les experts-conseils. «Si nous sentons que le client a une solution préconçue», déclare Kenneth Block, président de A.T. Kearney, l'une des plus anciennes firmes d'experts en gestion générale, «si nous avons l'impression qu'il veut que nous en arrivions à telle ou telle réponse, nous lui disons clairement que nous devons être objectifs. Nous nous devons d'être honnêtes. Nous devons lui dire que nous pensons en termes de ce qui est bon pour la compagnie plutôt que de ce qui est bon pour l'individu». C'est une question d'éthique professionnelle et, de fait, les experts-conseils se perçoivent comme des gens qui font partie d'une profession. Pour eux, le travail d'expert-conseil se compare à la médecine, au droit ou à la comptabilité.

Il n'y a qu'un seul problème: les experts-conseils n'ont pas organisé leur métier de façon très professionnelle. Bien que l'ACME de Joe Brady soit le plus vaste des organismes professionnels et qu'elle fasse un travail impressionnant en matière de contrôle des normes d'entrée et de pratique, quiconque le désire peut s'attribuer le titre d'expert-conseil. De plus, il est presque impossible de trouver des références applicables à tous les types d'experts-conseils. Il n'existe aucun ensemble de connaissances obligatoires partagées par tous les experts-conseils. Les connaissances de l'expert en études du comportement n'ont rien à voir avec celles de l'expert en traitement de données. Les experts-conseils sont ingénieurs, psychologues, sociologues, spécialistes en commercialisation et bien d'autres choses encore. Ils détiennent des baccalauréats, des maîtrises, des maîtrises en administration des affaires, des doctorats de toutes sortes. Tout dépend de l'expert-conseil et de sa spécialité.

On évalue à cinquante mille le nombre d'experts-conseils exerçant dans le pays. D'après le bulletin d'information de *Consultants News*, plus de la moitié d'entre eux sont « non identifiés », c'est-à-dire qu'il s'agit d'experts qui travaillent seuls ou de spécialistes qui se trouvent dans de très petites entreprises. Ce sont des gens qui travaillent à la maison, dans leur garage ou même dans une cabine téléphonique. Grâce à quelques clients qui croient en eux, ils peuvent donner des consultations et très bien gagner leur vie. Parmi les experts-conseils « identifiés », cinq mille travaillent dans environ 553 autres firmes, petites ou moyennes. Mais il existe 30 grandes compagnies qui emploient plus de dix-sept mille experts-conseils.

Quelle que soit la façon dont on l'exerce, l'expertise-conseil est un bon domaine. Le marché total des services d'experts-conseils est évalué à environ 3 milliards de dollars ou plus, et il se développe constamment.

Environ un tiers de la somme va aux services d'experts-conseils des grandes firmes publiques de comptabilité, un autre tiers va aux grandes firmes d'experts indépendantes et le reste aux plus petites entreprises indépendantes. De petits morceaux du gâteau sont également laissés aux professeurs d'université qui sont experts-conseils à temps partiel, et aux opérations d'expertise interne des grandes compagnies.

Ce sont les quelques grandes entreprises qui dominent l'expertise-conseil d'envergure. Ces firmes vont de celle d'Arthur D. Little — qui déclare des revenus annuels de plus de 175 millions de dollars — aux moins importantes « grandes » firmes qui déclarent environ 50 millions de dollars. Celles-ci ont des bureaux dans tout le pays et dans le monde entier. Elles peuvent compter jusqu'à deux cents associés et plus de deux mille experts-conseils dans leurs filiales. Elles ont des styles très divers, ce qui se manifeste dans leur apparence.

James Farley, par exemple, président de Booz-Allen & Hamilton, est l'image même de l'élégance des cadres supérieurs. Il est parfaitement habillé, fume les meilleurs cigares Dunhill, et la décoration de son bureau reflète les « grosses affaires » qui sont le style de son entreprise. Le papier peint a l'aspect chatoyant de la soie, un paravent chinois longe un mur, son bureau et ses chaises évoquent l'Angleterre du XVIIIe siècle. Pourtant, le bureau est plutôt petit, pas beaucoup plus grand que n'importe quelle autre pièce d'un expert-conseil de chez Booz-Allen, et même plus petit que le coin conversation du bureau du président d'une corporation de bonne taille. Le quartier général de Arthur D. Little est un ensemble de bâtiments peu élevés bâtis sur un terrain de quarante acres dans la banlieue de Cambridge au Massachussetts. Célèbre à l'origine pour la recherche et la technologie, la firme d'Arthur D. Little ressemble plus à une université d'État qu'à une corporation mondiale. Les murs sont en parpaing, les bureaux petits, et peu garnis de meubles bon marché et purement fonctionnels. Il y a du linoléum presque partout et là où il y a de la moquette elle n'a pas de sous-tapis.

Inversement, le siège social de McKinsey & Company à New York est très moderne et d'un blanc austère. Connue comme la plus arrogante et la plus « style école préparatoire » des anciennes firmes, le cabinet McKinsey a un grandiose escalier en colimaçon dans son entrée. Les bureaux sont ultramodernes, vides et de toute évidence chers — on en fait ici beaucoup pour avoir l'air simple. On y proclame fièrement que le cabinet McKinsey ne traite qu'avec les entreprises de même envergure.

Hay Associates est situé à Rittenhouse Square, quartier élégant de Philadelphie. Les bureaux donnent sur un atrium central de plus de dix étages. L'effet qui en ressort est à mi-chemin entre une ruche et le vaisseau spatial *Entreprise*.

Chacune des sociétés est le reflet des hommes qui les ont créées, du genre de clients qu'elles servent et des domaines dans lesquels elles brillent. Bien qu'une firme puisse avoir une réputation plus ancienne dans une spécialité ou dans une autre, bien qu'elle puisse offrir une gamme de services plus étendue, toutes les entreprises importantes se font une concurrence acharnée pour attirer les meilleurs clients.

Nous s-o-o-m-m-e-s poussés!

Si ce n'était de ses cheveux gris, vous ne devineriez jamais que Donald Curtis a presque cinquante ans. Son visage est lisse, il dégage une énergie presque fiévreuse. Durant notre rencontre d'une heure, le plus ancien associé de Touche Ross a avalé quatre tasses de café et la moitié d'un paquet de Rolaids. «Le rythme est effréné», dit-il en décrivant son itinéraire des jours suivants — quatre réunions dans quatre villes au cours des deux prochains jours et demi. «Mais je ne suis pas fatigué physiquement. Je n'ai pas besoin de me reposer, j'ai besoin de gagner.» Dans le moment, sa charge de travail comprend la planification et la vérification de tâches pour plusieurs chaînes de restaurants, pour une corporation dans l'industrie lourde et pour un fabriquant d'instruments médicaux de précision. Il parle de chaque affaire avec l'enthousiasme d'un jeune garçon qui partirait faire un merveilleux voyage d'exploration. Il *sait* tout simplement que toutes ces entreprises seront en meilleure posture quand il aura terminé son travail. «Notre tâche est d'aider les gens, déclare-t-il, c'est aussi simple que ça. Il faut aimer aider les gens. Il y en a qui n'aiment pas ça. Ils sont plus attirés par le pouvoir. Tandis que nous avons plus tendance à chercher l'approbation. Personnellement je ne m'intéresse pas au pouvoir d'organisation. Si on n'aime pas aider les gens, on ne retire pas de ce travail ce que l'on est censé en retirer.»

La diversité de leur travail et la pression qu'elle engendre réussissent très bien aux experts-conseils. «Il faut continuer à courir pour continuer à apprendre, assure Leonard Pace, directeur national de l'expertise-conseil chez Deloitte, Haskins & Sells. Vous vous familiarisez constamment avec de nouvelles situations, de nouvelles organisations. Vous êtes sans cesse forcé d'apprendre et d'apprendre encore. Mais c'est ce qui fait le bonheur des experts-conseils.» Ce qui les pousse, c'est un besoin fondamental d'explorer de nouveaux domaines et de résoudre des casse-tête toujours plus difficiles.

Mais ils doivent posséder plus que de la curiosité. C'est lorsqu'un problème surgit qu'on appelle les experts-conseils. Et quelle que soit l'organisation, cela peut vouloir dire que l'on marche sur un terrain miné. «Je crois qu'il n'est pas facile, pour la plupart des directeurs, d'appeler un expert-conseil, ajoute-t-il; ils ont du mal à admettre que quelque chose ne va pas. Beaucoup d'entre eux vont peut-être dire qu'ils ont fait venir un expert-conseil parce qu'ils n'ont pas le temps de trouver eux-mêmes les solutions — ou quelque chose du genre. Je n'ai jamais vu d'entreprise qui n'avait pas autant de problèmes que Heinz n'a de cornichons. »

L'expert-conseil est en fait à la fois psychiatre et détective. A première vue, le travail peut consister à comprendre pourquoi l'entrepôt de Cincinnati fait tellement d'erreurs dans les commandes ou pour quelle raison les ventes de la région sud-est n'atteignent jamais les quotas. Mais l'expert-conseil ne prend jamais sa mission au pied de la lettre. « Il est rare qu'un client arrive à définir le vrai problème, affirme Edward Pringle, associé principal chez Coopers & Lybrand. Ce qu'il explique d'habitude, c'est le symptôme, une sorte de malaise qu'il veut guérir. Il faut souvent faire du travail sur le terrain pour déterminer en quoi consiste *vraiment* le problème. »

À la façon d'un psychanalyste viennois, l'expert-conseil commence par écouter. « Après avoir obtenu le contrat, affirme Bruce Henderson, président et fondateur du Boston Consulting Group, on demande au client de définir le problème tel qu'il le perçoit. Cela le force à réfléchir et, en général, il essaie de nous amener à son point de vue. Il faut écouter ce qu'il dit et ce qu'il ne dit pas. Cela renseigne sur ce qu'il pense et sur ce qu'il comprend. On consulte ensuite le personnel et on pose les mêmes questions. Si les gens interrogés donnent des opinions différentes, c'est une indication. S'ils disent la même chose, il faut alors se demander quelles sont les prises de position de l'organisation et pourquoi une supposition X n'est pas mise en doute. »

L'expert-conseil doit être en mesure de poser les bonnes questions. Il doit écouter avec une grande attention et avec sensibilité. Il doit ensuite analyser la dynamique de la situation et concevoir une solution efficace. « Une fois le problème déterminé, assure Pringle, il faut alors décider de quelle manière le résoudre. De plus, il s'agit de savoir si les intéressés veulent vraiment le résoudre ou s'ils se servent de ce problème pour éviter de faire face aux véritables questions. »

L'expert-conseil peut se retrouver dans des situations plutôt explosives. « Il m'est arrivé de faire part de mes résultats au détriment d'un président de compagnie », affirme Sam Ruello, associé chez Coopers & Lybrand, responsable de l'expertise-conseil pour la région est. « Une entreprise perdait de l'argent et c'est le président de la société qui avait commandé l'étude. Nous avons examiné ce qui se passait, en nous servant du processus habituel de diagnostic, et nous avons trouvé que c'était lui le problème. » « Vous avez raison, nous a-t-il dit, je ne devrais pas être dans ce domaine. Je n'aime pas vraiment être le président de cette compagnie. J'aurais simplement aimé ne pas me le faire dire aussi clairement. Mais je suis tout à fait d'accord avec vous. » « Je lui ai d'abord parlé personnellement et j'ai ensuite envoyé un rapport écrit au conseil d'administration. »

Les experts-conseils peuvent exercer un pouvoir énorme. « Mais nous ne sommes pas des coupeurs de tête, déclare un autre associé, même si certaines personnes nous voient comme ça. Il faut que nous soyons prêts pour ce moment inévitable qui a lieu lors de la réunion d'évaluation avec le client. Quand vous aurez terminé votre enquête et parlé à tout le monde dans son entreprise, il va se tourner vers vous et vous demander : « Mon personnel est-il vraiment bon ? Est-ce que Bill peut vraiment accomplir ce travail ? Pourquoi mon personnel ne coopère-t-il pas ? » « Les réponses à ces questions doivent être données verbalement au directeur principal. Il faut être prêt à traiter ces questions parce que, souvent, il est nécessaire de changer plus d'un maillon du système. »

Ed Pringle ajoute : « Nos employés sont trempés dans des situations émotives. Si une compagnie perd de l'argent et veut que cela change, c'est généralement plus qu'un simple problème de comptabilité. Toute la question est de savoir comment changer les gens. C'est une situation qui met à l'épreuve nos aptitudes à motiver les gens, à découvrir les vrais leaders, à enseigner de nouveaux modèles de comportement et de grandes compétences. » Parfois, l'expert-conseil reçoit la réponse pendant son travail sur le terrain. Une vieille blague dit qu'un expert-conseil est un gars qui emprunte votre montre pour vous dire l'heure — et qui la garde. Mais cela peut tout de même être une mission légitime. « Très souvent, les recommandations que nous faisons viennent des employés eux-mêmes, assure Sam Ruello. Souvent, ils n'ont peut-être pas pu faire passer l'idée. Dans certains cas, nous ne pouvons même pas reconnaître publiquement leur apport car la direction pourrait refuser l'idée si elle savait que celle-ci vient de Fred Smith, qui n'est peut-être pas apprécié. »

Si le processus est complexe et relève de la contemplation, il est par ailleurs harcelant et impose une forte dose de pression. « Vous devez aimer avoir une date limite, affirme Quentin Smith, président de Towers, Perrin, Forster & Crosby. Il y a des dates limites chaque jour et des dates limites cruciales presque chaque semaine. Pour un simple retard, vous pouvez flanquer par terre un travail passionnant. Il faut donc y consacrer beaucoup d'heures. » Un autre ancien dans la profession ajoute : « Notre plus grande pression, c'est le temps. L'un de nos problèmes les plus importants est l'incapacité de notre client à travailler aussi vite que nous et de prendre ses décisions après que nous avons pris les nôtres. Nous disons, par exemple : « Voici notre rapport provisoire. Il faut que nous passions à la prochaine étape. » Il a l'habitude de prendre son temps pour la plupart des décisions. Alors que nous ne pouvons pas nous permettre d'attendre trois semaines. » Comme pour la plupart des professionnels de service, le temps d'un expert-conseil est son bien le plus précieux. « Tout ce que nous avons à vendre, ce sont des heures, ajoute Quentin Smith, les profits proviennent des heures supplémentaires. Si tout le monde travaillait de neuf à cinq, on serait en faillite en moins de trois mois. » Il est vrai que l'expert-conseil qui réussit est poussé par un implacable sentiment d'urgence.

D'après Bruce Henderson de chez BCG, la raison d'être de l'expert-conseil consiste à évaluer les besoins d'une organisation, d'apprendre ce qu'elle peut et devrait être; de décider ce que pourraient être les enjeux; puis de choisir une ligne de conduite qui évitera « l'énorme gaspillage qu'entraîne la méthode empirique ». Ce qu'il faut, dit-il, c'est éliminer les « périodes de glaciation » habituellement nécessaires à un changement graduel. Bref, il faut « condenser le temps ».

Il faut donc que les experts-conseils aiguisent leur esprit d'analyse et apprennent à condenser leur propre temps pour arriver à faire la même chose pour leurs clients. Ils développent une aptitude à régler les problèmes dans sa forme la plus pure. Un jeune expert déclare : « La grande leçon que quelqu'un a finalement partagée avec moi, c'est qu'il faut pour ainsi dire avoir une solution prête avant même de commencer le travail. Fondamentalement, ça signifie que vous devez pouvoir regarder le problème et savoir quels aspects vous allez couvrir pendant votre travail sur le terrain. Vous ne connaissez sans doute pas les réponses précises, mais vous devez être en mesure de savoir quel genre de réponses votre rapport final devra fournir. Quand vous avez appris à envisager les problèmes de cette façon, les choses deviennent bien plus faciles. »

Mais un expert-conseil ne peut pas imposer le changement

dans l'organisation de son client. Il ne peut que produire son rapport et offrir des recommandations. «Vous êtes chaque fois coupé du résultat final, admet un ancien. Vous ne pouvez pas donner des coups de fouet. Vous ne pouvez pas imposer vos idées. Vous devez obtenir qu'on les accepte. Vous jouez toujours avec l'argent de *quelqu'un d'autre*. Et vous êtes tout le temps éloigné du résultat final. Quelquefois, vous pouvez provoquer un changement, d'autre fois pas. En ce sens, le travail s'avère parfois très vague. Vous n'avez que la puissance de vos idées et votre aptitude à persuader les clients. »

Demandez à n'importe quel expert-conseil si ses recommandations sont souvent acceptées à bras ouverts et, s'il est honnête, il admettra que cela n'arrive pas aussi souvent qu'il l'aimerait. Aucune étude ne donne de résultats à ce sujet. Mais selon des gens de la profession, un taux d'acceptation de 30 à 40 pour cent serait excellent d'après la plupart des normes.

«Ce travail est implacable, déclare Henderson. Si vous n'arrivez pas à convaincre le client, vous avez en fait échoué, pour la simple raison que vous n'avez pas réussi à ajouter de la valeur au travail que vous avez effectué. L'acceptation du client est *très* importante. Et elle crée une motivation qui dépasse tout ce que l'on peut imaginer. Si je n'ai pas convaincu le client, je ne lui ai rien apporté. J'ai échoué.»

Par contre, quand cette valeur est reconnue, l'expert-conseil rayonne. «Quand vous avez fait du beau travail pour un client et qu'il le dit, fait remarquer James Farley de chez Booz-Allen, c'est une grande joie. La récompense mentale est extrêmement agréable. La gratification est instantanée. C'est un métier vraiment passionnant; habituellement, on obtient rarement la même dans une grande corporation. Je crois que c'est pour ça que la profession crée une sorte d'accoutumance.»

Si la plupart des experts-conseils restent actifs grâce aux accolades de leurs clients, ce n'est pas ce qui continue à les faire courir à chaque fois. L'expert-conseil ne peut pas vivre uniquement pour cette reconnaissance. «Elle est souvent anonyme, dit un associé senior; et une fois sur deux, à la fin d'un contrat, le client sera peu reconnaissant et dira que vous lui avez demandé trop cher. Il ne vous tapera pas toujours amicalement l'épaule. Vous venez juste de sauver sa peau et le voilà qui parade comme s'il l'avait fait lui-même. Néanmoins, si cette situation ne vous tracasse pas outre mesure, si vous arrivez à faire taire votre amour-propre, vous pouvez alors être terriblement utile.»

La plupart du temps, l'expert-conseil doit se contenter de rester en coulisse. «L'anonymat ne m'a jamais ennuyé, assure Ken Block de chez Kearney; celui qui cherche à être une grande vedette et qui veut qu'on le reconnaisse n'a vraiment rien à faire dans ce métier. Nous voulons que nos recommandations appartiennent à l'entreprise. Ce sont les *leurs*. S'ils ont la fierté d'en être les auteurs, ils les mettront en pratique. En un certain sens, moins on nous reconnaît, mieux ça vaut.»

Pour l'expert-conseil, l'impression d'être inestimable pour les pivots de la grande entreprise — bien que cette impression soit source d'énormes gratifications — peut relever de l'illusion romantique. Un associé de chez McKinsey, qui a quitté ses fonctions pour entrer dans l'entreprise privée il y a quelques années, affirme: «Les experts-conseils ne se rendent pas compte. Le client les utilise comme une personne louée. C'est le métier jetable par excellence. Vous les engagez quand vous en avez besoin, puis ils s'en vont. Si vous disiez cela à un expert-conseil qui débute, cela détruirait beaucoup l'idée qu'il se fait quant à la nature de sa relation avec le client. C'est un important facteur de motivation. Ils se préparent tellement pour la minute où ils vont s'asseoir en face du directeur. Vous l'appelez «Jack» et il vous appelle «Dave», vous lui faites part de toutes les bonnes idées qui pourraient changer le cours de son entreprise.

«Mais ce que vous comprenez quand vous passez de l'autre côté de la table (du côté du client), c'est que celui-ci a quarante réunions semblables chaque mois. La capacité qu'il a de se concentrer sur ce que vous dites se limite à peu de chose. Je me souviens d'un gars de chez McKinsey qui s'est retrouvé au conseil d'une société de bienfaisance en même temps que le directeur avec qui il venait juste de travailler. Le directeur général ne se rappelait même pas du nom du gars. Il n'était qu'un des employés de chez McKinsey.»

Quels que soient les satisfactions, les récompenses ou les fantasmes qui les animent, les experts-conseils se démènent beaucoup. Leur dévouement à leur métier en fait bien plus qu'une façon de gagner sa vie. C'est un mode de vie. Les gens qui réussissent dans cette profession n'hésitent pas à tracer leurs priorités. Ce n'est pas tant que les experts-conseils répondent au doigt et à l'oeil de leurs clients, mais plutôt au doigt et à l'oeil de leur vocation.

Un associé senior assure: «J'ai vu mon fils marcher pour la première fois quand il est venu m'accueillir à l'aéroport après un de mes longs voyages. J'ai dit à ma femme, il y a longtemps, que la seule façon de faire ce qui me plaît c'est de le faire. Si je dois me préoccuper de l'heure à laquelle je quitte le bureau, je ne suis pas efficace. Je ne veux pas y penser constamment. Il faut que je fasse mon travail. Et si je n'étais pas marié à cette femme, je ne sais pas si tout aurait marché.»

Les quelques élus

L'expertise-conseil a eu tendance à être une vocation accidentelle. Les gens y viennent lorsque leur première carrière s'est révélée quelque peu décevante. La plupart de ceux qui ont maintenant des postes élevés dans les grandes firmes ont commencé dans des entreprises. Et bien des firmes ont pour politique de n'engager que des gens ayant au moins sept ou huit ans d'expérience comme chefs de service.

Jusqu'à présent donc, l'expertise-conseil était une seconde carrière. Personne ne grandit avec la douloureuse ambition de devenir expert-conseil. Mais quand les jeunes enfants des diplômés en gestion d'aujourd'hui entendront parler des salaires de départ dans l'expertise-conseil, il se pourrait que nous voyions les expositions scientifiques et les tournois d'idées remplacés par des «derbies d'expertise-conseil» où viendraient se montrer des adolescents surdoués.

Que pensez-vous de 55 000 $ pour un premier emploi? C'est ce que les firmes les plus importantes telles que McKinsey, BCG, Bain (issue de BCG) et Booz-Allen payent pour la crème des diplômés d'écoles d'administration comme Stanford et Harvard. Cette minuscule élite, qui dispose de tels salaires, a généralement acquis une expérience impressionnante dans les affaires avant d'obtenir une maîtrise en administration (M.B.A.). D'après M. Farley, directeur de chez Booz-Allen, il faut maintenant entre 45 000 $ et 55 000 $ pour attirer l'attention de l'un de ces excellents étudiants. L'expertise-conseil *doit* être une bonne affaire puisque l'opinion populaire dit que chaque expert doit générer des revenus deux à trois fois plus élevés que son salaire pour justifier sa place sur les listes de paye.

Mais l'aptitude à analyser qu'ils ont acquise en vaut-elle vraiment la peine? «Certains de nos confrères pensent que nous sommes fous (de payer de tels salaires), explique M. Farley; mais regardez cette ressource, une personne de vingt-huit ans qui a été acceptée dans l'une des meilleures écoles. » Il entend par là Harvard, Stanford, Wharton, l'université de Chicago, Columbia et Northwestern. « Nous nous tournons vers ces écoles, ajoute-t-il, parce que nous savons que les meilleurs étudiants s'y trouvent. Ce sont les meilleurs parmi les meilleurs; ils sont en compétition avec les meilleurs. Dans ce groupe, un grand pourcentage aura beaucoup, beaucoup de succès. Et nous aimerions que ce soit chez Booz-Allen. »

Seule la petite strate supérieure de la classe obtient de belles offres et, de coutume, pour des emplois dans le domaine recherché de la planification stratégique. En règle générale, les salaires de départ pour les nouveaux diplômés (M.B.A.) en expertise-conseil vont de la tranche supérieure des vingt mille à la tranche moyenne des trente mille dollars. Bien que des gens intelligents sortent avec des diplômes d'autres écoles, une auréole de prestige accompagne les diplômes des « bonnes » institutions. « Pourtant, assure Ed Pringle de chez Coopers & Lybrand, nous recrutons beaucoup au niveau suivant, c'est-à-dire UCLA, Tuck, etc. Nous obtenons le sommet de la classe pour 32 000 $. Tout est très stratifié. Si vous voulez Harvard ou Stanford, vous payez les plus gros salaires et tout le monde en parle. Mais cela ne représente qu'une centaine de personnes dans tout le pays. J'aime à croire qu'il y a plus d'une centaine de futurs talents exceptionnels. C'est devenu un symbole de statut. »

Ces vedettes ont tendance à ne pas être simplement motivées mais à l'être de façon *maniaque*. Bruce Henderson se souvient de la fois où l'un d'entre eux n'a pas obtenu la promotion qu'il pensait mériter. « Il y avait un malaise pendant le lunch, se souvient-il; il a tapé sur la table. C'était l'être humain le plus enragé que j'aie jamais vu. Il me criait: «J'ai toujours été le premier dans tout ce que j'ai fait, et je n'ai pas l'intention de m'arrêter. Je ne serai rien de moins que le meilleur ici! Pendant ma première année à Harvard Business School, j'étais le deuxième de ma classe à mi-parcours et je n'ai jamais eu aussi honte de ma vie. J'ai immédiatement corrigé la situation!» M. Henderson ajoute: «Des gens comme ça sont désagréables. Mais dans une situation comme l'expertise-conseil, qui représente un tel défi et une telle incertitude, c'est efficace. »

Chez les experts-conseils, le moi et l'esprit sont inextricablement liés, bien plus que chez les cadres commerciaux. « C'est une vie différente de celle des corporations et les conseillers sont tout aussi différents», explique Marvin Schiller, un docteur en psychologie qui dirige les bureaux de A.T. Kearney pour la région est. «Les experts-conseils aiment être mis au défi intellectuellement. Ils aiment faire face à un problème après l'autre et le surmonter. Ils ne sont pas comme les gens en première ligne qui tirent satisfaction de faire eux-mêmes le travail. Ils apprécient le fait de donner des conseils, de guider — en fait d'être des professeurs. Ils adorent les voyages, le rythme et surtout la diversité de leur travail. »

Ken Block, président de chez Kearney, ajoute: «Ils aiment aussi beaucoup la stimulation intellectuelle que leur procure le fait d'être avec un groupe de joueurs tous aussi intelligents qu'eux-mêmes. Ils aiment le contact avec des gens qui ont des talents différents mais qui partagent la même vision du monde, par opposition au rythme quotidien plutôt pesant des grandes corporations. »

Les experts-conseils aiment se décrire eux-mêmes et leurs confrères comme des «prima donna» et des «gens de classe». Un autre conseiller de chez McKinsey qui s'est tourné vers l'industrie affirme: «Vous avez toute cette foule de gens qui ont parfaitement réussi tout ce qu'ils ont entrepris. Quelqu'un a dit un jour que la firme McKinsey était composée de beaucoup de gens intelligents issus de la classe moyenne, très motivés, très poussés à l'accomplissement et pleins d'incertitudes.» Incertitude quand il s'agit de résoudre le problème du client, incertitude quant à la reconnaissance qu'on en tirera, et enfin incertitude quant à l'avenir que l'on a dans la firme. Il en découle que des records herculéens de dévouement sont la norme dans le métier — tout cela pour prouver sa valeur au monde entier, aux clients, aux patrons, aux pairs et à soi-même.

L'ambiance qui en résulte est exactement celle d'un autocuiseur. M. Henderson explique: «C'est pire que dans le monde industriel. C'est comme si l'on réunissait un groupe de psychiatres — ils savent très bien comment se tuer entre eux. Et les experts-conseils ont tous ce talent analytique. Leurs jalousies professionnelles sont bien pires que les jalousies causées par la hiérarchie dans une compagnie. Car dans une compagnie, vous êtes au courant des objectifs et vous savez qui sont les rivaux. Dans une firme de professionnels, c'est chacun pour soi et sauve qui peut. »

Et durant la compétition, c'est plus que sauve qui peut. Tout le monde sait très bien que l'on ne reste pas dans la carrière d'expert-conseil. Le roulement annuel est de 15 à 35 pour cent. Au moins la moitié des gens qui débutent dans une firme seront partis dans cinq ans. Le nombre de ceux qui restent actifs jusqu'à la retraite est négligeable. Si le rythme rapide, les horaires surchargés et les voyages sont souvent mentionnés pour expliquer la brève « demi-vie » d'un expert-conseil, la pure intensité qui se dégage de la firme peut « brûler » bien des gens. James Farley dit à ce sujet : « Sur le plan interne, la concurrence est acharnée. Les gens regardent autour d'eux et finissent par décider que, même s'ils veulent bien se démener, ils ne sont peut-être pas prêts à le faire uniquement pour rester à la hauteur du groupe. Et je crois que c'est ce facteur, plus que n'importe quel autre, qui amène les gens à partir. » Évidemment, bien des gens qui partent le font involontairement.

La bataille des cerveaux

Les entreprises choisissent une équipe d'experts-conseils pour chaque contrat. Qu'il s'agisse de restructurer un conglomérat, d'évaluer les besoins en eau de l'Iowa dans les années 1990 ou de trouver un nouvel emplacement pour un magasin de chaussures, les choses se font de la façon suivante : un associé (ou l'équivalent) dirige l'équipe, c'est lui qui a le contact principal avec le client et qui coordonne le projet. Quand l'associé a défini les objectifs avec le client, l'équipe se réunit pour concevoir l'étude. Cela veut généralement dire une session intensive où les gens examinent le problème et le découpent en tranches. Un processus est conçu pour chaque tranche ; l'équipe revient alors en arrière, afin de déterminer le temps requis pour chaque partie et savoir combien de temps l'étude prendra. Les tranches sont ensuite distribuées aux membres de l'équipe selon la formation, l'expérience et l'ancienneté de chacun. Après quoi tout le monde s'y met.

Les rapports hiérarchiques ne sont pas formels au point que les subordonnés n'ont pas droit au chapitre. « Nous avons souvent de vives discussions », affirme une jeune femme qui se trouve juste au-dessus du niveau d'adjointe dans une firme importante. « Personne n'est trop timide pour dire à l'associé ou au directeur qu'il a tort ou que son analyse est fausse. On s'attend à ce que vous alliez de l'avant, à ce que vous vous battiez pour ce que vous croyez juste. Il y a des degrés dans tout. Vous devez savoir quant il vaut la peine de se battre et quand ça ne la vaut pas. Vous devez savoir quel genre de désaccord sera toléré — et si vous pouvez convaincre votre patron ou non. Après tout, cette personne va évaluer votre travail à la fin du contrat. »

De fait, parmi les six ou sept personnes qui peuvent former l'équipe pour un gros contrat, trois ou quatre sont hiérarchiquement supérieures. Chacune d'entre elles fait une évaluation écrite de ses subordonnés et, à la fin, l'associé évalue tout le monde. Ce procédé n'est pas seulement extrêmement subjectif, il est aussi sujet à des forces qui échappent au contrôle de tous. « Supposons que vous ayez fait un travail médiocre, dit un adjoint, mais que le client soit ravi et qu'il applique certaines de vos recommandations. Votre évaluation sera meilleure que si vous aviez travaillé d'arrache-pied sans satisfaire le client. Même si votre travail est une grande réussite, si le client se plaint des frais encourus par exemple, ça peut tourner au vinaigre. Et les rapports écrits auront tendance à refléter la situation. »

Il y a même d'autres facteurs subjectifs à l'oeuvre ici. « Personne ne veut faire un mauvais rapport sur qui que ce soit, dit une experte-conseil de longue date, parce que cela ternirait l'image du directeur de projet. S'il n'y a pas eu de problèmes majeurs, il n'y a aucune raison d'en créer. Les rapports ont tendance à être très bons ou très mauvais — par exemple lorsque quelqu'un cherche un bouc émissaire. »

En fait, la plupart des évaluations ne peuvent être que subjectives. Un jeune expert-conseil faisait remarquer que l'on pouvait passer deux ou trois ans sans données brutes sur lesquelles baser sa propre évaluation. Il s'agit surtout de perspicacité, et la mesure est surtout basée sur l'acceptation et l'opinion des autres. « C'est pourquoi on ne discute presque jamais l'évaluation que quelqu'un a faite de soi », assure un adjoint d'une grande firme. Dans un monde où tout est intangible, les collègues détiennent un énorme pouvoir sur chacun. Bien que la majorité des gens soient très intègres, quand il y a des exagérations elles sont affreuses. De plus, les gens ont peur. « Si je dévie un peu, le gars peut avoir ma peau. Ouvertement ou avec une simple nuance comme : « Oui, Jim a fait du bon travail, mais... » Comme ça. Une nuance peut détruire une carrière. »

L'enjeu, c'est la réputation, parmi les pairs, les supérieurs et les clients. Quoi de plus imprécis ? L'ex-associé de chez McKinsey raconte : « Avez-vous raison ? Avez-vous tort ? C'est difficile à dire. J'ai fait ceci et cela, je devrais donc obtenir telle évaluation. Ça ne marche pas comme ça. C'est impossible. Dans une entreprise, on peut ne pas aimer quelqu'un, mais s'il obtient des résultats, il n'a pas de problèmes. Dans l'expertise-conseil, à moins d'être expulsé du bureau du client, il n'y a pas grand-chose de tangible ou de mesurable. »

Tamara Erickson, une jeune diplômée en administration de Harvard, dont on dit beaucoup de bien après deux ans chez Arthur D. Little, fait la recommandation suivante : « Travaillez jour et nuit pour faire un boulot exceptionnel lors des quelques premiers contrats — *quels* qu'ils soient. Le bouche à oreille est *tellement* puissant. Si la rumeur se répand que vous avez fait un très beau travail, c'est bien, mais vous n'êtes toujours pas tranquille. Par contre, si l'on entend dire que vous avez fait un travail exécrable, vous pouvez faire vos valises. » Votre avenir dépend de votre précieuse réputation.

Selon un adjoint, « le véritable objectif c'est de devenir associé. Quoi qu'on dise, tous les autres ne sont que des employés. Si vous vous rendez compte que vous n'allez pas devenir associé, vous partez. Il y en a qui diront alors qu'ils étaient entrés dans la firme provisoirement, pour obtenir des références puis s'en aller. Quoi que les gens disent, tout le monde veut devenir associé. »

Les entreprises d'experts-conseils ne cachent pas le processus de sélection. Certaines firmes disent aux gens au beau milieu d'une étude qu'ils n'ont pas d'avenir. « Pourquoi gaspiller nos ressources et leur vie ? explique un associé ; si nous avons décidé que Jim ou Jane ne va pas atteindre la prochaine étape, nous le lui disons tout de suite, même s'il faut pour cela changer l'équipe pour finir le contrat. » D'autres firmes sont plus subtiles. Certains disent qu'ils envoient et reçoivent des « signaux », dans le cours de leur tâche, dans leur salaire et dans leur situation générale au sein de la société. Cela commence presque dès le premier jour.

« Nous essayons très vite de savoir qui sont les gagnants, déclare Ed Pringle. Nous leur donnons une formation très large. » Il y a alors une progression à surveiller. « Vous allez d'une tâche simple à la tranche importante d'un cas, explique Frank Feeley, directeur d'unité du secteur public chez Arthur D. Little. Vous leur donnez ensuite quelques propositions à résoudre eux-mêmes et cela peut les amener à se faire leurs propres clients. Cela peut ensuite mener à des propositions de plus en plus importantes. Par ailleurs, vous faites savoir à l'intéressé qu'il fait du bon travail en augmentant son salaire. Entre cinq et dix ans, celui-ci augmente de beaucoup.» Bien que la firme Arthur D. Little ne fonctionne pas par association, elle possède une coterie de membres de la direction équivalents à des associés. D'après M. Feeley, toute personne qui ne progresse pas sentira «une pression pas très subtile» pour partir.

Mais ça n'est pas un destin si terrible. D'une part, les gens qui ne deviennent pas associés sont loin d'être les seuls. D'autre part, les ex-conseillers sont très recherchés dans le monde des affaires. «Une année comme expert-conseil vaut trois ans dans une société», explique un associé qui a fait plusieurs fois la navette entre l'expertise-conseil et le monde de la production. «La diversité, le fait d'être confronté à un grand nombre de problèmes commerciaux, tout cela fait de vous un produit hautement négociable.» En fait, *tout le monde* est forcé de penser à d'autres emplois au moins quelques fois dans une carrière, les associés également.

«Nous avons tous été à un cheveu de quitter la firme à un moment ou l'autre, assure Ken Block de chez A.T. Kearney. Nous (les associés) avons tous reçu des offres très alléchantes, et les avons souvent refusées avec angoisse.» Des augmentations de salaire de 30 à 50 pour cent sont des appâts courants utilisés par les employeurs potentiels, et des augmentations encore plus fabuleuses existent. Les clients satisfaits sont les plus grands preneurs d'experts-conseils.

Quelques personnes résistantes survivent au tamisage et aux tentations, et finissent par devenir associés ou membres supérieurs de la firme. Outre le fait qu'elles sont (en principe) de meilleurs experts-conseils, qu'ont-elles ces personnes? Tout d'abord, elles s'intègrent bien. «Lorsque la solution chimique est mauvaise, explique le directeur de projets d'une grande firme, on demande parfois à une personne de talent de quitter l'entreprise, s'il y a eu un conflit, si les choses n'ont pas marché. Ça n'est pas seulement une question de capacités intellectuelles.»

La clef, c'est d'entretenir des rapports efficaces avec les associés. Même si cela paraît évident, ça n'est peut-être pas aussi facile qu'on le croit. «Vous avez affaire avec environ quarante personnes très différentes et toujours tendues, explique un expert-conseil pour qui la décision approche. Chacun a ses attentes et ses méthodes de travail. Chacun a son tempérament et son amour-propre. C'est pourquoi la chimie est si importante entre les gens. On peut vous dire que tel ou tel associé est une terreur. Pourtant, quand vous travaillez avec lui, ça va très bien. Vous faites donc en sorte de travailler avec lui plus souvent. »

Bien s'entendre avec un associé ou deux n'est pas suffisant. Il faut que vous vous entendiez bien avec les bons associés. Qu'elles l'admettent ou non, les firmes se servent du parrainage pour nommer leurs associés. Et certains parrains ont plus de poids que d'autres. Les jeunes et les ambitieux doivent être sensibles à la politique d'association. « Après avoir considéré vos compétences et le dossier indiquant vos progrès dans la pratique, explique l'ex-associé de chez McKinsey, cela va dépendre de qui vous soutient et de qui le dit assez fort. Le vote est extrêmement prudent. C'est aussi un processus entièrement humain. Certaines personnes sont élues parce qu'elles jouissent de l'appui de quelques personnes très influentes. D'autres le sont parce qu'elles ont l'appui général de beaucoup de gens. Mais personne ne peut être élu avec l'appui d'un seul parrain, quel qu'il soit. » D'après lui, il est rare que quelqu'un soit élu sans l'avoir mérité, mais il ajoute: « Il n'est pas si rare que nous n'élisions pas une personne qui aurait dû l'être. »

La réussite exige un équilibre délicat qui comprend un rendement élevé et une politique habile. « Le but n'est pas d'étouffer les collègues sous les yeux du client, fait remarquer Bruce Henderson, mais d'être celui qui influence le reste de l'équipe attachée au cas. » Il fait une distinction entre la satisfaction que l'on donne au client et le standing que l'on atteint auprès de ses collègues. « Je pense que ce second aspect est peut-être plus important, ajoute-t-il, mais on ne l'atteint pas sans le premier. »

Cela suppose de la persuasion et de l'assurance, mais ces qualités doivent être tempérées et orientées. « Les conseillers vedettes sont agressifs, dit un expert-conseil qui devrait bientôt avoir des nouvelles de son association, mais ils le sont d'une manière acceptable. Ils ont confiance, ils ont toujours la réponse. On les perçoit comme des gens qui peuvent prendre un contrôle et des responsabilités, mais qui n'essayeront pas de devenir maîtres de la situation. Des gens sur qui les patrons peuvent compter — pour que les patrons eux-mêmes ressortent avec les honneurs. »

Mike Paris, principal (c'est-à-dire un niveau de superviseur juste avant de devenir associé) du bureau de Chicago de la firme A.T. Kearney, affirme: «Vous devez avoir une image. Vous n'attendez pas passivement qu'on vous demande de faire quelque chose. Vous prenez l'initiative. Vous devez toujours être en mesure de renvoyer la balle au système.»

Le temps d'attente et de mise à l'épreuve avant de devenir associé change d'une firme à l'autre. Selon M. Farley, chez Booz-Allen, cinq ans constituent «un minimum et un maximum» avant l'association. «Au-delà de sept ans, dit-il, vous devriez vous poser des questions quant à votre place ici.» Les gens savent quand on va se prononcer sur leur candidature à l'association. Ce ne sont pas des moments agréables. «On le sent dans l'air, assure un ancien de chez McKinsey; la tension est vraiment incroyable. Certaines personnes sont dans le vide le plus total, elles n'ont aucune idée de ce qui se passe dans le reste du monde. C'est le moment où la pression est la plus forte dans un environnement qui ronge complètement l'individu.»

Les confréries

En quoi la vie change-t-elle quand on devient associé?

«Vous avez plus de liberté et vous contrôlez mieux votre temps, assure M. Farley. Mais vous avez également plus de choses à faire. Davantage de questions reliées aux clients. Plus de formation interne, plus de responsabilités personnelles. Vous travaillez plus qu'avant avec des associés seniors. On peut vous demander de vous impliquer dans l'un des comités d'organisation. Bref, vous serez terriblement occupé.» M. Farley pense que, lorsque le moment de l'association arrive, la plupart des gens croient que ça sera plus facile quand ils l'auront obtenue. «Pourtant, ajoute-t-il, on vous demande de multiplier vos horaires par deux; cependant, vous avez une plus grande latitude pour choisir ce que vous voulez faire.»

En plus de s'occuper des cas et de former de jeunes talents, la nouvelle tâche la plus importante de l'associé consiste à aller chercher de nouveaux clients. Ça ne veut évidemment pas dire quelque chose de vulgaire comme faire de la vente. Après tout, l'expertise-conseil est une profession d'une certaine classe. Les firmes ne font pas de publicité. Elles disent ne faire aucune sollicitation non désirée (bien que beaucoup le fassent). Vous vendre dans ce métier est bien plus subtil. Des firmes comme McKinsey utilisent des euphémismes particuliers pour décrire la situation. On appelle «être commercial» le fait d'apporter de

nouveaux contrats. Selon l'ancien associé de chez McKinsey:
« Officiellement, la firme McKinsey ne se considère pas comme
une entreprise commerciale. Elle offre un service aux clients.
La différence est très ténue. Mais cette fiction s'est propagée
dans les années trente et fait toujours partie de la culture. »

Les experts-conseils colportent leur marchandise en se posant comme spécialistes dans leurs domaines respectifs. On attend d'eux qu'ils écrivent des articles pour de savantes revues
commerciales et qu'ils fassent des discours dans des réunions
d'affaires.

Ah! les discours! Dans chaque expert-conseil qui réussit
sommeille un cabotin nullement décontenancé qui veut monter
sur les planches. Nancy Bailey, principale chez A.T. Kearney et
spécialiste de la mise en place de nouvelles affaires, affirme:
« Nous avons tous le sens du théâtre, nous aimons nous avancer
et faire nos preuves. C'est en partie notre côté professeur. Nous
aimons dire aux gens comment procéder. Je sais que je ne serais pas heureuse si je ne pouvais pas faire montre de mon
talent. »

Plus quelqu'un s'élève dans une firme d'experts-conseils, plus
on s'attend à ce qu'il ait du succès. Les firmes emploient un
personnel spécialisé dans les techniques de présentation me-
nées bon train: transparences, présentations de diapositives et
le reste des gadgets audiovisuels. Et quel que soit le nom que
vous lui donniez, c'est de la vente. « Je faisais huit présentations
par an à des groupes commerciaux dans mon domaine, se souvient un ancien de chez McKinsey. Nous avions laisser couler
— aux dépens de certains clients — des idées sur le domaine
qui étaient bien en avance sur ce que les gens pensaient. Est-ce
de la vente? Bien sûr. »

En fait, dans cette profession où beaucoup ricanent dès qu'on
parle un tant soit peu de promotion commerciale, les experts-
conseils deviennent des rabatteurs de nouveaux contrats.
« L'expert-conseil, selon Sam Ruello, devrait être assez souple
pour parler à toutes sortes de gens dans une entreprise, en dehors de sa tâche. C'est ça la vente. Nous nous efforçons toujours de remplir si bien notre premier contrat que nous sommes
certains d'avoir le second. Nous jetons un coup d'oeil autour de
nous. Quels sont les autres problèmes de l'entreprise? C'est
comme ça que l'on vend une deuxième intervention. Si l'expert
en télécommunications déniche un problème de commercialisation, il devrait faire intervenir l'expert en marketing. »

Où qu'il aille, quelle que soit la personne à laquelle il s'adresse, l'expert-conseil vend. Il vend sa compétence, sa perspicacité et son envergure. C'est *lui* le produit. Et c'est pourquoi les associés sont choisis avec tant de prudence et l'association est une conquête tellement convoitée. « L'amour-propre est une partie importante de l'association, explique un initié. Les gens vous considèrent comme un expert. Ils payent plus de 1 000 $ par jour pour vos conseils. Ça c'est de l'amour-propre. Quand vous êtes associé, vous êtes reconnu. C'est une preuve de succès.» Cette récompense intangible est certainement vitale pour tout expert-conseil qui réussit. Car ce n'est pas le désir insurmontable de s'enrichir. Lorsque quelqu'un accède à l'association, le salaire se situe généralement entre 70 000 $ et 100 000 $. L'avance que certains jeunes experts-conseils avaient acquise dans la course aux salaires commence à diminuer, et leurs amis qui avaient choisi un emploi dans une société commencent à les rattraper et, parfois, à les dépasser.

Bien des firmes privées sont réticentes — et on peut le comprendre — quand il s'agit de discuter de la rémunération des employés. Des sources bien informées affirment cependant que peu d'associés gagnent plus de 400 000 $ et que la plupart gagnent moins de 200 000 $. De tels revenus suffisent sans doute à couvrir la plupart des besoins, mais ils font piètre figure si on les compare à ce qu'on gagne à Wall Street, dans le droit ou dans les échelons supérieurs des grandes corporations. Pourtant, comparé à ce que ces gens auraient pu gagner s'ils étaient entrés dans une corporation et n'étaient *pas* devenus l'un des cadres supérieurs, ils finissent par très bien gagner leur vie comme associés.

« Les experts-conseils prennent leur retraite à l'aise, explique un associé. Certains d'entre eux sont même en quelque sorte riches. Mais si on prend les normes en vigueur, on ne devient pas vraiment très riche en étant expert-conseil. L'argent est important bien sûr, mais ça n'est pas la première motivation. Ça n'est pas ce qui soutient un conseiller pendant toute la durée de sa carrière. »

Ou de sa carrière à *elle*.

Le personnel féminin

Puisque les experts-conseils se targuent d'être des « marchands de changement» orientés vers l'avenir, on pourrait s'attendre à ce qu'ils soient totalement ouverts aux jeunes femmes talentueuses.

Ils le sont. Un peu.

On s'attendrait à ce que les firmes d'experts-conseils offrent des occasions illimitées aux femmes qui sortent maintenant en grand nombre des écoles de commerce.

Elles le font. Un peu.

En premier lieu, les femmes *sont* effectivement bien représentées dans les grandes firmes d'experts-conseils — aux niveaux *inférieurs*. Mais ça n'est pas totalement la faute des firmes elles-mêmes. Les femmes suivent en grand nombre les cours des grandes écoles prestigieuses depuis le milieu des années soixante-dix seulement. Et comme beaucoup de firmes exigent une expérience dans l'industrie, cela prendra encore quelques années avant que les femmes n'atteignent les niveaux supérieurs, dans les mêmes proportions que dans certains autres domaines. Pour l'instant, le nombre de femmes associées dans quelque firme importante que ce soit peut se compter sur les doigts de la main. Cependant, au niveau des débutants, les entreprises assurent que les femmes représentent de 25 à 35 pour cent ou plus des employés.

Quels que soient les doutes que des gens chevronnés aient pu entretenir au sujet des femmes experts-conseils, ceux-ci se sont vite dissipés. « Il y a eu un certain scepticisme quant à l'assignation de femmes à des contrats, on se préoccupait de la réaction du client, explique Tamara Erickson de chez Arthur D. Little. Mais d'après mon expérience, quand des clients voient arriver la firme ADL, ils ne réagissent pas au fait que vous soyez une femme. Je pense n'avoir jamais eu d'expérience négative avec un client. » Et elle donne beaucoup de consultations dans le génie chimique et dans l'industrie des matériaux de construction, qui sont décidément les places fortes des hommes. « En fait, ajoute-t-elle, il est plus difficile d'être *jeune* que d'être une femme dans le métier. D'une certaine façon, ce serait bien si les experts-conseils pouvaient commencer à quarante ans. »

La génération qui la précède directement a une vision légèrement différente. Nancy Bailey, la seule femme ayant le titre de « principal » chez A.T. Kearney, raconte : « Je sens vraiment que je dois prouver davantage qui je suis. Si on me transmet l'appel d'un client, et que je doive lui téléphoner sans qu'il sache qui je suis, je sens parfois qu'il se demande pourquoi une secrétaire l'appelle. Il faut un certain temps pour montrer que, oui, je sais vraiment de quoi je parle. Mais une fois cette étape passée, tout va bien.» Pourtant, même si elle dit que les clients ne se préoccupent pas du fait que l'expert soit un homme ou une femme, elle admet que cela demeure le «domaine des hommes». Du moins pour l'instant.

De grandes idées

Les experts-conseils se targuent de faire plus que de simplement rapiécer des problèmes, l'un après l'autre. Ils aiment se percevoir comme des gens qui contribuent au développement des idées en matière d'affaires.

Bruce Henderson, fondateur du Boston Consultant Group, affirme: «Il y a un rôle que nous pouvons jouer et dont bien des gens ne se rendent pas compte. Nous sommes, dans les affaires, les seuls qui ayons l'occasion de rencontrer les mêmes problèmes de façon répétée. Et nous ne sommes pas de simples théoriciens. Les experts-conseils sont les seuls à pouvoir essayer leurs idées pour voir si elles marchent. Et dans la mesure où nous pouvons généraliser à partir de notre expérience, nous pouvons faire des découvertes, mettre nos idées à l'épreuve, et faire progresser notre art comme personne d'autre.»

LE DROIT
ET LES ENTREPRISES BRASSEUSES D'OR

Bienvenue au « Club »

Tout en haut d'une tour de soixante étages située dans le quartier financier de Manhattan, dans un club d'hommes d'affaires élégant et sélect, Avery, c'est ainsi que nous l'appellerons, prend un verre. Il est associé senior dans l'un des cabinets juridiques les plus vénérables de Wall Street. Avery est parfaitement traditionnel, de sa cravate discrète de chez Brooks Brothers jusqu'à ses lunettes en écaille. Jadis rameur vedette de l'équipe de Harvard, il est devenu l'image même d'un homme d'âge moyen distingué.

« Quand on voit combien le monde des affaires a changé depuis que je suis sorti de l'école de droit vers la fin des années quarante, dit-il, il est remarquable de constater à quel point la vie est demeurée la même dans le cabinet. Nous nous sommes développés et nous sommes plus institutionnalisés. Mais l'essentiel n'a pas bougé. Bien sûr, nous avons des gens aux antécédents plus variés, mais la *personnalité* du cabinet est celle qu'elle a toujours été. »

Pour Avery, son cabinet est unique. Pour ceux de l'extérieur, il ressemble assez à des dizaines d'autres dans le pays. Ils ont tous l'air de se ressembler.

C'est l'univers de l'élite des grands cabinets juridiques axés sur le droit des sociétés. Soulignez les mots « grands » et « élite ». Ce sont les plus grandes études juridiques du pays, et les plus sélectes. Si nous étions à Chicago, Avery pourrait venir de chez Kirkland & Ellis (269 avocats) ou de chez Sidley & Austin (316 avocats). A Houston, il pourrait être chez Vinson & Elkins (316 avocats) ou Fulbright & Jaworski (313 avocats). A San Francisco, vous auriez Pillsbury, Monroe & Sutro (227 avocats) ou quelques cabinets du même genre. A New York, vous trouveriez Shearman & Sterling (356 avocats) ou Cravath, Swaine & Moore (231 avocats), ou Milbank, Tweed, Hadley & McCloy (229 avocats) ou Sullivan & Cromwell (227 avocats), ou n'importe quel autre groupe dans la capitale mondiale des juristes. En tout, la liste irait jusqu'à environ cent cinquante cabinets. Beaucoup d'entre eux ont des succursales à Washington et dans les villes commerciales importantes du pays et du monde entier.

Moins de cinq pour cent des 400 000 avocats en exercice dans le pays travaillent dans ces études juridiques. Ces gens privilégiés savent qui ils sont, qui sont leurs pairs, et ceux qui ne le sont pas.

« Nous ne tenons certainement pas consciemment des listes des autres études, assure Avery. Mais nous savons lesquelles sont les meilleures. Nous le savons parce que nous avons traité avec elles. Nous le savons de par leur envergure reconnue dans la profession. Nous le savons par l'importance et l'envergure de leurs clients. Et nous le savons également par les antécédents des avocats qu'elles engagent. »

De telles études ont une auréole : une auréole d'histoire, de réputation, de pouvoir et de richesse. Tel cabinet va générer des revenus annuels de 35 à 90 millions de dollars ou plus, dont au moins la moitié peuvent être un profit net qui sera divisé entre les associés. Comment s'étonner que le revenu *moyen* d'un associé dans un grand cabinet dépasse 200 000 $? Être membre de l'un de ces cabinets, c'est être membre d'un club de haut rang, Le Club. L'élite sérieuse de la profession juridique.

Des vedettes solistes telles Melvin Belli, Edward Bennet Williams et F. Lee Bailey ne font pas partie du Club. Des hommes aussi particuliers ne représentent pas cet aspect de l'establishment juridique. En fin de compte, des avocats comme Avery ont plus d'importance parce que leur cabinet est plus puissant et plus durable qu'une seule personne même très puissante ne pourrait jamais l'être. C'est la force institutionnelle qui compte dans le Club.

Ces études sont la puissance et le prestige de la profession. Elles conseillent les grandes banques et corporations internationales. Ce sont des « usines » juridiques parfaitement coordonnées qui pondent des documents au kilo pour les IBM et les Chase Manhattan de ce monde. Elles rédigent les testaments des familles extrêmement fortunées. Elles sont les gardiennes de la respectabilité républicaine traditionnelle. Leurs bureaux sont silencieux et dignes, lambrissés de chêne et d'acajou. Pas aussi confraternels qu'ils l'étaient jadis, les cabinets juridiques qui font partie du Club se font maintenant une concurrence acharnée pour décrocher les clients les plus sélects.

« Ce qu'il y a de formidable dans un cabinet comme le nôtre, explique Avery, c'est que nous traitons directement avec les rois de ce monde, surtout dans l'industrie. Nous sommes au centre des activités. Quand notre cabinet représente la Citibank, Exxon ou General Motors, nos responsabilités s'étendent à la planète entière. En tant qu'associé senior, Avery est le proche conseiller personnel des chefs de centaines des plus grandes entreprises mondiales. Son nom ne figure peut-être pas dans les manchettes du *Wall Street Journal*, mais il joue souvent un grand rôle dans les événements qui les sous-tendent.

Le temps d'Avery est facturé à ses clients à environ 200 $ l'heure. Sa part annuelle des revenus de l'association s'élève à près de 500 000 $. Il est membre du conseil d'administration de corporations, d'hôpitaux et d'institutions culturelles. Il jouit d'un prestige social et professionnel de premier ordre. En tant qu'associé, il est son propre patron, il n'appartient qu'à lui-même. Qui plus est, son envergure lui donne d'autres possibilités. S'il le désire, il peut prendre le temps d'enseigner dans une grande faculté de droit. Quelques coups de téléphone opportuns et il peut avoir accès à des lieux importants à Washington. Il peut aussi devenir responsable supérieur de n'importe laquelle des compagnies stables et sûres qui le connaissent; cette idée les ravirait. Mais Avery est satisfait de son travail.

« Oui, médite-t-il en apercevant la statue de la Liberté de son soixantième étage au-dessus du port, je ne suis qu'un travailleur opiniâtre. » Et aussi étrange que cela puisse paraître, il ne plaisante pas. Avery s'est vraiment démené avec opiniâtreté pour en arriver là. Au fil des années, il a oeuvré sans relâche, souvent tard dans la nuit après de longues journées, fin de semaine après fin de semaine. Il a remis et abandonné d'innombrables vacances pour servir ses clients et son cabinet. « Je crois que si je prenais toutes mes vacances accumulées en une seule fois, ajoute-t-il, je ne serais pas au bureau pendant la plus grande partie de l'année. » Mais il ne ferait jamais ça. Pour rien au monde il n'aurait manqué une seule minute de son travail.

« Le droit a la capacité illimitée de retenir mon intérêt, dit-il. Je trouve que le défi intellectuel de mon travail est dévorant. » Au cours des années, il a creusé dans des tas de papiers administratifs, navigué dans des kilomètres de manuels d'études de cas, et passé au crible des acres et des acres de documents écrits en petits caractères. Dans tout ça, il a dû organiser, analyser, rédiger, rédiger et rédiger encore. Il a suffisamment écrit pour remplir une petite encyclopédie. Il a une mémoire infaillible et une forte capacité de raisonner. Il a l'oeil sûr pour les détails. Il dit être capable de dénicher la plus petite erreur typographique d'un document, et ce à cinq heures du matin, après avoir passé toute la nuit à relire des épreuves. Il s'est révélé plein de ressources pour résoudre les problèmes et s'est avéré un joueur alerte. C'est un rude concurrent.

Et il tient élégamment sa place dans ce monde raffiné. «J'ai toujours senti que j'appartenais à la fois à la pratique du droit et à mon cabinet», dit-il. Il y a des avocats intelligents et travailleurs de toutes sortes. Mais Avery avait le bagage intellectuel et social, ainsi que les dispositions pour réussir dans ce milieu. Il n'y a pas si longtemps, la plupart des études juridiques qui forment l'univers d'Avery étaient fermées à presque tous ceux qui n'avaient pas le bon nom anglo-saxon ni l'origine sociale acceptable. Ce genre de discrimination s'est estompé, du moins dans ses formes les plus évidentes. Mais des restes de style de l'ancien temps existent encore. Le monde d'Avery est un monde formel. Il est digne et, en certains endroits, carrément vieux jeu. On y croit encore que les *gentlemen* doivent rester entre eux. «Dans une étude comme la nôtre, dit Avery, la pratique du droit peut être l'une des plus agréables expériences sociales de votre vie. Ça l'est pour moi. Vous pourriez dire, presque par définition, que les gens qui deviennent nos associés sont le genre de personnes qui seraient nos amies.»

Il est juste que nous rencontrions Avery ici, dans ce club élégant où il se sent tellement chez lui. Toute sa vie s'est passée dans une série de clubs à chaque fois plus sélects et plus exclusifs. En fait, chaque comité de sélection le choisissait pour le suivant. Il en a toujours été ainsi pour les avocats du Club. Et il est peu probable que cela change radicalement dans l'avenir.

Quiconque est admis doit comprendre les règles du jeu. Certaines sont explicites, d'autres tacites. Les balises sont clairement marquées. Chacun connaît sa place et sait ce qui est acceptable.

Le Club se tient fièrement à l'écart du reste de la profession juridique. Il garde sa personnalité grâce à un élitisme scrupuleusement progammé. C'est un monde très ordonné de normes élevées et de conduite courtoise. C'est un petit monde dont les valeurs sont étonnamment durables. Malgré les nombreuses incursions grossières de notre époque, Avery et ses pairs ont réussi à rester de la « vieille école ».

Et précisément, l'une des plus grandes raisons de cet état de fait, c'est la vieille école.

Vos références, s'il vous plaît

Le fait que cent soixante-dix écoles de droit soient reconnues par l'American Bar Association n'est d'aucun intérêt pour le Club. Il a ses propres critères. Pour le Club, une poignée d'institutions ont accaparé le marché de la formation juridique de prestige. Ces quelques écoles — Harvard, Yale, Columbia, Stanford, l'université du Michigan, l'université de Chicago, l'université de Virginie et peut-être une ou deux autres — sont considérées par tout le monde comme les meilleures. Leur portée et leur impact s'étendent à tout le pays. Leur corps est le plus distingué et l'autorité la plus souvent citée par les juges. Les cabinets juridiques membres du Club ont toujours été presque exclusivement composés d'anciens de ces écoles. Et cela a suffi en soi comme raison pour se méfier des diplômés d'institutions de moindre importance. L'admission au Club a été pratiquement interdite à tous les autres.

Mais au cours des quelque cinq dernières années, alors que les cabinets formés par l'élite se sont beaucoup développés, le nombre de places dans les écoles de droit de l'élite n'a pas suivi. Le résultat ?

« Nous avons plus de diversité à présent, explique un important associé de l'un des meilleurs cabinets du Club. Plutôt que d'avoir des gens du calibre de l'ancienne Ivy League, nous avons des représentants de peut-être quinze ou vingt écoles de droit. » Mais il ajoute rapidement que la majorité des avocats viennent toujours des Trois Grandes écoles traditionnelles : Harvard, Yale et Columbia.

La vérité c'est que, si quelqu'un ne vient pas de ces quelques institutions élues, il vaut vraiment mieux qu'il ou elle soit en tête de la classe pour entrer dans le Club. Rien de moins ne sera suffisant. L'alma mater compte encore beaucoup dans ce monde. La sélection en est la raison.

Qui sont les gens qui finissent par y entrer ? Ceux qui ont eu « le bon numéro » toute leur vie. Des gens qui réussissent et qui ont joui des avantages que leur procuraient les meilleures écoles secondaires et préparatoires, les collèges les plus prestigieux. Ils représentent une élite économique et intellectuelle. Ce sont des gagnants qui se sont le mieux conformés aux formules de succès les plus rigoureuses et les plus traditionnelles de notre société. Et c'est précisément le genre de personne que le Club recherche.

Agonie, extase et travail ingrat

Les études de droit sont un processus de transformation personnelle — par un labeur aussi exténuant et implacable que l'esprit puisse supporter. Avant même le premier jour de cours, tout le monde est déjà en retard de plusieurs centaines de pages. «Le vrai problème, se souvient Michael Pohl, la trentaine, associé au cabinet de Jones, Day, Reavis & Pogue, situé à Cleveland, c'est qu'il y a plus de choses à absorber qu'il n'y a de temps pour le faire. Vous sortez de chaque cours en pensant à tout ce que vous ne savez *pas*. Mais il reste que cela vous donne une méthode d'analyse.»

Quels qu'aient été les gens avant d'entrer à l'école de droit, ils devraient en sortir avec des caractéristiques communes. Ils devraient avoir acquis le sens de l'objectivité exigé par la profession. Ils devraient avoir appris à manipuler le droit. Pour le faire efficacement, ils doivent tenir en haute estime la précision et le détail. Ils doivent se soucier énormément des marches à suivre établies. Ils doivent savoir comment se conformer strictement aux règles et comment les contourner. Ils auront appris à passer des heures à souffrir sur les nuances microscopiques du sens d'un texte. Ainsi que l'explique un plaideur expérimenté: «Pour certains de mes associés, de nombreux bons moments proviennent de la pure joie qu'ils ont à faire des distinctions de plus en plus fines entre tel ou tel énoncé.»

La formation juridique est devenue plus précieuse que jamais. Nous vivons dans la société la plus réglementée et la plus procédurière de l'histoire. Il y a tant de lois qui régissent tant d'aspects de notre vie qu'il est devenu difficile de faire quoi que ce soit sans avocats. Ils ont acquis un pouvoir qui ressemble à celui que détenaient les sorciers dans les sociétés primitives. Il semble parfois qu'aucune action importante ne puisse avoir lieu sans avocat. C'est particulièrement vrai dans les grosses compagnies. La quantité et la complexité de problèmes juridiques auxquels les grandes corporations sont confrontées sont presque illimitées: règlements sur les valeurs, lois sur la retraite, environnement, relations de travail, associations de consommateurs, égalité d'emploi, finances internationales, fusions, etc., etc. Toutes les transactions imaginables doivent obtenir la bénédiction des avocats de chaque partie.

Pourtant, malgré la demande en matière de services juridiques, la plupart des diplômés en droit ont de la difficulté à trouver un bon emploi. Sur plus de quarante mille personnes qui sortent de ces écoles chaque année, moins de sept pour cent trouvent du travail dans des études d'au moins cinquante avocats. C'est en vain que beaucoup recherchent du travail dans le domaine juridique. Ils se retrouvent dehors, le nez collé à la fenêtre.

Tandis que l'élite élue du Club est attablée à un banquet riche en occasions.

Les séductions de l'été

Dès l'instant où les étudiants arrivent sur le campus, la conversation est centrée sur les cabinets juridiques. Le bouche à oreille fait autant partie de la formation que la classe. «Butin, Pillage & Pillage est une étude d'exploiteurs. Tu seras au bureau chaque fichue fin de semaine.» «C'est très guindé chez X, Y, Z. Si ta famille n'est pas dans le Bottin mondain, tu ne deviendras jamais associé.» «Tout & N'importe quoi sont des spécialistes de la mainmise sur les entreprises. Ils veulent des tigres agressifs.» «Mendiant, Emprunteur & Voleur sont acceptables, si tu ne reçois pas d'autre offre.»

Chaque année, les études envoient leurs recruteurs. Pendant la «saison de chasse», jusqu'à cinq cents cabinets délèguent leurs représentants dans les meilleures écoles de droit. Ils sont à la recherche d'étudiants qu'ils engageront comme adjoints pendant l'été. C'est grâce à ces programmes d'internat d'été que les études juridiques bâtissent leur réputation auprès des écoles et qu'elles ont l'occasion de tester de nouveaux talents, avant d'offrir un emploi à plein temps aux diplômés.

Le tiers supérieur des classes des meilleures écoles va se trouver abreuvé d'offres d'emploi pour l'été. On attire ces étudiants avec des voyages gratuits pour aller voir le cabinet, des dîners somptueux et parfois même un voyage gratuit en Europe pour aller visiter le nouveau bureau international de l'étude. Le salaire n'est pas si mal non plus. En été, les adjoints des grandes études peuvent gagner plus de 825 $ par semaine, et souvent des primes viennent s'y ajouter.

Théoriquement, les adjoints d'été viennent goûter à la vraie pratique du droit. Ils font le travail des adjoints de première année à plein temps (qui sont souvent en vacances à cette époque de l'année). Cela consiste surtout à faire de la recherche de base et à amasser des documents, travail qui pourrait être fait par des gens non essentiellement juristes. Mais là n'est pas la question. En fait, il s'agit surtout de Vous Connaître. Les internes d'été sont confiés d'un associé à l'autre, examinés à l'occasion des déjeuners, et évalués au cours des barbecues et parties de balle-molle organisés le dimanche.

Si les adjoints veulent faire bonne impression, les cabinets, de nos jours, semblent le vouloir encore plus. Pour être certains de gagner le coeur des meilleurs étudiants, ils déploient de grands efforts. D'après la revue *American Lawyer*, on emmène des adjoints déjeuner à grands frais chaque jour. Une étude a apparemment offert une série interminable de dîners au homard, ainsi qu'un visionnement privé de films à succès après les heures de travail. Une autre a offert à chaque adjoint et à la personne qui l'accompagnait *cinq* «soirées de rêve» en ville — souper, opéra, théâtre, cabarets —, tout. Il y avait des billets gratuits pour toutes sortes d'événements, des entrées gratuites dans des clubs de gymnastique, ainsi que fête après fête. Dans un cabinet en Floride, les associés ont organisé une soirée en bateau pour les adjoints, et ils ont loué un tableau électronique placé au-dessus de l'eau qui projetait le nom des adjoints dans le ciel.

À ce moment de la «valse entre l'offre et la demande», ce sont les cabinets juridiques qui sont sous pression. Ils ont besoin de ces jeunes. C'est autant une question de fierté que d'attitude professionnelle. Un diplôme de l'une des bonnes écoles de droit est censé être une garantie de qualité et de potentiel. Pour maintenir son standing dans le Club, une étude juridique doit pouvoir continuer à attirer les «meilleurs». Si elle ne le peut pas, elle perdra son rang au profit d'autres études qui recherchent également les meilleurs et les plus intelligents.

Pour la plupart des candidats acceptables, les stages d'été conduisent à des offres d'emploi à plein temps une fois le diplôme obtenu. Cependant, lors de la ronde finale de recrutement, les meilleurs étudiants sont confrontés à plusieurs offres à la fois. Ils n'ont connu que deux étés de stage comme adjoints, et une bonne part de la renommée d'un cabinet sur laquelle baser leur choix ne repose que sur des ouï-dire.

« Comment faire pour choisir ? demande un associé qui occupe à présent un poste important dans un grand cabinet. Que peut-on tirer d'une entrevue ? Jusqu'à quel point l'expérience acquise l'été vous apprend-elle quelque chose ? Peut-on se fier à ce que d'autres vous ont dit ? » Il se souvient de son propre cas, il y a des années, alors qu'il s'est trouvé face à plusieurs offres. « Je ne savais pas laquelle choisir. Finalement, ma femme m'a demandé dans quel cabinet se trouvaient les collègues avec lesquels je me sentais le plus à mon aise. Cela a déterminé mon choix. Aujourd'hui, je conseille aux plus jeunes de faire la même chose. Tous les cabinets ont quelque chose de différent. Toutes chances égales, un gars de première classe émergera n'importe où. Vous n'obtiendrez jamais assez de renseignements pour déterminer avec précision ce que sera la vie dans une étude. Impossible. Allez là où vous vous sentez le plus à l'aise. »

Actuellement, les salaires de départ s'échelonnent de 35 000 $ à 45 000 $ environ. Les grandes études ont terriblement fait monter les enchères du « tarif en vigueur » au cours des dernières années. Certaines donnent même une prime lorsque le candidat accepte l'offre. Bien que certains associés aient un peu protesté contre de telles largesses faites à des néophytes, il semble peu probable que la tendance se renverse dans un proche avenir. Dans la mesure où une étude importante continue à élever la première mise, les autres doivent suivre pour rester compétitives. De toute façon, l'accroissement des coûts est absorbé par les clients.

Les adjoints sont un investissement essentiel dans l'économie de l'étude. Les milliers d'heures qu'ils facturent rembourseront leur salaire assez rapidement. Et le reste de leur travail fera plus que de payer les frais généraux du cabinet *en plus de* rapporter davantage de millions aux associés.

Ainsi, avec l'enthousiasme que procure le sentiment d'être tellement désiré et avec autant d'argent, les nouveaux adjoints commencent la course la plus frénétique et la plus exigeante que jamais.

Le sprint des sept ans

Imaginez ce que c'est que d'être un adjoint fraîchement arrivé dans l'une des études du Club :

Il y aura entre dix et quarante autres nouveaux diplômés, tous pareils. Ce sont tous des vedettes, tous ont été reconnus comme les meilleurs parmi les meilleurs, d'après les plus hauts critères de la société. C'est la « classe ». Chaque classe avance dans le cabinet juridique en tant qu'unité. Ils seront tous à jamais connus comme faisant partie de la classe de telle année, du jour où ils utilisent pour la première fois la machine à photocopier jusqu'au jour de leur mort, chargés d'honneurs et d'obligations municipales non imposables. Les avocats qui font partie du Club passent toute leur vie adulte avec les mêmes nettes catégorisations qu'ils ont connues pendant leurs études.

Arrivés à ce stade, la plupart d'entre eux partagent le même but : devenir associé dans cette vénérable étude. S'ils y arrivent, ils auront un revenu royal, un travail fascinant, un prestige énorme garantis à vie. S'ils n'y arrivent pas, ils devront faire face à de graves questions.

Il y a peu de chances qu'ils deviennent associés. Sur dix débutants, un seul — quelquefois deux dans certaines études — le deviendra. Beaucoup abandonneront volontairement la course. Certains trouveront mieux par eux-mêmes. D'autres seront courtoisement congédiés et se feront dire de différentes manières qu'ils ne conviennent pas à cet « univers ». Les autres resteront et verront qui, parmi eux, sera choisi et qui sera rejeté.

On ne saurait trop insister sur l'importance de devenir associé. C'est le seul enjeu possible. Il n'y a que deux catégories d'avocats dans une étude : les adjoints et les associés. Les adjoints sont des employés, une classe de subordonnés essentiellement indifférenciée. Les associés sont les propriétaires de l'étude, une classe dirigeante essentiellement indifférenciée. On est soit associé, soit adjoint, il n'y a rien au milieu.

Le système veut que les adjoints passent par une période d'essai qui va de cinq à dix ans. Le moment venu, les associés se réunissent pour décider qui deviendra un nouvel associé. Ceux qui ne sont pas retenus n'ont pas de chance — et plus de travail. Après un laps de temps raisonnable pour se trouver un nouvel emploi (et avec l'aide précieuse de l'étude), les candidats rejetés sont censés partir. Il n'y a plus de place pour eux. C'est la règle. Il n'y a pas d'exception.

Tout ce que font les adjoints est évalué par les associés.

D'habitude, les adjoints finissent par travailler pour plusieurs associés à la fois. En fait, chaque adjoint a autant de patrons qu'il y a d'associés dans l'étude. Et dans la plupart des études, *tous* les patrons se prononcent sur le sort des adjoints.

Sur quoi les associés vont-ils fonder leur décision? Le premier critère sera la capacité de travailler dur. Interminablement. «Le travail qu'ils me donnent, a dit un adjoint de première année à un journaliste, est ennuyeux et routinier; il est en grande partie stupide. Ce qui me tient en vie, c'est son incroyable volume.» Quand les adjoints débutent, ils font un travail monotone qui abonde en droit. Il faut réunir des documents, ressortir des recherches, et préparer méticuleusement les pièces à conviction. La plupart des transactions engendrent des monceaux de données et de références juridiques. Cela exige habituellement du zèle, de la minutie et une endurance surhumaine.

«Il faut les empêcher de travailler trop tard, assure un associé chevronné. Si l'un d'eux dit qu'il a travaillé sur un cas jusqu'à cinq heures du matin, les autres de sa classe peuvent avoir l'impression qu'il est plus dévoué qu'eux. Et vous aurez bientôt quinze gars qui vont se démener jusqu'à cinq heures du matin.»

Outre la pure force de l'éthique du travail, deux facteurs entrent en jeu ici. Tout d'abord, les études juridiques facturent à l'heure. Certaines insistent pour avoir un quota minimal d'heures facturables chaque semaine. Et deuxièmement, rien de moins n'est acceptable. «C'est une entreprise de services, explique William B. Matteson associé au cabinet new-yorkais de Debevoise & Plimpton. Votre raison d'être est le client. Il faut que vous soyez disponible pour travailler à toute heure, la nuit et les fins de semaine — chaque fois que le client a besoin de vous. Les gens qui nous quittent en début de carrière s'aperçoivent généralement qu'ils ne veulent pas être dans une entreprise de service. Ils ne veulent pas précisément passer la nuit à mettre la touche finale à un document parce que le client dit qu'il en avait besoin pour hier.»

Les associés peuvent refiler la corvée aux adjoints. Une fois la stratégie établie, ils peuvent rentrer chez eux. Les adjoints ne connaissent pas un tel luxe. Dès qu'ils entrent dans le cabinet juridique, ils doivent accepter toutes les tâches que les associés leur donnent, et foncer droit devant eux. Tout le temps. Quel que soit le nombre d'années que cela prendra pour obtenir l'association.

L'adjoint doit être conscient, lorsqu'il s'attaque à un travail pour un associé, qu'il se bâtit une réputation générale. Il peut être parfois difficile de reconnaître sa «bonne» fortune. «Les exigences sont énormes, explique un associé qui avoue que l'excès de travail est loin d'être occasionnel, et si vous avez du talent, tout le monde voudra vous faire travailler. Donc, si vous travaillez bien, vous aurez encore plus de travail. Il faudra vous démener. C'est un monde où il faut beaucoup de motivation et d'énergie, cela ne fait aucun doute.»

Les adjoints sont évalués, régulièrement. Un dossier comprend le rendement de chacun et se construit, cas par cas. Certains adjoints se voient confier d'importantes responsabilités assez vite; d'autres ne gagnent jamais cette confiance des associés. Mais la course n'est jamais terminée avant que les associés d'une promotion soient finalement choisis.

«Je me souviens d'un gars que l'on prenait pour un vrai danger après deux ou trois ans, raconte l'associé président de l'un des plus anciens cabinets du Club. À présent, trois ans plus tard, les associés en parlent de façon très positive. C'est souvent difficile à prédire. Des adjoints qui semblent être à la traîne après les trois premières années se retrouvent en tête du peloton au bout de trois autres années. Il se peut qu'ils aient travaillé avec des associés et que d'autres opinions aient commencé à circuler. Il se peut qu'ils aient mûri et se soient épanouis alors que les premiers chefs ont commencé à se fatiguer. C'est très individuel.»

C'est ainsi que ça marche. Sans qu'on s'y attende, quelqu'un prend la tête. Quelqu'un d'autre commence à traîner. Certains sont rejetés ou abandonnent. Mais la course continue. Encore et encore.

Presque arrivés

Au fur et à mesure que les adjoints avancent et mûrissent, ils devraient, théoriquement, se voir confier de plus en plus de responsabilités. Mais le degré d'autonomie et d'indépendance qu'ils obtiennent ne dépend pas seulement du cabinet mais aussi des associés pour lesquels ils travaillent. C'est classique, dans les grands cabinets, les adjoints se plaignent de leur manque d'autonomie et disent que les associés les gardent à l'arrière-scène comme larbins très bien payés; et c'est bien sûr ce qu'ils sont (d'un point de vue purement commercial).

Un adjoint depuis six ans dans une étude importante a résumé la situation, par inadvertance, en parlant de l'un de ses cas. Il disait avec grand enthousiasme «mon cas» et «mon client». Il décrivait une déposition (un témoignage sous serment fait hors cour) sur laquelle il travaillait: «Voyez-vous, je vais prendre cette déposition la semaine prochaine, et de la façon dont je m'y suis pris, je vais couler la partie adverse. Je vais le faire mercredi.» Il s'arrêta. «Eh bien, en fait, ce n'est pas *moi* qui vais le faire. J'ai rédigé le plan des questions. C'est l'associé qui va prendre la déposition.» Il s'arrêta de nouveau et l'enthousiasme retomba. «Voilà comment vont les choses. *Je* connais l'aspect juridique de la question. *Je* connais le cas. C'est *moi* qui rédige les questions. Et puis l'associé prend la parole et je ne dis rien.»

D'après les critères de certaines grandes études, cet adjoint devrait estimer qu'il a de la chance d'avoir au moins eu le droit d'être présent pendant que l'associé prenait «sa» déposition. Cependant, pour l'adjoint bien préparé, un cas important dans une grande étude peut parfois être l'équivalent d'une belle occasion. On ne sait jamais sur qui le projecteur va s'arrêter.

Michael Pohl, de chez Jones & Day, se souvient d'une importante enquête avec grand jury sur General Motors: il faisait partie de la défense de G.M. «Nous nous sommes réunis pour coordonner notre action, lors de la préparation du témoignage des diverses divisions de G.M. Les associés ont pris les questions les plus importantes et ont laissé le reste aux adjoints. J'ai écopé d'une division que personne ne croyait importante (pour le jury). J'ai interviewé les gens de ma division. J'ai fait des réunions avec toute l'équipe pour passer le cas en revue.

«Ma division s'est révélée importante. L'un de «mes» gens a reçu une citation (subpoena). Puisque j'avais fait la recherche et l'interview, c'est moi qui devais le préparer pour le jury. Je lui ai donné des instructions, j'ai travaillé avec lui, j'ai prévu le genre de questions qu'on pouvait lui poser. Bien sûr, il y avait des gens qui surveillaient ce que je faisais, mais en inspirant confiance aux associés, après un certain temps, ils ne surveillent plus beaucoup. Parce que tout le monde est très occupé. Pour moi et pour la plupart des autres jeunes qui ont travaillé sur ce cas, ça s'est révélé une belle occasion.»

Face à des charges de travail énormes et à des dates limites urgentes, le travail d'équipe est vital pour progresser dans la course à l'association, ainsi que la façon de s'y prendre avec les associés. Selon un associé très en vue, juriste d'affaires «l'un des talents importants, c'est de savoir quand vous pouvez clarifier quelque chose avec celui pour qui vous travaillez, et quand vous ne le pouvez pas. C'est du sur mesure. L'une des grandes aptitudes d'un bon avocat doit être de savoir manipuler les gens. Vous manipulez vos clients et vos patrons. C'est pour ça que vous êtes payé. Il ne sert à rien de donner des conseils juridiques si vous ne les faites pas accepter. Et si les adjoints qui travaillent pour vous n'arrivent pas à vous manipuler, que valent-ils? Je *cherche* des talents de manipulateur — parfois de façon plus évidente que d'autres. Je m'attends à être manipulé. Cela m'indique que la jeune personne est consciente du fait que je peux être convaincu de certaines façons mais pas d'autres.»

Il est évident que votre jugeotte politique de même que professionnelle est mise à l'épreuve, surtout dans la mesure où votre travail consiste à impressionner *autant* d'associés que possible. «Supposez que j'aie du travail jusqu'au cou pour l'associé Smith, explique un adjoint intermédiaire, et que l'associé Jones m'appelle pour travailler sur l'un de ses cas. Si je plaide la surcharge de travail, est-ce que j'aurai l'air fainéant? Même s'il me croit, va-t-il m'appeler la prochaine fois qu'il aura besoin de moi? Et si le nouveau cas de Jones est plus intéressant que celui de Smith? Quel est l'associé qui a le plus d'influence auprès des autres associés? De quelle bienveillance ai-je le plus besoin? Voilà tous les facteurs qu'il faut prendre en considération. Et si le coup de téléphone arrive à quatre heures vendredi après-midi, et que les deux associés ont besoin que vous travailliez toute la fin de semaine, vous devez évaluer la situation plutôt rapidement.»

Pendant la course, les adjoints apprennent à interpréter les signes. Certains obtiennent des augmentations plus importantes que d'autres. On fait travailler certains sur des cas plus importants; d'autres restent à jamais sur des questions insignifiantes. Certains se font dire ouvertement qu'ils n'ont aucune chance. D'autres décident que ça n'en vaut pas la peine et s'en vont de leur plein gré. D'autres s'en vont parce qu'ils n'avaient pas l'intention de tenir plus longtemps; tout ce qu'ils voulaient, c'est que la référence d'une prestigieuse étude juridique figure sur leur curriculum vitae.

Le procédé est conçu pour trier ceux qui veulent devenir associés plus que tout au monde. Pourtant, malgré sa sévérité, la compétition est civilisée. «Nous nous aidons certainement tous mutuellement, assure un adjoint; nous savons tous que seul un petit nombre deviendront associés, mais cela ne mène à rien d'être trop compétitif. Si vous n'étiez pas ouvert et utile aux autres adjoints, vous vous condamneriez. »

Enfin, après cinq, six, sept ou dix ans, les associés se réunissent pour prendre une décision au sujet d'une certaine promotion. Sauf dans les rares cas où tout le monde s'accorde à dire que la personne est brillante, les choix restent cachés jusqu'à la fin. Même les associés peuvent difficilement dire avec certitude qui sera choisi et qui ne le sera pas.

Le vote est souvent long et tortueux

D'après William Matteson, les associés de chez Debevoise & Plimpton se sont réunis dix fois avant de choisir quatre nouveaux associés vers la fin de 1981.

« Nous exigeons un vote unanime, explique Richard Powell, associé chez Sullivan & Cromwell. Il s'agit d'un jugement collectif porté sur chaque individu. »

Lorsqu'on demande ce qui fait que les quelques élus sont supérieurs, les associés ont tendance à rester vagues. Ils invoquent des qualités telles que le jugement, l'initiative, le leadership et l'efficacité avec les clients. « Cela ne va pas vous dire grand-chose, ajoute M. Powell, mais la personne doit « être sa place ». Ça ne veut pas dire que nous voulons des gens stéréotypés. Le gars peut avoir un style personnel très différent du nôtre. Mais, d'une certaine façon, il convient à l'ensemble. Et c'est intellectuellement que c'est le plus important. » Toute étude a sa propre mentalité.

Associé principal chez Shearman & Sterling, la deuxième étude juridique du pays, Robert H. Knight explique que si la sélection est quelque peu nébuleuse, les critères ne sont pas totalement inexplicables. « Être avocat c'est comme être musicien, dit-il, vous pouvez toujours apprendre les notes et la technique, mais si vous n'avez pas de talent vous ne jouerez jamais bien. Il faut que vous ayez du talent pour le droit. Il y a une façon reconnaissable d'approcher un problème et de l'analyser. Penser comme un avocat, c'est voir toutes les nuances, c'est saisir les changements de sens infinis et leurs conséquences. Les meilleurs avocats sont en mesure de faire attention aux nuances tout en conservant une vue d'ensemble. Ça n'est pas facile.

Une bonne mémoire ne suffit pas. Ni le cerveau pur. Ça n'est pas une question d'intelligence. C'est un talent particulier.»

Et il n'y a pas que le talent à considérer.

Dans quelle branche du droit faut-il de nouveaux associés? Où y a-t-il trop d'associés par rapport aux revenus générés?

Selon M. Knight, «la question principale est: de quelle utilité l'associé sera-t-il pour nos clients? Chaque nouvel associé doit avoir *quelque chose*. Ça peut être un grand savant, un promoteur, quelqu'un qui décroche de nouveaux contrats ou qui résoud des problèmes — il n'y a pas de stéréotype. Mais quoi qu'il ait, il faut que ce soit quelque chose dont les clients ont *besoin.*»

Les adjoints qui ont survécu jusqu'au dernier moment ont sûrement des compétences semblables. Peut-être ou peut-être pas. Un observateur proche du milieu juridique déclare: «Vous ne trouverez nulle part des gens plus effrayés et plus angoissés que des adjoints qui en sont à leur sixième ou septième année.» À juste titre.

Ils se sont présentés, ils ont perdu

«Jusqu'à ce que le couperet tombe, explique un adjoint plein d'espoir, vous êtes une jeune personne intelligente. Après quoi vous devenez un avocat d'expérience. Nous savons tous très bien qu'après un certain nombre d'années dans l'étude, aucun autre emploi ne nous donnera un salaire équivalent. C'est une affaire entendue.» Avec des salaires de départ aussi élevés que 43 000 $ *avant* les primes, les adjoints qui se démènent pendant environ sept ans peuvent gagner de 70 000 à 80 000 $ ou plus au moment où ils ont vent des mauvaises nouvelles. Cela peut poser un problème — surtout parce qu'on sait très bien que l'expérience dans une grande étude ne produit pas des avocats polyvalents. Bien sûr, il y a le prestige. Mais comme les adjoints travaillent souvent sur des aspects limités de cas importants et spécialisés, leur salaire élevé peut ne pas se justifier sur le marché du travail.

Habituellement, les adjoints non retenus étaient casés dans les services juridiques des clients du cabinet. Au sein du Club, l'argument le plus courant est que, alors que les emplois dans une entreprise ne donnent pas un aussi bon salaire, ils font plus que de compenser cette lacune grâce aux avantages marginaux. Cet argument se défend, mais dans le contexte dans lequel on met un terme à des carrières au sein du Club, il ne faudrait pas le pousser trop loin. Un emploi dans une entreprise est habituellement vu comme une défaite.

À une certaine époque, il était facile pour les anciennes études de trouver des emplois confortables aux adjoints déçus. Dans la plus pure tradition, le Club prenait soin d'eux de façon amicale, ordonnée, comme des gentlemen, et de façon à en tirer profit. En les plaçant directement dans les services juridiques des sociétés, les cabinets offraient à leurs adjoints une certaine dignité dans la défaite et en même temps qu'un emploi. Et parallèlement, ils renforçaient encore plus leurs liens avec le client, puisque certains de leurs loyaux anciens dirigeaient leurs services juridiques. C'était bien plus facile. Il y avait moins d'adjoints rejetés, moins d'avocats, et le système du «vieux copain» sur lequel le Club était basé régnait encore en maître. Mais les temps ont changé. Les bons emplois sont plus rares et il y a plus d'adjoints déçus que jamais auparavant.

La plupart des chasseurs de têtes dans le droit s'accordent à dire que le meilleur moment pour quitter un cabinet prestigieux est après deux ou trois ans, pas six ou sept. À ce moment, l'adjoint n'est pas encore trop spécialisé ni trop cher. On pourrait se poser une question logique: pourquoi ne peut-on pas tout simplement traverser la rue pour aller dans un autre cabinet prestigieux et y devenir associé? Cela est très rare dans le Club. Cela ne s'est pas produit au cours des années passées: Il y a peu de ce qu'on appelle la «mobilité latérale» dans l'univers des grandes études juridiques. Et d'habitude, plus l'étude est traditionnelle, plus elle a tendance à prendre ses associés en son sein même.

Dans bien des cabinets, ne pas être choisi est une sorte de bannissement. Les associés peuvent aider l'adjoint à trouver du travail dans une autre étude connue — mais cela sera très vraisemblablement dans une autre ville. Même là, les autres grandes études auront leurs propres classes d'adjoints pleins d'espoir qui attendent déjà leur tour. Si quelqu'un veut rester près de ses racines, il est probable qu'il devra se contenter d'une plus petite étude et pas dans la même catégorie que celle qu'il a connue. Ça n'est bien sûr pas obligatoirement une tragédie. Bien des adjoints trouvent que les plus petites études permettent une pratique plus large et offrent plus d'occasions d'avoir la maîtrise de cas à un plus jeune âge. Et leurs excellentes références en font des associés potentiels. Il y a également des emplois au gouvernement et des postes de professeur dans les écoles de droit. Mais le salaire ne saurait être comparé, quel que soit le statut ou les satisfactions.

Lorsqu'il était à l'école de droit, le jeune homme qui avait des références avait toutes les cartes en main. Mais dès qu'il entre dans une étude membre du Club, il commence à se défaire de ses cartes, l'une après l'autre. Chaque année qui passe lui en laisse de moins en moins. En fin de compte, le jour du jugement, il n'en a plus. C'est l'étude qui possède toutes les cartes, et c'est *elle* qui décide comment jouer la partie de l'adjoint.

Aussi rigoureuses et exigeantes que soient les normes de l'école de droit, elles ne sont rien lorsqu'on les compare à ce qu'exige le Sprint de Sept Ans. «Des gens qui sortent avec les références des meilleures écoles de droit peuvent ne pas y arriver pour toutes sortes de raison, explique un associé en vue à Wall Street. Il se pourrait que leurs meilleures références soient le résultat d'un travail acharné et d'une excellente mémoire. Beaucoup de gens échouent à cause de leur personnalité et de mauvaises habitudes de travail. Ils sont paresseux ou ne respectent pas les délais. Ou ils ne s'entendent pas bien avec les clients. Ils sont irréguliers. Ou rigides. Ça arrive souvent. Les gens que nous choisissons parce qu'ils ont l'air si bien sur papier ne sont pas à la hauteur.»

Chaque année, on entend de tristes histoires à propos d'adjoints qui ont mal interprété les signaux et n'ont pas été choisis. Un adjoint dans sa cinquième année reçoit une offre d'emploi fabuleuse et la refuse parce que son conseiller-associé lui laisse entendre qu'il deviendra associé s'il tient bon — ou c'est tout au moins ce que croit l'adjoint. Parfois, l'associé croit vraiment que son protégé a des chances, mais un nombre insuffisant d'autres associés pensent la même chose. Parfois, l'adjoint a mal interprété le message de l'associé.

M. Matteson, de chez Debevoise & Plimpton, explique. «C'est un équilibre délicat que d'être juste pour les adjoints et de veiller en même temps aux intérêts de l'étude. Nous en sommes conscients et j'espère que nous faisons pour le mieux. Nous y arrivons mieux avec certains adjoints qu'avec d'autres. On entend parler d'adjoints qui ont le sentiment d'avoir été menés en bateau. Je trouve que c'est dommage. Mais quand on prend une décision, il n'est pas toujours facile de savoir comment les choses vont tourner.»

Ce choix que l'on a fait d'une étude quand on était encore à la faculté — fondé sur de mauvais renseignements et sur des impressions du stage d'été — est d'une importance terrifiante. L'adjoint éventuel prend cette première décision, et à moins de très vite choisir une autre arène, c'est le Club qui va prendre le reste des décisions pour lui. Malgré bien des changements, le Club, dans son infinie sagesse et avec son influence et ses relations d'une portée considérable, a des projets pour tous ceux qui y entrent. Qu'ils le veuillent ou non.

Serrez-moi la main

Voilà comment un associé dans la bonne trentaine décrit la façon dont il a reçu la bonne nouvelle il y a sept ans: «J'étais seul dans mon bureau tandis que les associés décidaient de notre sort. Ils sont sortis de la réunion. Rien. J'étais dans tous mes états. Quelques jours plus tard, ils se sont réunis de nouveau. Encore une fois ils ne sont pas tombés d'accord. À ce stade, je crois que je n'avais plus du tout de sensations. Ils se sont réunis une troisième fois et, à la fin de la réunion, l'associé qui était mon patron m'a appelé dans son bureau et m'a fait asseoir. «Félicitations, m'a-t-il dit chaleureusement, vous êtes accepté.» Je ne pouvais même pas me lever pour lui serrer la main. Cela représentait tout pour moi. C'était toute ma vie, tout ce pour quoi j'avais travaillé, tout ce que j'avais espéré. J'étais assis en face de lui et je me suis mis à pleurer.

«Est-ce que vous aviez des doutes quant à l'association? me demanda-t-il. Nous étions sûrs de vous pendant tout ce temps.» «Eh bien, répondis-je, moi ne n'en savais rien, voyez-vous...»

L'association est bien plus qu'une promotion. C'est une garantie à vie. Cela fait de vous l'un des propriétaires de l'étude. Votre nom s'ajoute, sur l'en-tête, à celui de ces gens incroyablement sélects. Dans certaines études, l'association fait grimper votre revenu de plus de cent pour cent.

Tous les nouveaux associés restent des subordonnés. «Devenir associé, c'est passer du haut d'une échelle au bas d'une autre, explique Richard Powell de chez Sullivan & Cromwell. Mais à moins d'un comportement inacceptable, c'est une assurance à vie sur votre carrière. C'est un changement complet de rapport avec les associés. Vous commencez à en savoir plus sur les rouages de l'étude. Mais vous continuez à rendre des comptes aux associés plus chevronnés.»

Il existe des niveaux et des gradations d'associés, tout comme il existe des niveaux et des gradations d'adjoints. Il vous faut comprendre la structure du pouvoir. Si les associés peuvent sembler égaux sur le papier, certains sont sans aucun doute plus égaux que d'autres. « Il y a un petit cercle qui en fait dirige le cabinet, explique un associé qui fait justement partie d'un tel cercle ; aucune institution ne peut être dirigée de manière purement collégiale. Il y a une structure formelle — en général une série de comités : lignes directrices, administration, adjoints, associés et pourcentages, personnel, etc. »

Pourtant, la vraie structure du pouvoir n'est pas aussi simple que la liste des comités pourrait le faire croire. « Dans un bureau, un associé sera important, ajoute le membre du petit cercle, et sera consulté à propos des questions importantes s'il a deux choses : premièrement, s'il détient du pouvoir c'est-à-dire s'il s'occupe des affaires d'un client d'envergure ; deuxièmement, si son jugement est respecté par les autres associés. Certains peuvent avoir des clients importants dans leur poche sans qu'on les écoute, et ce à cause de l'expérience que nous avons eue collectivement avec eux. Mais si quelqu'un a le pouvoir *et* le respect, il prendra une place importante dans l'étude. Il y a un talent naturel de chef qui émerge. »

Par définition, une association ne fonctionne pas dans les mêmes conditions qu'une corporation. L'autorité est diffuse et non centralisée. Chaque associé responsable d'un client est son propre patron. Personne ne supervise son travail. Personne ne « gère » la production de son service. L'étude est essentiellement un groupe de praticiens indépendants réunis sous la même en-tête. Mais il y a d'habitude un associé responsable du cabinet lui-même. Dans certains endroits, il est appelé « associé principal » ou « associé directeur général », dans d'autres « associé président ». Autrefois, les cabinets juridiques étaient souvent dominés par leur associé président. L'époque de ces grippe-sou tyranniques s'est transformée pour devenir une formule plus institutionnalisée et plus démocratique.

Dans l'étude, toute la dynamique du pouvoir se résume finalement à la façon de diviser les gains — découper le gâteau — comme on dit parfois. Cela peut être un système, un comité ou même une personne seule qui prend la décision. Dans certains bureaux, les pourcentages sont répartis selon l'année de promotion. Tous les membres d'une même promotion reçoivent la même augmentation annuelle. Les augmentations suivent en général une courbe en cloche. Au cours des quinze ou vingt premières années, une promotion obtient une part toujours croissante, jusqu'à ce qu'elle atteigne un sommet. À ce moment-là, la promotion commence à recevoir des pourcentages annuels plus faibles, au fur et à mesure que ses membres prennent leur retraite à Boca Raton ou à Palm Beach.

« Je suis le seul à savoir ce que chaque associé gagne, déclare Allen Holmes, associé directeur général pour tout le pays chez Jones & Day. Cela nous laisse une grande latitude pour récompenser ceux qui le méritent. Nous avons de jeunes associés dans la trentaine qui gagnent plus que la plupart des anciens associés. Nous n'avons pas de promotion par année, pas de méthode impersonnelle. Nous savons reconnaître et récompenser le talent. » M. Holmes détient plus de pouvoir que la plupart des associés présidents d'aujourd'hui. Mais il est plus orienté vers la gestion des affaires que la plupart des avocats.

« Je pense que les avocats des grandes études ne sont pas dans l'ensemble de bons hommes d'affaires, dit-il. Ils se fâchent quand vous leur dites ça, mais je ne comprends pas pourquoi. C'est une aptitude différente. Moi, par exemple, je ne prétends jamais être un grand chirurgien. »

Et pourquoi ceux qui conseillent les rois de l'industrie — à 200 $ l'heure — sont-ils de mauvais hommes d'affaires ? « Tout d'abord, ajoute-t-il, les adjoints qui ont le plus le sens des affaires se retrouvent souvent chez nos clients bien avant que n'arrive la question de l'association. Et ils réussissent en général très bien. Ceux qui restent et deviennent associés ont tendance à être des avocats particulièrement scrupuleux. Et dans une large mesure, le bon avocat est axé sur les projets. Il aime se concentrer sur le problème en question et y apporter tout son talent. Beaucoup de ces avocats préféreraient travailler sur un seul projet à la fois. Mais il est impossible de gérer un cabinet de cette façon. Ce serait la catastrophe. Le directeur doit toujours garder une vue d'ensemble de son bureau et être au fait de dizaines d'autres questions en même temps. Et ce n'est pas la même chose que d'être avocat. »

Bien que le fait de devenir associé président ou associé directeur général présente un certain attrait, la plupart des avocats ne sont pas tentés par cette direction. « Les cas individuels et les clients, voilà ce qui est fascinant, explique un puissant associé qui ne veut absolument pas s'occuper de gestion. Ce n'est sûrement pas l'administration du cabinet. Le vrai plaisir, c'est de pratiquer le droit. C'est d'être votre propre patron, de conseiller des gens, de travailler à leurs problèmes — de travailler en droit. »

La pratique, la pratique, la pratique

À l'intérieur d'une étude, chaque type de pratique présente ses propres casse-tête et problèmes à résoudre, car chaque branche du droit est un sujet en soi. Les spécialistes en fiducie et en succession passent leur temps sur des testaments, sur des questions de relations humaines ainsi que de complexes règlements de propriété. Les avocats spécialistes en impôts se battent avec des colonnes de chiffres et les milliers de pages que comportent les règlements du ministère du Revenu. Les avocats d'affaires sont à la fois techniciens et conseillers ; ils s'occupent de négociations, de contrats, de prêts, et de documents volumineux portant sur l'échange des valeurs. Même les avocats plaidants passent plus de temps à préparer des documents qu'à mettre au point leurs plaidoiries. Ceux qui s'occupent d'immobilier structurent des ventes, des baux, des projets de construction, etc. Les experts en faillites travaillent avec des entreprises souffrantes et avec des créanciers... et ainsi de suite.

« Chaque associé doit trouver sa propre façon de pratiquer le droit, dit Robert Knight ; parmi nos cent associés, il n'y en a pas deux qui s'y prennent de la même façon. Ils ne le pourraient pas d'ailleurs. »

La vie d'un associé passe d'une question à l'autre — ce qui l'amène à apprendre, à se développer, à évoluer. « De temps en temps, certains d'entre nous se distinguent, explique un associé. Mais la plupart d'entre nous font simplement leur travail. » Peu d'avocats du Club sont connus hors de leur milieu professionnel. La poignée d'avocats qui deviennent de grandes vedettes ont la chance d'être, si l'on peut dire, sur le bon cas au bon moment. « Il faut que vous ayez de la chance pour vous retrouver sur un cas qui devient important, dit Robert Knight ; mais il faut aussi que vous soyez prêt. » Il mentionne le cas de John Hoffman, associé chez Shearman & Sterling. « Comme avocat plaidant principal pour notre client, la Citibank, John avait passé vingt ans à devenir une autorité dans son domaine. La crise des otages iranienne est survenue, et John a joué le rôle principal dans l'accord des avoirs iraniens, accord qui a conduit à la libération des otages. Est-ce qu'il a eu de la « chance » ? En un certain sens, oui. Mais serait-il un moins bon avocat si l'affaire iranienne n'était jamais arrivée ? Bien sûr que non. Et s'il avait été un moins bon avocat, il n'aurait jamais eu autant de « chance ».

Tout comme dans le show-business, les « grandes réussites » viennent souvent après des années de préparation sans gloire. En droit, cela veut souvent dire de devenir expert dans un domaine particulier. C'est ce qui a lancé Martin Lipton sur la voie qui allait le rendre célèbre dans les conseils d'administration américains. Après la faculté de droit, Lipton a voulu enseigner le droit des valeurs qu'il trouvait particulièrement intéressant. Il a commencé la pratique du droit presque comme un travail secondaire, mais il s'y est plu. Il a continué à enseigner, à écrire et à donner des cours sur le droit des valeurs pour en arriver à être considéré comme un expert dans le domaine. Sa grande chance arriva en 1974, lorsque son étude encore sans expérience — Wachtell, Lipton, Rosen & Kate — représenta la Loews Corporation dans son offre pour prendre le contrôle de la compagnie d'assurance CNA. C'était l'une de ces affaires « dont on dit qu'elles ne sont pas faisables », mais M. Lipton y a réussi. Cette prise de contrôle, l'une des plus controversées du début des années soixante-dix, a rendu Lipton et son cabinet célèbres. Actuellement, M. Lipton est l'une des superpuissances dans le jeu des prises de contrôle. Presque toutes les batailles qui en valent la peine le voient représenter l'une ou l'autre des parties.

Un homme de quarante-neuf ans au verbe doux, Lipton conserve, sur la crédence de son bureau de Park Avenue et sous plastique transparent, les avis publiés mentionnant les fusions qu'il a combattues. Il a défendu McGraw-Hill contre American Express. Il a défendu Saint Joe Minerals contre les attaques de Seagram. Il représentait Curtiss-Wright quand celle-ci a réussi à empêcher un raid de Kennecott Copper.

Dans le jeu des prises de contrôle, tout se passe très vite. Temps et événements sont comprimés et intensifiés, alors que le destin de la compagnie « victime » ainsi que la fierté et la réputation de celle qui attaque se trouvent dans la balance. Ces batailles juridiques géantes se terminent généralement au bout d'un mois pendant lequel on travaille sans relâche. Il y a de frénétiques réunions du conseil à minuit ; avocats et investisseurs sont envoyés partout dans le pays, en avion et en hélicoptère privés, tandis que leurs adjoints pondent des dossiers juridiques et des documents sur les titres vingt-quatre heures sur vingt-quatre. C'est la version de la guerre tous azimuts telle qu'elle est menée par la grande entreprise.

« Il est impossible de pratiquer ce genre de droit si on n'aime pas se battre, explique Lipton. Vous devez pouvoir supporter une pression très intense. Les combats sont éprouvants et prenants. On ne peut pas dire que la guerre soit amusante, mais l'intensité de tout ceci est absolument irrésistible. » Même si le genre de pratique de Lipton est la plus « théâtrale » de toutes les branches du droit reliées à la grande entreprise, il n'a rien de théâtral lorsqu'il discute de sa façon d'agir: « Dans toute bataille, ce qu'on essaie de faire c'est un minimum d'erreurs, tout en essayant de trouver celles de la partie adverse et de les exploiter. L'adversaire est tout aussi astucieux et averti que vous. La question n'est donc pas de faire mieux mais de faire moins mal, et d'arriver à saisir les ouvertures.

« Dans chacune de ces transactions, il y a un, deux ou parfois trois moments stratégiques. Ou vous les saisissez ou vous ne les saisissez pas. » Lorsque Seven Up, par exemple, a résisté à une prise de contrôle par Philip Morris, Lipton a conseillé au fabricant de cigarettes d'augmenter volontairement son offre, avant que d'autres entreprises n'entrent dans la course. « C'est une stratégie qui m'est venue, explique Lipton, et elle s'est révélée efficace. Peu de temps après, nous avons réussi à négocier une fusion en bons termes, alors qu'au début il s'agissait d'une prise de contrôle hostile. »

Lipton est tenu en haute estime par le Club. Très souvent, il se trouve engagé par d'autres études juridiques, lorsque l'avocat habituel d'une corporation vient chercher son aide lors d'une prise de contrôle. Et plus souvent qu'à son tour, il fait face à Joseph Flom, l'associé principal chez Skadden, Arps, Slate, Meagher & Flom, l'autre cabinet important dans le domaine des prises de contrôle. « Flom et moi sommes ce qu'on appelle des rivaux traditionnels, explique Lipton. Mais notre rivalité est purement professionnelle. Je pense que c'est le plus grand avocat qui ait jamais existé. Il est vraiment brillant. »

Peu de membres du Club seraient en désaccord avec cette évaluation — qu'elle porte sur un rival ou sur l'autre. Mais une telle admiration n'a pas été facilement gagnée. Quand de nouvelles études comme celle de Wachtell & Lipton et celle de Skadden & Arps ont commencé à émerger vers le milieu des années soixante-dix, il y avait plus qu'un peu de ressentiment parmi un certain nombre des membres du Club. La pratique des prises de contrôle d'entreprises était perçue comme une activité peu convenable, et les nouveaux venus n'avaient de toute façon jamais été les bienvenus. Mais lorsque Skadden & Arps devinrent, en 1976, le cabinet juridique de loin le plus rentable du pays (on dit que les associés de troisième niveau gagnaient plus de 600 000 $), le Club a commencé à réfléchir. De plus en plus de compagnies attrapaient la fièvre des prises de contrôle. Ce genre de pratique semblait vouloir s'installer. Parmi les cabinets de l'ancien style, quelques-uns des plus loyaux commencèrent à se lancer eux-mêmes dans la pratique de prises de contrôle. « Rendez-vous compte, explique un associé de l'un de ces cabinets, lors d'une prise de contrôle, vous travaillez comme un fou pendant un mois, puis c'est fini. Il se peut que vous ne revoyiez jamais le client, mais vous aurez gagné un million de dollars. » Le Club est peut-être traditionnel mais certainement pas aveugle.

Il a appris à réagir au changement. Bien des études se sont rendu compte que des succursales dans le pays et dans le monde entier étaient la clef de la croissance. De plus en plus, les entreprises emploient maintenant plus d'un cabinet juridique de l'extérieur et les mettent en compétition. Par ailleurs, avec le coût des services juridiques extérieurs qui monte en flèche, plus de corporations renforcent leurs propres services juridiques. Mais pour les grandes études extérieures, il n'y a pas de souci à se faire.

Au cours de la dernière décennie, les études membres du Club ont connu une croissance spectaculaire. Elles font maintenant moins de travail de routine pour les clients et se penchent davantage sur les questions extrêmement exigeantes. Les compagnies ne désertent leurs propres services juridiques que pour les marchés importants ou les cas les plus délicats — et il y en a beaucoup. Cela rend le Club plus spécialisé et plus puissant que jamais.

Femmes nouvelles

Il y a moins de dix ans, on entendait des choses horribles. Prenez l'histoire de cette femme diplômée en droit qui passait une entrevue dans un cabinet prestigieux:

« Avez-vous engagé des femmes dernièrement? » demanda-t-elle.

«Non, mais l'année dernière nous avons engagé un handicapé », fut la réponse. Typique, tout à fait typique.

De toutes les institutions très classiques et traditionnelles, le Club semblait le bastion du sexisme le plus inattaquable. Il n'y avait que quelques précieuses femmes associées, pas plus d'une ou deux par dizaine de cabinets. Et les femmes avaient leur place dans les services de fiducie et de succession. Il y avait un gag selon lequel l'avocat responsable de ces services était sans importance car les clients étaient de toute façon tous trop jeunes, trop vieux ou trop morts pour s'en soucier. Fiducies et successions sont des affaires de famille et de « relations humaines », les femmes étaient capables de comprendre cette partie du droit.

Même aussi récemment qu'au début des années soixante-dix, les femmes étaient rares dans les facultés de droit et représentaient une aberration dans les grandes études juridiques. « En 1970, quand je passais des entrevues pour trouver un emploi d'été, avant ma dernière année à l'université, on n'essayait même pas de cacher son mépris pour les femmes, déclare Sheri Chronow. On vous disait que vous ne pouviez travailler dans leur étude parce qu'il n'y avait pas de toilettes pour femmes. » Dans l'étude où elle a finalement été engagée, on l'a placée dans le service de l'immobilier car on lui a dit qu'il n'y avait aucune ouverture dans le service des fiducies et successions. Bien qu'elle soit restée dans l'immobilier, elle a quitté ce cabinet au bout d'un an et, en 1974, est entrée chez Shearman & Sterling où, en 1979, elle est devenue la première femme associée.

En 1971, quelques procès en discrimination intentés contre des études importantes ont beaucoup fait parler d'eux. « L'année qui a suivi ces grands procès, se souvient la jeune femme, les gens des études auxquels j'ai parlé étaient devenus beaucoup moins hostiles aux femmes. » Mais la véritable invasion n'a pas commencé avant le milieu des années soixante-dix. Aujourd'hui, les femmes représentent plus de 30 pour cent des étudiants en droit. Le nombre de femmes associées est toujours minime — il s'écoule au moins sept ans entre le diplôme et l'association — mais le pourcentage de femmes adjointes dans les promotions engagées par les cabinets croît régulièrement. Pour celles de 1980 et de 1981, certaines études disent que la population féminine est aussi élevée que 45 pour cent.

Les femmes ne sont plus reléguées aux services de fiducies et successions. Elles reçoivent une formation dans tous les domaines de la pratique. Elles deviennent des avocates plaidantes pugnaces et des conseillères juridiques rusées. Elles pratiquent et s'épanouissent partout où leur intérêt et leur talent les conduisent.

« Je ne dirais pas que tous les problèmes sont résolus car ils ne le sont pas », déclare Franci Blassberg, une adjointe en cinquième année chez Debevoise & Plimpton. « On me fait encore des commentaires qu'une vraie féministe considérerait comme sexistes. Il faut s'y faire, les gens assis en face de vous ne sont probablement pas de votre génération. Il peut se passer des mois pendant lesquels vous avez l'impression d'être « l'un des gars », puis tout à coup, quelqu'un va dire quelque chose d'un peu troublant. Ce qui est important, c'est de ne pas le montrer. »

Mais on ne saurait contester qu'il y a eu changement notable d'attitude envers les femmes. La question de savoir si les femmes sont ou non qualifiées pour le droit a été en grande partie abandonnée.

La dernière question est de savoir si elles *choisiront* de tenir bon toute la vie et de pratiquer dans une étude importante. « C'est une triste donnée biologique, fait remarquer Franci Blassberg, que nos années cruciales dans le cabinet juridique soient également nos années de plus grande fécondité. »

Sheri Chromow a donné naissance à un fils un an avant que la question de l'association ne se présente. Elle est restée à la maison pendant deux mois, puis elle est retournée à l'horaire le plus exténuant de sa carrière. « Il m'a été plus facile de travailler autant à l'âge qu'avait mon fils à ce moment-là, dit-elle. Je ne sais pas si je le pourrais ou si je voudrais le faire maintenant qu'il a trois ans. »

Avec l'aide d'une bonne gouvernante et d'un mari qui la soutient beaucoup, elle s'arrange pour être à la fois mère et associée chez Shearman & Sterling. « Il faut souvent sortir les papiers à onze heures du soir et bûcher jusqu'à deux heures du matin, explique-t-elle. Celui qui dit que ce n'est pas difficile est un menteur. Mon horaire est tellement serré et j'ai si peu de temps libre que c'est un événement important lorsque je peux m'échapper pour aller chez le coiffeur. Mais je n'abandonnerais cette vie pour rien au monde. D'une certaine façon, je crois que j'ai la plus belle des vies. »

Elle ne croit pas que beaucoup de femmes aient fait les choix qu'elle a faits. « D'après ce que j'ai vu, dit-elle, je pense que la plupart des femmes quittent l'étude pour avoir des enfants après s'être mariées et qu'elles ne reviennent pas. Parmi les quelques-unes qui vont rester, je ne pense pas qu'il y en ait beaucoup qui abandonnent le temps requis pour fonder une famille. C'est ce que je crois en ce moment, et je me base sur mes collègues et sur les gens qui ont cinq ou six ans de moins que moi. Ce sera l'un ou l'autre. Je pense que les cabinets juridiques seront plus flexibles à cet égard que les femmes elles-mêmes. »

Il ne fait aucun doute que les études sont désireuses de s'adapter aux femmes — pour de nombreuses raisons. Elle ajoute: « Je crois que l'étude était vraiment heureuse d'avoir une femme associée — et qu'en un certain sens elle avait peur aussi. En fait, quelques associés ont pris la peine d'expliquer que le fait de devenir associé n'avait rien à voir avec ma condition de femme, que le vote était uniquement fondé sur la qualité. Je trouve qu'ils se sont montrés très sensibles.

« Oui, je suis plus visible, ajoute-t-elle. Je serai toujours plus visible. Je le sais. Mais ça ne me dérange pas. D'une certaine façon, cela a été en quelque sorte un atout. »

Cet avantage pourrait s'estomper au fur et à mesure que la population féminine augmente. Emily Berlin, deux promotions après Sheri Chromow, et nommée en 1981 deuxième femme associée chez Shearman & Sterling, assure: « Il fut un temps où je connaissais bien toutes les femmes de l'étude. Mais maintenant il y en a tellement que le temps me manque pour bien les connaître toutes comme avant. Elles sont tout simplement comme les jeunes hommes. »

Résumé final

Revenons à Avery. Il est 20 h et les lumières des tours voisines laissent voir les femmes de ménage occupées à leur travail. Avery s'arrête pour aujourd'hui et remplit sa trop grande mallette en accordéon qu'il utilise depuis la faculté. Comme tout chez Avery, sa mallette a de la patine et sent la tradition.

« Ma femme me critique de temps en temps, dit-il en disposant soigneusement des piles de documents sur le rebord de la fenêtre. Elle dit que je n'ai pas de hobby, que je n'aurai rien à faire quand je prendrai ma retraite. Elle a sans doute raison. Mais je n'arrive pas à imaginer ce que je ferai alors. Si j'avais le choix, ce que je ferais serait de pratiquer le droit. »

Un adjoint entre en portant une autre pile de papiers de vingt centimètres de hauteur. Avery montre du doigt le bout de la rangée de documents, là où le jeune homme doit déposer sa charge. «Bien sûr, ça devient parfois une obsession, dit-il en inspectant la rangée comme s'il était un sergent recruteur. Je crois que c'est pour ça que tant d'avocats ont tendance à aimer des sports intenses et qui demandent de la concentration comme le golf, le tennis ou le squash. Il est tout simplement impossible de penser au droit pendant que vous jouez au tennis.» Après s'être assuré que les documents sont en ordre, il enfonce deux classeurs pleins à craquer dans sa mallette puis la referme d'un coup sec.

Demain, Avery mènera un autre combat en cour pour défendre l'une des plus grandes sociétés mondiales. Certains zélotes du ministère de la Justice ont le projet de la démembrer. «Nous avons tendance à parler boulot avec acharnement, dit-il. La pratique domine notre vie à tel point qu'elle devient pour ainsi dire la seule chose dont nous puissions parler. Je suppose que si quelqu'un nous observait, il pourrait en conclure que les avocats sont des gens bien limités. Dans ce travail, notre temps appartient à nos clients. Je sais que j'aurais pu, ou que j'aurais dû passer plus de temps avec ma famille pendant toutes ces années. Mais mes fils s'en sont bien tirés. C'est drôle pourtant, mais aucun d'eux n'a exprimé d'intérêt pour le droit.»

Deux autres adjoints se présentent. Ils ont besoin des dernières instructions pour cette nuit où, s'ils prennent une minute pour regarder par la fenêtre du bureau, ils apercevront l'aube se lever sur l'East River. La conférence terminée, Avery ramasse sa mallette chargée et se dirige vers les ascenseurs. Il ne dormira pas beaucoup plus que ses adjoints. Demain, l'avenir de l'une des entreprises les plus puissantes de l'histoire dépendra du talent de cet homme.

Avery est un homme important dans le Club.

LES HUIT GRANDS DE LA COMPTABILITÉ

Au-delà du bureau d'en arrière

Attrapez votre grand livre et votre visière verte. Remballez vos idées préconçues et vos porte-plume. Nous partons rencontrer deux experts-comptables.

Jesse Miles est l'image même du sudiste. « Ah, dit-il d'une voix traînante, je suis juste un pauvre commis aux écritures qui vient d'la campagne et qui essaye d'gagner sa vie. » Mais le costume rayé sur sa charpente de 1 m 87 contredit son air ingénu de bon vieux gars. Les cheveux roux sont devenus blancs comme ceux d'un vieil homme d'État ; seule l'intensité nerveuse de ses yeux montre la marque du pauvre gars de la Floride rurale qui commença à travailler à treize ans.

« Ceci, dit-il en examinant les papiers qui couvrent son bureau en chêne, bureau qui a coûté cher, est un accord de fusion des Pays-Bas. Ça, ce sont des états financiers de nos affaires au Moyen-Orient, en Afrique et en Asie du Sud-Est. Ça, c'est une corporation japonaise dont nous démêlons les problèmes. Voici un travail de nos associés au Nigeria et une analyse budgétaire pour un travail du gouvernement grec. Et voici la répartition des dix-neuf mille personnes qui travaillent pour nous dans le monde. »

Il y a bien longtemps, tout frais sorti de l'université d'État, Jesse avait voulu ouvrir un petit cabinet d'expert-comptable dans sa ville — pour s'occuper de déclarations d'impôts et aider les petites entreprises du voisinage. Dans ce but, il entra dans le cabinet de Arthur Young & Company pour acquérir d'abord un peu d'expérience. Il ne revint jamais dans sa ville.

« Cette année, dit-il, j'irai sept fois en Europe. J'irai sans doute une fois en Amérique du Sud. En Australie, à Singapour, au Japon et aux Philippines. Peut-être en Afrique du Sud et, si c'est le cas, à Lagos puisque je serai dans le coin. » Si Jesse

Miles est tout sauf pauvre, c'est, comme le disent ses collègues, un commis aux écritures de campagne. Mais de cinquante-sept campagnes de pays différents. Il dirige les cabinets internationaux Arthur Young et coordonne un réseau global de cabinets d'experts-conseils, en comptabilité, en vérifications, en fiscalité et en gestion, qui font une recette brute de plus de 700 millions de dollars par an.

«Les hommes d'affaires américains ne peuvent plus se permettre d'être des provinciaux, dit-il. C'est pourquoi nous avons placé dans toutes nos activités aux États-Unis des gens qui avaient l'expérience de plusieurs pays. Le chef de notre bureau de Boston a passé cinq ans au Brésil. L'associé responsable à Denver a passé trois ans en Allemagne. Notre homme à Providence a vécu quatre ans à Paris. L'homme qui prend la suite d'un important contrat international à Tulsa a passé quatre ans dans notre bureau de Milan. Aujourd'hui, les experts-comptables doivent avoir vu beaucoup de choses. Nous veillons à ce que ce soit le cas des gens qui travaillent avec nous.»

Il regarde l'ensemble carte-chronomètre qui se trouve au-dessus de son canapé. Un arc ombré se déplace, et donne l'heure exacte et la position du soleil des îles Fidji jusqu'à Philadelphie.

Le soleil ne se couche jamais sur le bureau de ce commis aux écritures de campagne.

À quarante ans, Grant Gregory ressemble encore au beau petit gars honnête, élevé au maïs, au héros qu'il fut un jour dans son école secondaire du Nebraska. Tout en obtenant sa maîtrise en administration des affaires à l'université de New York, il travaillait au cabinet de Touche Ross & Company. Il y est ensuite entré à plein temps et, au bout de quatre ans, il était le jeune homme prodige qui dirigeait tout le service de la fiscalité pour New York. Il fut ensuite envoyé à Omaha pour y monter un bureau Touche Ross de toutes pièces. Il n'était même pas associé à l'époque.

«Je me suis toujours intéressé à la façon de motiver les gens, explique-t-il, et je me suis servi de mon bureau d'Omaha comme d'un laboratoire pour mettre mes idées à l'épreuve.» Il critique les gens d'affaires parce que leur pensée est régimentée. «À titre d'exemple, ils passent les gens en revue une fois par an. Ils vont dire: «Ralph, vos résultats dépassent la moyenne de tant, nous allons donc augmenter votre salaire de 3,97 pour cent de plus que la moyenne.

«Mais pensez-y. La seule chose de magique au sujet d'une année, c'est le temps que prend la terre pour faire une fois le tour du soleil. Dans la vie de quelqu'un qui veut des résultats, ça n'est pas plus pertinent que ça.»

L'idée de Gregory était de récompenser un bon résultat à l'aide d'un renforcement positif, au moment même du résultat. Il créa le prix «Soyez le Meilleur», et dit à ses associés d'utiliser des «moyens détournés, secrets ou autres» pour découvrir quel employé avait, chaque semaine, accompli la chose la plus remarquable et l'action la plus créative. Le vendredi après-midi, il faisait venir le gagnant dans son bureau. Avec solennité, il fermait la porte et s'avançait. «Hier, lors de la réunion des associés, nous avons parlé d'un incident vous mettant en cause, disait-il. Nous pensons que cela exige un conseil personnel et confidentiel. Cette idée, sur laquelle vous avez fait des recherches pour les impôts du client X, a attiré notre attention.» Il mettait alors sa main sur l'épaule de la personne. «Nous avons également vu à quel point votre idée l'a aidé et nous aimerions que vous sachiez à quel point nous en apprécions la valeur. Nous voulons que vous rentriez chez vous dire à votre famille combien vous êtes remarquable.» Il tendait ensuite une enveloppe blanche, en disant: «Offrez-vous un dîner spécial ce soir. À nos frais.» Un billet tout neuf de 50$ était à l'intérieur.

Le prix «Soyez le Meilleur» signifiait un investissement annuel de 2000$ dans la petite caisse. Mais avec le prix et d'autres techniques de gestion pas très orthodoxes, Gregory réussit à atteindre un «niveau de rendement forcené». En l'espacc de huit ans son bureau d'Omaha, parti de rien, devint le plus grand cabinet comptable de l'État. D'abord composé d'un homme seul au téléphone, il est arrivé à un bureau de 138 professionnels. «J'incitais mes associés à être toujours à l'affût de quelque chose de positif, dit-il, et en même temps, au sein du personnel, cette attitude renforçait l'idée de surveillance constante. Les ramifications de ce comportement ont changé la vie des gens.»

Au début de 1982, les associés de chez Touche Ross ont fait de Gregory le nouveau président du conseil d'administration du cabinet.

Qu'est-ce qu'ont à voir l'internationalisme fervent de Miles et les expériences de Gregory sur la motivation avec l'amortissement et les comptes-clients?

Beaucoup. Du moins en ce qui concerne les plus grands cabinets comptables du pays, ceux qu'on appelle les Huit Grands.

Bien que le mot de « comptable » ait jadis évoqué — comme chez Dickens — des images de petits commis aux écritures exsangues, enfermés dans une salle du fond, rien ne saurait être plus éloigné de la réalité moderne. Les comptables sont à l'avant-garde de la technologie des affaires et aux premiers rangs des controverses.

La comptabilité est la discipline universelle des affaires. Elle est le langage de la mesure économique. La comptabilité fournit les informations dont la société se sert pour décider où vont les ressources. La comptabilité définit la façon dont nous évaluons les questions commerciales, économiques, sociales et politiques les plus fondamentales. Les progrès de cette profession ont une incidence sur notre façon de nous percevoir, de percevoir notre travail et le monde qui nous entoure.

Et les Huit Grands sont de très loin les cabinets comptables les plus influents. Leurs revenus d'honoraires vont de 500 millions à plus de 800 millions de dollars par an. Ce sont les plus grands cabinets de professionnels, les plus grandes associations et ils font partie des plus grandes entreprises privées du monde. Ils ont chacun de cinq cents à mille associés, et le revenu moyen d'un associé dépasse largement les 100 000 $. Les Huit Grands se sont trouvés mêlés à certains des scandales commerciaux les plus sensationnels des quinze dernières années. Lors d'enquêtes gouvernementales ou de procès privés, ils ont été accusés de collusion, de complicité, d'entrave au commerce et même de malhonnêteté pure et simple. Ils continuent pourtant à s'imposer en tant qu'organisations privées et autoréglementées, et ils continueront à croître, à être plus forts et encore plus importants.

Les défenseurs semi-publics

Les experts-comptables sont dans la position la plus curieuse de toutes les professions libérales de service. Ils courtisent leurs clients et dépendent de leurs honoraires. Mais leur allégeance est due à quelqu'un d'autre (comme le dit l'expression anglaise « public accountant »).

Seuls les experts-comptables agréés sont autorisés à faire des vérifications, et ces dernières représentent de 60 à 75 pour cent des revenus d'un cabinet des Huit Grands. Si une compagnie a besoin d'un prêt bancaire ou veut s'inscrire à la Securities and Exchange Commission (SEC) pour vendre ses actions, ou si elle veut simplement faire quoi que ce soit avec l'argent des autres, elle doit engager un vérificateur indépendant. En échange de beaux honoraires, le vérificateur va envahir les bureaux de la compagnie, déranger la marche des affaires, fouiller dans les dossiers, poser des questions gênantes et évaluer les perspectives financières. À l'inverse d'un avocat, le vérificateur n'est pas un défenseur. « L'expert-comptable essaie d'atteindre un état d'indépendance », explique John Burton, doyen de la faculté supérieure de commerce de l'université de Columbia et ancien chef comptable à la SEC. « Il sert le client mais ne le représente pas. » Le vérificateur analyse plutôt les livres et les dossiers du client pour voir s'ils sont conformes à un ensemble de règles appelé « principes comptables généralement reconnus » (PCGR). « Il doit, dit Burton, respecter des normes. » En fait, les vrais clients du vérificateur sont des gens de l'extérieur qui dépendent de l'évaluation qu'il fera des registes de la compagnie : la banque, la SEC, les actionnaires et les investisseurs. Le public.

L'ensemble des connaissances qui font autorité et les méthodes grâce auxquelles le vérificateur mesure les états financiers, tout ceci s'est développé au cours des années, à la suite de traditions, de réglementations gouvernementales — et de critères transmis par des organismes officiels régulateurs à l'intérieur même de la profession. Les PCGR sont uniformément acceptés et semblables dans tout le pays. Si certains zélotes et puristes en matière de moralité ont insisté pour que ces normes soient mises sous le mandat du gouvernement et appliquées par celui-ci, elles demeurent en grande partie entre les mains de la profession elle-même.

Le poids des PCGR est effarant. Un seul changement des PCGR pourrait terriblement modifier la valeur en Bourse des 500 plus grosses entreprises mentionnées dans *Fortune*. Un autre changement pourrait ajouter ou retrancher des millions à leurs profits. La réalité des compagnies resterait la même, mais elle semblerait très différente sur papier. Selon John Burton : « La façon dont vous comptez les points détermine en grande partie la façon dont vous jouez le jeu. » Et lorsqu'on réfléchit à la façon dont les chiffres affectent la planification, les prises de décision gouvernementales, la Bourse, les cadres supérieurs, les syndicats et ainsi de suite, on voit pourquoi la comptabilité peut être un tel sujet de controverse.

La question la plus gênante et la plus délicate porte sur ce qu'une vérification agréée certifie réellement. Au verso du rapport annuel de chaque compagnie, on trouve la prose maladroite suivante, signée par le cabinet du vérificateur:

> Nous avons examiné le bilan de (nom de l'entreprise)... Notre examen était conforme aux principes comptables généralement reconnus et, en conséquence, comprenait l'examen des registres comptables et autres mesures de vérification qui nous ont paru nécessaires dans les circonstances.
>
> À notre avis, les états financiers mentionnés ci-dessus représentent avec justesse la situation financière de (l'entreprise)... conformément aux principes comptables généralement reconnus.

Lorsqu'on lit ceci avec attention (comme presque personne ne le fait), on s'aperçoit que le texte ne dit pas que les vérificateurs se portent garants de la vérité des registres financiers de la compagnie. Tout ce que le texte confirme, c'est que les registres ont été vérifiés et présentés selon les PCGR.

Comme disent les avocats: «C'est tellement énorme qu'un camion passerait à travers.» Ainsi, une entreprise comme National Student Marketing ou Sterling-Homex peut recevoir un avis favorable du vérificateur puis s'écrouler rapidement à cause d'une mauvaise gestion ou d'une fraude non détectée. De pareilles débâcles, à la fin des années soixante et au début des années soixante-dix, ont coûté cher à la profession d'expert-comptable, tant en règlement qu'en réputation. «Mais, explique un vérificateur qui a trente ans d'expérience, nous ne sommes pas les policiers que le public voudrait que nous soyons. Si nous faisions tout ce que certaines cours ont dit que nous aurions dû faire, nous pourrions mettre nos clients en faillite avec nos honoraires à eux seuls. Nous marchons sur la corde raide; nous le savons.»

Les débats portant sur des questions qui pourraient paraître insignifiantes vont faire rage dans les années à venir. De quoi le vérificateur assure-t-il vraiment le public? Jusqu'où devrait aller sa responsabilité? Et sa responsabilité civile. Le vérificateur devrait-il jouer un rôle d'adversaire? Ou devrait-il être le conseiller proche, mais toutefois indépendant de la direction?

Cette dernière option correspond à ce qui se passe actuellement. L'associé d'un service de vérification de l'un des Huit Grands déclare : « Vous ne pouvez pas mettre votre indépendance en danger à cause de vos rapports avec le client. Mais il existe des techniques qui vous permettent de satisfaire le client tout en vous assurant que vous ne faites rien de mal. » Les gens peuvent penser que la comptabilité est purement quantitative, qu'il n'est question que de chiffres. « Mais, ajoute-t-il, c'est un art. Il donne lieu à de nombreuses interprétations. On peut beaucoup innover par rapport aux règles. Donner un service de première classe à votre client, cela veut dire qu'en cas d'ambiguïté, c'est votre client qui en tire le bénéfice. »

De plus, à la fin de chaque vérification, les cabinets présentent habituellement ce qu'ils appellent une lettre de « services constructifs » ou de « direction ». Dans celle-ci, les vérificateurs offrent des suggestions utiles pour améliorer les affaires du client, et mentionnent des choses qu'ils ont remarquées au cours de la vérification. À ce stade, ils peuvent aussi essayer de vendre certain des services non indépendants du cabinet — comme la planification des impôts, les systèmes informatisés, l'expertise-conseil en gestion, etc. — tout ce qu'ils peuvent faire pour aider. Après tout, qui pourrait surpasser les gens qui viennent tout juste de disséquer l'entreprise ?

Huit ça suffit

Huit cabinets sont devenus *l'espèce* dominante à la suite d'une sélection naturelle du marché :

    Arthur Andersen
    Arthur Young
    Coopers & Lybrand
    Deloitte, Haskins & Sells
    Ernst & Whinney
    Peat, Marwick, Mitchell
    Price Waterhouse
    Touche Ross

Les Huit Grands procèdent à la vérification de plus de 940 des 1 000 compagnies dont le nom est publié par *Fortune*. Un deuxième échelon de cabinets grignote le marché de temps en temps, mais la compétition pour décrocher les compagnies les plus prestigieuses des États-Unis se déroule principalement en-

73

tre les Huit Grands qui se repassent les clients entre eux. Cela ne veut pas dire que de grands cabinets comme Main, Hurdman & Cranstoun, Laventhol & Horwath et Alexander Grant ne sont pas d'excellentes organisations aux compétences nationales et internationales, mais ils sont de beaucoup plus petits que les Huit Grands. Comme l'explique un associé des Huit Grands: «Faire presque partie des Huit Grands, c'est comme être presque enceinte.» Main, Hurdman , Cranstoun est le neuvième cabinet du pays.* Pourtant, le numéro huit, Touche Ross, vérifie plus de deux fois et demie le nombre de compagnies. Et les ventes totales de Touche Ross sont plus de cinq fois plus élevées.

«Les investisseurs y sont vraiment pour quelque chose, explique un autre cadre supérieur des Huit Grands. «Quand ils font entrer une compagnie dans le domaine public, ils insistent pour avoir l'accord de l'un des Huit Grands. Est-ce que Alexander Grant ou Main, Hurdman pourraient faire un aussi bon travail? Bien sûr. Mais c'est une question de perception. Si vous voulez être une entreprise de première classe et que vous ne prenez pas un cabinet des Huit Grands, les gens vont se demander ce qui se passe. En fait, pourquoi ne pas prendre les meilleurs?»

Les Huit Grands se sont développés en même temps que leurs clients. Arthur Young & Company s'est tout d'abord agrandi outre-mer pour servir Mobil Oil. Les Huit Grands ont suivi leurs clients dans le monde entier, et ont donné à leurs cabinets envergure et complexité pour aller de pair avec l'envergure et la complexité de leurs clients. Les Huit Grands dominent à présent le marché des entreprises uniquement parce qu'ils ont la taille et l'infrastructure technique dont les grandes entreprises ont besoin.

Bien que certains des Huit Grands se chamaillent avec humeur sur qui est le numéro un, le numéro deux ou même le numéro huit, à 25 pour cent près, ils sont tous de la même taille. Il n'y a pas de classement final puisque les cabinets ne divulguent pas tous leurs chiffres. De plus, on se querelle pour savoir qui fait la comptabilité de qui en matière d'opérations internationales. Étant donné qu'une grande partie des rapports des Huit Grands à l'étranger sont établis avec d'autres cabinets in-

---

* Hors des États-Unis, Main, Hurdman & Cranstoun sont membres du Groupe KGV, et font donc partie des «Neuf Grands» internationaux. Mais aux États-Unis, il y a tout de même les Huit Grands.

dépendants (qui parfois ont passé des accords avec plus d'un membre des Huit Grands), trouver le premier peut se révéler difficile. Plus que toute autre chose, ce conflit devrait faire taire l'idée selon laquelle les experts-comptables oeuvrent dans une discipline où les chiffres donnent des réponses définitives. Ils n'arrivent même pas à se mettre d'accord sur la façon de compter leurs propres rangs.

Mais quelle est exactement la taille d'un cabinet des Huit Grands? Prenons Deloitte, Haskins & Sells. Selon celui qui compte, DH & S est soit numéro trois, soit numéro quatre, soit numéro cinq. « Nous savons que nous sommes quelque part au milieu », dit l'associé principal, Michael Cook. « Où exactement, ça nous est égal. Le seul rang dont nous nous soucions, c'est celui que nous détenons auprès de nos clients, les entreprises les plus prestigieuses des États-Unis. » Parmi celles-ci, on trouve: General Motors, Rockwell International, Procter & Gamble, Monsanto, Merrill Lynch, Aramco, A & P, Metropolitan Life, Dow Chemical, le New York Times, Kaiser Aluminum et PPG.

Le cabinet compte plus de cent bureaux aux États-Unis, avec environ six mille experts-comptables, dont six cent cinquante sont des associés. Il a trois cent sept bureaux internationaux dans soixante-six pays. Le cabinet est propriétaire de publications tournant autour de plusieurs millions de dollars. Il imprime des livres, des brochures, des manuels techniques et des lettres d'information à la tonne, traitant de tout, allant des *Instructions aux cadres des services publics,* jusqu'au *Droit chinois sur les entreprises en participation.* Le cabinet offre des connaissances spécialisées dans des domaines allant de la santé et des ordinateurs jusqu'à l'aéronautique et l'agriculture. Choisissez un domaine, ils le connaissent. Il offre des programmes d'ordinateur complexes, pour toutes sortes de besoins commerciaux. Il dirige son propre équivalent d'une école de commerce offrant des cours de troisième cycle, et dépense chaque année plus de 15 millions pour former ses membres et mettre leurs connaissances à jour. Il a centralisé et codifié ses connaissances de façon que le personnel comptable de Caroline du Nord puisse obtenir une réponse à une question commerciale sur l'Indonésie aussi facilement qu'il peut vérifier une question relative aux impôts en Californie. DH & S a également des praticiens spécialisés dans les petites entreprises en développement, les organismes à but non lucratif, les hôpitaux, les universités, les municipalités, les ministères et les particuliers. Impressionnant? À peu près tout ce que vous pourriez dire de Deloitte, Haskins & Sells s'appliquerait à n'importe quel autre des Huit Grands.

Les différences entre eux relèvent de nuances et de degrés, pas de définition. Ils couvrent tous le même genre de questions, à peu près dans les mêmes proportions, bien que chaque cabinet ait des domaines de prédilection. Chacun garde jalousement son identité — très probablement parce que les différences ne semblent pas très évidentes pour les gens de l'extérieur. Les Huit Grands ne forment pas un cartel amical, «copain copain». La concurrence est rude, les rivalités internes sont intenses et parfois même méchantes. Un associé va se pencher avec l'air de comploter, va regarder autour de lui pour voir si on l'écoute, et il va dire quelque chose comme: «XYZ veut devenir le premier au classement. Il est capable de sacrifier n'importe quoi pour y arriver.» «ABC est, euh, eh bien, je n'aime pas dire ça, mais il est arriviste.» «JKL est trop conservateur pour être un concurrent sérieux.» Et ça continue, sans qu'il faille jamais prendre cela au pied de la lettre ni trop au sérieux.

La jeune recrue idéale

Pour continuer à gagner la guerre des honoraires qui se chiffrent par centaines de millions de dollars, les Huit Grands ont besoin de nouveaux soldats dans les tranchées — des milliers année après année. Ainsi, comme les autres Huit Grands, Peat, Marwick, Mitchell ont un programme national de recrutement extrêmement discret et totalement informatisé. L'associé Bernard Milano, quarante et un ans, a lancé le programme actuel; l'associé William Morgan, trente-quatre ans, a pris la suite.

Milano est trapu, bâti comme un lutteur et il a le nez retroussé. Il dégage de l'énergie et une rudesse bon enfant. Morgan est grand, dégingandé et, comparativement, décontracté. Tous deux travaillent en manches de chemise, et ces dernières sont blanches et raides d'amidon. Morgan a la voix profonde d'une basse. «95 de nos 98 bureaux font leur propre recrutement, dit-il. Cela veut dire que nous avons affaire à 95 marchés du travail différents. Nous visiterons environ quatre cents campus, mais nos recrues peuvent provenir de cinq cents campus. Nous allons interviewer environ 17 500 étudiants en tout. Parmi ceux-ci, 3 600 environ recevront une offre. Cette année, nous aurons besoin de 1 850 à 1 900 personnes. Parmi celles-ci, environ 1 500 débuteront dans la vérification. »

« Les gens sont déconcertés quand ils entendent ces chiffres, ajoute Milano. Mais toutes ces personnes grimpent chaque année. Et n'oubliez pas qu'il s'agit en fait de quatre-vingt-quinze bureaux qui recrutent pour leurs propres besoins. Les plus hauts chiffres atteindraient 100 ou 120 pour des bureaux comme ceux de Chicago, New York, Los Angeles et Houston. Les plus petits seraient de quatre ou cinq. Mais nous ne pouvons nous permettre de grandes différences de qualité chez ces 1 850 personnes. De la façon dont les équipes de vérificateurs sont formées, il n'y aura qu'une ou deux nouvelles recrues par contrat. Et aux yeux du client, ces deux personnes *sont* Peat et Marwick. » Il est évident que le cabinet doit offrir la qualité dans la quantité.

La comptabilité est la profession libérale qui se développe le plus rapidement. Collèges et universités décernent actuellement plus de 53 000 diplômes de premier cycle en comptabilité chaque année — plus du triple d'il y a dix ans. « La comptabilité est la seule profession libérale dans laquelle vous puissiez entrer après seulement quatre ans d'études, explique Milano. La profession s'est formée de gens de la classe moyenne inférieure. On considérait habituellement que les études de comptabilité devaient mener à une carrière, plus précisément que l'anglais ou l'histoire ; elles avaient donc tendance à attirer des gens qui voyaient davantage le côté pratique de leurs études. Certains des programmes les plus importants se trouvent dans des universités fréquentées par des étudiants qui habitent à l'extérieur, c'est pourquoi il n'y a jamais eu de département de comptabilité à Harvard ou à Yale, ou dans une autre université prestigieuse. De plus, jusqu'à tout récemment, la plupart des cours de comptabilité étaient donnés par des gens qui avaient leur propre cabinet. Cela a commencé à changer et on commence à voir de la recherche universitaire en comptabilité. Mais notre profession est encore plutôt nouvelle. Il y a très peu d'experts-comptables agréés de la deuxième génération. »

Les salaires de départ varient entre 15 000 $ et 19 000 $, selon les taux en vigueur sur le marché. On sait que certains cabinets ont élevé la mise de départ à 21 000 $ ou plus pour des étudiants de premier cycle particulièrement intéressants et talentueux.

D'où viennent les gens les plus brillants ? Milano commence

par assurer qu'il n'y a pas de «meilleures universités» en comptabilité. Puis il ajoute: «Il y a cinquante universités qui nous fournissent régulièrement dix personnes ou plus: l'université du Texas, l'université de Californie du Sud et Notre-Dame sont nos plus grands fournisseurs. Viennent ensuite l'université de Virginie, l'université du Michigan, Michigan State, l'université de l'Illinois, de l'Indiana — vous n'avez qu'à suivre les ligues de football.» D'ailleurs, on appelle souvent les «Dix Grandes» (universités et équipes de football) «la zone des comptables».

Les Huit Grands essaient de ne prendre que les dix premiers pour cent des étudiants en comptabilité, mais ils acceptent parfois vingt pour cent des meilleurs. Plus encore qu'ils ne regardent les notes des étudiants, ils scrutent les activités montrant une propension à être meneur: faire partie de la direction de l'association des étudiants, être membre d'une fraternité, d'un groupe de comptables, avoir des activités politiques, etc. Ils aiment les gens qui ont réussi à mener de front plusieurs choses difficiles, comme d'avoir un emploi ou faire tourner une entreprise tout en figurant sur la liste honorifique du doyen et en présidant le conseil étudiant. Tout au long de leur carrière, ils seront jugés sur leur désir de participer à des activités extérieures et à y contribuer.

Mais, tandis que l'un des Huit Grands esquisse ses premiers choix, sept autres cabinets sont généralement en quête des mêmes candidats. Comment un cabinet comme Peat et Marwick se vend-il? «Tout est affaire de chimie, assure Milano. Le gens ne se joignent pas à des entreprises. Ils se joignent à d'autres gens. Au cours des cinq dernières années, nous avons envoyé un questionnaire à tous les gens auxquels nous avions fait une offre. Les réponses étaient toujours les mêmes: ce sont les gens qui font la différence. C'est pourquoi les visites au bureau local sont importantes. Les recrues peuvent rencontrer les gens pour lesquels elles vont travailler.»

Morgan ajoute: «Les Huit Grands réussissent tous. Ils ont tous de superclients et une belle croissance. Et leurs idées et leurs lignes de conduite ne sont pas si différentes les unes des autres. Ça change d'une ville à l'autre selon les gens. En fait, les relations commencées lors du recrutement créent un grand nombre de mentors instantanés. Tout cela revient à la vieille question de la Poule et de l'oeuf.»

De fait, le bureau où l'on est venu «éclore» pour la première fois a une importance capitale dans une carrière. «Tous les bureaux ne sont pas égaux, explique Milano: vous ne pourrez apprendre que ce que votre cabinet pourra vous enseigner. Vous ne pouvez apprendre les techniques les plus avancées que des clients les plus avancés. Si vous aimez la gestion agricole, vous allez à Fresno. Si vous aimez l'industrie lourde, vous allez à Cleveland. Et pour la finance, vous allez à New York. »

Les Huit Grands offrent des occasions à ceux qui ont le sens moral. Il n'y a pas deux bureaux semblables, que ce soit dans leur style ou leur composition. Les cabinets doivent donc faire face à deux défis: créer un système qui soit juste et uniforme dans tout le pays, et répondre aux obsessions partagées par les milliers de gens qui affluent chaque année dans la profession d'expert-comptable agréé.

Mobilité ascendante!

L'escalier qui mène au paradis des Huit Grands — le prestige et la prospérité à vie qui découlent de l'association — ressemble à un escalier mécanique qui devient de plus en plus étroit au fur et à mesure qu'il s'élève. Les milliers de recrues qui y mettent le pied sont automatiquement aspirées vers le haut dans le système, mais plus on monte et plus la bousculade s'intensifie.

Tout le monde commence au bas de l'échelle, et, pour la plus grande partie des gens, cela équivaut à faire tout le travail pratique d'une vérification. « C'était toute une adaptation, un coup à mon amour-propre pour être plus exact, explique un jeune vérificateur. Au collège, j'étais la vedette. Tout d'un coup, je me suis retrouvé à l'échelon le plus bas dans cet immense organisme, je faisais————. » Ce travail est monotone. En gros, cela consiste à vérifier des échantillons des dossiers de l'entreprise. Si, par exemple, un vice-président est censé avoir apposé ses initiales sur toutes les factures de son service, le vérificateur va s'en assurer. Il ou elle peut commencer par le grand livre et comparer les factures une à une. Ou vice versa. Les dossiers portant sur ces recherches sont appelés « dossiers de vérification ». Ce sont des listes sur lesquelles les vérificateurs font des petites « marques » et « coches », poste après poste. Bien que les ordinateurs commencent à soulager le vérificateur d'un peu de ce travail fastidieux, la vérification entièrement électronique reste à des années-lumière.

Dès le départ, on enfonce dans leur crâne l'idée qu'il faut être scrupuleux et préoccupé des détails. Une partie du stéréotype qui colle à l'expert-comptable vient des compétences et des habitudes acquises en vérification. « C'est une profession où bien des choses ne souffrent aucune ambiguïté, admet un associé. Les choses doivent être dans un ordre parfait. Il y a des moments où vous voudriez crier « J'en ai marre! » Pourtant, je crois que dans chaque expert-comptable se trouve une personne qui aime les choses ordonnées. D'un autre côté, puisque nous passons notre vie à mettre les choses en ordre, je crois qu'il y a peut-être un désir secret de tout laisser tomber un jour, et de travailler dans le chaos. »

Leur netteté et leur préoccupation pour les détails sont une partie de leur image que les comptables prennent avec bonne humeur. Voici une blague qu'ils racontent à propos d'eux-mêmes: Un aéronaute atterrit sur un arbre près d'un champ. Impuissant, il appelle un homme qui passe par là. « Où suis-je? » crie-t-il.

« Vous êtes dans un ballon rempli d'air chaud, sur un arbre à proximité d'un champ » fut la réponse. « Vous devez être expert-comptable » rétorqua l'homme du ballon. « Ce que vous venez de me dire est précis, concis, juste et totalement inutile. »

Les conditions de travail des stagiaires sont loin d'être glorieuses. Len Weiss, un jeune associé chez DH & S, se souvient de sa première affectation: « Nous étions dans un sous-sol minable. En guise de bureau, le client avait placé une planche de contre-plaqué sur deux tréteaux. Il nous fallait grimper sur des boîtes et fouiller dans de vieux placards sales pour sortir les dossiers et les grands livres. On était tout le temps les uns sur les autres et chaque fois que quelqu'un gommait une erreur, le bureau bougeait tellement qu'on aurait dit qu'il allait s'écrouler. » D'autres corvées peuvent comporter un déplacement à l'usine au moment de l'inventaire pour compter des tuyaux et des joints d'étanchéité. Les vérificateurs débutants n'ont pas à se soucier des symboles de statut comme des bureaux avec fenêtres par exemple, ils sont presque toujours à l'extérieur, chez le client.

« À ce stade, ajoute Weiss, ça n'est pas le travail qui présente le plus grand défi intellectuel ou qui crée une grande imagination. Mais c'est un travail fondamental. L'associé auquel incombe le contrat doit savoir que la documentation est là. Le fait de savoir pourquoi vous faites le travail peut le rendre moins ennuyeux. C'est l'occasion de montrer à vos supérieurs que vous tenez à faire du bon travail. Et si vous passez bien à travers le boulot de départ, vous aurez plus de responsabilités que celui qui n'a pas la bonne attitude. Les gens qui font preuve de sincérité, d'initiative et de dévouement — quoi qu'on leur demande de faire — sont ceux qui vont avancer.»

Et l'avancement est ce qui compte. Avec de petites différences dans les titres et une différence d'un ou deux ans d'un cabinet à l'autre, tout le monde, chez les Huit Grands, passe par les mêmes étapes dans le même ordre. L'indicateur de postes de chez Ernst & Whinney, qui figure ci-dessous, est typique. Si quelqu'un est entré dans le cabinet en 1980, voici les étapes auxquelles il ou elle devrait s'attendre au cours des douze premières années :

Année de promotion	Fonction	Salaire (en dollars de 1981)
1980	comptable	15 000 - 20 000 $
1981	premier comptable	15 000 - 20 000 $
1982	comptable senior	20 000 - 30 000 $
1984	chef d'équipe	27 000 - 36 000 $
1986-87	chef de groupe	35 000 - 60 000 $
1991-92	associé	60 000 - et plus $

Il y a trois catégories de gens dans un cabinet comptable des Huit Grands : le personnel, les gestionnaires et les associés. Les quatre premières fonctions du tableau font partie de la catégorie «personnel». Bien qu'ils accomplissent la fonction d'un professionnel, ils sont rémunérés à l'heure et pour les heures supplémentaires, tout comme le personnel de bureau. Lorsque — après six ou sept ans — certains sont choisis pour s'élever au niveau de chef de groupe, ils font alors partie du personnel de direction et reçoivent un salaire annuel accompagné de primes. Mais si les chefs de groupe se voient accorder beaucoup de respect et de responsabilités, ce sont tout de même des employés. Ils doivent rendre des comptes aux associés qui ont le dernier mot sur tout ce qui touche le jugement du cabinet.

Sur le tableau, chaque échelon représente un degré croissant de responsabilité dans la supervision. En fait, le modeste comptable de première année est la *seule* personne, dans la hiérarchie, à n'avoir personne à superviser. «Cela maintient l'intérêt», assure Jacqueline Annesley, comptable senior qui fait sa troisième année chez DH & S. «Même en travaillant avec le même client année après année, vous aurez plus de responsabilités. Chaque année, vous en venez à superviser les gens qui font ce que vous faisiez.»

Au fur et à mesure de leur avancement, on met à l'épreuve les compétences techniques, les talents de gestionnaires et la pure endurance du personnel. Un chef de groupe, se plaignant de cinq mois de travail à douze heures par jour et à six jours par semaine déclare: «Si je pensais devoir travailler aussi dur quand je vais devenir associé, je ne le ferais pas. Ce que je veux, c'est atteindre le stade où je travaillerai encore beaucoup, mais pendant moins d'heures. Je serais incapable de travailler avec des horaires aussi exigeants et sous pression pour le restant de mes jours.»

De Baltimore à San Francisco, tous les jeunes comptables progressent selon une séquence rigide et uniforme; mais ils ne vivent pas dans un univers impersonnel. «Même dans les plus grands cabinets, dit un chef d'équipe de Chicago, tout le monde finit par connaître tout le monde. Et vous recevez toujours des conseils personnels après une mission comptable. Vous savez exactement où vous en êtes, dans quelle mesure vous progressez, et ce sur quoi vous devez travailler.»

Les cabinets commencent très tôt à évaluer les capacités de leur personnel. Ils font de vrais efforts pour détecter les gens de talent. «Nous voulons que les conseils soient francs et honnêtes, assure un associé principal, tant pour les gens qui ont un bel avenir que pour ceux qui nous en paraissent dépourvus.» Quiconque avance sera verbalement assuré qu'il fait vraiment des progrès. Mais il y en a pour qui le système uniforme et quasi militaire des Huit Grands pose un problème.

M. Burton, doyen de l'université Columbia affirme: «Les gens ne sont pas ravis d'être lancés dans la vérification. S'ils ont mérité quelque chose de mieux, ils veulent que cela soit reconnu. Les cabinets disent que la «crème» des comptables va en ressortir, mais il y en a beaucoup dans cette élite qui feront dès le départ le choix de ne pas entrer dans le cabinet. À Columbia, les salaires en vérification sont les plus bas de tout le groupe de ceux qui obtiennent une maîtrise en administration des affaires. Pourquoi des gens devraient-il entrer dans le domaine de la vérification quand ils peuvent être mieux payés ou obtenir une meilleure expérience dans un premier emploi ailleurs? Les meilleurs ne sont pas attirés par la vérification parce que celle-ci ne se fait pas très attirante.»

Le chef du personnel de l'un des Huit Grands reconnaît le problème et affirme: «Nous nous en occupons en partie. Tout d'abord nous leur disons (aux diplômés vedettes) que, pour devenir les meilleurs, ils vont devoir se salir les mains. De cette façon, ils savent à quoi s'en tenir. Mais nous leur promettons de choisir leurs affectations, de les faire travailler sur ce qui va le plus les faire progresser. Nous les affectons aux gens qui sont le plus sensibles à leurs besoins et ambitions. Mais nous devons être prudents parce que ce genre de traitement peut nous retomber sur le nez, à cause des gens qui n'en bénéficient pas. Mais nous promettons et nous tenons nos promesses quand il s'agit des meilleurs. Mais c'est vrai, c'est un problème. »

Un autre associé principal dit les choses un peu différemment : « Il n'est pas difficile d'attirer les meilleurs, il est difficile de les garder. »

Mobilité horizontale !

Imaginez ce que quelqu'un peut apprendre en travaillant chez l'un des Huit Grands. En quelques courtes années, le jeune homme inspectera de fond en comble les plus grandes entreprises mondiales. Il recevra une formation dans les toutes dernières techniques de communication de l'information financière ainsi que dans les méthodes de gestion modernes. Il pourra acquérir la perspicacité et la subtilité d'un « médecin des affaires » contemporain, capable de diagnostiquer et de guérir les maladies de base. Il en tirera une perspective unique. « Vous êtes à l'intérieur et à l'extérieur », explique Robert Finlayson, ancien associé directeur général du bureau new-yorkais de Ernst & Whinney, à la retraite depuis peu. « Vous apprenez à poser les questions sur lesquelles la direction ne s'est pas penchée, les questions importantes qui influent sur leurs résultats financiers. Vous avez une vue d'ensemble de tout le processus de production. Vous apprenez à entrer par la porte d'en arrière, puis vous comprenez comment l'entreprise transforme du fil et des vis en un produit fini. Une fois que vous avez fait ça dans plusieurs secteurs industriels, vous avez compris comment le pays fonctionne. »

L'expérience auprès d'un grand cabinet comptable national est généralement reconnue comme l'une des meilleures formations commerciales sans diplôme que l'on puisse acquérir.

Qui plus est, au cours de cette « éducation », les clients auront eu l'occasion d'examiner les jeunes gens qui travaillent sous leur toit. Comment s'étonner du fait que les entreprises ratissent effrontément leurs cabinets comptables ? Au bout de quelques années à peine, tout bon exécutant des Huit Grands peut s'attendre à ce qu'on lui fasse des offres. Un associé qui a plusieurs fois résisté à la tentation assure: «Pour nous, cela n'est pas une désillusion mais plutôt une reconnaissance du talent de nos employés. Et à quel point ils peuvent être utiles à nos clients.»

Selon Bernie Milano, de nombreuses offres sont «vraiment incroyables». Il ajoute qu'on a déjà «vu des gars multiplier leur salaire par deux. Mais une augmentation de 40 à 50 pour cent commence déjà à faire tourner les têtes.» Lorsque la bourse était dynamique pendant les années soixante, l'option d'achat d'actions était un appât efficace. «Quelques-uns de mes amis sont devenus multimillionnaires grâce aux options, explique un associé du Texas. Et de nos jours, on vous en offre dans les secteurs du pétrole et du gaz. Ça peut rapporter beaucoup.»

Milano ajoute: «Pourquoi quelqu'un voudrait-il nous quitter? Tout ce qu'il peut faire, c'est gagner plus d'argent en travaillant moins.» Mais, lorsque quelqu'un décide de s'en aller, le cabinet ne s'y oppose pas; il l'aide même. Finlayson assure: «Nous voulons que nos employés réussissent où qu'ils aillent. Nous leur disons que s'ils restent chez nous un peu plus longtemps, nous pouvons leur trouver un meilleur poste et un meilleur salaire que s'ils font le saut tout seuls. Nous leur disons: 'Faites mûrir vos compétences ici et vous pourrez ensuite devenir contrôleur de gestion plutôt que d'accepter un poste d'adjoint de gestion.' Ils s'en sortent beaucoup mieux avec notre aide que sans.»

Il n'est pas seulement question de gentillesse ici. Les cabinets doivent de toute façon éclaircir leurs rangs. Et plus ils le font élégamment, plus il sera facile de respecter chaque année les énormes quotas de recrutement: les étudiants se parlent beaucoup entre eux. Au mieux, moins de 20 pour cent de ceux qui entrent chez l'un des Huit Grands deviendront peut-être associés. De plus, comment mieux renforcer les liens avec les compagnies clientes que d'y poster d'heureux «anciens» aux échelons supérieurs de la direction? Quand on a travaillé une fois pour l'un des Huit Grands, on fait à jamais partie de la «famille». Dans leurs revues de luxe à usage interne, les cabinets montrent toujours des photos d'anciens et publient des comptes rendus sur ce qu'ils deviennent. Les voilà, quelque part au siège social d'une entreprise, qui sourient à leurs anciens copains de bureau d'à côté. Parmi les éminents anciens des Huit Grands se trouvent les présidents actuels et précédents de

ITT (eh oui, Harold Gensen est expert-comptable agréé), de Warner-Lambert, Tenneco, Sperry Rand et CIT Financial Corporation.

Les Huit Grands essaient de donner à chacun ce qu'il veut — d'une manière ou d'une autre. « Il est bien rare que l'on mette quelqu'un à la porte dans mon cabinet, explique un chef d'équipe. Mais quand cela se produit, ce sont des plus anciens qui le subissent. On vous donne jusque-là (de trois à quatre ans) pour prouver votre valeur. Après quoi, si on décide que vous n'allez pas être promu, on vous le dit. On ne vous met pas à la porte, non, on vous conseille simplement de commencer à chercher autre chose. On vous donnera six mois ou même un an pour le faire. Et généralement, on vous aidera à chercher. »

Les cabinets ne sont pas vraiment perdants. « Nous avons besoin de sang neuf chaque année, dit un associé, et nous ne pouvons absolument pas donner une promotion à tout le monde. Les gens nous quittent pour des raisons très diverses. Mais, quoi qu'ils en disent, leur désir de nous quitter repose sur l'association qu'ils sentent ou non venir. »

Choisir les élus

Imaginez que vous pouvez faire toute votre vie le travail que vous aimez le plus. Imaginez que vous travaillez dans une énorme organisation qui vous laisse relativement indépendant tout en vous offrant l'occasion de devenir riche et même de devenir un personnage important du pays. Imaginez que vous jouissez d'un prestige permanent dans votre communauté et que vous avez un revenu de 100 000 $ et plus, toujours croissant, et ce presque garanti à vie.

C'est ce que peut vouloir dire une association dans un cabinet des Huit Grands. Depuis leur entrée dans le cabinet, c'est ce dont ont rêvé et ce pour quoi les centaines de comptables qui ont survécu jusqu'au poste de chef de groupe se sont démenés. Quand le jour du jugement arrive enfin, ils ont passé un tiers au moins de leur vie à se battre pour atteindre ce but. « L'association ? demande Lewis Kramer, chef de groupe chez Ernst & Whinney, en regardant par la fenêtre de son bureau, je peux dire sans crainte de me tromper que c'est devenu une obsession. Il est difficile de penser à autre chose. »

Chaque année, l'associé responsable du bureau local établit la liste des candidats que son bureau va recommander pour l'association. La liste va à l'associé responsable de la région et, de là, au siège social, à un comité formé d'associés de tout le pays. Les noms, accompagnés d'une biographie complète et d'une évaluation de carrière, arrivent de Tulsa, de Seattle, d'Akron, de Boston, et de tous les bureaux du pays. Il peut y avoir de cent cinquante à trois cents candidats de partout. Le comité des sages doit choisir les soixante, soixante-dix ou peut-être quatre-vingts personnes qui accéderont à l'association. Le comité passera chaque candidat en revue pendant des heures; chacun sera longuement interviewé. Le processus est suivi avec soin mais reste imprécis, et englobe des facteurs tels que: la croissance du cabinet; les besoins en personnes pouvant assumer un rôle de chef, d'une région à l'autre, l'importance future de différentes spécialités ainsi que la personnalité et l'importance relative des associés qui parrainent les candidats. Toute l'affaire est évidemment enveloppée de mystère. Ni les gagnants ni les perdants ne sauront jamais ce qui a décidé de leur destin.

« C'est triste pour certains de ceux qui ne réussissent pas, dit un associé. Ils n'arrivent jamais à savoir pourquoi. Prenez un comptable de grande qualité qui a été recommandé par les associés principaux de son bureau, et qui reçoit comme toute réponse que les autres candidats étaient plus forts. C'est subjectif. Parfois il est impossible de mettre le doigt sur quelque chose de précis. Ceux qui ne réussissent pas demandent: « Comment puis-je faire mieux? Si je m'améliore, vais-je avoir une chance? » Et il n'y a tout simplement pas de réponse à ces questions. »

En matière d'association, les critères sont « un ensemble de caractéristiques désirables », explique Philipp Harris, un associé chez Peat & Marwick qui a examiné le processus en tant qu'associé à Raleigh, en Caroline du Nord, puis en tant qu'associé directeur à Tampa, en Floride, et maintenant comme associé à la haute direction nationale du siège social de New York. En plus de grandes compétences techniques en comptabilité, d'une habileté reconnue à satisfaire les clients, en plus de la motivation, du sens de la collaboration et d'un travail acharné, Harris mentionne une autre qualité — celle qui distingue les Huit Grands de la plupart des grands gagnants. « La personne doit réussir à l'extérieur comme à l'intérieur du cabinet, dit-il. Elle doit être une personne complète. Elle peut être le meilleur technicien qui ait jamais existé, mais elle doit faire autre chose:

enseigner ou faire de la recherche, mais elle ne peut pas avoir une compétence unique.»

En effet, les Huit Grands évaluent tous leurs employés d'après leur participation à la vie de la communauté et les laissent même s'absenter du bureau à cette fin. «Qu'il s'agisse de religion, de charité, d'événements culturels ou d'une activité civique, nous voulons que nos employés participent à la vie de leur communauté, dit Harris, parce que nous voulons de bons citoyens.» Tant d'autres entreprises ne veulent rien de moins qu'un dévouement maniaque au travail. Les Huit Grands exigent le dévouement et plus encore.

Mais avant que le lecteur ne se mette à croire les Huit Grands quand ils parlent de bons citoyens, il doit se rappeler que, jusqu'à la fin des années soixante-dix, les comptables, comme d'autres professions libérales, n'avaient pas le droit de faire de la publicité ou de se faire de la promotion de manière déclarée. La participation à la vie de la communauté est sans aucun doute sincère, mais c'est aussi une excellente façon de faire avancer les affaires sans recourir à la publicité.

David Moxley, associé directeur général de Touche Ross, exprime en termes pratiques cette qualité recherchée chez un associé: «Nous voulons une confirmation extérieure, c'est-à-dire que d'autres gens pensent que ce gars est aussi formidable que nous le pensons.» Bref, avant que les associés ne distribuent un autre morceau de leur gâteau collectif, ils veulent être certains que le bénéficiaire sera capable d'aller dans le monde et de faire grossir ledit gâteau.

La vision du comptable taciturne qui tient les grands livres à jour disparaît dès qu'on arrive chez les Huit Grands. Un autre associé avoue: «Je cherche toujours des gens ouverts. Celui qui est timide ou un peu renfermé n'y arrivera tout simplement pas. En fait, s'il atteint le rang de premier vérificateur, ce sera un miracle. Il ne pourra pas supporter la compétition. Les gens qui deviennent associés ont de l'assurance et savent se faire entendre. Dans notre domaine, il faut que vous vous fassiez connaître des gens. Sinon, on vous ignorera. Vous devez vous faire connaître — dans le cabinet et dans votre communauté.»

L'association transforme littéralement les gens. Un premier vérificateur se souvient d'un chef de groupe pour lequel il a travaillé. «Il a changé, dit-il. Comme chef de groupe, il était préoccupé par le chiffrier, par des détails. Soudain, en tant qu'associé, il s'est intéressé aux questions plus importantes. Il n'était plus angoissé par les petits problèmes, il se faisait du souci quant au résultat global.» Or, Len Weiss est explicite: «Quand je suis devenu associé, c'était moi la réponse finale. Tout d'un coup, vous êtes le cabinet. Vous pouvez signer le nom du cabinet sur un état financier. Quand j'étais chef de groupe, le client respectait ma réponse à sa question, mais il vérifiait toujours auprès de l'associé responsable du contrat. J'avais probablement autant raison alors que maintenant, mais à présent je ne suis pas contredit.»

L'association est une apothéose. Mais est-ce un début ou une fin? John LaBarca, associé chez Ernst & Whinney se souvient: «Ma première réaction a été: «Merveilleux! Le travail dur prend maintenant tout son sens et il ne m'arrivera plus de penser que cela pourrait ne servir à rien. Mais d'un autre côté, vous avez atteint un but à long terme et je pense qu'il est normal que vous vous mettiez à broyer du noir. Jusqu'à ce que vous vous trouviez un autre but, vous pouvez être découragé pendant quelques mois.»

Plus vous travaillez, meilleur vous êtes

À quelle vie doit-on s'attendre quand on est nouvel associé? Tout dépend du bureau et de la ville. Bien que tous les bureaux suivent les mêmes méthodes professionnelles et utilisent le même type d'en-tête, la présentation et l'atmosphère de chaque cabinet se conforment à la culture régionale.

«Nous avons tendance à ressembler aux endroits dans lesquels nous travaillons et à agir comme eux», dit un associé de La Nouvelle-Orléans. «Voyez-vous, en tant que comptables nous sommes le reflet des hommes d'affaires de notre communauté. À Phoenix, les associés ressemblent à des hommes d'affaires de l'Arizona. À Boston, les associés ressemblent à des habitants de la Nouvelle-Angleterre. Les clients que vous auriez à Pittsburgh sont très différents de ceux de Las Vegas. Et cela se voit.»

Quel que soit le cadre, le nouvel associé assume tout un ensemble de nouvelles responsabilités. «Quand vous devenez propriétaire, dit, les yeux brillants, un associé depuis six mois, vous commencez à regarder l'aspect «rentabilité» de votre travail: comment vos subordonnés emploient leur temps, le recouvrement des honoraires et ainsi de suite. Vous regardez les choses en termes de rentabilité parce que c'est maintenant *votre* entreprise. » Arrivé là, toute la formation technique de votre métier, les essais pour diriger les autres, et les tentatives que vous avez faites pour vous faire connaître de votre communauté devraient commencer à vous rapporter. Vous verrez que votre préoccupation majeure, ce sont les gens.

En tant qu'associé, explique Grant Gregory, président de chez Touche Ross, vous vous apercevez que la compréhension de l'être humain est le facteur le plus important. Il vous fait coordonner, diriger l'équipe qui travaille pour vous et lui déléguer des pouvoirs. Et vous devez être particulièrement sensible à la personnalité de vos clients. Au-delà d'un certain point, tous les membres d'un cabinet des Huit Grands ont à peu près les mêmes compétences techniques. Mais le fait de trouver les chiffres justes ne veut pas nécessairement dire qu'on a la bonne réponse. Vous ne donnez même pas le même conseil à deux clients dans la même branche. Certains clients sont optimistes et agressifs, d'autres plus conservateurs. Vous devez savoir à qui vous avez affaire. Vous devez pouvoir faire la différence entre ce qu'ils disent et ce qu'ils veulent vraiment dire. Une entreprise n'est que le reflet des hommes qui la font tourner. Le propos de la comptabilité, ce n'est ni les chiffres ni l'industrie. Ce sont les gens. »

Que l'on soit dans la vérification, la fiscalité, la petite entreprise ou l'expertise-conseil, la récompense personnelle est la même. « Les gens vous font confiance, explique un associé principal. Ils viennent chercher des avis, des conseils et de l'aide pour que leur entreprise tourne mieux. C'est une façon très satisfaisante de passer votre vie. » Mais il peut y avoir des inconvénients. « Je considère que chaque client est mon patron, dit un associé spécialiste de la petite entreprise, et à certains moments, tout le monde a besoin de tout pour hier. Mon seul produit, c'est le service, et quand la pression augmente, vous trouvez qu'une seule vie ne suffit pas à vos clients. » Tous les associés peuvent raconter des histoires effrayantes de délais artificiels, d'appels à trois heures du matin ou de vacances annulées. Quatre-vingt-dix-neuf fois sur cent, on n'a pas le choix, il faut faire ce qu'on vous demande, quel que soit le prix personnel à payer. Un associé directeur se souvient d'un client qui avait appelé tout énervé un 24 décembre: « Il lui fallait le travail pour le 26 au matin, mais j'ai dit qu'il y avait des limites. Je ne devrais vraiment pas répéter ce que je lui ai dit de faire de son entreprise. Mais il a lâché prise. »

Les professionnels

Bien sûr, tous les associés d'un bureau ne seraient pas aussi audacieux avec un client. Chaque associé a un patron — un autre associé, qui le fournit en travail, qui évalue ses progrès et décide de sa rémunération. Un associé est à la barre de chaque service. Service de la fiscalité, de la vérification et autres, ils fonctionnent tous séparément sur une base de rendement. Le chef du service est un administrateur chevronné qui maintient ses troupes heureuses et arbitre les questions techniques importantes. L'associé directeur dirige chaque bureau. Le cabinet est son fief.

Les autres associés sont-ils vraiment des subordonnés de l'associé directeur? «Eh bien, dit l'un d'eux, nous n'aimons pas y penser en ces termes.» Mais quel pouvoir détient-il sur ses «égaux»? «Pour dire la vérité, je pourrais faire baisser votre rémunération ou vous faire mettre à la porte», répond-il avec une lueur dans les yeux. «Mais pour qu'un associé prenne une retraite anticipée, il faut qu'une recommandation passe devant le conseil de direction national. Et dans une année, cela arrivera peut-être à 1 ou 2 pour cent des associés.»

L'associé directeur donne le ton à chaque bureau. Bien que, dans tout le pays, chaque cabinet des Huit Grands ait une certaine personnalité, l'ambiance de chacun d'entre eux est en grande partie le reflet de l'associé directeur. Être associé directeur peut ou non représenter beaucoup de travail. Le chef de service de la vérification de Chicago, par exemple, a plus de travail et génère plus de profits que l'associé directeur de Manchester au New-Hampshire. Mais devenir associé responsable d'une région est toujours *très important*. Les Huit Grands répartissent leur empire en une poignée de régions. Ce groupe de six ou sept associés forme le lien entre les cabinets et la direction centrale pour tout le pays.

Le jeune associé qui prend sa première bouffée d'association à trente-trois ans peut choisir entre deux voies pour le reste de sa vie active. La première possibilité consiste à servir les clients de Duluth ou de Denver, ou dans la ville où le cabinet a besoin de lui. Si l'associé a un bon rendement, s'il satisfait les anciens clients et en attire de nouveaux, son revenu augmentera aussi sûrement et aussi régulièrement que son amour-propre et son statut professionnel.

La deuxième possibilité consiste à lâcher la pratique de la comptabilité elle-même et à se mettre à diriger un cabinet d'experts-comptables. Si l'associé réussit dans cette voie plus aléatoire, son revenu et son statut peuvent monter en flèche.

Encore plus haut dans la hiérarchie

Si la moquette est moins chère en grande largeur, Deloitte, Haskins & Sells ont dû économiser beaucoup d'argent quand ils en ont acheté pour le bureau de leur associé directeur général, Charles Steele. Homme d'âge moyen et distingué, dans le style de Jimmy Stewart, Steele semble parfaitement à l'aise parmi les importants meubles de style Reine-Anne. L'étendue de son bureau de Manhattan lui rappelle peut-être les grands espaces ouverts du Dakota du Sud où il a grandi.

« Oh! oui, il y a une hiérarchie chez les associés, dit-il. Les associés ont des unités qui sont presque identiques à des actions. Ils sont payés selon une répartition fixe qui est comme un salaire. Et leur part des profits du cabinet est basée sur le nombre d'unités qu'ils détiennent. » En tant que chef du cabinet, c'est Steele qui détient le plus d'unités. « Il y a un grand écart entre le nouvel associé et moi », explique-t-il. Supposons qu'un nouvel associé gagne environ 65 000 $. « D'après ce que certains disent, ajoute-t-il, la variation de la rémunération totale pourrait approcher le facteur 10. » (C'est-à-dire que pour connaître le revenu de l'associé directeur général, vous ajoutez un zéro au revenu du nouvel associé.) Les Huit Grands ne divulguent pas les salaires des associés, mais les revenus de ceux de haut rang ont parfois dépassé les 800 000 $.

Bien qu'aucun comptable n'arrive *nulle part* sans aptitudes techniques (l'année où Steele a passé ses examens d'expert-comptable agréé, il a obtenu la meilleure note de tout le pays), ce sont les aptitudes à diriger qui vous font gagner les postes prestigieux. Après s'être distingué comme comptable senior lors de la vérification de G.M. à Detroit, Steele fut envoyé au bureau central de New York pour travailler sur les programmes de contrôle de la qualité et d'éducation professionnelle. Il fut ensuite envoyé à San Francisco comme comptable. Élu associé pendant qu'il se trouvait sur la Côte ouest, il a vu « beaucoup de choses » pendant les années soixante, quand la Bourse était en plein essor. Ses qualités de chef furent ensuite mises à l'épreuve quand il prit la direction du bureau de Chicago. De là, il revint au bureau central comme directeur du personnel à l'échelon national. Reconnu héritier présomptif, il conservera ce poste pendant deux ans avant d'être nommé associé directeur général du cabinet.

Il n'existe aucune recette infaillible qui permette d'arriver en haut de l'échelle, mais la carrière de Steele en a tous les éléments nécessaires. Il s'est fait remarquer en travaillant sur le dossier d'un client important, il s'est fait voir des grands patrons au bureau central, il est retourné sur le terrain avec des responsabilités de chef, il a dirigé un bureau important, puis il est revenu travailler à l'échelon des prises de décisions nationales.

Chez les Huit Grands, bien des gens parlent de l'énorme pouvoir que détiennent les hauts dirigeants. Chez Arthur Young, ils disent que le président William Kanaga ne dit jamais: «Il faut que vous fassiez...» Il dit: «Cela vous ennuierait-il de?» et, bien sûr, cela n'ennuie jamais personne.» Les chefs du bureau central sont en fait ceux qui dirigent le cabinet, ils formulent les lignes de conduite, arbitrent les questions techniques, centralisent recherche et formation, et définissent la stratégie de développement de l'entreprise. Ils nomment les chefs de groupe, négocient l'acquisition de nouvelles compagnies et allouent des budgets, tout comme les dirigeants de n'importe quelle multinationale. Mais la ressemblance s'arrête là. Bien que les gars du bureau national soient les symboles les plus visibles du pouvoir, la *véritable* influence dans l'organisation se trouve parmi les cinq ou six cents associés. Leur pouvoir est diffus, collectif en d'autres mots, mais il est là tout de même. «Vous ne les dirigez pas selon la hiérarchie classique, explique David Moxley de chez Touche Ross. Vous essayez de leur faire faire ce qu'il y a de mieux parce que *eux* croient que c'est la bonne chose à faire.» Les cadres supérieurs qui dirigent les cabinets des Huit Grands le font avec le consentement des dirigés.

«Si vous tenez vraiment à une décision quelconque, vous pouvez essayer de la faire passer à tout prix, assure Chester Vanatta, ex-vice-président de chez Arthur Young, mais vous courez le risque d'être perdant. Si quelque chose n'a pas de sens pour les professionnels qui servent nos clients, ce sera rejeté. Donc, lorsqu'on veut faire un changement important dans le programme d'action ou en matière de gestion, il nous faut aller solliciter des idées sur le terrain et «commercialiser» nos choix auprès de nos membres.»

En fait, le président doit recueillir le vote de tous les associés. Le processus visant à obtenir un mandat de trois à cinq ans fait penser à la fois à un pays qui va voter, et au Collège des Cardinaux choisissant un nouveau pape. Chaque cabinet a son propre rituel. Chez Touche Ross par exemple, il y a un «comité de nomination» constitué de sept associés — le titulaire de la présidence en est *exclu*. Au moment voulu, le comité commence une recherche qui durera dix-huit mois pour trouver un successeur. Les membres du comité vont interviewer tous les associés qui veulent poser leur candidature. À la fin, ils nommeront un associé et soumettront son nom aux autres. Lors du scrutin secret, le candidat doit recevoir les deux tiers des votes (les abstentions comptent pour un «non»). S'il n'y réussit pas, le comité doit proposer un autre candidat. Chaque cabinet connaît des variations de ce processus démocratique / autocratique.

Bien que la plupart de ces élections soient gagnées par le candidat de l'élite du bureau central, les associés ne suivent pas toujours leurs chefs aveuglément. Au cours des dernières années, il y a eu du remue-ménage à la fois chez Arthur Andersen et chez Peat, Marwick & Mitchell. Chez Andersen, le directeur a été renversé et chez PMM, le successeur qui avait été recommandé a été rejeté par les associés. «Le tout s'est fait au téléphone et par lettre, se souvient Phil Harris, de chez Peat & Marwick.

C'était comme une querelle de famille. Les flics sont venus, la famille s'est serré les coudes et a mis les flics dehors.»

Mais comment des centaines d'associés d'un océan à l'autre peuvent-ils organiser une révolution de palais? Et comment quelques personnes individuelles peuvent-elle se faire une réputation dans un réseau d'une centaine de bureaux? La réponse se trouve dans la façon extrêmement personnalisée dont la bureaucratie des Huit Grands est organisée. Bien que chaque bureau soit un monde en soi, les gens se font dès le début une idée de l'identité générale du cabinet. Les nouvelles recrues de tout le pays passent du temps ensemble, car elles sont de la même promotion et suivent les programmes de formation nationale offerts par le cabinet. En avançant dans le système, elles se rencontrent dans des séminaires, des conférences ou des programmes spéciaux de formation. Même si les contacts ne sont pas très fréquents, les gens savent qui sont leurs pairs dans le cabinet. Au cours des années menant à l'association, des réseaux d'amis et de connaissances se forment dans tous les cabinets.

Bien que les rencontres annuelles d'associés réunissent six cents personnes qui ne peuvent sûrement pas se connaître toutes, il y a assez d'aspects communs pour permettre à des alliances, à des blocs et à des réseaux de se former et, en fait, de faire croire que cette vaste association est un tout organique.

Les professionnels

Qui plus est, quiconque a des ambitions a au moins la possibilité de les faire connaître. Tim Tabor, chef de groupe chez Peat & Marwick déclare : « Une fois par an, vous rencontrez votre associé conseiller pour discuter de vos progrès et de vos buts. Si vous voulez un jour devenir associé directeur, vous le dites. Et le message se rendra jusqu'à l'associé responsable de la région et peut-être même jusqu'au vice-président ou au président. Je serais surpris si 90 pour cent des gens sur le chemin de l'association n'avaient pas déjà fait écrire officiellement quelque part qu'ils veulent devenir associé directeur ou même président du cabinet. Nous en parlons tous très directement. » Et les cabinets réagissent — et cherchent l'occasion de mettre ces gens à l'épreuve pour voir s'ils sont dignes de leurs ambitions. Les réactions sont généralement rapides et franches.

Tous les niveaux de direction, dans tous les cabinets, sont constamment à la recherche de jeunes talents. L'un des rôles importants du bureau central est de coordonner cet effort. Si Tampa a besoin d'un spécialiste de la fiscalité et que l'associé directeur de Seattle est sur le point de prendre sa retraite, le bureau central essaiera d'harmoniser les ambitions d'une carrière et les besoins d'un bureau. Bien qu'en général les gens soient de moins en moins prêts à changer de résidence pour leur employeur, quiconque veut s'élever aux plus hauts échelons d'un cabinet des Huit Grands *doit* se familiariser avec différentes régions du pays. Au cours de sa première année en poste, Russell Palmer, le président sortant de Touche Ross, a fait changer de lieu de travail le quart de tous les associés. Il a ensuite modéré ses exigences en matière de changement de lieu de travail. « Nous voulons être certains que le rythme normal des occasions n'est pas interrompu parce que les gens ne veulent *pas* déménager, dit-il ; mais d'un autre côté, les gens qui sont prêts à déménager reçoivent quelque chose en échange. Il n'y a pas de transfert latéral. Si vous déménagez, c'est toujours pour une promotion. »

Les premières dames

L'élégant rapport annuel de chez Price Waterhouse pour l'année 1980 est couvert de photos « naturelles » d'associés de tout le pays. Des trente personnes présentées, seules deux ne portent pas de costume foncé ni de cravate discrète. Ce sont deux femmes — les seules femmes associées du cabinet.

Le cabinet Price n'est pas différent des autres Huit Grands. Au moment de la rédaction de ce livre, aucun des cabinets n'avait plus de deux ou trois femmes propriétaires. Mais, tout comme la lumière qui vient d'une galaxie lointaine, ce que l'on voit maintenant n'est que le reflet d'une chose arrivée il y a des années. Les premières femmes à entrer en nombre chez les Huit Grands ne sont arrivées que vers la fin des années soixante et au début des années soixante-dix. Et le chemin qui mène à l'association prend au moins dix ans. Aujourd'hui, les compagnies se targuent d'avoir 35 à 40 pour cent de femme parmi leurs nouvelles recrues. Quelques cabinets assurent que jusqu'à 25 pour cent de leurs premiers vérificateurs sont des femmes, ainsi que 10 pour cent de leurs chefs de groupe. Cela veut dire qu'au cours de la première moitié des années 80, le nombre de femmes associées pourrait passer de presque rien à plus d'une douzaine. Cependant, si tout va bien, à la fin de la décennie, jusqu'à 10 pour cent des associés des Huit Grands pourraient être des femmes. Bien sûr, la profession en général et les Huit Grands en particulier ne présentent pas les barrages culturels et psychologiques que les femmes rencontrent ailleurs.

« Je veux dire en toute honnêteté que je n'ai jamais rencontré de sexisme, du moins pas directement, assure une vérificatrice. Bien sûr, certains clients étaient un peu sceptiques au début, mais il est possible de les guérir assez rapidement. Et à l'intérieur du cabinet, ça n'a jamais été un problème. Jamais. » Bien que les Huit Grands représentent autant une forteresse masculine que l'establishment d'affaires, ils semblent accepter les femmes parmi eux avec grâce et sincérité.

« Je crois que c'est surtout parce que nous sommes tous des professionnels indépendants, explique une jeune associée. En tant qu'associés, nous faisons preuve d'un respect mutuel, et nous nous sommes tous développés sans les tensions et les manigances pour obtenir un poste que l'on retrouve souvent dans les grandes bureaucraties d'entreprise. Je me suis parfois sentie seule. Et j'ai sûrement vu des hommes qui parlaient entre leurs dents, mais dans l'ensemble, les gens vous jugent d'après vos capacités professionnelles. Un point, c'est tout. »

Il est certain que de plus en plus de femmes deviendront associées chez les Huit Grands. Reste à savoir combien d'entre elles occuperont les plus hauts postes de gestion. D'après certains, les exigences inhérentes à la direction d'un bureau et aux déplacements dans le pays font que l'idée d'avoir une femme présidente demeure improbable. « Il est difficile d'imaginer une telle situation actuellement, explique une femme presque en âge de devenir associée, mais comme les femmes deviennent plus présentes dans les associations, on ne peut pas dire comment la situation va évoluer. Pour ce qui est d'aller habiter dans une autre ville, la réponse est moins liée aux cabinets d'experts-comptables qu'aux mariages où les deux époux ont une carrière. En ce qui concerne les exigences à long terme de la carrière, je ne vois rien d'unique dans l'expertise-comptable. Nous sommes tous — hommes et femmes — dans des eaux inexplorées. En attendant, si je ne pense pas que les femmes ont *toutes* les chances égales à cent pour cent, je crois que je peux avancer aussi loin que je le veux dans le cabinet. Je vais prendre les choses comme elles viennent. »

Traditionnels

« Les Huit Grands ne sont pas devenus les Huit Grands par accident », dit Lee Gray, directeur national de la commercialisation chez Arthur Young. Les Huit Grands sont de grandes entreprises — dures, compétitives, des entreprises où la technologie et la pression sont importantes. Elles englobent des compétences qui dépassent de loin la comptabilité et la vérification. Avec leurs experts-conseils, leurs experts en électronique, leurs économistes et spécialistes de l'économétrie, les Huit Grands se louent comme des personnes-ressources capables d'encadrer toute une entreprise, et ce au plus haut niveau de complexité des multinationales. En matière de savoir-faire dans une entreprise, rien ne peut atteindre leur envergure. Ce sont les plus grands « supermarchés du savoir ».

Parallèlement, les Huit Grands sont attachés à de vieilles valeurs qui pourraient sembler archaïques dans de nombreux cercles. Les gens qui font partie des Huit Grands ont tendance à faire preuve d'une piété provinciale quand la conversation tombe sur des sujets tels que la chance de chacun dans une démocratie ou le fait d'être un bon citoyen, etc. Mais c'est sur cela qu'est fondé leur système, et le système les a rendus riches et puissants. Les Huit Grands tirent leur force et leur élite de l'Amérique moyenne. Une grande partie des associés les plus importants viennent du Midwest. « Parmi eux, beaucoup de gens ont commencé très modestement dans la vie, explique Russell Palmer, président sortant de chez Touche Ross. Ils sont allés dans de grandes universités et se sont trouvés exposés à des gens de toutes sortes. Ils ont fait preuve d'une grande ambition et de sensibilité à l'égard de groupes de gens très différents. Et c'est ce dont on a besoin ici. »

DEUXIÈME PARTIE

les magnats

Ils aiment prendre des risques
et ils ont le sens de l'entreprise.
Pour que le jeu devienne intéressant,
il faut qu'il atteigne des millions.

WALL STREET
La manie de l'argent

Une affaire de valeurs et d'insécurité

Pour commencer, Wall Street n'est pas un endroit. La petite rue de ce nom à la pointe sud de Manhattan abrite principalement des banques et des compagnies d'assurance, quelques cabinets juridiques, un musée et un terrain de stationnement. Même le voisinage immédiat, un enchevêtrement de tours à vous rendre claustrophobe, reconnu comme le plus grand quartier des affaires du monde — n'est pas vraiment Wall Street non plus.

Wall Street est un réseau global d'acheteurs et de vendeurs. C'est un système nerveux électronique des marchés financiers où des billions de dollars changent quotidiennement de mains. D'une façon ou d'une autre, presque chaque cent possédé par quelqu'un aux États-Unis passe par cette entité appelée « Wall Street ». Pourtant, d'après les normes de la grande entreprise, ça n'est pas très grand. Toute l'industrie des valeurs mobilières emploie environ 150 000 personnes dans le pays, dont la majorité ont des emplois de bureau ou de soutien. Elle a des revenus annuels d'environ 15 milliards quand c'est une bonne année. À elle seule, IBM emploie deux fois plus de gens et génère deux fois plus de revenus.

Pourtant, ce réseau est le système nerveux central du capitalisme. Le destin de chaque industrie, de chaque gouvernement et de chaque fortune personnelle du monde occidental se décide ici. Wall Street demeure l'endroit où l'on peut créer des multimillionnaires ou les mettre en faillite avec la même vitesse et la même indifférence.

Un associé très important — appelons-le « le Patron » — de l'une des plus anciennes sociétés de Wall Street déclare: « Il y a presque trente ans que je suis ici et je ne peux toujours pas dire ce qu'est Wall Street. Les gens croient que c'est comme avoir un magasin ou une usine de roulements à bille. Mais ça ne ressemble à rien sur terre.»

Pourtant, quand vous allez lui rendre visite au travail, il n'y a rien d'inhabituel à remarquer. La réception du trente et unième étage ressemble à celle de n'importe quel bureau moderne: élégance normale des grandes entreprises — froide, austère et chère. Vous marchez dans un corridor et vous voyez des bureaux qui ne donnent aucune indication sur la nature des activités: l'entreprise fabrique peut-être des chandails ou des semi-conducteurs, on n'en sait rien. Puis vous tournez le coin.

La pièce est grande comme un gymnase d'école. Quarante, peut-être cinquante personnes se précipitent, parlent au téléphone, crient dans toutes les directions. Toutes les quelques secondes, les interphones retentissent.

«J'ai treize lots réguliers d'actions Avon à $7/8$!»

«Qu'est-ce qui se passe avec les actions privilégiées de l'Ohio?»

Des rangées de bureaux se déploient dans toutes les directions, comme un labyrinthe géant. Ils sont encombrés de claviers électroniques, de consoles de téléphone à deux cents boutons, de piles de papiers et de terminaux d'ordinateurs à écran de télévision, parfois empilés trop haut. Dans la mêlée, vous pouvez voir des panneaux électroniques annonçant les dernières nouvelles, ou encore les symboles des valeurs mobilières qui courent sur une bande longue de trois mètres, ou des colonnes de chiffres qui clignotent.

C'est la salle de courtage où la compagnie achète, vend et spécule pour ses clients et pour elle-même. Au cours d'une journée chargée, 4 milliards peuvent changer de mains ici. Une compagnie d'assurance peut décider de se débarrasser de cent mille actions de ITT. Une grand-mère peut commander des obligations pour 5 000 $. Un courtier chevronné peut risquer 100 millions avec l'argent de la compagnie sur des valeurs qui sont d'après lui sous-évaluées, dans l'espoir de gagner rapidement un million avant la fin de semaine.

Le théâtre des événements mondiaux se joue ici chaque jour, tout est traduit en chiffres et dans le jargon de la finance.

«Qu'est-ce que je peux obtenir pour 50 millions de Fannie Mae à $1/8$?»

Les résultats sont toujours clairs et définitifs. Tant d'argent a été gagné, et tant a été perdu.

Au bout de l'allée la plus large, le Patron est assis dans son bureau vitré, surplombant la mêlée. Comme tous les autres hommes ici, il est en manches de chemise, la cravate desserrée, le col ouvert. «Quand on parle de réussite à Wall Street, dit-il, on ne peut pas s'en tenir juste à moi. Il ne s'agit pas d'une seule entreprise. Ce sont des dizaines d'entreprises, et chacune a besoin de gens différents.» Dans sa salle de courtage, les gens échangent et vendent des papiers d'affaires, des obligations du Conseil du Trésor, des billets du Conseil du Trésor, des actions cotées et non cotées, des primes, des marchandises, des gérations à terme, des obligations municipales — la liste est infinie. Les banquiers sont en haut: finance des entreprises, finance municipale et finance internationale. Deux étages plus haut se trouvent les chercheurs-analystes, les économistes et les opérationnels. «Nous avons des titulaires de doctorat ou de maîtrise en administration des affaires, et d'autres qui ne sont jamais allés à l'université, ajoute-t-il. Nous avons des gens de haut rang et d'autres qui viennent des bidonvilles. Certains jours, ça ressemble à un zoo. Alors, bienvenue à Wall Street. Quoi que soit, Wall Street.»

Essayer de compter tout Wall Street d'un coup, c'est comme essayer d'évaluer le nombre de personnes dans un terrain de divertissement — pendant qu'on se trouve dans les montagnes russes. Rien ne s'arrête assez longtemps pour qu'on puisse y arriver. La vue change d'une minute à l'autre. Et quand la promenade est finie, tout a encore changé. Il n'y a qu'un seul dénominateur commun. «Il s'agit essentiellement d'argent, dit le Patron. C'est pour ça que les gens viennent ici. Wall Street scintille, il a l'attrait d'un endroit étrange et mystérieux où les gens deviennent riches. Je ne savais rien de Wall Street quand je suis arrivé, mais je savais que je voulais essayer. C'est pareil aujourd'hui. J'ai des gens qui gagnent des salaires de six chiffres et d'autres de sept. Pas en salaire direct bien sûr. Chacun est payé au rendement. Tout le monde — même les secrétaires et les autres employés payés à l'heure. Tout dépend de leur rendement et de celui de la firme. Mais on doit bien sûr se rappeler que c'est un domaine terriblement cyclique.»

En effet.

Les bonnes années peuvent être phénoménales et les mauvaises horribles. La vie à Wall Street n'est pas faite pour les timorés ou pour ceux qui ont besoin de sécurité. À quelques reprises au cours de la dernière décennie, sa dernière heure a semblé être venue. Deux fois, la Bourse est tombée de haut et les chutes étaient presque aussi spectaculaires qu'en 1929. Les «prophètes» du marché qui allaient jadis au travail en Rolls-

Royce ont fini par vendre des assurances ou par devenir fleuristes. Autrefois, assez ironiquement, bien des maisons de courtage ont presque failli mourir à cause d'un excès de ce qui aurait dû être une activité commerciale rentable. Il y eut même des moments où on a cru que la vénérable Bourse de New York n'allait pas survivre.

Il y a eu un autre choc quand le gouvernement a supprimé les taux de commissions fixes qui avaient été l'élément vital de la profession. Plus récemment, les traumatismes ont fait des ravages et le carnage a été effrayant. Des centaines de compagnies ont fermé leurs portes ou ont été absorbées dans des fusions. Des milliers de gens ont perdu leur travail.

Aujourd'hui, Wall Street a été reformé et reformé pour devenir un domaine consolidé et (il l'espère) plus stable. Mais l'épée à double tranchant du risque et de la récompense n'en est pas moins coupante. «On ne peut pas toujours reconnaître les gagnants, dit le Patron. Mais les perdants sont faciles à repérer. Ce sont ceux qui ont besoin de la sécurité d'un salaire. Celui qui dit qu'il préfère continuer à recevoir un salaire plutôt qu'une commission m'indique clairement qu'il ne peut pas vivre avec des risques, qu'il n'a pas confiance en son propre jugement.»

Dans d'autres domaines, les gens sont programmés pour sublimer l'appât du gain. Ils sont poussés par des récompenses plus subtiles et moins tangibles: la montée dans la hiérarchie de l'entreprise ou le fait d'être reconnu quand on a créé un meilleur produit. Mais à Wall Street, il y a très peu de hiérarchie. Et le seul produit c'est l'argent — même quand l'accroissement du salaire a perdu son sens.

Le Patron devient pensif et dit: «J'ai tout l'argent que je voulais. J'ai quatre maisons magnifiques. Je possède toutes mes voitures et mes bateaux, sans aucune dette. J'ai au moins un million et demi de dollars dans mon compte courant et je ne sais même pas quoi en faire.

«Je ne viens pas travailler pour être payé. C'est le défi de la victoire qui me pousse. L'argent est important parce que cela montre que vous faites du bon travail. Mais l'argent en soi? Non, ce n'est pas important... à partir du moment où on en a suffisamment.»

Qu'ils courent après leur propre niveau «de suffisamment d'argent» ou qu'ils recherchent d'autres satisfactions, les gens de Wall Street continuent à grimper. Parce qu'ils savent qu'ils peuvent gagner plus d'argent, exploiter plus d'occasions, et obtenir plus de responsabilités plus vite que dans presque n'importe quel autre domaine. Ils vivent aussi en prenant plus de risques.

Et c'est ce qui fait que Wall Street continue à bouillonner dans la compétition, jour après jour, dans la frénésie.

Les chasseurs de papiers

Vous n'avez pas besoin de connaître la différence entre des débentures munies d'un fonds d'amortissement et un billet à taux fluctuant pour comprendre Wall Street. (Même des gens qui y ont passé toute leur vie ne maîtrisent jamais complètement toute la complexité de la haute finance.) Fondamentalement, voici comment cela fonctionne.

Il y a deux sortes de gens dans le monde: ceux qui ont de l'argent et ceux qui en ont besoin. Wall Street joue le rôle de l'intermédiaire qui les rapproche. Supposons qu'une corporation ou qu'un gouvernement ait besoin de 100 millions de dollars pour construire une nouvelle usine ou un nouvel aéroport. Il ou elle viendra voir les financiers de Wall Street, les banquiers de placements. Les banquiers établissent les papiers qu'ils vont vendre aux investisseurs. Les papiers — les valeurs mobilières — sont de deux sortes: la créance et l'avoir. La créance, une obligation, est une reconnaissance de dette qui rapporte des intérêts. L'avoir, une valeur, est une part de la propriété, un droit à toucher un pourcentage des futurs profits. Les entreprises émettent les deux types de papiers; les gouvernements s'en tiennent aux créances.

Les banquiers «garantissent» le papier. C'est-à-dire qu'ils y mettent la réputation et l'argent de la société. Ils achètent le papier de la compagnie ou du gouvernement, et prennent le risque de le vendre sur le marché. Afin de donner une large distribution au papier et d'étaler les risques, les banquiers s'organisent en consortiums de vente. De cinq à cinquante compagnies ou plus peuvent être invitées à y participer. S'ils arrivent à déterminer à l'avance ce que les investisseurs seront prêts à payer, la vente leur rapportera alors un profit substantiel. Mais s'ils évaluent mal le marché, ils seront forcés de vendre le papier à perte. Les banquiers travaillent aussi dans bien d'autres activités visant à faire faire de l'argent à leurs clients. Mais à ce stade, Wall Street se tourne vers ses clients qui investissent — les maisons de courtage.

Si les investisseurs achetaient des valeurs sans l'intention de les revendre plus cher, Wall Street n'aurait besoin que de banquiers de placements. Mais puisque l'avidité fait tourner le monde, Wall Street aide les investisseurs à acheter, à vendre et à échanger leurs valeurs. Le coût du service est une commission facturée pour chaque morceau de papier que l'investisseur achète ou vend par l'intermédiaire de la firme. L'objectif d'une maison de courtage est donc de créer un mouvement parmi les investisseurs et de le maintenir.

En bref, les clients de Wall Street vont et viennent.

Le monde est petit, n'est-ce pas?

Environ cinq mille entreprises sont dans le commerce des valeurs mobilières à travers le pays. Cinq d'entre elles précisément dominent le secteur. En 1980, au-delà de 60 pour cent des 60 milliards et plus de nouvelles valeurs garanties venaient des «cinq grands» de Wall Street: Morgan Stanley, Goldman Sachs, Merrill Lynch, Salomon Brothers et First Boston. Ajoutez encore vingt compagnies et vous aurez rendu compte de plus de 85 pour cent de toutes les garanties du pays. Du point de vue de son impact national, le commerce des valeurs n'est représenté que par une petite poignée de firmes. Le reste est constitué de courtiers à l'échelon régional, de courtiers individuels et de petites associations attachées à diverses bourses, d'entrepreneurs travaillant seuls et de courtiers à mi-temps.

Il n'existe pas de firme typique. Chacune a sa propre «culture». Le domaine est encore suffisamment petit pour que l'influence de certaines personnes se fasse sentir dans chaque ramification. Il n'y a pas deux firmes qui fonctionnent de la même façon; il n'y en a pas deux qui ont la même force professionnelle. Bien que les compagnies offrant un service complet semblent être la voie de l'avenir, la plupart d'entre elles peuvent être caractérisées par leur travail d'origine. Les énormes maisons de courtage au détail sont encore connues sous le nom de maisons «reliées par téléphone aux différentes bourses», bien qu'elles soient toutes passées aux opérations bancaires. Et les anciens établissements de placements ont étendu leurs activités de courtage, même s'ils ne servent que les institutions et les riches particuliers.

Certaines firmes sont des corporations publiques, d'autres demeurent des associations privées. Les «maisons reliées par téléphone » comme Merrill Lynch et Paine Webber sont publiques. Les banques d'affaires comme Morgan Stanley et Lazard Frères demeurent privées, bien que les associés subissent des pressions plus fortes pour vendre l'association, comme l'ont fait les associés de chez Salomon Brothers quand ils ont vendu à Phibro en 1981. Mais actuellement, la propriété reste une distinction importante entre les firmes de Wall Street.

Dans les corporations publiques, les vedettes sont généreusement payées. Les vedettes qui passent au rang d'associé deviennent irrévocablement riches. La rémunération moyenne des présidents des grandes compagnies publiques s'élève à environ 400 000 $. Un jeune associé, disons de 35 ans, pourrait gagner deux fois plus dans une firme privée au cours d'une bonne année. Et la plupart des associés principaux peuvent facilement gagner de 2 à 3 millions ou plus lorsque les profits sont élevés.

L'association n'est pas facile à atteindre. Un jeune diplômé en administration des affaires qui débuterait aujourd'hui chez Morgan Stanley ou Goldman Sachs a moins d'une chance sur cinq de devenir associé. La période d'attente pourrait aller de sept à vingt ans. Il n'y a habituellement aucun calendrier régulier pour ce qui est de la nomination des associés. Théoriquement, ça peut arriver à n'importe qui n'importe quand. Chaque firme a sa propre politique à ce sujet. Et, à l'encontre de ce qui se passe dans les cabinets juridiques et comptables, l'alternative n'est pas de monter dans la hiérarchie ou de quitter la firme. Ceux qui ont un bon rendement sont sûrs de leur place dans la compagnie et ils reçoivent des salaires de six chiffres même après avoir été rejetés comme associés. Ce sont les clubs les plus exclusifs de Wall Street, mais pour en devenir membre, les règles restent flexibles.

Les firmes publiques et privées se chamaillent à tour de rôle. Les compagnies privées accusent les compagnies publiques d'être bureaucratiques et peu entreprenantes. Les firmes publiques accusent les compagnies privées d'être les repaires mal gérés de « prima donna ». La vérité se trouve quelque part au milieu. Mais une chose est certaine ; Wall Street est entrée dans une nouvelle ère de consolidation à la suite de fusions et de la concurrence la plus acharnée qu'elle ait jamais vue. Et c'est dans le monde des banquiers de placements que c'est le plus évident.

Les nouveaux

Joe Thomas, de chez Lehman Brothers, avait l'habitude de rappeler aux jeunes gens sous sa tutelle que leur valeur en tant que banquiers de placements serait prouvée, non pas lorsque les clients appelleraient pour savoir quel genre de droit d'achat annexer à leurs obligations, mais quand ils appelleraient pour demander à quel collège ils devraient envoyer leurs enfants.

Les banquiers étaient des amis en qui les clients avaient confiance. Ils faisaient partie de leur conseil d'administration. L'éducation, les liens familiaux et le passage par les mêmes universités cimentaient des relations loyales et durables.

Joe Thomas est mort en 1977 et, déjà, les valeurs qu'il avait tellement appréciées avaient disparu. Selon I.W. Burnham II, l'un de ses contemporains et fondateur de Drexel Burnham Lambert: « Il est miraculeux de voir à quel point ce domaine s'est ouvert. Aujourd'hui, n'importe qui peut réussir à Wall Street s'il a du talent. Bien sûr, il y a aussi des désavantages. C'est devenu tellement compétitif que c'est impitoyable. Wall Street serait un meilleur endroit s'il y avait encore des restes de l'ancien temps. »

Les nouvelles élites se reconnaissent davantage par l'école d'administration qu'elles ont fréquentée que par la famille dont elles sont issues. Mais lorsqu'elles réussissent, elles font en sorte de conserver la « hauteur » des jours anciens. Il est facile de voir qui sont les banquiers de placements dans une entreprise. Ce sont généralement les gens dont le costume coûte le plus cher. Leur élégance des plus étudiées est conservatrice et du style « école préparatoire ». Et pourquoi pas? Les banquiers de placements sont parmi les salariés les mieux payés du monde. Pour eux, il est important d'être la publicité même de leur propre réussite.

« Les rapports banquier-client sont de moins en moins stables », fait remarquer John K. Castle, directur général de Donaldson, Lufkin & Jenrette. « Le secteur se relâche. Les gens vont écouter n'importe quel banquier qui a une bonne idée à vendre. Il n'est pas rare de représenter une compagnie lors d'un marché, et de finir par représenter la compagnie adverse lors d'un autre marché. »

Le client de l'un de ces banquiers, trésorier d'une compagnie qui figure sur la liste des 100 du magazine *Fortune*, décrit ce secteur comme « un essaim de mouches. Ils (les banquiers) vont pulluler autour de vous s'ils pensent pouvoir toucher quelques dollars. Sinon, ils disparaissent. Et pour empirer les choses, de là où je me trouve, ils ont tous l'air pareils.»

Les opérations d'investissement peuvent encore avoir un aspect élitiste, mais à présent, les gens jouent des coudes pour entrer dans le Saint des Saints du pouvoir. Une jeune vedette dit en se vantant: «Ça ne me gêne pas d'appeler un président de conseil d'administration que je ne connais pas et d'insister pour lui parler à lui et à lui seul. Je vais me frayer un chemin à travers les secrétaires pour arriver jusqu'à lui — je sais comment m'y prendre. Et puis, quand il finit par venir au téléphone et qu'il se montre hostile parce que je prends de son temps, et que de toute façon «pour qui est-ce que je me prends». Je sais comment réagir. Parce que je suis astucieux, que j'ai un bon produit à vendre, et une réputation à maintenir.»

Avoir l'esprit de bravade — avoir du front — est essentiel. Parce que les meilleurs banquiers ont l'art de la combine, dans le sens traditionnel. «J'aime mettre les choses en mouvement, dit un banquier de placements associé. J'aime l'énervement que cela procure. Quand tous les téléphones sonnent en même temps. Quand toutes les affaires se réalisent. Je dis une chose à quelqu'un et autre chose à un autre. Il faut une stratégie nette pour chacun des joueurs. C'est formidable. Quand le directeur général d'une compagnie m'appelle d'une cabine de l'aéroport et que j'ai en même temps la partie adverse sur une autre ligne — Dieu que c'est excitant! Certains soirs, je vais mettre environ deux heures à me décontracter — simplement à cause d'une longue journée passée au téléphone.»

Un autre banquier très énergique ajoute: «Ma vie est vraiment très simple. Ou bien je fais beaucoup d'affaires et je gagne beaucoup d'argent pour la firme. Ou bien je suis dehors.» Et il y a des dizaines de types d'affaires à conclure. Dans la plupart de celles-ci, l'objectif final consiste à faire faire de l'argent au client, mais les méthodes sont si diverses et les techniques financières si raffinées que la plupart des banquiers de placements ont tendance à se spécialiser dans certains types de marchés. Les rémunérations pour des services aussi importants sont proportionnées. «Je vais vous épargner toutes les formules techniques, dit un adjoint, mais quand nous garantissons, gérons et vendons disons 200 millions de dollars en émission d'obligations, nous pouvons gagner plus de 500 000 $ net. C'est pas mal pour un travail de six semaines. Et nous faisons bien plus qu'une affaire toutes les six semaines.» Il y a également le financement des baux, les placements privés, les prêts aux consortiums, la finance internationale et bien plus encore.

Ces dernières années, les fusions et acquisitions (F & A) — ou encore les «meurtres et acquisitions comme on les appelle parfois — ont été des plus spectaculaires. Les banquiers de placements conseillent les attaquants et défendent les victimes. Ils jouent le rôle de «marieurs» d'entreprises, de sauveurs et de méchants. Ce sont des stratèges visionnaires et de fins négociateurs.

Leurs honoraires sont liés à l'ampleur des transactions et les pourcentages grimpent dès qu'une affaire est conclue. D'après ce qu'on dit, lors de la fusion de duPont et de Conoco, les honoraires de First Boston se sont élevés à 15 millions de dollars, et à 17 millions lors du «mariage» de Marathon et U.S. Steel. L'argent vient peut-être vite mais il ne vient pas facilement. Une F & A veut dire plusieurs semaines de suite où l'on travaille 18 heures par jour, des coups de téléphone à 3 heures du matin, et plus de voyages en avion pendant lesquels on est épuisé qu'il n'est bon pour la santé. «Cependant, assure un as des F & A, la firme fait des profits d'environ 90 pour cent, sans risquer aucun capital.»

Il arrive aussi que des marchés tombent à l'eau, et cela veut dire des mois de travail pour rien. Il n'y a pour ainsi dire aucun moyen de prévoir l'avenir d'un marché. «Je garde à l'esprit que la loi de Murphy est toujours en vigueur, explique Fred Joseph, premier banquier chez Drexel Burnham Lambert. Il y a des fois où Dieu lui-même ne pourrait faire conclure une affaire. Il faut seulement que les choses continuent à tourner, chaque minute de chaque jour. Vous jouez avec les pourcentages.» Et comme si la concurrence pour les clients n'était pas assez éprouvante, la compétition pour le capital lui-même est encore pire. «La lutte pour des ressources limitées est le plus grand dilemme des entreprises américaines», déclare un banquier qui se spécialise dans les compagnies à fort potentiel de croissance. «Cela met encore plus de pression qu'avant sur les banquiers de placements pour qu'ils trouvent de nouvelles façons d'attirer du capital. Il n'y a plus que très peu de transactions routinières. Il faut de nouvelles idées, des innovations et de nouvelles façons d'aborder les questions. Constamment.»

Les exigences liées au métier sont loin d'être d'ordre uniquement intellectuel. «Cette année, dit un spécialiste des nouvelles entreprises, j'ai été sur la route cinq jours par mois en moyenne. L'année prochaine, je suppose que ce sera plutôt quatorze.»

Et cela peut faire des victimes. Une jeune banquière nous dit:
« Dans mon service, il semble y avoir beaucoup de célibataires et
de divorcés dans la trentaine. Cela est dû en grande partie aux
déplacements. Il est très difficile d'établir et de maintenir une
relation personnelle quand l'un des deux conjoints doit se préci-
piter à Houston pour un travail de deux semaines. Je suppose
que c'est une des raisons pour lesquelles il y a tant de batifola-
ge.» Une solution à envisager consiste à intéresser le conjoint
non banquier aux péripéties des marchés. «Ma femme a une
formation d'économiste, déclare Steven Fenster, associé chez
Lehman Brothers Kuhn Loeb. Elle s'intéresse à ce que je fais et
le comprend. Je la tiens au courant des projets sur lesquels je
travaille et comme ça, nous les vivons ensemble.» Quelle que
soit la façon dont on s'organise, il semble qu'un engagement
total soit inévitable.

Les résultats de cette vie à cent à l'heure sont manifestes. Un
banquier vedette raconte cette anecdote: «Mon dentiste m'a
demandé un jour quel était mon métier pendant qu'il examinait
mes dents. Quand je lui ai demandé pourquoi, il m'a dit que
mes dents étaient si aplaties d'un côté que, s'il avait à m'identifier d'après mes dents, il dirait que j'ai cinquante ans. Il se
trouve que j'en ai trente-trois.»

Parmi ceux de la génération actuelle, combien deviendront
des vétérans aux cheveux blancs, comme autrefois? «Je ne connais pas beaucoup de vieux banquiers de placements, dit Fenster. Il y a une limite au nombre de marchés que vous pouvez
conclure et qui vous rendent encore euphorique. Il y a des limites à ce que vous pouvez exiger de vous-même. Faire ce travail,
c'est comme être un cheval de course, sauf que vous êtes sur la
piste tous les jours. Je pense que c'est vers 40 ans que vous
pouvez donner 100 pour cent de vous-même. Vous ralentissez
peut-être ensuite à 70 pour cent et développez des intérêts extérieurs à votre travail. Certaines personnes s'aperçoivent qu'elles doivent en sortir complètement. Elles deviennent agents
financiers dans des compagnies ou montent leur propre
entreprise, ou elles vont dans l'enseignement ou au gouvernement. Mais il en faudrait beaucoup pour me faire quitter le
métier. Il me convient vraiment très bien.»

Le pouvoir et la gloire

« Ce que j'ai aimé chez les premiers banquiers de placements que j'ai rencontrés, dit un homme qui a depuis rejoint leurs rangs, c'était leur apparence. Ils s'habillaient bien, se présentaient bien. Ils maîtrisaient la situation. À l'époque, je n'avais aucune idée de ce qu'ils faisaient, mais je savais que je voulais être comme eux. Mon but était — et est encore — de devenir quelqu'un d'important. Et c'est précisément ce que j'ai réussi à faire dans les investissements. »

Cette vie peut vraiment être grisante. « J'appelle par leur prénom certains des hommes les plus importants du monde industriel », dit l'associé d'une firme importante. Les banquiers de placements ont tendance à mentionner fréquemment des noms connus. Il y a des chances pour que la référence à ce que « Bill » ou « David » ont dit l'autre jour veuille dire William Paley ou David Rockefeller, ou quelqu'un du genre. Évidemment, les banquiers d'affaires sont évalués selon l'importance et la richesse de leurs clients, or la réticence et la modestie n'ont jamais impressionné les nouveaux clients potentiels. « Je ne peux pas dire que ça n'est pas plaisant, déclare un autre banquier en vue, les limousines, les déplacements en hélicoptère, la mission urgente pour laquelle le président vous fait venir en avion privé. Nous faisons notre travail au plus haut niveau. »

La route qui mène à une telle participation ressemble à un champ de mines qui met à l'épreuve les capacités du banquier en matière de finance, de politique et de diplomatie. « Quand vous établissez le prix d'une nouvelle série d'actions, explique Fred Joseph, la réunion avec les propriétaires de la compagnie est toujours très tendue. Si, par exemple, vous pouvez augmenter le prix de chaque action de simplement cinquante cents, avec cinq millions d'actions sur le marché, les propriétaires vont gagner 25 millions de dollars de plus. Il y a davantage que le jugement commercial à l'oeuvre ici. L'émotion est incroyablement forte à ce moment-là. Et pendant que vous négociez, vous devez « manier » leur nervosité. Vous devez la rendre diffuse. Parce que, assez curieusement, vous avez toutes les cartes en main. Il faut beaucoup de perspicacité pour savoir s'y prendre. Vous ne pouvez abuser de votre pouvoir. Il faut que vous et vos décisions les mettiez à l'aise. »

Les compétences du banquier sont également mises à l'épreuve dans l'entreprise. Son travail consiste à représenter les intérêts du client, à conclure le meilleur marché possible pour cette compagnie. Mais l'équipe de vendeurs doit vendre les valeurs sur le marché et la firme doit faire des profits. Comme le dit un ancien: « Il y a un conflit d'intérêts naturel ici. Bien sûr, aucun client ne vaut que l'on tarifie incorrectement une affaire pour lui. Mais je vous assure que c'est quelque chose de convaincre toutes les parties qu'elles font la meilleure affaire possible *et* que le prix est juste, en fonction du marché. Parce que même si vous contentez les deux parties mais que le marché montre que vous avez tort, soyez certain que tous les banquiers de la ville vont appeler votre client pour lui signaler vos erreurs. »

Mais les récompenses sont fort belles lorsqu'on réussit des opérations aussi complexes et qu'on fournit aux entreprises et aux gouvernements le capital dont ils ont besoin. Quelqu'un a dit que la rémunération totale *moyenne*, chez les banquiers de placements, s'approchait de 200000 $. C'est bien sûr un tout petit univers à partir duquel établir une moyenne. Dans sa liste du « who's who » dans les banques de placements, *Institutional Investor* ne mentionne que cinquante-trois firmes dans le pays. Cela engloberait une population de deux mille personnes au plus. « Mais vous seriez surpris, explique un membre de ce groupe d'élite, de voir combien d'entre eux gagnent au moins 1 million de dollars par an. Dans les compagnies publiques, les primes ne vous mèneront pas beaucoup plus loin que 500000 $.

Un associé dans une société privée en dit plus sur la nature de la rémunération: « Oui, certaines années, mon revenu va atteindre les sept chiffres — sur papier. Mais au moins un tiers de cette somme peut être réinvestie dans la compagnie. Et, ajoute-t-il, cela me convient très bien. J'ai tout ce qu'il me faut. Et qu'est-ce que ma femme ferait d'un autre tableau? De cette façon, mon argent rapporte des intérêts et est géré par certains des gars les plus intelligents que je connaisse — mes associés. »

Un autre avantage peut être l'accès qu'a le banquier aux origines des marchés lucratifs. L'un d'eux déclare: « Parfois, quelqu'un peut accumuler environ 250000 $ et les mettre sur une affaire qui a l'air bonne. Si ça marche, il peut éventuellement en tirer 25 millions de dollars. Ça arrive. Croyez-moi, on voit beaucoup d'affaires qui ont l'air bonnes et qui se réalisent. »

Naissance d'un vendeur

Son bureau et sa vieille chaise de secrétaire sont coincés derrière une cloison de fortune. L'embrasure de la porte est le seul endroit où il peut mettre sa corbeille à papier; il doit passer par-dessus des montagnes de papiers pour se mettre au travail. Il est adjoint dans une importante firme d'investissement. «Je n'avais pas besoin d'une maîtrise en administration des affaires de Harvard pour faire ce genre de travail», dit-il en montrant les piles de papiers qui se trouvent sur son bureau. «J'ai passé mes deux premières années à la bibliothèque, à faire des recherches pour les affaires des associés. J'ai fait d'interminables analyses statistiques, des choses vraiment simples que n'importe quel commis pourrait faire. Je ponds des chiffres et je produis des notes. Des détails, encore des détails et des corvées. Quand j'ai de la chance, je ne travaille que douze heures par jour. Je n'ai pas eu une seule fin de semaine de libre en six mois. On m'a permis de rencontrer les clients à quelques reprises, mais j'avais reçu l'ordre strict de sourire poliment et de me *taire*.»

Où est le prestige rattaché à la banque d'investissement? Où est la mystique rattachée à l'école de commerce de Harvard? Est-ce ce pouvoir particulier que reçoivent les meilleurs et les plus intelligents de sauter de la position de stagiaire à celle de président, d'un bond?

Prenons les choses comme le font les jeunes banquiers d'investissement — étape par étape. Tout d'abord, les chances d'obtenir cet emploi «prestigieux» sont bien minces. L'anecdote sur le recrutement que raconte un banquier d'investissement est typique: «Je me penche sur les deux premiers pour cent des meilleures écoles d'administration: Harvard, Columbia, Stanford, Wharton et l'université de Chicago. L'année dernière, si je compte tous les gens qui se sont inscrits pour nous rencontrer, et tous ceux qui nous ont écrit alors qu'ils n'étaient nullement préparés pour le poste, nous avons eu environ trois mille deux cents candidats. Je ne peux évidemment pas être juste à l'égard des trois mille deux cents personnes. Mon travail consiste à m'assurer que les six candidats que je décide d'engager ont le maximum de chances de réussir. Étant donné que tout le monde, dans les deux pour cent de ces universités est, par définition, très habile et très motivé, l'affaire consiste à éliminer les incompétents. J'ai besoin de gens perspicaces et qui ont des contacts faciles avec les autres. Ils doivent savoir écouter, être crédibles et pouvoir fonctionner à plusieurs niveaux simultanément.» Et ils doivent apprendre les montagnes de détails techniques qui forment la haute finance. C'est un apprentissage des plus exigeants.

Mais les adjoint, comme leurs maîtres, sont bien récompensés de tout ce travail épuisant. Pour un diplômé en administration des affaires, les salaires de départ vont de la tranche supérieure des 20 000 $ jusqu'à la tranche moyenne des 50 000 $, et ils grimpent vite. Au bout de trois ans, les jeunes banquiers de placements devraient gagner entre 45 000 $ et 80 000 $ sous forme de salaire et de prime, selon la firme et l'année. S'ils tiennent cinq ans, la rémunération totale devrait se situer entre 65 000 $ et 100 000 $. Ça n'est pas mal pour des hommes et des femmes à la fin de la vingtaine et au début de la trentaine. Au bout de huit ans, leur rémunération totale devrait se rendre à 100 000 $ et à 150 000 $ et plus, cela dépend d'eux et de leur compagnie. À ce stade, ils devraient être sur le point ou presque de devenir associés (dans les firmes privées) ou associés principaux (dans les sociétés publiques, on les appelle souvent de façon informelle «équivalents des associés»).

C'est un changement abrupt pour la plupart des adjoints. Mis à part de rares prodiges, ils sont promus pour assurer le travail quotidien, et non pour être des producteurs de marchés. Ils apprennent surtout en regardant. Sauf un mentor à l'occasion, personne ne les prend par la main pour leur montrer comment faire un bond jusqu'au niveau suivant. Pour ce faire, ils ne doivent compter que sur eux-mêmes et sur leur chance.

Un banquier qui a réussi à devenir associé atteste qu'il y a «un élément de chance». «Vous devez certainement être sur la bonne affaire au bon moment, dit-il. En ce qui me concerne, j'ai eu la chance d'être sur une affaire qui s'est révélée importante et qui m'a fait remarquer par les bons associés. Ça dépend en grande partie de ce qui se passe dans la firme à un certain moment. Mais c'est à vous de saisir l'occasion puis d'en tirer profit. Dans mon cas, ça a été un mélange de chance et de ce que je suis.»

La confiance — la confiance suprême — est essentielle. À trente-trois ans Stephen Schwarzman est associé chez Lehman Brothers Kuhn Loeb depuis trois ans. Au cours de cette période, il a joué un rôle clef dans des transactions de fusions et d'acquisitions de l'ordre de 4 milliards. Il parle de sa force sans aucune équivoque. «Je sais tout simplement que j'ai raison, dit-il. J'ai terriblement confiance. Je ne travaille pas plus qu'un autre le côté technique. N'oubliez pas que *tout le monde* est très intelligent et très motivé. Par ailleurs, je me distingue par mes facultés d'élocution, par mon esprit de synthèse et mon aptitude à déterminer ce que les autres pensent sans qu'ils aient à me le dire. Et si vous savez ce qu'ils pensent, ça veut vraiment dire que vous connaissez leurs problèmes, et ainsi de suite. Vous pouvez alors faire ce qu'un homme politique ou n'importe quel chef fait, c'est-à-dire rendre explicite ce que les gens ont en tête. Et c'est, bien sûr, le don essentiel que tous les bons vendeurs ont en commun. Néanmoins, pour passer du stade où on est apprenti à celui où l'on conclut des marchés, il faut sortir et conclure sa propre affaire. Personne ne vous la tendra sur un plateau.

Avant que Kenneth Lipper n'entre chez Salomon Brothers en 1976, il était déjà associé chez Lehman Brothers. Il a saisi des occasions de la façon suivante: « Je me sentais différent des autres adjoints, dit-il. Dans ma tête, j'étais déjà un associé à l'état larvaire. Chaque fois que je faisais le travail de larbin sur un marché, je faisais semblant que c'était mon marché. Finalement, quand j'ai jugé que c'était opportun, j'ai conclu deux marchés par moi-même. L'un avec une grosse compagnie d'assurance. J'ai simplement appelé le président, je lui ai fait part de mon idée et je la lui ai vendue. Ensuite, j'ai convaincu une compagnie en difficulté qu'elle devrait vendre. Ça a pris des années mais j'ai fini par les convaincre. Ces deux marchés que j'ai conclus moi-même ont fait de moi un associé. Je n'avais que vingt-neuf ans à l'époque mais j'ai réussi. »

Dans les tranchées

Un habitué de l'une des premières salles de courtage de Wall Street dit des banquiers de placements qu'ils sont «un peu lents, un peu trop pompeux et imbus d'eux-mêmes. » Et il ajoute: «Nous sommes nombreux à penser qu'ils ne vivent pas dans la réalité. Nous disons qu'ils viennent du «pays de la contemplation». Ils ne savent pas vraiment ce qui se passe. »

Ici, on n'a pas le temps d'avoir des manières raffinées et élégantes. Pas de dîners tranquilles dans des clubs sélects. Un vacarme continuel vient de partout; les bureaux sont encombrés de machines électroniques, de sandwichs au thon à moitié finis et de cendriers débordants. On considérerait que bien des gens de la salle de courtage ne seraient pas assez présentables dans le service des opérations de banque; leurs manières sont abruptes, brusques et ils ne s'habillent pas particulièrement bien. « Nous avons le plus haut pourcentage de fumeurs dans l'entreprise », dit un cadre en opérations boursières.

« Ce que nous faisons, dit un vendeur, c'est de présenter les produits et les idées partout. Nous réunissons les acheteurs et les vendeurs. C'est pourquoi nous vivons tous au téléphone. » L'information est la clef du succès: amasser les renseignements, transformer des contacts en marchés conclus. On dit du système téléphonique de la salle de courtage de chez Salomon Brothers — qui relie ses bureaux et ses clients dans le monde entier — qu'il est le système de télécommunications le plus élaboré hormis celui du Pentagone.

« Le travail consiste à prendre des décisions », explique Lewis Eisenberg, l'associé directeur de chez Goldman Sachs responsable des ventes institutionnelles dans la salle de courtage de ladite firme. « Nous prenons des décisions toute la journée et elles engagent souvent des millions. La réponse est presque instantanée. Dans le domaine bancaire, vous pouvez travailler pendant des mois sans voir de résultats. Ici, la satisfaction est instantanée, mais le désastre aussi. » L'essentiel, c'est d'aider les clients à gagner de l'argent.

Un vendeur institutionnel dit de sa journée de travail qu'elle est comme « une confrontation avec douze lanceurs rapides en même temps ». Le vendeur est assis devant la console du téléphone toute la journée. Il a 120 lignes directes qui le relient à des institutions et de 30 à 40 lignes qui le rejoignent lui. Chaque jour, il joint par téléphone ses quarante comptes au moins deux ou trois fois. Il guette les deux systèmes d'annonce sonore de la compagnie, dont l'un s'adresse uniquement à la salle des transactions de New York et l'autre retentit dans tous les bureaux du pays. « En même temps, ajoute-t-il, j'écoute les courtiers et les vendeurs qui m'entourent; leurs transactions guident les miennes. Je regarde également la bande des nouvelles du Dow Jones ainsi que les tout derniers cours. » À ce moment, il est au téléphone avec au moins un client, un autre l'attend et, dit-il: « La pression commence vraiment. Je dois absorber ce que disent les deux systèmes d'annonce sonore, deux coups de téléphone, la conversation de la personne derrière moi et celle d'à côté. Plus les nouvelles sur la bande et les cours du marché. J'essaie de prendre une décision et d'entrer en contact avec mon client pour l'amener à prendre une décision, tout ça en même temps. »

Ces jongleurs professionnels et vendeurs institutionnels ont tendance à être titulaires d'une maîtrise en administration des affaires. Ils doivent être en mesure de parler le jargon financier avec les investisseurs professionnels des grandes institutions. En plus d'entrer en concurrence avec les vendeurs de dizaines d'autres firmes, et ce pour accaparer le temps et l'attention des clients, les vendeurs dépensent une bonne quantité d'énergie à concurrencer les collègues qui se trouvent autour d'eux. « Ça peut ressembler à une jungle, dit l'un d'eux, on n'a pas le temps de faire des finesses. Pour parler très franchement, tout le monde veut le même morceau de viande. »

Le travail du vendeur consiste à persuader le client d'acheter ou de vendre par l'intermédiaire de sa firme à lui (ou à elle). Il est le représentant du client dans la compagnie et sa rémunération est basée sur le nombre d'affaires qu'il peut attirer. Chaque sorte de valeur mobilière comporte un arrangement particulier. La rémunération du vendeur va dépendre du produit et de la nature du marché. Pour un vendeur accompli, le salaire de base va plafonner à environ 70 000 $. Les primes et / ou commissions peuvent doubler, tripler ou multiplier cette somme de façon encore plus spectaculaire, selon le marché. Quand celui-ci s'échauffe, il n'est pas impensable de voir des novices dans la vingtaine gagner de 200 000 $ à 400 000 $ en rémunération totale. Le chef d'un grand bureau déclare : « Quelques-uns de mes meilleurs vendeurs gagnent entre 700 000 $ et 800 000 $. Ici, tout le monde gagne au moins 100 000 $. À moins que ça, ils n'ont pas leur place ici. » Comme on pouvait s'y attendre, les compagnies privées ne mettent généralement aucun plafond à la rémunération. Le chef des ventes institutionnelles d'une firme publique connue affirme que 350 000 $ est le maximum que ses employés puissent atteindre.

Malgré leur bravade et leur savoir-faire, les vendeurs accomplissent une tâche limitée. « Ce ne sont que des canaux conducteurs, dit un courtier; ils ne peuvent ni accepter ni refuser une transaction. Ils doivent d'abord s'informer auprès du courtier. En tant que courtiers, nous sommes plus puissants parce que nous décidons si oui ou non nous allons engager le capital de la compagnie. Les vendeurs ne prennent aucune décision. Jamais. » En fait, arrivés à cette étape, les titulaires d'un MBA, qui sont des parleurs rapides, doivent laisser la place à des gens moins instruits mais dont l'instinct est plus développé : les courtiers.

«Être courtier est terriblement excitant », déclare John Coffin, chef des marchandises chez Drexel Burnham Lambert. «C'est comme jouer une partie. C'est comme la partie de tennis la plus difficile de votre vie. Sauf que nous la jouons tous les jours.» Pour dire les choses simplement, voici ce que font les courtiers: les vendeurs viennent voir le courtier et lui font part des transactions proposées par le client. Ça peut être un achat, une vente ou un échange. Si le courtier l'accepte, il va le valider sur le marché, en essayant de faire un profit, soit sur les différences de prix, soit sur les commissions demandées aux deux extrémités de la transaction. Pour régler l'affaire, le courtier est autorisé à fournir des fonds de la firme. Le courtage requiert une maîtrise d'un grand nombre des subtilités du marché mais il n'exige pas de formation universitaire.

«Les meilleurs courtiers sont nés ainsi, ils ne le sont pas devenus», dit Charles McDaniel, chef courtier chez Lazard Frères. «J'en ai formé assez pour le savoir. Je peux prendre quelqu'un qui n'a jamais terminé ses études collégiales, et s'il ressent les chiffres et qu'il comprend le marché des obligations, je peux en faire un bon courtier. C'est une science intangible. J'ai pris d'autres gars qui sortaient de Harvard, j'aurais pu passer cinquante ans avec eux et ils n'auraient jamais réussi.»

Bien que l'on trouve maintenant plus de titulaires de MBA dans le courtage, la plupart des anciens sont d'accord pour dire que les références universitaires n'influent que très peu sur la performance. «C'est une question d'intuition, ajoute Coffin, quels que soient les antécédents ou la formation. Vous saurez vite si quelqu'un a l'esprit assez rapide, s'il est assez souple et s'il a suffisamment d'esprit de décision pour être courtier. L'instruction a tendance à embrouiller les courtiers, à les faire penser plutôt qu'agir. Et s'ils ont reçu une éducation, ils font en sorte de la mettre de côté durant le courtage.»

Bien qu'ils aient des ordinateurs et des calculatrices spéciales, les courtiers doivent pouvoir faire des calculs complexes mentalement. Ils doivent réagir à la seconde près aux fluctuations des prix du marché. Tout en manipulant des blocs de papier qui valent des millions, ils doivent chercher à la décimale près les fluctuations de prix, tandis qu'ils mettent la dernière main aux ordres d'achat et de vente par téléphone.

Un certain degré de risque et de récompense est rattaché à chaque type de valeur mobilière. Cependant, dans tous les marchés, les courtiers doivent avoir beaucoup d'amour-propre et peu de mémoire. Personne ne gagne tout le temps. Selon un ancien courtier qui est à présent directeur : « Les meilleurs ont suffisamment confiance en eux pour accepter leurs échecs et passer au marché suivant. Il faut être fort pour admettre son erreur puis l'oublier. Il faut être costaud pour recevoir des coups comme ceux-là jour après jour. »

Selon un autre courtier : « Tout ceci est primitif. Il faut être carnivore pour obtenir sa récompense. Dans les obligations par exemple, chaque dollar qui entre dans ma poche pourrait sortir de celle du courtier assis à côté de moi. Ça peut devenir vraiment épouvantable, surtout quand la firme contrôle ce que chacun rapporte. »

C'est un jeu qui demande des nerfs solides et de l'astuce. Les courtiers comparent leur travail aux cartes et au jeu. On sait qu'ils adorent parier. Ils parient sur tout. Quand le marché est lent, un des courtiers va sortir des dés et entraîner ses collègues dans une partie. Dans les salles de courtage de Wall Street, les paris sur le football atteignent souvent les cinq chiffres. Lors des parties de poker jouées après le travail, les enjeux peuvent être étourdissants.

Tom Strauss, de chez Salomon Brothers, fait remarquer qu'il existe une grande différence entre jouer au casino et les risques que l'on prend à Wall Street. « Dans un casino, explique-t-il, vous n'avez besoin que des mathématiques pour connaître les chances. Ici, nous disposons d'une infrastructure qui nous renseigne sur le marché et qui met les chances de notre côté. L'information qui passe par chez Salomon Brothers nous aide à prendre de bonnes décisions 60 ou 70 fois sur cent. Nous avons vu de grosses pertes et de gros profits. »

Le risque est au coeur de Wall Street et les courtiers sont des preneurs de risques. Ils sont récompensés en conséquence. La façon d'être rémunéré est compliquée et change avec chaque courtier et chaque marché. Il y a toutes sortes de salaires de base augmentés de primes d'encouragement basés sur des calculs de profits et de pertes. Généralement, les salaires de départ se situent dans la tranche supérieure des 20 000 $, mais après cinq ans, la plupart des courtiers devraient s'attendre à gagner environ 100 000 $.

La médiocrité n'est pas la bienvenue. « Il n'y a pas de moyen terme possible dans ce domaine, affirme John Coffin ; ou vous êtes très bon ou vous n'y êtes pas du tout. Tout courtier senior gagnant moins de 150 000 $ ne restera pas ici très longtemps. »

Les meilleurs courtiers peuvent être officiellement des employés de la firme, mais ça n'est qu'un détail technique. En général, les courtiers vedettes fonctionnent comme des cospéculateurs et utilisent l'argent de la compagnie ainsi que le leur. Parmi cette catégorie de courtiers, des revenus d'un million de dollars ne sont pas inhabituels. Un tel courtier-spéculateur fait le commentaire suivant: «Mon but est d'être un survivant. Et bien que j'aie gagné des sommes énormes à une certaine époque, je n'aurai jamais 100 millions de dollars. Au cours de ma meilleure année, j'ai gagné 8 millions et demi. Mais cette année, j'aurai de la chance si je gagne le huitième de cette somme.»

Cette quantité d'argent n'est pas facile à gagner. Les courtiers parlent beaucoup de «burnout». Ils disent que la pression, l'incertitude, les prises de décision constantes font des victimes. «Personne ne sait où vont les vieux courtiers», dit Robert Olivier, un important conseiller en recrutement des cadres de Wall Street. «On dirait qu'ils disparaissent tout simplement. Hormis quelques personnes qui tiennent bon, les courtiers finissent par disparaître.»

Ceux qui en veulent toujours plus

«Ce métier est éprouvant, dit un vendeur institutionnel connu, parce qu'il avale tout votre temps. Et cela concerne autant les vendeurs que les courtiers. La journée est dominée par le marché, mais cela ne représente que la moitié de la relation avec le client. Le seul temps qui vous reste pour arriver à connaître vos clients, c'est le soir. Tout le monde devrait s'occuper de ses clients au *moins* deux soirs par semaine. Et lors d'une semaine normale, vous avez des réunions pendant encore un ou deux soirs.»

En plus de s'occuper des clients sur leur propre terrain, les courtiers et les vendeurs font des voyages réguliers pour rendre visite à leurs clients de l'extérieur de la ville. Un courtier décrivait un voyage typique qui comprenait trois villes par jour. Il y avait un repas, un exposé et quelques verres dans chaque ville, et l'on buvait jusqu'à trois heures du matin dans la dernière ville; puis on se levait à six heures le lendemain matin pour prendre l'avion jusqu'à la prochaine ville. Il affirme avoir pris douze vols différents en l'espace de trois jours et n'avoir dormi que sept heures en tout.

«On ne peut pas se laisser aller une minute dans ce métier, dit un courtier. On doit tout le temps aller de l'avant.» Chaque journée est remplie de conflits et de confrontations dans le chaos de la salle de courtage. «Vous devez surveiller des gens, ajoute-t-il. Les vendeurs ont de nombreux courtiers différents qui essaient de leur faire faire quelque chose. Vous devez les battre pour les faire bouger. Vous devez les appeler, vous devez crier et hurler. Sinon, ils ne feront rien et vous ne gagnerez pas d'argent.» Il est intéressant de remarquer que les vendeurs disent exactement la même chose des courtiers.

«Nous cherchons des gens qui ont du nerf, déclare Lew Eisenberg. Nous voulons des gens qui sont excessifs parce que c'est un métier excessif. Vous n'en devenez pas pour autant quelqu'un de tendu et d'angoissé, mais c'est possible. Les gens commencent comme ça. Si vous vouliez les éloigner de l'action, ils seraient malheureux.»

Les gens qui réussissent continuent à en vouloir toujours davantage. Ils essaient de plus en plus d'aller de l'avant et leur confiance en eux-mêmes est agressive. «Quand des jeunes gens viennent ici pour trouver du travail, ajoute Eisenberg, je leur demande où ils aimeraient être dans cinq ans. S'ils répondent: «Dans cinq ans, je me vois en train de gagner entre 60 000 et 70 000 dollars, et à un poste de direction, c'est probable que ces personnes ne sont pas ce qu'il nous faut. Les gens que nous voulons diraient: «Dans cinq ans, je me vois en train de gagner environ deux cent mille dollars avec la possibilité d'en gagner bien plus. Dans dix ans, j'aimerais diriger ce bureau.»

Il y a également des facteurs externes importants. «La politique interne a une grande influence, dit un vendeur institutionnel. Quand vous êtes à la commission ou au pourcentage, vous devez décrocher les bons comptes. Et l'attribution des comptes dépend en grande partie de quel patron apprécie quel subalterne.»

Qui plus est, les conditions extrêmement changeantes du marché sont le coup de dé le plus important. «Au cours des dix dernières années, dit Richard Curvin, directeur général de First Boston, les jeunes gens astucieux se sont dirigés vers les obligations. Puis, tout d'un coup, les valeurs sont revenues en force. Nous avions un jeune courtier qui était entré là-dedans au moment où ça n'était pas considéré comme la chose à faire. Puis, trois ans plus tard, on lui faisait des offres de plus de 100 000 $ pour aller ailleurs. Cela n'est arrivé à aucun de ses amis «intelligents » qui s'étaient lancés dans les obligations. » Les plans de carrière rigides ne marchent pas à Wall Street. Il faut monter le marché comme un cheval semi-sauvage, surtout dans la salle de courtage.

Ce genre de vie laisse des marques. Un courtier dans la trentaine avoue: « Je suis devenu très peu patient, à cause des délais dans lesquels nous travaillons. C'est pour cela que beaucoup de gens aiment ce métier. Vous ne vous rendez pas esclave d'un travail pendant des mois: vous obtenez une satisfaction immédiate. Et c'est bien joli mais ça a un côté superficiel. Dans le fond, ce que vous pouvez accomplir en l'espace de dix minutes ne peut être si profond que ça. »

Mais il y a une partie du courtage où la patience et la reflexion sont payantes.

La boule de cristal fendue

Tout fervent amateur de courses désire savoir comment les handicapeurs évaluent les chevaux. De même, les fervents investisseurs en bourse désirent savoir comment les handicapeurs financiers évaluent les actions. Wall Street appelle ses handicapeurs des « analystes de recherche ». Pas aussi affables que les banquiers et n'ayant pas le punch des courtiers, les analystes sont du type légèrement studieux. Ils passent des heures seuls dans leur bureau, absorbés dans des états financiers compliqués. Ce sont des journalistes qui font des enquêtes. Ils dissèquent les chiffres. Ils interprètent les gains, fouillent pour trouver les tendances de l'économie en général et de certaines industries en particulier. Ils pondent de longs rapports qui cherchent à prédire quelles actions vont monter et lesquelles vont baisser.

Les compagnies se targuent de procéder à une recherche très étendue et se vantent de l'argent qu'elles dépensent en personnel: 3 millions! 8 millions! 14 millions de dollars! Et les résultats des recherches sont offerts gratuitement. « La plupart des recherches faites à Wall Street sont distribuées à toute institution qui en fait la demande, explique un analyste. La recherche est ce qui ouvre la porte du client. Nous lui donnons une information précieuse sur le marché et cela fait débuter la relation. Nos courtiers peuvent alors entrer en jeu, les convaincre de nos compétences à exécuter les ordres d'achat-vente. Ils disent à leurs courtiers de faire affaire avec notre société. Nous devenons amis. Et notre firme gagne beaucoup d'argent grâce aux commissions de courtage.» Le système n'est pas tout à fait rationnel. Il n'y a pas de rapport intrinsèque entre l'aptitude d'une compagnie à fournir de bonnes idées en matière d'investissement et son aptitude à exécuter les transactions. Mais toutes les parties suivent le mouvement et conviennent que les institutions vont récompenser les firmes sous forme d'opérations de courtage proportionnelles à la valeur de la recherche fournie.

De toute évidence, la première chose dont tout analyste a besoin, c'est de pouvoir juger la perspective financière d'une compagnie et de l'évaluer comme investissement boursier. Mais c'est loin d'être tout. «C'est une chose d'écrire un rapport, dit Harry Edelson, analyste en technologie connu. Dans les institutions, tout le monde a une corbeille «à lire» débordant de documents qui ne seront jamais lus. Quand votre analyse de base est bonne, c'est votre façon de la commercialiser qui va faire une différence. Un bon analyste qui est un grand commercialisateur va réduire en poussière un grand analyste qui n'a que de piètres dons pour la commercialisation.»

Bien sûr, l'analyste qui ne se trompe jamais va prendre le dessus, quoi qu'il arrive. «Oui», répond Edelson, mais avec certaines réserves. «On ne peut pas être stupide en ce qui concerne le marché, et avoir raison est l'un des grands plaisirs de ce métier. Mais il ne s'agit pas d'avoir raison. Un grand nombre d'analystes ont tout le temps raison et personne n'y fait attention. Je connaissais un gars qui se faisait remarquer par ses erreurs. Mais on le respectait beaucoup.»

Un autre analyste, connu pour ses rapports vivants, déclare: «Il y a cinquante autres analystes qui couvrent le même domaine industriel que moi. Et il n'y a que vingt compagnies dans toute l'industrie. Personne ne va trouver de joyau méconnu. Vous devez inventer de nouvelles façons de regarder les choses.» Un analyste a réalisé une étude unique du produit et du cycle des gains d'une grande entreprise, et a intitulé sa découverte «Formation Delta». L'année suivante, il a saisi l'occasion de produire un nouveau rapport sur la même entreprise, rapport intitulé «La disparition de la Formation Delta».

«Je ne sais pas d'où viennent mes idées», dit Frank LeCates, analyste en produits de beauté et en conglomérats chez Donaldson, Lufkin & Jenrette. «J'avais peur d'être à court d'idées. Chaque fois que je trouvais une nouvelle façon d'analyser quelque chose, j'avais des doutes au sujet de la fois suivante. Mais je me suis aperçu que si je regardais quelque chose assez longtemps, j'allais avoir une idée. Je pourrais sûrement contempler trois chiures de mouche dans un bol de poivre et en tirer un concept quelconque. Je suppose que ça fait simplement partie de moi. Je conceptualise. Trop. Je regarde deux points sur une courbe et je suppose que ça montre une tendance — automatiquement. »

« Le pire dans ce travail, ajoute un autre analyste, c'est l'absence d'accumulation. Qu'avez-vous fait cette semaine ? Les réalisations ne s'accumulent pas. En ce sens, c'est un métier affreux. Si je n'obtenais pas de réalisations pendant un an, j'aurais de gros, gros ennuis. Contrairement à d'autres métiers, vous n'amassez et n'accumulez jamais rien. À aucun moment vous ne pouvez vous arrêter et vous croire en sécurité. »

Les analystes sont à la merci du marché, comme tout le monde. « J'ai eu de la chance quand j'ai débuté, dit Kent Blair, un autre analyste de chez DLF. Le marché était très bon et les actions auxquelles j'ai été affecté avaient du succès. Les vendeurs m'aimaient bien et appréciaient ce que je disais. Et le marché a démontré que mes recommandations étaient bonnes. Les vendeurs voulaient terriblement me croire et mes clients aussi. Ça s'est fait de soi-même. Vous devez être au bon endroit au moment opportun. »

Les analystes qui se font des disciples dans le milieu de l'investissement deviennent des gourous. « Ce travail peut engendrer un grand sentiment de puissance, ajoute Blair. Une fois, j'ai recommandé une action et elle a grimpé de 50 pour cent. J'ai aidé des institutions à gagner presque un milliard. C'est merveilleux, même si ça me rend parfois un peu nerveux. Dans ma position, il faut que je sois très prudent. Je suis un jour revenu sur ma recommandation d'acheter une action particulière. J'ai essayé d'enfouir la nouvelle dans une revue à circulation interne, mais les gens en ont eu vent et l'action est tombée de trois points. Mais même là, si vous êtes la cause d'un écart important et qu'il n'est pas justifié, ça va se corriger de soi-même très rapidement. »

Le succès en tant qu'analyste peut être une expérience grisante. Les conseils de Harry Edelson sont une denrée très recherchée. « Presque chaque semaine des dix dernières années, dit-il, j'ai voyagé partout dans le monde. On me cite sans arrêt dans les journaux. Presque chaque semaine des dix dernières années, j'ai eu des tête-à-tête avec les dirigeants des plus grandes institutions financières, ou bien j'ai participé à des dîners où j'étais le conférencier invité et où je disais à des personnes de vingt ou trente institutions quelles actions acheter et vendre. » Mais tout le monde n'aime pas ce genre de vie.

« Dès que vous avez une idée, dit un autre analyste en se plaignant, vous décrochez le téléphone. Vous appelez chaque client inscrit sur votre Rolodex. Vous finissez par dire la même chose soixante fois en deux jours et demi. C'est fou. Vous voyagez sans arrêt. J'ai fait un voyage qui ressemblait à un marathon l'année dernière : ving-cinq villes en un mois et demi. Des repas, des discours, des exposés dans chaque ville. Vous avez tout le temps des déjeuners et des dîners avec les clients et souvent, le client est un jeune homme qui vient juste de sortir de l'école d'administration et vous devez lui expliquer en quoi consiste le métier. Faire de la commercialisation peut être très éprouvant. Il y a trop de coups de téléphone, trop de visites, trop de voyages, trop de sympathie à montrer et trop de lèche-bottes. Il faut trop souvent serrer la main de gens qu'on n'aime pas. Je crois que toute cette tension est une des raisons pour lequelles les analystes ne tiennent pas très longtemps. »

Comme courtiers, les analystes sont préoccupés par le « burnout ». Il est encore trop tôt pour dire si l'on peut être analyste à Wall Street pendant toute une vie. Le domaine est tellement nouveau que les premières personnes appelées « analystes institutionnels » approchent seulement maintenant de la cinquantaine. Mais un analyste qui a dans les quarante-cinq ans a vu partir beaucoup de ses collègues. « Beaucoup d'entre eux disparaissent tout simplement, dit-il. Ceux qui se trompent trop souvent disparaissent. Ils ouvrent un magasin pour animaux ou une salle de gymnastique. Je connais un gars qui vend des pelles. Ceux qui en ont assez ? Eh bien, un tout petit nombre de gens très chanceux deviennent directeur de la recherche dans leur compagnie. C'est un travail en grande partie administratif. D'autres deviennent agents de relation avec les investisseurs dans des corporations dont ils s'occupaient. D'autres se lancent dans l'achat, dans une banque ou une compagnie d'assurance. Et c'est alors beaucoup plus facile. Il n'y a pas de vente à faire et vous pouvez passer votre temps à faire des analyses et à revoir le travail des autres. Bien entendu, une telle décision, en plus de réduire votre revenu, vous fait perdre l'émotion de la lutte. C'est comme prendre sa retraite. Tout le monde rouspète, mais prenez n'importe quel analyste qui se respecte et mettez-le dans une banque ou dans une corporation, et il va devenir cinglé en six mois. »

De toute évidence, être un bon analyste dans le milieu de Wall Street est une question de tempérament. Ce qu'il faut, c'est l'ambition, l'impatience et l'initiative dont font preuve les banquiers, les courtiers et les vendeurs. Et pour ceux qui les ont, les occasions sont légion.

« C'est un secteur fabuleux pour les jeunes titulaires d'une maîtrise en administration », assure Frank LeCates, diplômé lui-même. « À la suite du gel de l'embauche que nous avons connu pendant la majeure partie des années soixante-dix, la demande de personnes qui ont du talent pour la recherche dépasse de beaucoup l'offre. Bien des maisons se font des guerres de surenchères pour attirer les plus grands noms. Avec votre MBA d'une bonne université, vous pouvez commencer à 40 000 $ ou plus, et vous pourriez gagner 100 000 $ cinq ans plus tard. »

Il n'est pas absolument essentiel de détenir un MBA pour être engagé, mais c'est certainement préférable. La plupart des analystes s'accordent pour dire qu'il faut environ trois ans pour atteindre la fourchette où se situent la plupart de leurs salaires : de 40 000 $ à 80 000 $ en rémunération totale. Les gens les plus en vue gagnent à présent 200 00 $ selon le nombre d'offres qu'ils ont refusées.

Il y a peu de véritable formation. La plupart des novices passent leur première année comme doublure d'un analyste senior. On leur attribue ensuite leur propre spécialité. Au-delà de ça, tout dépend de l'individu. Selon Joel Price, un excellent analyste de l'industrie du charbon qui travaille chez Rotan Mosle : « La plupart des directeurs de recherche ne vont pas vous nourrir ni vous aider à promouvoir vos idées. Il faut y aller, faire son travail, regarder autour de soi et faire de son mieux. C'est surtout un milieu où les loups se mangent entre eux. »

Toute discussion portant sur ceux qui gagnent leur vie en donnant des conseils sur la bourse soulève une question inévitable : Si vous êtes si astucieux, comment se fait-il que vous ne soyez pas riche ? Ou, comme le demande une femme : « Si un analyste est un tel génie financier, pourquoi ne fait-il pas ce que je fais ? Pourquoi ne devient-il pas riche en gérant de l'argent ? » Pour comprendre pourquoi ça n'est pas le cas, tournez-vous vers les gens qui doivent trier toutes les idées sur la bourse qui viennent du milieu des firmes de courtage.

Les Seigneurs de la discrétion

Quiconque investit l'argent des autres pour gagner sa vie est un gestionnaire d'argent. Comme on dit à Wall Street, cette personne « gère l'argent ».

Les maisons qui gèrent l'argent sont de toutes tailles, de toutes formes et d'affiliations. Selon l'Institutional Investor, les trois cents plus grandes firmes de gestion de l'argent détiennent un actif de plus d'un billion de dollars. Prudential Insurance et Morgan Guaranty Trust contrôlent chacune plus de 35 milliards de dollars. En trois centième position sur la liste vient une banque de Bridgeport, dans le Connecticut, qui dispose de 725 millions. Les banques et compagnies d'assurance sont dominantes dans le métier, mais cela n'inquiète pas les « Wall Streetiens » entreprenants qui montent des firmes de gestion de l'argent pour leur faire concurrence.

Pour des honoraires annuels fixes allant de 20/100 à 60/100 pour cent de l'actif total de votre fonds, une compagnie d'assurance géante ou une banque ou encore une « boutique » menée par deux personnes à Wall Street gérera votre fonds de fiducie ou votre compte avec participation aux bénéfices. La plupart des grands comptes sont répartis en unités de 30 millions de dollars et distribués à des gestionnaires différents. « C'est l'un des métiers les plus simples du monde, déclare un vieil habitué de Wall Street. On vous donne 25 millions à gérer. Si vous les transormez en 50 millions, vous êtes une grande vedette. Si vous en faites 12 millions, vous êtes mort. » Les « points » sont affichés chaque mois dans les revues spécialisées : on sait quel portefeuille a augmenté et lequel a baissé. Les centaines de gestionnaires professionnels du pays pratiquent une concurrence acharnée — les uns contre les autres, contre leurs marchés, et contre eux-mêmes. « Aucun autre travail ne saurait me plaire davantage », affirme Mickey Straus, associé dans la firme de gestion de l'argent Weiss, Peck & Greer, et l'une des étoiles montantes dans le domaine. « C'est le métier le plus stimulant que je connaisse et celui qui pose le plus de défis. Rien ne stimule de façon aussi constante. C'est comme une partie d'échecs quotidienne. D'autres professions ont peut-être un côté émotif plus développé, mais en terme de stimulation quotidienne, il n'y a rien de comparable à mon métier. »

C'est un secteur de service dont les clients sont cadres des services financiers d'entreprises, mandataires de caisses de retraite ou responsables de lots d'argent. « Ça n'est pas tant le temps qu'ils exigent que vous leur consacriez», explique Frank Burr, gérant de portefeuille chez Alliance Capital Management, filiale de DLJ. «Ce sont la distraction et l'épuisement qu'entraînent leurs exigences sur le plan émotif. Ce métier est bourré d'erreurs. Donc, si vous êtes intelligent, vous reconnaissez vos erreurs très vite et vous les corrigez aussi rapidement. Vous oubliez tout ça et vous continuez. Cependant, quand un client revient sur la seule erreur que vous ayez commise sur vingt bonnes décisions, c'est très décevant. Et il y a des chances pour que cela affecte votre état d'esprit pour prendre beaucoup d'autres bonnes décisions, comme cela devrait être le cas.»

Il est peut-être ici autant question de psychologie que d'économie. «Ce métier repose sur la commercialisation et les relations interpersonnelles, ajoute Burr. Bien sûr, ce que vous avez accompli est important pour vous faire remarquer, mais au-delà de ça, c'est une question de relations humaines. Les clients restent souvent avec des gérants malgré leurs pertes. «D'habitude, c'est pour deux raisons, fait remarquer un autre gérant. La première, c'est l'inertie de l'entreprise. La seconde, les relations personnelles. Il n'y a aucun doute que lorsque ça devient plus difficile et que le marché baisse, nous passons plus de temps avec nos clients pour renforcer la relation. C'est le moment où ils sont le plus nerveux. Et nous aussi.»

Les meilleurs gérants combinent des aspects de l'Homme de la Renaissance et de Nick Le Grec. «Celui qui fait ce métier, assure I. W. Burnham II, doit être un lecteur vorace. Et il ne doit pas lire que des articles sur la finance. Il doit tout lire. Parce que tout a une incidence sur le marché. Il faut aussi qu'il ne soit pas trop émotif. Qu'il ne soit pas trop touché par les nouvelles. Les gars émotifs entrent et sortent si vite qu'ils manquent les meilleurs marchés. Vous devez avoir le sang-froid d'un joueur. Un des gérants les plus brillants que j'ai connus ne montrait jamais son énervement. Il restait toujours calme. Bien sûr, quand j'y pense, il avait mal à l'estomac. Je suppose qu'il était tout le temps bouleversé mais que personne ne l'a jamais vu.» Où a-t-il pu, lui ou quiconque, recevoir cette formation?

«La seule façon d'apprendre à gérer de l'argent, conseille M. Burnham, c'est de le faire et de commettre des erreurs. Celui qui vous dit qu'il n'a pas fait d'erreurs est un menteur. La première chose, c'est de trouver quelqu'un qui soit prêt à vous laisser gérer son argent.» Il est curieux qu'une action aussi importante que la gestion d'argent n'ait pas de formation établie, pas de préparation satisfaisante quelconque. Le chemin qui mène à la gestion est absolument ad hoc. Le responsable connu d'un fonds assure: «Vous vous retrouvez en train de le faire quelque part et, de là, vous avancez. J'ai commencé dans le service de fiducie d'une banque. Quand je regarde en arrière, je me rends compte qu'on m'a donné une quantité étonnante de responsabilités — Je ne savais pratiquement rien à l'époque. Un autre chemin évident consiste à être un courtier au détail qui gère l'argent pour sa clientèle. Parfois, des analystes qui se sont fait une réputation peuvent aussi trouver quelques clients. La réponse à la question de savoir comment vous devenez gérant est: «De n'importe quelle façon possible.»

Dave Williams, président de Alliance Capital, donne à quiconque décroche un travail chez lui un an de répit. «Il faut au moins un an pour voir si un gérant de portefeuille va s'en sortir, dit-il. C'est le temps nécessaire pour voir s'il a l'instinct d'acheter bon marché et de vendre cher. Est-ce qu'il comprend les nuances? A-t-il l'esprit de déductions? S'enthousiasme-t-il pour le métier? Est-ce un preneur de risques? Vous devez prendre des risques si vous voulez réussir. Vous ne devez pas seulement avoir des dispositions à prendre des risques, il faut que vous vouliez en prendre.»

Ce que l'on gagne dépend aussi de l'attitude qu'on a envers les risques. Les gens qui gagnent le moins — et ont la plus grande sécurité d'emploi — ont tendance à travailler pour les plus grandes organisations, les banques et les compagnies d'assurance. Plus les organisations deviennent petites, plus la sécurité d'emploi diminue. Mais les salaires s'élèvent de beaucoup. Dans les grandes institutions, les salaires plafonnent à environ 80 000 $. Les associés des petites firmes et les personnes chevronnées des compagnies de Wall Street gagnent bien plus. Ça change d'une firme à l'autre, mais tout gérant de portefeuille chevronné devrait gagner environ 100 000 $. L'associé d'une compagnie qui marche très bien assure que tous ses associés gagnent «plus que le directeur général de n'importe quelle grande banque». Cela veut dire plus de 500 000 $, s'il y a du sérieux dans ses prétentions.

Ils auront probablement besoin de cet argent pour leur retraite précoce. Bien des gens disent que quinze ou vingt ans dans le métier représentent tout ce qu'on peut supporter, ou tout ce qu'on veut supporter. «Je pense sincèrement que je serai brûlé à cinquante ans, dit Mickey Strauss, 35 ans. Mais

Wall Street

heureusement, j'aurai gagné beaucoup d'argent d'ici là. Quant à décider de prendre ma retraite ou non, c'est une tout autre question. Je sais que le stress et la compétition me manqueraient.»

La retraite précoce soulève de nouveau la question: «S'ils sont si intelligents, pourquoi est-ce qu'ils ne sont pas riches?» Une des réponses pourrait être qu'ils n'en savent pas autant que ce que les gens croient.

«Si j'en savais la moitié de ce que monsieur tout le monde pense que je sais, dit un gérant de portefeuille, j'aurais pris ma retraite il y a des années. Bien sûr, vous devez prendre les bonnes décisions mais vous devez avoir de la chance aussi. On ne me donne pas de tuyaux particuliers. Je sens tout simplement où le marché se dirige.»

Cela veut-il dire qu'une personne qui ne sait pas grand-chose a des chances sur le marché? Tout dépend de ce que vous pensez des gens qui gagnent leur vie en l'aidant à essayer.

Appelez les dollars

Ils sont chaque jour au téléphone. Dans tous les centres assez importants du pays, ils appellent des dentistes, des entrepreneurs et des veuves prospères. Ils ont de beaux bureaux dans les gratte-ciel du centre-ville et d'affreux petits bureaux dans les centres commerciaux de banlieue. Ce sont des courtiers en bourse, des vendeurs au détail, les «hommes des clients» de Wall Street (eh oui, même les femmes), et ils constituent une armée forte de quarante-cinq mille personnes. Plus de la moitié travaillent pour les huit «maisons de courtage reliées aux bourses par téléphone» les plus connues.

Les courtiers ont tous les antécédents imaginables, personnels et professionnels. Tout ce qu'on peut dire sans se tromper, c'est qu'ils n'ont pas besoin d'un MBA. William Waters, chef du service de la commercialisation chez Merrill Lynch et lui-même ancien courtier, déclare: «La plupart des responsables de compte qui réussissent viennent chez nous pour changer de carrière. Ils viennent généralement de bons organismes de vente où ils ont réussi. Ils voulaient travailler là où il n'y aurait pas de plafond à leur salaire, si ce n'est leur propre compétence. Ils ont en moyenne vingt-cinq ans et ont fait ce qu'ils devaient faire pendant deux ou trois ans. Ils viennent de chez IBM, Xerox, Exxon, etc.» Il mentionne également parmi les gens qui ont

131

réussi chez lui d'anciens entraîneurs ou professeurs, un ancien rabbin et un officier de marine à la retraite.

Paula Hughes, première vice-présidente chez Thomas McKinnon, a quitté la publicité il y a presque vingt ans et est devenue un des plus grands courtiers du pays. « Il vaut mieux avoir des gens qui ont fait de la vente, déclare-t-elle. Nous avons affaire aux gens dans ce métier. Nous devons établir un rapport avec eux, sympathiser avec eux. Ce sont les fondements de la vente, surtout quand vous vendez des choses impalpables. » Mais qu'en est-il du bon sens pour juger le marché? « Ça s'apprend, répond-elle. Les relations sont les plus importantes, pas la théorie. » Bien que Hughes ait accompli des records étonnants dans le choix des actions gagnantes, la plupart des courtiers laissent aujourd'hui ces problèmes au service de la recherche de leur firme. Les courtiers vendent les actions figurant sur la « liste » qu'on leur donne.

« Je ne suis pas un analyste, dit un autre courtier en vue, et je ne devrais pas l'être. Je suis un homme de contact. Évidemment, je lis les rapports de recherche. Mais tout ce dont j'ai besoin, c'est de l'indice pour vendre une action. » Certaines maisons de courtage ne permettent à leurs vendeurs que de vendre ce qui figure sur la liste officielle, d'autres leur donnent une plus grande marge de manoeuvre. Mais dans un cas comme dans l'autre, les informations de la firme ont pris beaucoup plus d'importance tout simplement parce qu'il y a tellement de produits financiers différents à vendre.

Il est important de remarquer que les intérêts du client et ceux du courtier ne sont pas nécessairement les mêmes. Le courtier retire un pourcentage sur la commission de courtage chaque fois qu'un client achète ou vend une valeur; peu importe qu'elle ait monté ou baissé. D'où la plainte connue au sujet des courtiers qui « font tourner » les comptes de leurs clients, les faisant acheter et vendre plusieurs fois par an, quelles que soient les conditions du marché. « C'est un peu paradoxal, admet un courtier en vue, mais vous êtes en fait encouragé à ne pas bien faire pour vos clients. Mais « faire tourner un compte » peut non seulement vous faire perdre vos clients mais également votre permis. Donc, d'une certaine façon, tout s'arrange. Je peux dire honnêtement que, dans mon cas, l'intérêt de mes clients est également le mien. »

Tous les courtiers disent la même chose. Mais il n'en reste pas moins qu'un courtier qui vend les valeurs de ses clients et ne leur conseille plus aucune transaction pendant dix ans va mourir de faim.

Et combien les courtiers peuvent-ils donc gagner en agissant uniquement dans l'intérêt de leurs clients? Jusqu'à tout récemment, la commission brute moyenne ou «production» atteignait environ 90 000 $ par an. Cela donnait au courtier dans la moyenne entre 30 000 $ et 40 000 $ en salaire net. Mais en 1980, la meilleure année que Wall Street ait jamais connue, le revenu du courtier moyen a atteint presque 60 000 $. Et au moins cent courtiers dans tout le pays ont eu des productions brutes de plus de un million en commissions. Cela équivaut à un revenu personnel d'au moins 300 000 $. Les meilleurs producteurs peuvent gagner et en fait gagnent plus de un million de dollars lors des bonnes années. Les meilleurs producteurs de chez Merrill Lynch et de chez Shearson-American Express gagnent tous bien plus que les membres de la direction. La plupart des courtiers s'accordent pour dire qu'un praticien devrait gagner au moins 100 000 $.

Dans les banques de placements, où l'on garde une petite équipe de courtiers pour servir une clientèle riche et sélecte, un courtier dont le salaire net n'atteint pas 100 000 $ risque sérieusement de se faire mettre à la porte. Bien que des marchés actifs puissent engendrer de jeunes courtiers millionnaires, des études ont montré que ceux qui ont de six à neuf ans d'expérience touchaient un salaire brut d'environ 50 pour cent plus élevé que celui des novices.

La population des courtiers bouge avec les fluctuations du marché. Au début des années soixante-dix, quand le marché était déprimé, plus de 20 000 courtiers ont quitté le navire. Maintenant que le marché s'est réveillé, la concurrence est plus intense. En 1980, E. F. Hutton a reçu mille demandes d'admission à son programme de formation, alors qu'il ne pouvait accepter que quatre cent cinquante candidats. Les courtiers qui ont réussi peuvent dicter leurs conditions. Les firmes rivales se pillent les unes les autres pour trouver des courtiers de talent. L'homme du client est maintenant un agent libre; il ou elle peut emporter n'importe où ce Rolodex plein de noms.

Le courtage demande qu'on ait le sens de l'entreprise. Chacun est son propre patron, se fait son propre horaire et prend ses propres décisions. Les meilleurs agents de change atteignent un statut qui dépasse de loin celui du simple vendeur. «En fait, je suis devenu gestionnaire d'argent», explique un agent de change connu de la Côte est. «Bien sûr, je tire mon revenu des commissions que je crée par mes transactions. Mais dans le fond, je gère le portefeuille des gens à leur place. Quand vous avez gagné leur confiance, ils se fient à votre jugement.»

La route est pourtant longue et difficile pour en arriver là.

Le rodage du courtier

«Au début, ça fait peur, se souvient un courtier qui réussit bien. Les gens raccrochent quand vous les appelez. Vous en voyez de toutes sortes. Vous commencez avec rien. La compagnie peut vous donner quelques pistes, elle vous donne le nom des gens qui ont répondu à de la publicité, et vous envoyez les renseignements à ces gens en joignant votre carte d'affaires. Pendant les quelques premiers mois, j'appelais et je demandais simplement s'ils voulaient consulter les recherches plus avant; je n'essayais jamais de leur vendre quoi que ce soit. Enfin, après des mois d'approche, quand quelqu'un me posait une question, j'avais une réponse. Et puis, si j'avais de la chance, j'arrivais à lui faire ouvrir un compte quand il décidait de suivre l'une de mes recommandations.»

Paula Hughes décrit son ascension en tant que productrice de un million de dollars comme une «vraie histoire à la Harriet Alger». Elle parle de ses souvenirs: «Pendant la première année, je ne rentrais pas chez moi le soir avant d'avoir ouvert un compte. Je suis restée tard au téléphone, bien des soirs. Je demandais partout qu'on me donne des noms à appeler. Chaque conversation se terminait par: «Est-ce que vous connaissez quelqu'un avec qui je pourrais partager cette idée? Je ne disais pas: «Qui va acheter cent actions?» Ils me donnaient le nom de l'avocat, du médecin, etc. Les gens étaient merveilleux. Si aucun nom ne leur venait à ce moment-là, ils me rappelaient le lendemain. Mais je ne pensais pas que je vendais un produit. Comme êtres humains, nous n'aimons pas qu'on nous vende quelque chose. Mais quand on vous donne l'occasion de participer à une idée...»

Contrairement à d'autres vendeurs, le courtier néophyte n'a pas de «territoire» prédéterminé, si ce n'est peut-être l'annuaire du téléphone. Chaque agent de change vise sa clientèle selon son gré. «Quand le percepteur d'impôts me demande comment je fais pour dépenser tant d'argent en sorties», dit Robert Clayton Jr, président de la succursale régionale de Laidlaw, Adams

& Peck, «je lui dis qu'il est aussi facile de connaître des gens riches que des gens pauvres. De tous les amis qui font partie de mon club, je n'en connais pas un qui ne soit un client ou un client éventuel. Non pas que je sollicite mes amis. Ils savent où je suis et me font faire des affaires. »

Selon un vieux dicton, un bon agent de change est celui qui ouvre plus de comptes qu'il n'en perd. Et la raison la plus évidente pour laquelle on perd un compte, c'est qu'on perd de l'argent. Ça arrive à tout le monde. «Quand ça arrive, explique un autre ancien, vous devez parler au client. Vous devez vraiment faire attention et argumenter avec lui. Vous pouvez parfois le récupérer, pas toujours. »

Un jeune courtier spécialiste des clients riches déclare : «Quand les actions que j'ai recommandées baissent et que le client m'appelle pour se plaindre, je prends l'offensive et je renverse la situation. «Pourquoi rouspétez-vous ? lui dis-je. Le marché ne baisse pas. Les actions sont en *solde*, c'est tout. C'était un bon achat à 20. C'est encore meilleur à 15. Et neuf fois sur dix, j'amène le gars à acheter mille autres actions. Les gens veulent qu'on les dirige. La confiance, c'est ce qu'on attend de vous. »

Le talent le plus crucial pour un bon agent de change, c'est la capacité de mener les gens avec sensibilité et pragmatisme. Selon un grand courtier de Chicago : «L'une des raisons pour lesquelles je suis un très bon courtier, c'est parce que je peux lire en mes clients. Je devine à l'avance à quelles actions ils vont dire oui ou non. »

Andrew Lanyi, premier vice-président et agent important chez Lehman Brothers raconte : «Il n'est pas question de cupidité. C'est de la discipline. Vous et le client êtes tous les deux humains. Ça veut dire que vous voulez acheter bon marché et vendre cher. Le seul moment où vous pouvez acheter bon marché, c'est lorsque vous avez tous les deux peur. Et le seul moment où vous pouvez vendre cher, c'est quand tout le monde, vous deux y compris, est sûr que le marché va grimper encore plus haut. Ces choses ne viennent pas naturellement. Il faut de la discipline. »

Les femmes de Wall Street

Wall Street a fait des pas de géant en matière d'acceptation des femmes — si l'on considère le fait que la haute finance est un domaine masculin encore plus sacro-saint que le football ou le « républicanisme ». De jeunes femmes occupent des postes professionnels dans tout le métier. Elles se trouvent dans les salles de courtage, dans les services de placements, et dans les bureaux de courtage au détail. Elles sont intelligentes et agressives. La plupart d'entre elles sont arrivées après 1976.

Évidemment, les meilleurs programmes de MBA donnant un diplôme à environ 40 pour cent de femmes actuellement, le nombre de femmes recrutées par Wall Street va continuer à augmenter. On a récemment dénombré quarante et une titulaires d'un MBA dans la prestigieuse maison Goldman Sachs. Il y a même eu une ou deux promotions dans des firmes comme Goldman Sachs où les femmes étaient plus nombreuses que les hommes. Mais ceux qui demeurent attachés à la tradition n'ont pas à se faire de soucis. Comme le cadre supérieur d'une firme relativement bien peuplée de femmes l'explique : « Les femmes demeurent une toute petite minorité à Wall Street. Et elles subissent encore une grande discrimination dans un grand nombre de compagnies. »

Une jeune banquière travaillant dans une société publique déclare : « Nous nous en sortirons certainement mieux dans les sociétés publiques telles que Merrill Lynch, Hutton et autres que dans les compagnies privées. Ces dernières sont l'essence même des clubs masculins sélects. Voyez-vous, s'ils avaient une femme associée chez Lehman Brothers, est-ce qu'on lui construirait un vestiaire séparé pour qu'elle puisse utiliser la salle de gymnastique des associés ? Les firmes publiques ont mieux réagi à l'égalité d'emploi. Non pas que les préjugés soient absents, mais simplement qu'elles réagissent davantage à ce genre de pression. »

Les progrès accomplis par les femmes varient d'une discipline à l'autre. Sur les 324 places de la All-America Research Team publiée par *Institutional Investor*, moins de 25 étaient occupées par des femmes analystes en 1981. Ça peut ne pas ressembler à l'égalité parfaite, aux yeux de personnes exerçant d'autres métiers, mais à Wall Street cela constitue une invasion tous azimuts. Les services de recherche sont ouverts aux femmes depuis bien des années. Sans doute est-ce dû au fait qu'un rapport de recherche signé « F.J.Smith » ne donne pas d'indication sur le genre de l'auteur. Bien qu'on ait d'abord attribué aux femmes les entreprises de produits de beauté ou de textiles, (trois des gagnantes de 1980 étaient dans ces domaines), les femmes analystes se distinguent à présent en couvrant des industries aussi peu féminines que le pétrole, l'acier et les conglomérats.

Le courtage au détail a aussi permis aux femmes d'entrer à Wall Street au cours des dernières années. «Si vous êtes une bonne productrice, affirme Paula Hughes, la firme ne s'occupe pas que vous soyez un Martien avec de petites antennes vertes.» Quelques femmes ont aussi commencé à grimper dans les rangs de la gestion de portefeuille. Encore une fois, dit une autre femme: «Votre fonction consiste surtout à faire des profits et vous faites une grande partie du travail sans être remarquée.»

Les femmes font des incursions dans les ventes institutionnelles. Sur ce terrain, elles arrivent munies de MBA et passent leur temps à faire des transactions avec des collègues qui ont le même niveau d'instruction qu'elles. Mais quand il s'agit de gagner un siège au bureau de courtage, c'est une autre question. La plupart des courtiers assurent que les femmes n'ont pas les «tripes» nécessaires au métier, qu'elles ne supportent pas les risques autant que les hommes. Lorsqu'on lui a fait part de cet avis, une femme a vite répondu: «C'est stupide!» Elle a ensuite réfléchi un instant et a dit: «Je crois que je ne connais aucune femme qui travaille dans un secteur à haut risque. Le mien ne présente pas de risques particulièrement élevés. Je suppose que cela vient toujours de la façon dont nous avons été élevées. Oui, dans le commerce, les femmes ont un long chemin à faire. Mais avec le temps, je crois qu'elles vont changer et que des occasions vont se présenter.»

Le milieu poli des banquiers de placements semblerait sûrement aller de soi pour les meilleures diplômées en administration. Ce n'est pas le cas. Il n'y a que cinq ou six ans que les femmes ont commencé à se faire un chemin dans ce métier et elles doivent surmonter énormément de préjugés. Les hommes pensent à peu près ceci: les femmes sont sans doute douées et capables de traiter des marchés et d'avoir un certain type de contacts avec les clients, mais, pour citer une personne en vue dans le domaine des marchés, elles ne sont pas «bien bonnes dans les situations conflictuelles. Elles n'ont pas l'état d'esprit qui convient pour les moments difficiles.»

Une jeune banquière d'investissement réplique ainsi: «Je crois pouvoir mettre mes clients à l'aise plus vite que mes homologues masculins. Ça a un rapport avec l'absence de confrontation et le charme personnel. Ce serait stupide de dire qu'il n'y a pas quelques hésitations au départ. Mais quand vous collaborez étroitement avec eux pendant des semaines sur un marché, vous pouvez prouver votre professionnalisme et les réserves s'évanouissent. »

Au moment où ce livre est écrit, on ne trouve aucune femme associée, ou qui conclut des marchés dans les firmes les plus importantes. Mais les banquières n'ont pas encore eu le temps de dépasser le stade des premières années.

Quel que soit le temps que ça prendra, il n'y aura pas d'obstacle à la compatibilité avec le système de valeurs de Wall Street. «Je suis très contente de ce que le mouvement féministe a accompli pour nous», dit une banquière. «Mais on ne pourrait pas vraiment dire de moi que je suis une féministe ou une militante. J'ai le même profil conservateur que les hommes d'ici. Moi aussi je veux gagner beaucoup d'argent. En ce sens, je suis sûre d'être à ma place ici. Et les hommes commencent également à s'en rendre compte. »

Quoi qu'il en soit, il faudra du temps. Selon Barbara Roberts, chef du service de la commercialisation chez Dean Witter, et à Wall Street depuis dix ans: «Je crois que nous aurons une femme à la tête d'une grande institution financière. Quand j'y pense, je ne vois aucunes réserves. Mais je les sens tout de même. Je les sens très bien. »

Nouveaux règlements

L'année 1981 fut une grande année à Wall Street. La structure de ce secteur a changé à jamais. Trois des plus grandes maisons de courtage reliées par téléphone aux différentes bourses ont été acquises par des géants extérieurs à Wall Street: Bache a été rachetée par Prudential, Shearson Loeb Rhoades par American Express et Dean Witter Reynolds par Sears. Pour couronner le tout, les illustres associés de Salomon Brothers ont «vendu pour des espèces», en vendant leur firme à une compagnie publique, Phibro. D'autres associations ont fait de même depuis.

Au cours de la dernière décennie, Wall Street s'est étendu dans des domaines que peu de gens auraient vu être les siens: immobilier, assurance, crédit-bail, marchandises et autres. Avec Merrill Lynch en tête, le secteur se dirigeait vers le jour où, selon William Waters, «la distinction entre les courtiers, les banquiers et les assureurs (allait) disparaître. Nous serons tous des fournisseurs de services financiers. Nous serons à armes égales. «Merrill Lynch était même entré dans des activités et services de prêts commerciaux qui revenaient à des services personnels. Mais en 1981, le rythme du changement a dépassé les attentes de tout le monde.

Dans la guerre des services financiers, les lignes sont tracées par tous les joueurs que cite Waters, et par bien d'autres. Chacun veut sa part d'actions dans les services financiers. La question est la suivante: Que va-t-il arriver à ce lieu appelé Wall Street et en quoi consistera le travail qui y sera accompli?

«Ce secteur s'est trouvé très renforcé», explique Sanford I. Weill, président de Shearson-American Express. «Avec des compagnies comme Prudential, Sears et American Express qui investissent, nous n'avons plus à craindre que le secteur s'écroule. Les enjeux sont trop importants.» Weill soutient que d'autres fusions avec de grandes corporations bien capitalisées sont inévitables, car il en coûte plus cher pour faire des affaires dans le pays; il pense également que les associations privées vont subir plus de pressions pour vendre et s'aligner sur de plus grandes entités.

Selon Peter Cohen, vice-président de Shearson et bras droit de Weill: «À l'avenir, il y aura de petites firmes privées spécialisées dans des domaines limités et de grandes entreprises de services financiers. Les petites compagnies seront du pur ressort de Wall Street et rien d'autre. Et les grandes compagnies auront des composantes à Wall Street. Vous pourrez aller dans les grands et nouveaux services financiers, ou vous pourrez rester dans le Wall Street traditionnel. Les deux possibilités existeront.»

En 1984, toutes les composantes d'American Express, y compris Shearson, vont déménager dans une tour éclatante du World Financial Center, qui doit bientôt être construit dans le bas de Manhattan. Sandy Weill passe maintenant le plus clair de son temps dans son bureau, au siège social d'American Express, où il est président du conseil de direction. Après la fusion, l'une de ses premières grandes initiatives a consisté à faire construire un nouvel immeuble pour les opérations conjointes. Bien des gens trouvent incongru de voir l'un des entrepreneurs les plus brillants de Wall Street bien installé dans un milieu qui est vraiment celui de l'entreprise. Weill dit qu'il apprend comment diriger une grande corporation tout en montrant à ses nouveaux collègues ce qu'est l'élan d'un entrepreneur. Il pense que la diversité des styles est durable: «Notre façon de voir les choses, c'est que les gens de nos différents secteurs seront payés selon ce que gagnent les autres personnes dans le même secteur à l'extérieur, dit-il, que ce soit chez Shearson-American Express, dans la banque internationale, dans la division des chèques de voyages ou dans l'assurance des biens et risques divers. Chacun de ces domaines a une ambiance et un style différents.

Je ne pense pas que l'esprit d'entreprise soit détruit par l'une de ces grandes fusions, ajoute-t-il. Les courtiers et banquiers d'investissement devront être rémunérés comme ils l'ont été par le passé. C'est ce qui engendre l'imagination et l'encouragement dans ce métier.» Selon Weill, même si Wall Street doit avoir un caractère moins distinct, cela n'en exigera pas moins un état d'esprit spécial. «Tout le milieu de Wall Street, dit-il, — que ce soit à Wall Street ou à Seattle — est fait sur mesure pour la personne autonome, la personne qui est motivée, travailleuse et rêveuse. Ce sera toujours un endroit où vous ne serez pas limité dans votre mobilité verticale par la hiérarchie ou les anciennes règles. Les marchés financiers sont en perpétuel changement et les idées en matière de gestion doivent suivre le rythme. C'est le genre de secteur qui attirera toujours un type particulier de personne. Vous pouvez retirer plus de compensations financières dans ce métier que dans presque n'importe quel autre. Inversement, rien n'est offert sur un plateau d'argent. On voit ici plus d'échecs que dans d'autres domaines. Je pense que ça va continuer. Ce métier ne deviendra pas institutionnalisé, parce qu'il change constamment.»

L'IMMOBILIER
des rapports irréels

Construire une fortune

Edward S. Gordon ne peut rester en place, même pendant une minute. Il gigote sur sa chaise tout en attrapant les montagnes de papiers qui se trouvent sur son bureau. Cet homme beau et soigné de quarante-six ans a toute l'énergie maniaque d'un adolescent excité.

« J'aime la vie que je mène, dit-il en faisant briller ses yeux bleus comme du cristal, et j'aime ce métier. » Avec le téléphone qui sonne constamment, sa secrétaire qui l'appelle et un défilé infini d'employés qui viennent à la porte lui poser des questions, il semble condamné à la grande vitesse et se concentre sur tout en même temps.

« C'est cela, dit-il en finissant une brève conversation téléphonique. Le marché que je viens de conclure va rapporter un demi-million en commission à la compagnie. » Il tend le bras vers l'une des piles de papiers et en retire soigneusement un classeur d'environ cinq centimètres d'épaisseur. « Et ce marché va donner des profits de 3 millions à notre client. » Il fait venir sa secrétaire pour qu'elle mette le document dans une enveloppe.

Plus tard, dans la limousine qui le conduit chez lui, il appelle son avocat. Celui-ci est absent. « Mon chauffeur laissera les contrats à votre portier », dit-il au répondeur automatique. « La réunion est pour demain matin neuf heures, alors il faudrait les revoir ce soir. Ça ne fait que deux cents pages environ. De toute façon ajoute-t-il en faisant un clin d'oeil, l'autre solution consiste à dormir. »

Gordon a monté sa firme de courtage immobilier à New York il y a environ dix ans, dans le creux de la pire dépression immobilière depuis les années trente. Son personnel était formé de lui-même, d'une secrétaire et d'un commis aux écritures. Aujourd'hui, plus de cent cinquante courtiers et membres du personnel travaillent pour Edward S. Gordon Company, Inc., et cette dernière gagne plus de 20 millions de dollars par an. Ed Gordon a mené à bien certains des marchés les plus spectaculaires et les plus importants de l'histoire de New York dans le domaine immobilier. Il a vendu l'édifice historique de Chrysler, à un moment où ce dernier était menacé de forclusion; la campagne publicitaire qu'il a conçue pour attirer de nouveaux locataires dans ce point de repère lui a valu des trophées de la part du milieu de la publicité. Lorsqu'il a terminé la vente d'un autre gratte-ciel en difficulté, cela s'est révélé un point tournant, c'est-à-dire la fin de la dépression immobilière et le début du boom de la fin des années soixante-dix et du début des années quatre-vingt.

Gordon pilote son avion privé pour passer la fin de semaine dans sa maison sur la plage, il possède un club de voile et profite des délices de la grande vie à Manhattan. Néanmoins, il demeure un bourreau de travail forcené, et lorsqu'il s'agit de productivité et de réussite, c'est un vrai puritain adepte de la morale du travail.

« J'ai toujours visé un cran au-dessus », dit-il en regardant défiler les immeubles par la fenêtre de la limousine. « Quand je gagnais 10 000 $ par an, je me disais que jusqu'à ce que je gagne 50 000 $, je n'avais pas réussi. Quand j'ai gagné 50 000 $, je me suis dit que gagner moins de 100 000 $ voulait dire que je n'avais pas encore réussi. Quand j'ai gagné 100 000 $, la cible s'est portée à 500 000 $ et ainsi de suite...»

Malgré son succès, Ed Gordon n'est pas au sommet de la hiérarchie immobilière. Il est courtier. Effectivement, il est souvent à l'origine des marchés. Mais il demeure un intermédiaire; il prend une petite commission. Ed est au service des patrons — les propriétaires et entrepreneurs — et ce sont eux qui gagnent beaucoup d'argent. Comparé à eux, Ed Gordon a encore un bon bout de chemin à faire.

Un de ses clients, Sam Lefrak, s'est construit un empire de plus de 1,5 milliard de dollars. Un autre client, Donald Trump, alors qu'il avait encore une vingtaine d'années, a pris les avoirs immobiliers de son père, avoirs de plusieurs dizaines de millions, et a élevé la fortune familiale bien au-delà du milliard avec seulement quelques nouveaux projets d'aménagement spectaculaires. À quelques coins de rue du bureau de Gordon, Harry Helmsley est à la tête de propriétés valant plus de 5 milliards de dollars.

Trammel Crow, promoteur de Dallas, a passé le cap du milliard il y a des années. Arthur Rubloff, premier promoteur de Chicago, a récemment fait une offre avec son associé pour acheter le complexe du World Trade Center de New York. Leur offre : 1,1 milliard comptant. « C'est notre propre argent », explique Rubloff, l'un des personnages les plus respectés dans le métier. « Nous n'avons pas besoin de nous adresser à la banque. »

Pendant des millénaires, l'immobilier a été la source principale de richesse et de pouvoir. Pourtant, on ne peut apprendre la pratique de la promotion immobilière dans les écoles d'administration, et peu de jeunes gens grandissent en rêvant d'une carrière dans ce domaine. Autre anomalie : bien que ce soit l'une des entreprises les plus fondamentales, l'immobilier n'est pas encore institutionnalisé. Aucune corporation géante ne domine ce secteur : il n'y a pas de General Motors ou de IBM de l'immobilier. En tout cas pas encore. C'est un monde composé d'entrepreneurs individuels. Les sagas à la Horatio Alger abondent. Harry Helmsley a acheté son premier immeuble à l'âge de vingt-sept ans avec un paiement initial de 1000 $. Arthur Rubloff, qui a commencé à travailler à l'âge de huit ans dans une usine du Minnesota, est venu à Chicago dans les années vingt comme courtier et a fini par créer des projets d'aménagement d'un océan à l'autre.

« Il n'y a plus que trois façons de faire fortune aujourd'hui, dit Ed Gordon. Avec une guitare, à Wall Street ou dans l'immobilier. » Contrairement à la musique, l'immobilier est un bien permanent. La valeur d'un bâtiment ne s'évanouit pas comme les succès d'hier. Par opposition aux valeurs mobilières, l'immobilier est tangible. La richesse n'est pas mesurée en certificats d'actions ou en signaux sur un terminal d'ordinateur. Les richesses immobilières sont ancrées dans le sol — en acier, en pierre et en béton, en brique, en verre et en asphalte. Le secteur de l'immobilier a un impact profond sur la société. Il ne crée rien de moins que l'environnement où nous travaillons, jouons et vivons tous.

Les meneurs de ce secteur sont une race intrépide appelée « entrepreneurs du marché de l'investissement ». Ils construisent des bâtiments en anticipant la demande — des bâtiments de « spéculation » ou encore des « Spec ». D'une certaine façon, ils jouent un rôle de planificateurs de notre société. Quand un entrepreneur du marché de l'investissement — un promoteur — est bon, il a des locaux qui sont prêts et que les gens veulent maintenant, mais ne savaient pas qu'ils en auraient besoin. Réussir dans ce jeu requiert un mélange singulier de vision, de compétence, de chance et de nerfs solides. Les risques sont terrifiants. Les récompenses aussi.

En restant propriétaires des structures qu'ils construisent, les promoteurs amassent d'énormes avoirs fonciers tout en récoltant des millions en revenu courant. Ils sont souvent imposés à des taux très bas (à cause des provisions pour amortissement attachées à leurs propriétés), bien que la valeur marchande de leurs immeubles puisse monter en flèche.

Comme l'explique le comptable d'un promoteur connu : « Avec un immeuble de bureaux qui marche bien, mon patron peut se créer plus de valeur nette que le président de General Motors ou de AT & T ne verront jamais dans leur vie. » Et son patron a déjà des dizaines d'immeubles de bureaux en portefeuille et d'autres en cours. « Mais, dit un promoteur, la plupart des gens que je connais dans l'immobilier ne sont pas vraiment si matérialistes que ça. Cela peut avoir l'air surprenant, mais ils jouent à un jeu vivant de Monopoly. Ils veulent simplement passer et repasser sur la case « Départ » pour toucher leurs 200 $, 2 000 $ ou 2 millions de dollars. Si la règle du jeu dit que le but consiste à construire des hôtels sur *Bordwalk* et *Park Place*, c'est ce que vous essayez de faire. Et dans le monde réel, *il existe vraiment* des endroits appelés *Boardwalk* et *Park Place*. Et vous le voulez. *Il y a* des endroits appelés *Baltic Avenue* et *Mediterranean Avenue* et vous voulez les refiler à la ville. C'est la règle du jeu et le jeu est très plaisant. »

Spéculation et prestidigitation

L'économie de l'immobilier à des fins commerciales est extrêmement simple. Une propriété commerciale — immeuble de bureaux, centre commercial ou entrepôt — a des locataires qui paient un loyer au propriétaire. Il doit, à son tour, faire certaines dépenses pour conserver la propriété de son bien — hypothèque, taxes, frais de services et d'entretien. Quand les loyers sont plus élevés que les dépenses, le propriétaire fait des profits. Dans le cas contraire, il en perd. C'est aussi simple que ça.

Ce qui rend le jeu immobilier si attirant, c'est un truc appelé « effet spéculatif accru » (leverage). Un levier est un petit instrument qui permet de déplacer de gros objets. Dans l'immobilier, l'effet spéculatif accru fonctionne de deux façons. La première est l'argent emprunté. Avant l'époque où les banques ont commencé à demander des taux d'intérêts semblables à ceux que demandent les requins prêteurs de la Mafia, l'investisseur foncier pouvait détenir le contrôle d'un grand nombre de propriétés avec seulement de petits paiements initiaux. Avec une quantité relativement petite de son propre argent, il pouvait accumuler beaucoup d'avoirs fonciers, en hypothéquant la valeur d'une propriété pour en payer une autre. Dans la mesure où les liquidités provenant de ses immeubles lui permettaient de respecter tous ses engagements à temps, sa pyramide demeurait intacte et s'élevait. Cependant, s'il devait arriver que le flot constant d'argent des loyers soit réduit, tout pouvait s'écrouler en faillite et en forclusions.

C'est une question d'équilibre délicat, basée sur des faits présents et des supputations futures. Et c'est ce second aspect qui rend l'effet spéculatif accru en immobilier galvanisant. Si vos prévisions sont justes, il vous suffit d'avoir un peu raison pour récolter des mines d'or. Mais si vous vous trompez juste un peu, ça peut être le désastre.

S'il en coûte, disons, 93 $ le mètre pour construire un immeuble de bureaux de 40 étages, et d'un million de mètres carrés, vous n'allez pas entreprendre un tel projet à moins d'être certain de disposer de loyers supérieurs dans deux ans, quand l'immeuble sera terminé.

Si vous devinez juste et obtenez des loyers à 94 $ le mètre, vous récolterez 1 million de dollars par an. Si le marché se révèle encore meilleur, avec un loyer de 95 $, vous récolterez 2 millions. Un simple accroissement de 3 pour cent des revenus donne 100 pour cent d'augmentation des profits. C'est ce qu'on appelle l'effet spéculatif accru. Tout ce qu'il faut, c'est de ne pas trop se tromper et l'on peut vraiment décrocher le gros lot.

Cependant, cet effet spéculatif accru vous fait tenir à un fil, et vous pouvez facilement trébucher. Si vous vous êtes seulement un peu trompé, et que vous n'obteniez que 93 $ par mètre carré, vous n'allez rien gagner (ce qui équivaut à perdre de l'argent puisque vous auriez pu le placer à la banque et en retirer des intérêts sans aucun risque). Et si vous avez seulement un petit peu plus tort, et que les loyers ne montent qu'à 90 $ le mètre, vous *perdez* maintenant 1 million par an. Et si l'économie s'est détériorée depuis le premier coup de pioche et qu'aucun locataire ne vient louer d'espace dans votre belle tour neuve, vous êtes à même de perdre 31 millions de dollars par an. Cela aussi peut arriver.

Dans ce jeu à gros risques et à grandes récompenses, le choix du moment est crucial. Le marché des espaces commerciaux traverse des booms rapidement suivis d'horribles chutes et, surtout pour les bureaux, on a tendance à trop construire pendant les bonnes années, puis à ne rien construire quand le marché ralenti. Quand un marché est saturé, il faut que l'expansion des affaires s'étale sur plusieurs années pour rattraper les excès. Puis, quand la demande a de nouveau rattrapé l'offre, il s'ensuit une nouvelle frénésie dans la construction qui va mener à une autre chute. Et ainsi de suite.

Étant donné qu'il faut de deux à cinq ans — de la table à dessin jusqu'à la fin des travaux — pour construire un immeuble, le bon promoteur doit être capable de déterminer longtemps à l'avance les fluctuations du marché. Entre-temps, les valeurs foncières peuvent suivre les plus folles des montagnes russes.

« Il vous faut, par-dessus tout, l'instinct du parieur pour jouer dans l'immobilier », assure Henry Rice, expert-conseil chevronné et directeur de l'agence James Felt à New York. L'entrepreneur parie son propre argent sur des chances qu'il ne peut, en dernière instance, ni calculer ni maîtriser. Que va-t-il advenir de l'économie nationale? De l'économie régionale? Et les taux d'intérêts? Où la population va-t-elle se déplacer? Quelle incidence le coût de l'essence aura-t-il sur les habitudes des banlieusards? Le promoteur fait face à ces points d'interrogation et à une centaine d'autres.

Il faut un tempérament spécial pour venir faire une partie à cette table. Par le passé, le stéréotype du promoteur immobilier était celui d'un gros homme d'affaires fruste et qui avait réussi tout seul — un homme qui avait la volonté d'un bulldozer et la personnalité en conséquence, fort sur l'amour-propre, faible en scrupules. On peut encore trouver de tels personnages. Mais parmi les grands promoteurs d'aujourd'hui, le stéréotype ne tient plus. Il se peut que l'immobilier soit encore l'un des derniers bastions de l'individualisme peu raffiné. Mais l'accent porte davantage aujourd'hui sur l'individualisme que sur le manque de raffinement. Prenons quelques exemples.

Les Trois As

James Rouse a fait sa fortune en construisant des centres commerciaux dans les banlieues du pays, au cours des années cinquante et soixante. Mais ce qui l'a rendu célèbre, c'est le réaménagement des centre-villes au cours des années soixante-dix et quatre-vingt. Il les appelle des « marchés de festival ».

À Boston, la Rouse Company a pris le secteur qui était en train de pourrir autour du Faneuil Hall et a créé un ensemble soigneusement orchestré de cafés, de magasins d'alimentation, de boutiques, de bureaux et de rues qui fascinent par leur animation. La Faneuil Hall Market Place, ouverte en 1976, a déclenché la renaissance de tout le quartier historique des quais de Boston et a marqué le début du plus grand boom immobilier de l'histoire de la ville.

De la même façon, l'allée Harborplace à Baltimore, construite par Rouse au coût de 20 millions de dollars, a refait de ces quais jadis oubliés un aimant qui attire à présent plus de gens que Disney World. En combinant l'architecture, le bon sens en matière de vente et le sens du spectacle, Rouse crée des allées dans les centre-villes qui sont, selon lui « des endroits chaleureux et humains, avec une grande variété de choix, pleins de festivités et d'enchantement ». Il a réussi le même tour de magie avec Santa Monica Place en Californie, avec la Gallery de Market Street East à Philadelphie, et il va bientôt terminer d'autres projets similaires dans South Street Seaport à Manhattan, Grand Avenue à Milwaukee, la région de Yerba Buena Park à San Francisco, et les dépôts de chemin de fer abandonnés de Saint Louis.

Aujourd'hui, Rouse Company possède et exploite des lotissements immobiliers d'une valeur de plus de 1 milliard, et ce dans dix-huit États. En surface carrée, tout l'espace destiné à la vente est plus grand que la Principauté de Monaco. Rouse a même bâti sa propre ville planifiée, du début jusqu'à la fin (lacs artificiels, etc.) C'est la métropole de Columbia, dans le Maryland (60 000 habitants) et, dans cette dernière, Rouse a formulé nombre de ses idées sur la façon de rendre les villes plus vivables.

Il se targue d'être plus qu'un homme d'affaires. Ce promoteur visionnaire de 68 ans a récemment abandonné la direction à plein temps de la Rouse Company pour se vouer à l'étude de nouvelles façons de construire des logements pour les pauvres.

Rouse représente une sorte de promoteur. En face du joyeux brouhaha de sa Faneuil Hall Marketplace se trouve la création d'un autre promoteur, le nouveau Long Wharf Hotel, deux immeubles de briques et d'acier, triangulaires à chaque extrémité.

Cette nouvelle auberge de luxe qui a coûté 20 millions de dollars est une réalisation de Boston Properties dont le directeur et cofondateur est Mortimer B. Zuckerman.

Zuckerman, âgé de quarante-quatre ans, n'a jamais été lent ni timide. À dix-neuf ans, il avait déjà reçu son diplôme avec mention honorifique de l'université McGill, à Montréal. À vingt-cinq ans, il avait une maîtrise en administration des affaires de Wharton, un baccalauréat en droit de McGill et une maîtrise en droit de Harvard. Attiré par l'immobilier, il écrivit à Cabot, Cabot & Forbes, le plus grand promoteur de Boston. N'obtenant pas de réponse, il appela le secrétaire de l'homme important. «Dites-lui que j'ai passé les quinze dernières années à construire le meilleur curriculum vitae qu'il ait jamais vu, dit-il. Le moins qu'il puisse faire est de me parler.» Zuckerman fut engagé à un salaire de 8 750 $.

Il a eu une veine incroyable dès le début. Le premier cadre financier de la compagnie est parti dix mois après l'arrivée du jeune érudit; Zuckerman a alors assumé officieusement ses tâches. Peu après, la compagnie a attribué des actions à revenu variable de projets d'aménagement à un autre homme qui était au même niveau hiérarchique que lui. Ils ont dû offrir la même chose à Zuckerman. Mais l'autre gars n'était pas content et s'en est allé. Pour garder Zuckerman, CC & F lui a non seulement offert ses actions de départ mais également la part de la personne qui était partie. «Ça a été un coup de chance plus qu'autre chose, dit Zuckerman, mais au bout de deux ans, je me suis retrouvé le plus important associé d'exploitation. Ma part était plus importante que les actions cumulatives de tout le personnel d'exploitation. Je me suis retrouvé dans une situation que je n'avais même pas créée — je n'aurais jamais pensé à le demander. Mais évidemment, je n'ai pas refusé.»

Le fait de détenir tant d'actions dans les gratte-ciel et les parcs industriels rentables de CC & F fit de Mort Zuckerman un multimillionnaire avant l'âge de trente ans. Lorsque Zuckerman et un autre ancien de chez CC & F, Edward Linde, décidèrent de créer leur propre compagnie en 1970, ils étaient parfaitement capitalisés et prêts à démarrer sur une grande échelle. Actuellement, Boston Properties possède et exploite des espaces de plus de deux millions de mètres carrés au Massachusetts, en Californie et à Washington D.C. (pour une valeur marchande de plus de 400 millions de dollars), et elle a près de cinq millions de mètres carrés en construction.

Le rôle de Zuckerman consiste à conclure les marchés et à s'occuper des contacts avec les institutions financières. Son associé, Linde, surveille la construction et l'exploitation. Bien qu'elle ait subi quelques défaites âprement combattues — en essayant de monter des projets de développement par l'intermédiaire de la municipalité de Boston — l'entreprise de Zuckerman a suivi une courbe ascendante. « Nous n'avons jamais perdu d'argent dans un projet de construction », dit-il. « En fait, pendant la récession (1973-1975), nous avons évité d'entreprendre de nouveaux projets — c'était autant de la chance qu'autre chose. Et il s'est trouvé que c'était une belle occasion d'acheter pour nous. Ça a été l'une des périodes les plus lucratives que nous ayons jamais connues dans l'immobilier. Nous nous en sommes finalement aussi bien sortis dans la retraite que pendant la progression. »

Zuckerman est un homme soigné et bien habillé. Sur le mur extérieur de son bureau de Boston se trouve un agrandissement encadré de la Place du Parc, la carte entourée de bleu dans le jeu de Monopoly. « J'ai toujours l'impression que les affaires sont un sport, dit-il. Je suis très irrévérencieux, et si je peux créer quelques instants d'humour, tant mieux. J'essaie de faire sentir aux gens qu'ils ne traitent pas simplement avec un état financier mais avec un être humain. » Il partage son temps entre ses opérations, sa maison de BeaconHill, son appartement de la Cinquième Avenue, sa maison dans les Hamptons de Long Island, les courts de squash du Harvard Club et les bureaux de l'*Atlantic Monthly* qu'il a acquis en 1980, et auxquels il espère redonner vie et leur gloire passée.

À l'inverse de Zuckerman, Bernard Weissbourd, de Chicago, n'a jamais pensé à devenir promoteur. Avec une formation de chimiste, il a été engagé pour travailler sur le célèbre Projet Manhattan pendant la Deuxième Guerre mondiale. Après la guerre, il est allé faire des études de droit et a ensuite pratiqué pendant dix ans. L'un de ses clients était dans l'immobilier. C'était Herbert Greenwald, le promoteur de Chicago qui passa à l'architecte Mies Van Der Rohe sa première commande aux États-Unis — le 860 Lake Shore Drive — superbe prédécesseur de l'édifice Seagram.

Quand Greenwald est mort en 1958 dans un accident d'avion, ses associés ont demandé à Weissbourd de prendre la direction de la compagnie. Il répondit « non » mais accepta de la réorganiser en une nouvelle entité. Il termina les projets d'aménagement que Greenwald avait laissés et se retrouva alors «libre de continuer seul». La nouvelle compagnie s'appela Metropolitan Structures. «Je connaissais déjà les aspects juridiques et financiers des projets d'aménagement, dit-il, mais j'avais beaucoup à apprendre sur le reste du métier. Nous avons appris de façon empirique.» Metropolitan Structures démarra avec un seul projet de construction à la fois. Il y en eut un à Newark, puis un à Brooklyn, ensuite un petit hôtel près de Chicago Loop, ensuite un autre immeuble résidentiel à Chicago et puis un grand projet de redéveloppement à Baltimore. La compagnie tournait bien.

Vers la fin des années soixante, la compagnie acquit les droits d'une ancienne gare de triage de Chicago, juste au sud du Magnificent Mile. Sur les lieux s'élevait le One Illinois Center, une tour de bureaux de quarante étages. Depuis, le complexe s'est développé et va continuer à le faire. Weissbourd, dont le bureau se trouve dans la tour d'origine, montre les gares de triage et entrepôts restants et, par-delà, le lac Michigan. C'est là que s'élèvera le reste de l'Illinois Center. En 1990, il y aura neuf millions de mètres carrés de bureaux (les tours d'origine du World Trade Center de New York en contenaient environ 10 millions). Il y aura également près d'un million de mètres carrés de magasins de détail, 5500 chambres d'hôtel, 7700 appartements et 12000 places de stationnement.

Par contraste avec son ancien client Greenwald, personnage flamboyant de la vieille école qui avait le sens de la mise en scène, Weissbourd a presque l'air d'un professeur. L'un des murs de son grand bureau est plein de livres; les titres incluent l'architecture et l'urbanisme (qu'il enseigne à mi-temps), l'art, la littérature et la psychologie. Cet homme légèrement courbé de soixante ans a les cheveux blancs, parle d'une voix qui est presque un murmure et fume même la pipe. Il se perçoit comme un maître coordonnateur parmi les équipes d'experts: «Nous coordonnons le travail d'un grand nombre d'autres gens: architectes, ingénieurs, urbanistes, constructeurs, locateurs, avocats, comptables et autres. Ça n'est plus comme à l'époque où une seule personne dirigeait tout, comme Zeckendorf ou Greenwald. Nous prenons des décisions collectives ici. Il faut que nous soyons d'accord avant d'entreprendre quelque chose. De cette façon, nous évitons de prendre des décisions irréfléchies.»

Pendant l'été 1981, Metropolitan Structures a fait sourciller certaines personnes du milieu de l'immobilier en cédant des intérêts de 250 millions de dollars dans tous ses avoirs fonciers à la Metropolitan Life Insurance Company — en échange de 250 millions en nouveau capital (et, probablement, bien plus ensuite). Ce marché est un signe des temps. Certaines personnes ont déclaré qu'en abandonnant un tel contrôle à une grande corporation, Metropolitan Structures pourrait perdre la flexibilité et l'élan qui font les grands promoteurs. Pourtant, à une époque où les taux d'intérêt sont fabuleux, il se pourrait que ce genre d'arrangement devienne plus courant.

Weissbourd pense que le terrain est encore ouvert aux gens qui ont du cran et qui sont prêts à commencer « petit ». « Un de nos agents de location s'est débrouillé pour se trouver un commanditaire et a créé un petit immeuble de bureaux en banlieue, dit-il. Il a tout dirigé lui-même, le soir et les fins de semaine ; il ne disposait d'aucune organisation. Mais il a bien réussi et travaille à de plus grands projets. Un premier succès est tout ce dont vous avez besoin. Si vous gagnez la première course, vous êtes lancé. »

Le grand casse-tête

Comment les promoteurs travaillent-ils ? Tout dépend du projet. Chaque emplacement est différent d'un autre et même de celui qui lui est adjacent. Il se peut qu'un centre commercial remporte un grand succès du côté nord de la route mais qu'il connaisse un terrible échec du côté sud. C'est ce fait inévitable — il faut s'attaquer à chaque problème immobilier ou à chaque occasion de façon nouvelle — qui fait que les gens gardent leur intérêt pour le jeu bien après qu'ils ont gagné leurs cent premiers millions.

Mais il y a certaines marches à suivre communes à tous les projets d'aménagement. Chaque opération est comme un immense casse-tête assemblé par le promoteur à partir de morceaux que personne n'avait réussi à voir ou à marier. (Si tout allait de soi, quelqu'un aurait déjà monté l'opération.) Réussir le casse-tête exige deux traits de caractère que l'on trouve rarement chez une seule personne. Le promoteur doit être capable d'avoir une vue d'ensemble tout en se concentrant sur un million de détails. Il ne peut évidemment y avoir de projet s'il n'a pas une vue d'ensemble de ce qu'il devrait être. « Mais, prévient Weissbourd, c'est un métier de détails. Tout doit bien se passer.

Tout doit trouver parfaitement sa place. Il suffit qu'une chose aille mal pour que tout s'écroule. C'est comme si une petite pièce de votre montre ne fonctionnait pas, votre montre ne marcherait pas. » Et tous ces détails se dessinent devant le promoteur comme une course d'obstacles qui s'étend à l'horizon.

Alton Marshall est l'ancien directeur général de Rockefeller Center, Inc., qui ne possède pas seulement le complexe du même nom mais construit activement dans cinquante-deux villes du pays. Selon Marshall : « Les bons promoteurs ont la capacité — ou l'instinct — d'analyser un projet particulier, de le penser physiquement et financièrement. Ils peuvent réunir énormément de données et un grand nombre de gens pour faire des analyses et faire marcher le tout. Mais les meilleurs — et ils m'intimident — ont un sixième sens à propos du projet global. Est-ce une bonne idée ? Cela couvre tout un territoire : est-ce le bon endroit ? Le marché est-il bon ? Y aura-t-il une demande ? Et ainsi de suite. Tout cela revient à se demander si c'est une bonne idée — ce genre d'immeuble à cet endroit particulier et dans ce but particulier ? Les meilleurs promoteurs en ont l'intuition, une façon de voir les choses qui marche tout le temps. »

Bien sûr, il y a de nombreux chiffres à peser, des décisions quantitatives à prendre, mais les chiffres ne sont qu'un guide. « Nous faisons notre travail de préparation du mieux que nous pouvons », explique un promoteur en vue de Houston, « et ça nous donne 30 à 35 pour cent des connaissances dont nous avons besoin. Ensuite c'est l'instinct qui nous fait prendre notre décision. » Il dit qu'on ne peut jamais savoir ce que sera l'économie nationale ou régionale, ce que seront vraiment les taux d'amortissement, combien d'autres personnes créeront de nouveaux immeubles sur le marché, quelle sera la force du dollar ou, ajoute-t-il, « n'importe quelle autre chose que nous aimerions savoir mais ne saurons jamais. Voilà les risques que prend un promoteur. C'est pourquoi on parle d'un jeu risqué. »

Qu'est-ce que le promoteur voit dans sa tête au moment de la décision ? « Vous sentez ce qui pourrait être, de façon générale », dit Mort Zuckerman. « Je ne vois pas nécessairement un immeuble dans sa conception particulière. Mais je sens ce qui pourrait être, de façon générale, un plan d'ensemble, une idée potentielle pour la région. Je sais comment rendre le projet attirant pour les prêteurs et les locataires. C'est un processus évolutif. Vous n'avez pas tout d'un coup un éclair d'imagination pendant lequel les Dix Commandements vous apparaissent soudain. »

Une fois que le promoteur a une idée générale à l'esprit, la prochaine étape consiste à obtenir une maîtrise du terrain. La façon la plus évidente est de l'acheter. Mais cela pourrait coincer un gros morceau de capital. Pour économiser de l'argent, il peut essayer d'obtenir un « bail foncier » du propriétaire qui lui permettra de construire sur la propriété. Un tel bail peut durer 99 ans ou plus, et donner au propriétaire du terrain un droit de propriété sur les nouveaux immeubles, à la fin du terme. Il épargne au promoteur d'énormes mises de fonds d'argent liquide avant que son projet de construction ne devienne rentable.

Mais en bien des endroits, il y a trop de propriétaires différents d'un site éventuel pour que l'opération soit pratique. Dans ce cas, le promoteur doit acheter toutes les parcelles de terrain pour avoir le contrôle du lieu qu'il convoite. Parfois, cela peut se faire à un prix raisonnable, grâce à des transactions franches avec les propriétaires. Mais pas toujours. Le promoteur doit souvent utiliser la méthode subtile de l'assemblage de terrains pour atteindre son but. Cela peut être l'une des phases cruciales d'un projet d'aménagement.

Seymour Durst, de New York, est un vieil habitué de ce jeu. La firme familiale, la Durst Organisation, détient 500 millions de dollars en propriétés à Manhattan, et il a assemblé les terrains pour certains des plus beaux gratte-ciel appartenant à la famille. Il joue le rôle d'un maître stratège des projets d'aménagement, et achète parfois des parcelles de terrain sur une période de quinze ans pour qu'un assemblage soit complet. L'astuce consiste à ne dire à *personne* que vous assemblez des parcelles pour construire quelque chose. Car dès qu'un propriétaire pense qu'un promoteur est sur le point de s'enrichir grâce à son lotissement, il va augmenter son prix.

Durst est un homme dans la soixantaine, et son bureau est rempli de livres et de vieilles photos de New York qu'il collectionne. « Nous jouons aux charades, dit-il. Nous utilisons différents avocats et courtiers quand nous achetons des propriétés, de façon que les gens ne s'aperçoivent pas qu'il s'agit de nous. Nous inventons des noms de compagnies nonexistantes qui acquièrent les droits de propriété, parce que les gens regardent toujours attentivement si un assemblage est en train de se faire. » Il y a des gens qui surveillent les transferts d'actes à l'hôtel de ville et qui cherchent sans arrêt des types d'achat. Il existe même quelqu'un de zélé qui publie un petit bulletin d'information dans lequel il décrit des types d'achat de terrain enregistrés par des corporations prête-noms. La personne tente de démasquer les promoteurs à l'oeuvre derrière ces achats. Durst semble continuellement jouer au chat et à la souris avec cette personne. «Un jour, se souvient-il, elle a mis un avis selon lequel nous étions en train de procéder à un assemblage, parce qu'elle avait vu un courtier que nous avions utilisé à plusieurs reprises engagé dans la transaction. Mais nous n'avions rien à voir avec celle-ci.»

Dans un autre quartier où il y avait de nombreux marchés de viande, les agents de Durst ont commencé à acheter des propriétés au nom d'une compagnie qu'ils avaient inventée et appelée Les Produits des Porcs de l'Est. Durst, membre connu de la communauté juive en a des souvenirs: «Nous avons acheté trois propriétés sous ce nom, puis une quatrième. Peu après, j'ai reçu un mot du type qui publie ces avis dans le bulletin. Il se lisait ainsi: Seymour — Les Produits des Porcs de l'Est. Quelle honte!»

Mais l'assemblage de terrain n'est pas une rigolade. En matière de prix de revient, les prévisions de l'entrepreneur reposent sur l'obtention du site à un prix qui rend le projet d'aménagement faisable. Et si l'assemblage est bloqué avant d'être terminé, le promoteur peut se retrouver avec des terrains chers et inutiles. Pire encore, un seul détenteur de parcelle intransigeant, trop proche d'un ensemble terminé, peut gâcher la valeur d'un nouvel édifice.

Regardez le gratte-ciel de New York qui a détruit l'empire Tishman Realty vers le milieu des années soixante-dix. Là, comme un intrus, sur la place qui se trouvait derrière une belle tour nouvelle de 100 millions, il y avait un minuscule bâtiment en brique qui abritait un restaurant minable. Le propriétaire avait entendu parler de l'assemblage avant la construction de l'édifice et refusa de vendre. On construisit autour de lui. Au fur et à mesure que la nouvelle structure grimpait dans le ciel, le prix qu'il demandait pour sa petite propriété montait en conséquence. Alors que les très mauvaises conditions du marché travaillaient aussi contre les Tishman, la présence du restaurant, coincé sur la place en travertin, était suffisante pour faire reculer d'horreur d'éventuelles entreprises de locataires. La tour restait vide, asséchant les finances de la compagnie. Après plusieurs tentatives manquées pour conclure l'affaire, l'homme a finalement vendu au prix d'environ 750 000 $, et le vieux bâtiment fut démoli. Mais c'était après que Tishman Realty fut elle-même tombée.

Parfois, le promoteur doit racheter le bail de nombreux locataires avant de pouvoir commencer à penser qu'il va acheter le terrain et les bâtiments. Les complications éventuelles qui peuvent empêcher la plupart des assemblages sont presque infinies.

Supposons, pourtant, que vous réussissiez à acquérir l'emplacement. Que faites-vous ensuite? Vous engagez un architecte et quelques ingénieurs pour dessiner les plans de votre immeuble et les montrer au gouvernement local afin que le projet soit approuvé. Car vous ne construirez rien sans la bénédiction du conseil de planification, du comité de zonage ou d'autres groupes et personnes qui ont un mot à dire sur l'avenir de la ville.

C'est ici que s'arrête la comparaison entre la pratique moderne de l'immobilier et les grands exploiteurs capitalistes. L'immobilier est un secteur extrêmement réglementé. Les règlements de zonage sont un des risques que prend le promoteur sur le chemin de la fortune. Il a passé beaucoup de temps et dépensé beaucoup d'argent pour obtenir un emplacement et faire dessiner des plans, et il ne sait même pas s'il pourra construire son bâtiment! On ne peut pas dire comment les fonctionnaires vont réagir aux propositions du promoteur, ni combien de temps ils vont le faire attendre. Mort Zuckerman a passé sept ans et dépensé presque 2 millions de dollars à essayer d'obtenir un accord pour un grand projet d'aménagement à Boston. La proposition devint un enjeu politique et bien des gens en place à l'Hôtel de Ville se servirent des projets de Zuckerman pour régler de vieux comptes. Cela engendra beaucoup de mauvaises publicités et deux fonctionnaires finirent par perdre leur emploi dans la mêlée. Zuckerman finit par abandonner son projet de complexe à Park Plaza; il travaillait déjà en bonne entente avec les représentants de la ville d'en face, Cambridge. Ses projets d'aménagement dans cette ville ne sont peut-être pas aussi grandioses que celui qu'il a essayé de monter à Boston, mais au moins ils sont en construction.

On peut être tout à fait contre un projet d'aménagement dans une banlieue, là où les constructeurs de centres commerciaux ont l'habitude d'aller. Samuel Miller, directeur de Forest City Enterprises de Cleveland, le sait bien. Forest City a construit et exploite plus de trois millions de mètres carrés de mails et de centres commerciaux dans tout le pays.

La plupart des projets d'aménagement de Forest City sont dans les zones de banlieue. Sam ne connaît que trop bien le problème quand il s'agit d'obtenir un accord de zonage. Il a dû se présenter devant des centaines de conseils et de comités d'un océan à l'autre. « C'est pour ça que je vois les choses ainsi », dit-il, en arborant une expression de pitié avec ses profonds yeux marron. Miller est un homme mince, noueux et d'âge moyen qui est un orateur né, ou un homme de spectacle, selon la composition de son public et ce qu'il veut atteindre. Son bureau se trouve au siège principal de Forest City, bâtiment peu élevé, coincé derrière l'un de ses vastes centres commerciaux dans la banlieue de Cleveland.

« J'ai dû faire des exposés sur des projets d'aménagement devant des commissions, dit-il. Laissez-moi vous dire que les gens qui viennent à ces séances ressemblent à ceux qui venaient au Colisée, dans la Rome ancienne, voir les Chrétiens jetés aux lions. Je me souviens de certaines fois où la police a dû m'enfermer dans les toilettes des femmes jusqu'à ce que la foule rentre chez elle, pour me protéger contre des attaques physiques. » Il peut raconter des dizaines d'anecdotes dans lesquelles les gens s'opposent à des aménagements qui rapporteraient davantage de revenus et d'impôts à leur ville.

« Pour obtenir l'accord du zonage, dit-il, vous devez avoir la sagesse de Salomon, avoir quelque chose dans le ventre comme Jérémie, et vous devez aussi être prêt à errer quarante ans dans le désert comme Moïse. »

Chaque localité a ses propres préoccupations que le promoteur doit respecter. Cela peut souvent ajouter des coûts imprévus à un projet d'aménagement. Les édiles peuvent insister pour que la construction présente certains traits, ils peuvent imposer des limites de taille et de hauteur, et des dizaines d'autres choses qui ne figuraient pas dans les plans du promoteur. Le promoteur immobilier est peut-être un homme riche, mais un bureaucrate sous-payé de la ville peut l'arrêter net.

Supposons que vous ayez passé le test du zonage ; tout ce que vous êtes forcé d'ajouter au bâtiment, c'est un amphithéâtre public, un orphelinat et un appartement sur trois niveaux pour la fille du maire. Pendant tout ce temps, vous, le promoteur, avez mis à l'épreuve toutes vos ressources pour faire financer le projet.

Avant le déluge, quand l'argent était à six pour cent, le promoteur n'avait besoin que d'une bonne approche, d'une déclaration pro forma, et d'un copain à la Chase Manhattan pour obtenir l'argent du projet. Les grandes banques et surtout les compagnies d'assurance-vie n'étaient que trop heureuses de prêter de l'argent à long terme et bon marché. Mais depuis le milieu des années soixante-dix, l'argent est plus serré, la vie plus dure et les institutions financières plus rusées. De nos jours, il est rare qu'un promoteur arrive à financer entièrement un projet avec une créance hypothécaire. Les grandes institutions exigent à présent une participation aux projets qu'elles soutiennent. Le promoteur ne peut plus déposer un petit versement initial et conserver la propriété à cent pour cent. Il a maintenant des associés — comme Metropolitan Life, Prudential et Equitable — qui peuvent prendre cinquante pour cent ou plus de sa précieuse propriété, en échange de leur apport. Cette tendance, ainsi que l'arrivée de compagnies de développement canadiennes géantes dans toutes les villes des États-Unis, pourrait bien changer les règles du jeu. Les entrepreneurs acharnés s'en sortiront toujours. Mais le secteur dans son ensemble devient plus institutionnalisé qu'auparavant. Cette nouvelle ère exige du contracteur un amour-propre différent.

« Nous voulons un entrepreneur qui va nous considérer comme un associé à part entière », dit George Peacock, chef de service senior des opérations immobilières chez Equitable, opérations de l'ordre de 16 milliards de dollars. « Nous voyons tout de suite le promoteur qui croit avoir droit — de droit divin — à un prêteur passif. Puisque nous prenons maintenant les mêmes risques que lui, nous voulons bénéficier des mêmes récompenses. Nous faisons attention de ne pas nous ingérer dans ses affaires. Nous le laissons jouer son rôle, mais nous contrôlons tout soigneusement. »

Arriver à rencontrer des prêteurs comme Peacock tient du cercle vicieux. Vous ne pouvez pas faire des affaires avec une grande institution avant de vous être fait une réputation ; et il est impossible de se bâtir une réputation avant d'avoir fait des affaires. « Pour que ça nous intéresse, dit Peacock, il faut que l'entrepreneur ait déjà construit quelque chose que nous estimons intéressant, et qu'il propose un ensemble qui a du sens. Il doit aussi avoir une fortune substantielle ; nous ne pouvons courir le risque d'avoir un associé sous-capitalisé. Une valeur nette de plusieurs millions serait nécessaire pour presque chaque projet. » Pourtant, Peacock ne s'attend pas toujours que le promoteur investisse son propre argent dans le projet. « Il peut offrir ses services et les facturer moins cher. Nous mettons l'argent. Mais nous préférons nous assurer qu'il a vraiment de l'argent; de cette façon, il ne dépendra pas uniquement de nous pour absorber les coûts lorsque les affaires baissent et qu'il y a un problème.»

Une fois qu'un promoteur s'est fait une réputation avec quelques projets réussis, les institutions se montrent plus réceptives. «Elles se fient en grande partie à la parole du promoteur», dit un baron en vue de l'immobilier. «Une fois que vous avez fait vos preuves, les institutions vont croire en vous. Mais il faut que vous fassiez toute la préparation pour elles. Après tout, elles ne sont pas payées pour avoir de l'imagination ni de l'inspiration.»

Peacock ajoute: «Le cercle de l'immobilier est plutôt petit. Nous nous connaissons presque tous dans le pays. Vous connaissez les bons promoteurs et ils vous connaissent. La réputation et la personnalité des gens comptent pour beaucoup.»

Toujours pleins de ressources, les promoteurs soumettent maintenant leurs marchés aux grands fonds de retraite, aux fonds off-shore, aux banques étrangères et à pratiquement quiconque a assez de pions pour jouer dans l'immobilier. Parce que l'argent est serré, il est essentiel que le promoteur se sente à l'aise dans le monde de la haute finance. De toutes les pièces du casse-tête que constitue un projet d'aménagement, l'aptitude à attirer des prêteurs et des investisseurs est devenue des plus importantes. Car sans argent vous n'avez rien. Vous n'aurez jamais l'occasion de vivre les exaspérations palpitantes de l'étape suivante: la construction.

Pour ériger un bâtiment, il faut un entrepreneur général ou «directeur de construction» comme on l'appelle maintenant souvent. Ce directeur est le grand coordonnateur. Il travaille avec les architectes et les ingénieurs, il procure le matériel de construction et sous-traite le travail à des dizaines de constructeurs.

La construction, c'est un an ou deux de vigilance incessante; des chaussures pleines de boue; des installations électriques; des grues; des bulldozers; des plombiers; des chefs syndicaux souvent très rudes et autres brutes; et puis se battre, se battre et encore se battre pour que le travail soit fait, qu'il soit bien fait, à temps, en respectant raisonnablement le budget. Ce travail n'est pas fait pour les craintifs ou les timides.

Qu'ils soient propriétaires de leur propre entreprise de construction ou qu'ils sous-traitent le travail, les promoteurs surveillent les progrès de la construction de leurs bâtiments avec une attention fanatique — pour des raisons évidentes. Ce n'est pas seulement parce qu'ils paient chaque minute de travail avec un emprunt dont le taux d'intérêt dépasse d'environ deux points le taux d'escompte ; c'est qu'ils veulent être certains que tout ce qu'ils ont prévu est véritablement construit. «Que l'acheteur / promoteur fasse attention» est le mot d'ordre.

Avant même que le bâtiment ne soit terminé, vous allez le vendre ou plutôt le louer. Autrefois, on parlait tout simplement de «location». Aujourd'hui on parle de «commercialisation». Vous aurez probablement décidé longtemps auparavant de quel genre de locataire voudra habiter votre immeuble. Au fur et à mesure que l'édifice commencera à prendre forme, il faudra commencer à rassembler vos locataires.

Certains promoteurs font preuve d'un grand sens du spectacle, créent des bureaux d'exposition élaborés, montrent des diapositives et des reproductions spectaculaires à l'échelle du bâtiment, et ce pour enflammer l'imagination des locataires éventuels. Cependant, la commercialisation n'a pas besoin d'être de grande envergure pour être efficace. À Los Angeles, Craig Ruth, associé de William Tooley de chez Tooley & Company, mène les opérations de location pour sa firme. «Ce que nous faisons le mieux, c'est accroître la valeur de vos immeubles», explique Ruth, jadis entraîneur sportif dans un collège et entré par hasard dans l'immobilier. «Nous y arrivons en répondant à ce que veulent les clients.» Ils ont par exemple posé des questions à d'éventuels locataires de leur immeuble Hibernia Bank, dans le quartier financier de San Francisco. «Nous avons essayé de résoudre leurs problèmes. Voulaient-ils que la sécurité soit assurée sans être ennuyés par un gardien lorsqu'ils montaient du garage ? Voulaient-ils avoir le contrôle de l'air conditionné le soir et les fins de semaine ? En adaptant toutes ces petites choses, nous avons substantiellement accru notre valeur.» En d'autres termes, en offrant davantage que ce que voulaient les locataires, ils ont pu fixer des loyers plus élevés.

S'organiser

«Quand vous avez plusieurs projets en chantier, explique Sam Miller de Forest City, vous avez une alternative : soit vous vous entourez de gens de premier ordre, soit vous faites faillite.»

L'aménagement immobilier, qui il n'y a pas si longtemps

était entreprise d'improvisation, est devenu un métier de professionnels hautement qualifiés. Le promoteur a besoin d'avocats, de comptables, de courtiers, de chercheurs, de conseillers en zonage, de cerveaux financiers, d'experts en construction ainsi que de spécialistes de la location, de la commercialisation, de la publicité et des relations publiques. Et puis, pour protéger et maintenir ses investissements dans la brique et le mortier, il lui faut une série de gestionnaires de propriétés. Les entreprises d'aménagement immobilier sont parfaitement coordonnées mais comprennent peu d'employés, comparées à bien d'autres entreprises. Avec deux mille employés, la Rouse Company est ce qui se fait de plus «gros» dans ce genre d'entreprise.

Dans l'éventail de disciplines qu'englobe une entreprise moderne se trouve un employé appelé le «directeur de projet». Il fait ce qui était accompli par l'entrepreneur qui fondait une firme. Il fait tout ce qu'un entrepreneur propriétaire fait, mais il reste un employé. Souvent, le chef illustre d'une entreprise va amorcer le marché, le conclure puis le passer à un directeur de projet qui va le mener à terme.

Les directeurs de projet en puissance passent par un apprentissage non structuré, se déplacent dans l'organisation et vont de la gestion à l'exploitation, de la construction à la location, etc. Ils peuvent s'élever aux divers niveaux de responsabilité dans différents projets, jusqu'à ce qu'ils soient prêts à être désignés directeurs de projet. Ils sont alors presque capables d'agir comme des entrepreneurs indépendants et de créer leurs propres immeubles. Les bons directeurs de projet peuvent même être récompensés sous forme de participation aux projets d'aménagement qu'ils mènent à bien.

Dans certaines firmes, on s'attend que les directeurs de projet apportent leurs propres marchés. «Les gens qui finissent par monter leurs propres projets peuvent très bien réussir», dit le premier cadre financier d'une importante entreprise internationale d'aménagement. «Bien sûr, tout dépend de la personne et de l'envergure de ses projets. Mais au bout d'environ dix ans, quelqu'un de bon dans son métier et qui a gagné des intérêts devrait avoir un actif de plusieurs millions de dollars. Bien sûr, ce genre de personne *doit* apporter de nouveaux marchés. Sinon, ou s'il gaffe, il est dehors!» Il y a plus de sécurité — et moins de fric — dans les métiers autres que la promotion immobilière, puisque ce sont des métiers stables et qui ne dépendent pas du fait que l'on conclut ou non un marché.

Comme on pouvait s'en douter, bien des jeunes gens qui sont maintenant attirés par la gloire et l'argent de la direction de projets viennent d'écoles d'administration. Ce qui peut sembler surprenant, c'est le peu d'influence que leur diplôme en administration des affaires a dans le milieu de l'immobilier.

« Je les ai observés, explique Seymour Durst en parlant de ces diplômés, et je ne crois pas que leurs méthodes soient efficaces. Ils savent parler, ils ont de grandes connaissances, mais ceux que j'ai rencontrés n'ont pas vraiment l'instinct de l'immobilier. Peut-être que leur façon de conclure des marchés est trop universitaire. Ils semblent enclins à se diriger dans la mauvaise direction. »

Peter Malkin est associé dans le cabinet juridique new-yorkais Wien, Lane & Malkin, l'un des plus grands cabinets juridiques du pays axés sur l'immobilier. Promoteur lui-même à l'occasion, il a figuré sur la liste d'honneur des étudiants gradués du Harvard College et de l'école de droit de Harvard. « L'immobilier, dit-il, n'est pas quelque chose que vous pouvez apprendre à la Harvard Business School. Vous pouvez connaître toutes sortes de formules et de formats, mais à moins de comprendre le bâtiment et l'emplacement, à moins de pouvoir évaluer l'avenir d'une propriété, à moins de saisir l'aspect spécifique d'un lieu, vous allez être dépassé. »

Tout de même, ce diplôme convoité, qui est pratiquement considéré comme une garantie de succès dans tant d'autres domaines, doit bien avoir un rapport avec l'immobilier. Mais même Mort Zuckerman, titulaire d'un baccalauréat et d'une maîtrise en droit et d'une maîtrise en administration des affaires refuse de venir à la rescousse. « Je ne crois pas que ma formation juridique ou en administration m'ait tellement aidé dans mon travail, sinon à trouver mon premier emploi. » Est-ce que cela ne lui a pas apporté les connaissances nécessaires pour parler aux gens des banques et des compagnies d'assurance qui sont allés étudier dans une école d'administration? « Oui, je parle la même langue que les prêteurs, ajoute-t-il, mais j'aurais pu tout simplement l'acquérir en lisant le *New York Times,* le *Wall Street Journal* et la *Monthly Economic Newsletter* publiée par Morgan Guaranty. » William Tooley est un autre promoteur à avoir réussi malgré sa maîtrise en administration (Harvard, promotion de l'année 1960). « Je reconnais davantage l'apport de la maîtrise que d'autres, dit-il, mais j'admets qu'on peut s'en passer et qu'elle peut même nuire à certains. Leur esprit devient trop analytique, trop orienté vers l'entreprise et ils perdent l'élan de l'entrepreneur. Mais quand ce métier deviendra plus technique et plus politique, je crois que les façons de penser que l'on apprend dans un bon programme de maîtrise en administration pourront servir de raccourci à ce qu'il vous faudra savoir en tant que promoteur. »

Tout ceci tend à renforcer l'idée que le bon entrepreneur en immobilier a quelque chose de spécial — quelque chose qui ne peut être enseigné, systématisé ni reproduit par des procédés purement analytiques.

Aussi grandes qu'elles soient, les entreprises immobilières sont petites comparées aux entreprises industrielles. L'aménagement immobilier ne semble pas avoir besoin, ni bénéficier à long terme des grandes bureaucraties ou des bureaucrates d'entreprise qui sortent standardisés des écoles d'administration. Selon Mort Zuckerman: «Cela ne deviendra pas un métier de grande entreprise. Il est impossible de suivre le même processus de prise de décisions selon lequel chacun doit donner son accord. Il est trop difficile de procéder de cette façon dans notre métier. »

Malgré les pressions qui voudraient faire accroître l'institutionnalisation de la promotion immobilière, Tooley ajoute, avec confiance: «Un homme qui a un instinct juste peut être encore bien plus efficace. »

Développer des caractéristiques

Il faut être optimiste pour réussir dans la promotion immobilière. Il faut un optimisme suprême et effréné.

«Les problèmes sont tellement immenses, dit Daniel Rose, président-directeur général de Rose Associates, qu'il faut quelqu'un de très confiant en soi, d'euphorique et même un peu mégalomane pour être prêt à s'attaquer à tous les problèmes. Si vous deviez minimiser tout l'argent que vous allez gagner à la fin, et si vous n'étiez pas totalement convaincu que ça allait être formidable, vous ne franchiriez jamais tous les obstacles. Et vous n'arriveriez jamais à trouver des commanditaires. »

Presque tous les grands «coups» immobiliers ont été des affaires dont on disait qu'elles ne réussiraient jamais. C'est la foi et l'optimisme aveugle d'un individu qui les ont fait réussir. Mais à cet optimisme était allié un pragmatisme têtu. «Le jugement et la crédibilité sont des aspects critiques de ce métier, dit

Mort Zuckerman. Vous devez réussir à persuader les gens que ce que vous prévoyez qui arrivera dans trois ou quatre ans va vraiment se produire. »

Le métier demande une vision et un sens de la créativité qui dépassent l'analyse économique banale. À son meilleur, le promoteur planifie et prévoit comme un sociologue, un psychologue, un démographe et un diseur de bonne aventure. Ça reste un art plus qu'une science.

« J'ai bien sûr confiance en mon instinct », dit Larry Silverstein, un propriétaire constructeur connu sur la Côte est. « C'est un aspect terriblement important du métier. Mais mis à part l'instinct, si vous n'avez pas l'avantage d'être là au bon moment, vous allez échouer. Le meilleur instinct du monde ne sert à rien si le moment est mal choisi. Certains appellent ça de la chance. Et je suppose que la chance joue un grand rôle, parce que personne ne peut vraiment prévoir ce qui va se passer demain. »

Il est essentiel d'être apte à vivre avec des risques calculés. « Je ne joue jamais aux cartes ni aux courses, ajoute Silverstein, je suis incapable de maîtriser ces événements. Mais dans l'immobilier, je peux travailler à contrôler les chances, assez pour penser que le risque en vaut la peine. » Et plus sa compréhension et son jugement sont bons, moins il a l'air d'être un casse-cou. « L'immobilier est le seul risque que je comprenne, dit-il, et dans la mesure où je suis à l'aise quand je prends des décisions, je ne le vois pas comme un risque. »

Il y a pourtant suffisamment de désastres dans ce secteur terriblement cyclique pour prouver que personne n'est à l'abri d'une baisse des affaires. Les puissants peuvent tomber, et tombent effectivement, et les punitions qu'entraîne un faux pas sont lourdes. À la longue, seuls les plus capables survivent dans l'immobilier. Ceux qui y arrivent s'en sortent très bien.

« C'est un domaine où les récompenses sont disproportionnées, dit un autre entrepreneur. Pour différentes raisons, notre société a décidé de nous surrémunérer pour ce que nous faisons. »

« Personnellement, je ne sais pas ce que je ferais de plus d'argent, dit William Tooley, mais ça ne compte plus. Une fois par an, je fais un bilan pour la banque et ça me dit combien j'ai. Mais ça ne m'intéresse pas vraiment. Vous avez de l'argent et vous avez des immeubles. La seule chose qui compte, c'est le capital qui reste pour entreprendre de nouveaux projets. C'est la seule mesure de votre valeur nette. Plus vous avez d'argent, plus vous pouvez construire; et plus vous êtes libre d'essayer de nouvelles et de meilleures choses. »

Les récompenses sont bien plus que financières; le promoteur a la satisfaction de voir ses idées devenir réelles: sous la forme d'immeubles. C'est un travail créateur au sens le plus complet du mot et il apporte une grande satisfaction.

« Vous avez affaire à tant de choses », ajoute Daniel Rose. Dans la conversation, il passe facilement de l'urbanisme à la sculpture de la Renaissance, et de la politique étrangère à Pirandello. Son travail lui permet la même diversité. Dans ses bureaux, on trouve des plans, des dessins et des documents reliés aux projets qu'il est en train de mettre sur pied. Cela comprend une imposante tour de bureaux ultramoderne, la rénovation du quartier historique proche de Boston Harbor, un complexe hôtelier en dehors de Philadelphie, un complexe résidentiel et de bureaux hors de Washington D.C., et ce qui est presque une nouvelle ville entière (avec des canaux comme à Venise) dans les Meadowlands du New Jersey. Selon Rose: « Il est difficile pour un non-professionnel de se rendre compte de la diversité des problèmes que rencontre un grand promoteur. Il y a l'aspect juridique, financier, les baux, les hypothèques, etc. Vous faites de la planification physique, psychologique et sociologique. Vous rencontrez un très large éventail de gens, de talents et d'idées. Vous devez relever des défis très importants et toujours plus grands. C'est plus enthousiasmant et tout simplement plus amusant que la plupart d'entre nous sommes prêts à l'admettre. »

les affaires-nocrates

C'est dans les grandes organisations
qu'ils prospèrent. Ils s'identifient à elles
et jouissent de leurs pouvoirs.

LES CORPORATIONS
Les 500 premiers soldats
de Fortune

La « bête » d'entreprise

Celui qui a inventé l'expression « grande entreprise » était doué pour les mots qui n'en disent pas assez. Cette partie de l'économie à laquelle nous donnons ce surnom est devenue absolument éléphantesque.

En 1981, les entreprises industrielles classées par la revue *Fortune* ont « marqué » plus de 1,77 billion de dollars de ventes et 84,2 milliards de dollars de bénéfices, et elles ont employé environ 15,3 millions de personnes dans le monde entier.

Aujourd'hui, travailler pour une corporation géante est une expérience incomparable. « Je ne peux tout simplement pas me faire à l'idée de travailler pour une petite entreprise », assure James Paulos, premier cadre financier chez LTV Corporation, dont le chiffre d'affaires est de 2,8 milliards. « Les défis, l'envergure des problèmes et la diversité des occasions manquent tout simplement. Vous n'avez pas de ressources à diriger. Je suppose que ça revient à la grandeur du stade de baseball où vous voulez jouer. En ce qui me concerne, il faut qu'il soit grand. »

Une grande corporation est en fait une fédération de dizaines, voire de centaines d'entreprises différentes. En un certain sens, peu importe qu'un cadre travaille dans les ordinateurs, les roulements à billes, le dentifrice ou la location de voitures. Ils parlent tous la même langue des systèmes, des contrôles et de la planification. Leurs problèmes et leurs défis sont très semblables. Et pourquoi pas? Ils sont tous dans le même domaine: La grande entreprise. Et c'est devenu une catégorie de l'industrie en soi.

H. Weston Clarke, chef de service des ressources humaines chez American Telephone & Telegraph déclare: « Nous pensons que le genre de personne qui vient dans notre organisation est et a été aussi représentative que les gens qui vont chez

167

Xerox, General Electric ou General Motors. Ils sont parfaitement différents d'une personne qui va diriger un « delicatessen » ou pratiquer le droit. Ce sont des gens du type grande corporation. »

Ce genre est parfaitement représenté en la personne d'un homme de soixante et un an, d'un homme élancé originaire d'Alabama et qui s'appelle John K. McKinley. Président du conseil d'administration et membre de la haute direction de Texaco, il a l'air imposant, comme on pourrait s'y attendre de la part du chef de la quatrième plus grande corporation des États-Unis.

Avec des ventes de 57,6 milliards, un actif de 27,5 milliards, et des opérations dans 125 pays, Texaco est une entreprise énorme. C'est une armée étroitement coordonnée de presque soixante-sept mille personnes. Chacun a un rang, un titre, un statut et des responsabilités attribuées dans la chaîne de commande. McKinley se trouve tout en haut.

On n'obtient pas vraiment un rendez-vous avec lui; on est plutôt reçu en audience. Au bureau central de Texaco, à Harrison, en dehors de New York, on est escorté le long de corridors silencieux, devant des fenêtres qui vont du sol au plafond et qui donnent sur des terrains de 110 acres. On traverse de vastes salles de réception vides, décorées dans le style Chippendale, et l'on arrive dans un salon extérieur où deux secrétaires montent la garde. McKinley émerge de deux immenses doubles portes et accueille ses visiteurs dans sa suite de bureaux. Les murs sont recouverts d'un bois riche et foncé; des tapis persans donnent le ton du bon goût classique. McKinley fait signe à ses visiteurs d'entrer dans une petite pièce confortable qui pourrait être la chambre privée d'un millionnaire. Des livres, des plaques, des photos de famille et un bric-à-brac se trouvent sur les étagères. Un aigle héroïque sculpté dans du marbre blanc est posé près de la console de télévision.

Comme un général quatre étoiles ou comme un chef d'État, McKinley est l'incarnation des intérêts et des préoccupations de la compagnie qu'il dirige. « Quand des gens me demandent comment j'ai pu rester quarante ans chez Texaco, quand ils me demandent pourquoi je n'ai jamais changé, je leur réponds: « Je pourrais vous dire la même chose. Vous êtes américain depuis quarante ans; pourquoi est-ce que vous ne devenez pas autre chose pour changer? »

Son dévouement au travail est total. « Je n'ai pas pris de vacances comme telles depuis quinze ans, dit-il; je me plais tellement dans mon travail que je ne le vois pas comme un sacrifice. Je n'ai pas besoin de partir pour de longues vacances avec le sentiment que je dois fuir et tout oublier. Si les affaires vous plaisent et vous stimulent, qu'est-ce que vous allez faire d'autre ? »

McKinley a débuté comme ingénieur chimiste, un bas échelon dans l'échelle d'une entreprise. « À un moment de leur carrière, il a dû y avoir beaucoup d'autres personnes aussi qualifiées que moi, dit-il, mais des concours de circonstances font que certaines essayent d'atteindre des cibles plus faciles. Et elles réussissent. Et puis il y a l'autre groupe qui cherche une cible bien plus élevée. » La plupart des gens ne l'atteignent pas, forcément.

« Il serait formidable que chaque personne réalise tout son potentiel, ajoute McKinley ; mais dans une compagnie comme celle-ci ou dans n'importe quelle entreprise, c'est impossible. » Les compagnies créent plus de gens capables de pourvoir les grands postes qu'il n'y a de grands postes à pourvoir. « Il suffit simplement qu'il y ait suffisamment de gens qui atteignent tout leur potentiel pour que la compagnie ait de bons résultats. »

McKinley est passé par une série de postes dont les responsabilités et les difficultés augmentaient sans cesse. À chaque nouveau poste, on attendait plus de lui. Cependant, le critère d'après lequel il était jugé demeurait constant. « Je crois que si j'avais échoué, dans l'un ou l'autre de ces postes, on ne m'aurait pas promu. Mais les choses se sont bien passées et les gens m'ont soutenu. » McKinley détenait les caractéristiques qu'il cherche maintenant chez les gens qui pourraient peut-être un jour lui succéder. « Vous regardez les réussites que les gens ont connues dans leur travail ; l'échec leur était-il quelque chose de presque inconnu ? C'est ce que vous recherchez quand la concurrence est serrée. C'est ce à quoi vous vous opposez. Vous cherchez des gens qui réussissent, tout simplement. Les gagnants gagnent. »

Et McKinley a gagné le gros lot. « Les gens qui entrent ici doivent accepter la compétition, dit-il, ils doivent être prêts à s'engager. Ils doivent accepter la responsabilité de leurs actes. Parfois, je pense que c'est l'excitation de l'action autant que les récompenses qu'ils en retirent qui fait continuer ces hommes. »

C'est fort probable en vérité. Parce qu'en rejoignant les rangs de l'armée des corporations, tous les soldats de fortune se sont engagés pour une vie entière de service. Ils ne pourront rien donner de moins.

Le Grand frère vous surveille

À l'intérieur de l'entreprise, la hiérarchie domine la vie. « C'est exactement comme une colonie de vacances, dit un cadre intermédiaire en technologie, vous avez douze gamins dans la cabane et ils se battent pour la domination et le pouvoir. Dans une corporation, c'est officialisé par des règlements et des titres. On nomme des vice-présidents ou autres, mais c'est la même chose. La bande a toujours un chef et celui-ci nomme toujours ses lieutenants. »

Le but du travail de chacun est de monter dans la chaîne de commande. Partout où l'on regarde, signes et symboles renforcent l'idée de rang. Quand, par exemple, les gens obtiennent la promotion tant désirée, ils ne se comportent pas seulement différemment mais ils sont également traités de façon différente. Un dirigeant d'une compagnie de pétrole fait part de ses souvenirs : « Quand je suis passé d'un bureau à une fenêtre à un bureau à deux fenêtres, le message était clair. En fait, mon nouveau bureau n'était pas aussi grand que l'ancien. Mais mon téléphone comportait plein de gadgets en plus, et les meubles étaient plus récents. Des gens qui auparavant étaient mes pairs ont commencé à me traiter avec déférence. Je suis passé à un nouveau degré d'autorité. J'ai senti que j'avais une présence plus forte qu'avant. C'était passionnant et amusant. »

La grande entreprise ressemble à un centre de main-d'oeuvre de très grande envergure. Les gens changent constamment d'emploi et de tâches. Malgré les rangs et les titres qui leur sont attachés, il est difficile de savoir quels nouveaux postes vont se révéler des occasions d'avancement et lesquels des voies sans issue. La seule véritable certitude, c'est que tout le monde va régulièrement changer de poste.

Il en résulte que les préoccupations au sujet de la carrière peuvent prendre le pas sur le travail lui-même. « Dans une entreprise, l'échelle est telle que le seul moment où les gens ne pensent plus au poste auquel on les affectera ensuite, c'est quand ils viennent tout juste de gravir un échelon », explique un important cadre financier d'une grande entreprise de ressources naturelles. « A ce stade, ils sont trop occupés à montrer ce dont ils sont capables dans leur nouvel emploi. Beaucoup de gens vivent constamment dans l'angoisse et le souci, à cause de leur carrière. On dirait qu'ils manoeuvrent en vue du prochain changement. » Et à juste titre.

Walter Meyer, qui a l'expérience de cinq grandes corporations et qui est à présent chef de service senior du personnel chez LTV Corporation, fait remarquer que « selon lui, 80 pour cent de tous les dirigeants d'une compagnie se trouvent à un échelon de leur seuil final dans la hiérarchie, quel que soit le moment où l'on y porte attention. Seuls 20 pour cent passeront à des échelons supérieurs. » Il pense que les 80 pour cent pourraient atteindre un échelon supérieur s'ils entraient dans une autre compagnie. Mais à l'intérieur d'une compagnie, c'est ce qu'il voit comme possibilités. « Donc, si vous prenez les cinq ou dix personnes qui rendent compte au directeur, ajoute-t-il, pas plus d'une ou deux n'arriveront à atteindre le niveau suivant. Les autres sont arrivées aussi haut qu'elles le pouvaient. Même si vous décidez de devenir directeur général d'une compagnie, les chances seront tôt ou tard contre vous. Vous ne pouvez sauter d'une place à l'autre indéfiniment. »

Le besoin qu'a la compagnie de produire plus de gens de talent qu'elle ne peut en utiliser crée une sorte de tension perpétuelle. « Je crois que, parmi les gens haut placés, la plus grande source de stress vient de la peur d'échouer », dit George Strichman, directeur de Colt Industries, un homme qui semble avoir une totale confiance en lui. « Ils ont tous cette peur en commun. Et cela peut rendre un homme très tendu, surtout s'il se trouve dans une situation qui a l'apparence de l'échec. Il s'agit d'un mélange de la peur de l'échec personnel et des conséquences que cela pourrait entraîner pour la carrière. Ils ont tous peur d'échouer. Moi y compris. »

Il y a peu de chances pour qu'un échec passe inaperçu lors de la réorganisation de la foule car, contrairement à ce que des personnes de l'extérieur pourraient penser, les grandes entreprises ne sont pas anonymes. Formelles ? Oui. Impersonnelles ? Souvent. Mais pas anonymes. Tous ceux qui font partie de la direction sont observés de près. Deux fois par an, par exemple, les patrons de General Motors passent en revue la liste principale où figurent dix mille directeurs. Le chef de service du personnel de chez G.M., Stephen Fuller, a déclaré à un journaliste : « Chaque individu est bien mieux connu qu'il ne le croit. » Chez Exxon, les grands patrons examinent les salaires des 3 000 premiers directeurs et observent le rendement des 500 premiers.

Ce genre de surveillance des gens de talent est essentielle si l'armée de la corporation doit avoir la main-d'oeuvre dont elle a besoin quand elle en a besoin. Robert Anderson, président de

Rockwell International (7 milliards de dollars), le conglomérat d'industries manufacturières qui construit (parmi des dizaines d'autres choses) la navette de l'espace de la NASA déclare: «Nous passons beaucoup de temps à évaluer notre personnel de cadre. Moi aussi je le fais et, par personnel de cadre j'entends les 200 à 300 plus haut placés. Nous essayons d'avoir deux ou trois remplaçants pour chaque poste important de la corporation. Nous soupesons et filtrons continuellement. Peu de gens échappent à notre attention.»

Anderson a même en permanence dans sa serviette un petit livre de poche. Préparé par son service de perfectionnement du personnel directeur, le livre contient les photos et une notice biographique des quarante-cinq personnes de choix de la compagnie. Ce sont les plus jeunes cadres qui n'ont pas encore été nommés chefs de service ou directeurs de division, mais dont on sait qu'ils ont le potentiel nécessaire pour assumer de grandes responsabilités un jour. Ces personnes n'ont pas de traitement de faveur dans leur travail, mais le directeur et le président ont reçu des instructions pour «apprendre à connaître», au cours de leurs voyages, ces quarante-cinq personnes choisies.

Les corporations prennent bien soin de tracer des «plans de carrière» pour leurs vedettes. Chaque année, les nouveaux directeurs passent par des programmes de formation. Au fur et à mesure que chaque «promotion» avance, ses membres deviennent admissibles à un poste supérieur. Dans des entreprises traditionnelles comme G.E. et G.M., les directeurs prometteurs attendent des années que ce soit leur tour d'avoir un poste en or. Dans les entreprises moins structurées, on envoie les personnes de choix vers de nouvelles occasions dès qu'elles se présentent. Dans les deux cas, la formation du plan de carrière devient un compromis entre ce que le directeur désire et ce dont la compagnie a besoin; cette dernière a très nettement l'avantage de la situation. Certaines corporations ont même la réputation d'être des centres de formation — des «facultés» de gestion — à partir desquelles sont lancées de grandes carrières dans d'autres compagnies. Une douzaine des cinq cents premiers chefs cités par *Fortune* ont travaillé chez General Electric. Une autre douzaine chez Ford. Huit viennent de chez Westinghouse. Cinq de chez Exxon et quatre de chez Litton Industries.

Quel que soit le domaine des corporations, elles cherchent toutes la même chose.

Le dirigeant

« Je me souviens quand j'étais chez General Electric il y a des années », dit William Cook, président-directeur général de la Union Pacific Corporation. « Je suis allé participer à une session de formation sur la gestion offerte par la compagnie. Il y avait un grand nombre de gens sans aucun talent apparent pour la gestion. Ils pensaient qu'on allait les transformer en super-gestionnaires en deux semaines. Impossible. Je crois que l'on naît directeur, qu'on ne le devient pas. Soit vous avez les caractéristiques du directeur en vous, soit vous ne les avez pas. »

La fonction du directeur de n'importe quelle compagnie revient à diriger les gens — à avoir le désir et l'instinct nécessaires pour être un patron. Vouloir « diriger quelque chose » comme le disent presque tous les directeurs, c'est le besoin le plus fondamental. Pour beaucoup d'entre eux, l'usine est une merveilleuse occasion. George Strichman, de chez Colt, se souvient de ses expériences dans la production, quand il était jeune homme chez General Motors pendant la Deuxième Guerre mondiale. « Je suis tombé dans la direction, c'est vrai. J'étais très heureux en tant qu'ingénieur à ma table à dessin. Mais on m'a envoyé chez Colt Firearms pour apprendre la fabrication des fusils. (De façon assez amusante, la compagnie qu'il dirigeait a acquis Colt vingt ans plus tard.) En tant que concepteur d'outils, j'ai pu observer toutes sortes de problèmes dans le processus de production de chez Colt. J'ai donc envoyé des améliorations de conception pour les opérations que nous allions faire démarrer chez G.M. Quand je suis revenu, j'étais l'une des trois ou quatre personnes qui s'y connaissaient le plus dans la fabrication des fusils.

« Ils m'ont nommé contremaître responsable de cinq cent personnes. J'ai tout organisé — de la conception des plans d'atelier jusqu'aux chaînes de fabrication finales. J'ai coordonné tout le monde et j'ai fait fonctionner l'endroit. J'ai alors entrevu quelque chose que j'aimais beaucoup. C'est comme ça que j'ai commencé, et c'est fondamentalement ce que je fais depuis lors. »

Edward Lund, vice-président de chez Honeywell qui a récemment pris sa retraite, a fait carrière dans les milieux industriels. Ses yeux brillent quand il parle du plaisir de diriger une exploitation qui marche. « C'est formidable, dit-il, quand vous sentez le rythme d'une usine et que vous vous rendez compte que les commandes partent à temps, quand vous savez que c'est de première qualité — que le programme spatial Apollo n'aura aucun ennui avec le matériel Honeywell ou que la Met Life peut faire dépendre ses affaires de nos ordinateurs. Je suis aux anges quand une bonne entreprise marche vraiment bien. Vous la respectez vraiment et vous essayez de lui faire faire ce qu'elle est censée faire. C'est une sensation de réussite mesurée très concrètement. C'est très gratifiant; les choses arrivent grâce à vous. »

Quelle que soit l'entreprise — usine ou réservoir à cerveaux — le directeur doit se délecter de donner des ordres. « J'ai toujours aimé être un chef et être professeur, ajoute Lund. Une grande partie du travail de directeur consiste à enseigner. Cela, plus le fait d'avoir un sens des responsabilités, rend le métier passionnant. »

Parmi toutes les difficultés auxquelles un directeur fait face, il y a celle qui consiste à s'adapter aux sensibilités dans la chaîne de commande de l'organisation. La hiérarchie contrôle très strictement ce que les gens désirent le plus: l'autorité. C'est la carotte « mentale » suspendue au bout du bâton. En ne permettant que des parcelles d'autorité soigneusement mesurées, l'entreprise garde ses chevaux de labour au pas, et les fait tirer encore plus fort. « Les gens ont besoin d'avoir le sentiment de leur propre territoire », dit Jim Morgan, vice-président de Philip Morris pour les États-Unis. « Lorsqu'on est jeune, les attentes en matière de territoire sont bien petites. Ça peut être l'autorité que vous détenez pour approuver les épreuves d'une publicité. D'autres personnes ont décidé quel en serait le contenu. C'est leur idée, leur texte, leur présentation; mais ils s'en remettent à vous pour être certains que les épreuves correspondent à la publicité qu'ils veulent avoir. Tout ce que vous pouvez faire, c'est donner votre accord. Mais même si ce n'est pas beaucoup, c'est quand même votre responsabilité. Votre propre domaine est délimité et, à moins de gaffer, vous pouvez poser vos pieds sur votre territoire et vraiment prendre des décisions. »

Cependant, même lorsque le directeur d'avenir prend de l'autorité et apprend comment l'amasser, il doit aussi apprendre à la partager — pour faire fonctionner la hiérarchie. « Quand vous montez, ajoute Morgan, votre territoire prend de l'ampleur. Mais vous devez faire attention, au fur et à mesure qu'il s'étend, de ne pas prendre votre territoire antérieur avec vous. Parce que dans ce cas, les gens qui sont au-dessous de

vous n'auront plus de territoire propre sur lequel se tenir. »
L'organisation est à la recherche de gens qui travaillent pour
eux-mêmes en aidant l'organisation. L'égoïsme évident de l'individualiste acharné n'est pas apprécié dans la corporation.

Selon H. Weston Clarke de chez AT & T : « Les gens qui sont
les meilleurs joueurs d'équipe ont tendance à être ceux qui se
font remarquer, plutôt que ceux qui s'intéressent surtout à leur
propre montée dans la carrière. Ceux qui s'intéressent surtout à
leur propre bien-être et se fichent d'empiéter sur les relations
interpersonnelles des autres ne réussissent pas en général. Pour
moi, la personne qui réussit dans son travail et qui est ambi-
tieuse réussira également à bien coordonner son travail avec
celui de l'équipe. Ça va ensemble. Cette attitude donnera des
résultats. »

Dans une situation où beaucoup de gens se battent pour décrocher des prix de plus en plus rares, suivre cet ordre n'est pas
une mince affaire. Il faut arriver à promouvoir le bien-être du
groupe et le sien simultanément, tandis que tous les autres concurrents essayent de faire la même chose.

« Il est grandement question de politique quand vous dépassez un certain niveau », dit un directeur intermédiaire. C'est
pourquoi vous voulez qu'autant de gens que possible reconnaissent votre nom. C'est également pour cela que vous ne pouvez
vous permettre de vous faire des ennemis. Il suffit qu'un seul
ennemi, quelque part là-haut, pointe son pouce vers le bas, et
vous êtes fichu. Donc, dans la mesure du possible, vous essayez
d'être ami avec *tout le monde* — parce qu'on ne sait jamais
qui peut porter un jugement sur votre promotion un de ces
jours. »

Un conseiller en recrutement des cadres connu ajoute : « Quiconque tient le coup dans une grande corporation a un talent
politique. Il faut qu'on vous voie. Il faut apprendre à traiter
avec de grands groupes et savoir comment les mobiliser. Il faut
apprendre à créer un consensus entre des gens dont les intérêts
sont divergents. Il y a des factions et des circonscriptions. Ainsi
qu'un ordre hiérarchique. Vous devez être capable de comprendre tout ça. »

Dans la corporation, des envahisseurs venus de l'espace

« Les hommes d'affaires disent facilement qu'il y a beaucoup
de bureaucratie et d'activités inutiles au sein du gouvernement

et qu'on y tourne en rond, dit Walter Meyer de LTV, mais je pense qu'il y en a beaucoup dans *toutes* les organisations, y compris dans les entreprises. C'est inévitable.»

C'est ce dont parle «Andy», dans son bureau de l'une des compagnies de biens de consommation les plus célèbres du monde. Il est 18 h 30, et l'endroit est presque désert. Andy a un bureau qui donne sur l'intérieur, sans fenêtre. Il se lève et ferme la porte après avoir allumé la lampe de son bureau. «Tout ça c'est un jeu, dit-il, il faut que vous le voyiez comme ça ou sinon vous allez devenir fou. Quand j'ai fait mes études d'administration, j'ai lu les livres sur l'art de gagner par des astuces dans le monde des entreprises et, d'après ce que je peux voir, ils étaient justes.

«Pour moi, c'est comme jouer à l'un de ces jeux vidéo électroniques, comme le jeu des Space Invaders. Il y a toutes ces fusées qui vous attaquent et vous devez réagir. Vous n'allez pas dire que ce n'est pas juste qu'on vous tire dessus. Vous esquivez, vous tirez à votre tour, vous jouez.» Andy est un homme de trente ans, titulaire d'un MBA, il est en bonne santé, il est sportif et il aime la compétition. Il gagne environ 45 000 $. Il est directeur de fabrication. Cela veut dire qu'il surveille et coordonne tous les aspects de l'une des marques bien connues de la compagnie: sa stratégie, sa publicité, sa promotion, sa tarification, sa distribution et ainsi de suite. C'est *son* bébé. Presque.

La marque rapporte 50 millions par an de revenus à la compagnie et le travail d'Andy comporte donc d'énormes responsabilités; mais il a peu d'autorité. Il fait partie de la direction intermédiaire.

«Dans le service de la commercialisation, dit-il, chaque décision doit être approuvée en amont et en aval. La hiérarchie est la suivante: il y a un directeur adjoint de la fabrication, un directeur associé de la fabrication et un directeur de la fabrication — c'est moi. On passe ensuite au directeur senior, au directeur de groupe, au directeur de groupe de la commercialisation, à l'administrateur de la commercialisation, au chef de service de groupe de la commercialisation et au vice-président senior. Ce dernier rend des comptes au vice-président délégué, et celui-ci au directeur général.

«Faire approuver quoi que ce soit prend une éternité. Dans la hiérarchie, tout le monde aime bien mettre son grain de sel. Et quelle que soit votre idée de départ, elle va généralement finir par ressembler à des oeufs brouillés. Il y aura des réunions de tous les supérieurs, puis de nouveau des réunions qui descendront de niveau en niveau. Même les petites choses peuvent s'éterniser pendant des mois. »

Obligé de respecter la hiérarchie à l'intérieur de son service, Andy est censé utiliser des voies non officielles lorsqu'il en sort. En tant que directeur de la fabrication, il a besoin du travail fait par des personnes provenant de nombreux secteurs de la compagnie. Mais à cause de son rang, il ne peut donner d'ordres.

« Si j'étais vice-président senior, dit-il, je n'aurais qu'à dire : « faites-le ». Mais je ne peux pas, je dois donc me débrouiller. Supposons que j'aille au service de l'emballage pour faire faire la conception d'une nouvelle idée d'emballage. D'après la règle, je devrais remplir un formulaire en trois exemplaires, envoyer un rapport, obtenir un numéro de réquisition, et, au bout de six semaines, je vais *peut-être* obtenir ce dont j'ai besoin. Je n'ai pas tout ce temps-là. Il faut donc que je persuade le chef de service de m'aider de façon non officielle pour l'instant, en attendant que la paperasserie officielle soit approuvée.

« Vous avez même le droit de mettre les gens en colère contre vous. Mais attention, si dix personnes se plaignent de vous, on va peut-être penser que vous êtes pénible. Ou cela pourrait vouloir dire que vous êtes un imbécile fatigant, incapable de travailler avec le groupe. On ne sait jamais. Chacun doit jouer à sa façon. »

Andy met ses pieds sur le coin de son bureau et s'adosse à sa chaise. « Pendant les études d'administration, nous nous préoccupions des problèmes du marché. Mais ici, ce dont vous vous occupez, c'est de l'organisation. » Il regarde autour de lui les quatre murs sans fenêtre. « Il ne suffit pas de simplement faire votre travail. Vous devez *dire* aux gens que vous le faites. Dans la dernière compagnie où j'ai travaillé, je passais 90 pour cent de mon temps à écrire des notes de service à la direction : des notes de service sur ce que j'allais faire, sur les raisons pour lesquelles j'allais le faire, comment je le faisais, pourquoi je le faisais et ce que j'avais réussi à accomplir. Puis, je récapitulais tout de nouveau avant de commencer à envoyer des notes de service sur la prochaine chose que je m'apprêtais à faire. Tout ceci était conçu dans l'optique de la carrière et non pour le travail. C'est ce que tout le monde faisait.

« Voyez-vous, les gens qui ont de l'avancement dans la commercialisation travaillent sur des questions très apparentes.

Donc, si votre projet n'est pas très apparent, vous le *rendez* tel. Puisque la direction nous envoie toujours des signaux au sujet de ce qu'elle aime voir, j'ai décidé de m'atteler à un projet et de l'utiliser pour obtenir une promotion. Et j'allais dépenser autant d'argent qu'il en faudrait.

« J'ai commencé à faire toute une histoire. J'ai envoyé des notes de service et des suggestions de recherche et de publicité à tous les échelons qui doivent donner leur accord. J'ai fait tout ce qu'ils aiment. J'ai fait venir la direction dans des réunions intéressantes. J'étais si persévérant dans mes demandes de budget qu'ils ont finalement arrêté de me demander « pourquoi » et m'ont simplement demandé « combien ». Mon projet me rendait célèbre. Et je donnais à ceux de la direction l'occasion de devenir célèbres grâce à mon projet. J'ai simplement continué à avancer. J'ai dépensé plus de 300 000 $ appartenant à la compagnie uniquement pour me faire remarquer. Et ils ont adoré ça.

« Et puis je suis parti pour occuper cet emploi et mon projet est mort. C'était mon élan seul qui le maintenait en vie. Personne d'autre n'en voulait parce qu'il n'était à *personne*. »

Andy pose ses pieds par terre et se met droit sur sa chaise. Il glousse un peu. « Je connais une autre grande entreprise de commercialisation qui est sur le point de lancer un nouveau produit à l'échelle nationale. Elle dépense des millions pour ça. Et tout vient de l'élan d'un groupe de directeurs de production ambitieux. Ils savent que le produit ne vaut rien. Mais ils s'en fichent. Dans cette compagnie, si vous lancez un produit à l'échelle nationale, si vous arrivez à lui faire traverser le système, on vous récompense par une promotion. C'est comme ça que ça marche. Et au moment où le produit va se casser la figure, il y aura une nouvelle équipe de directeurs de production en train de travailler dessus. Et sur qui vont-ils jeter le blâme ? L'idée a reçu tous les accords, n'est-ce pas ?

« Quand le système dérape, c'est dommage parce que ça fait du tort à l'entreprise. Mais ces compagnies sont si riches qu'elles peuvent se le permettre. Le problème, c'est que nombre de ces marches à suivre se perpétuent elles-mêmes. Elles prennent tant de temps que les gens peuvent ne plus savoir si c'était une bonne idée au départ. On vous récompense parce que vous vous servez du système. Et une fois que vous le faites bouger, quand vous faites passer votre projet par la ronde des accords, le processus devient une fin en soi. Surtout si quelqu'un d'important semble aimer l'idée.

« Les gens ne sont pas pressés de contredire leurs supérieurs. Quelques gars importants vont tolérer et même encourager la discussion. Mais croyez-moi, c'est l'exception et non la règle. Et quand on vous met sur un projet que vous trouvez mauvais, qu'est-ce que vous faites ? Si vous dites : « Je pense que ce produit, c'est zéro », ils vont penser que vous êtes un zéro et vont le donner à quelqu'un d'autre. Alors vous le prenez et vous faites de votre mieux.

« Nous sommes tous ici pour nous-mêmes. Nous devons tous plaire aux gens pour lesquels nous travaillons. Vous utilisez votre patron, votre patron vous utilise, et vous utilisez tous les deux la compagnie.

« La théorie veut que les gens qui font de bonnes choses pour la corporation soient promus. On pourrait donc dire que les gens qui obtiennent une promotion sont ceux qui ont accompli le plus de choses. C'est une vision un peu optimiste de la réalité. Mais l'autre extrême n'est pas vrai non plus. La réalité se trouve quelque part au milieu. Tout n'est pas si clair.

« Il y a beaucoup de gens intelligents et capables ici. Et c'est très compétitif. Plus vous montez, moins il n'y a de place. Les gens protègent ce qu'ils ont et défendent ce qu'ils veulent. Ce sont des bâtisseurs d'empire qui essayent constamment d'accroître leurs responsabilités. Ils font travailler des gens juste pour pouvoir dire qu'ils ont beaucoup de personnel. Faites-les entrer dans l'équipe d'abord, vous leur trouverez quelque chose à faire plus tard. Vous voyez des cliques, du favoritisme, des copains qui s'aident entre eux — parfois aux dépens de la compagnie.

« Ça n'est pas toujours le cas, mais ça se voit. Un vice-président joue au golf avec un autre et... ce genre de chose. Les responsabilités sont tellement diffuses que les gens s'en tirent facilement. Ils peuvent se mêler de décisions qui ne les regardent pas. Ils peuvent s'approprier des responsabilités parce que personne ne sait vraiment qui aurait dû les prendre au départ.

« C'est différent dans chaque compagnie, je le sais. Mais on comprend facilement pourquoi certaines de ces grandes et lourdes corporations ont des ennuis quand les marchés se transforment. Elles sont si résistantes au changement et si absorbées dans leurs propres affaires qu'elles ne voient pas ou ne peuvent pas réagir à ce qui se passe à l'extérieur. C'est pourquoi notre aptitude à travailler avec l'organisation est tellement cruciale pour que les choses se fassent. C'est pourquoi vous devez prendre ça comme un jeu. »

Avec tout son cynisme, Andy veut vraiment réussir. Quand on lui demande quelle stratégie il va mettre en oeuvre pour obtenir sa prochaine promotion, il répond: «Si je voulais être certain d'avancer — je veux dire à cent pour cent — je ferais quelque chose de très important pour la compagnie. Quelque chose qui ferait dire aux gens: Oh! la la, regarde tout ce qu'il a fait!»

Malgré tous les détours, Andy semble être dans la bonne voie. Ainsi que sa compagnie — en tout cas dans l'ensemble. Elle continue à prospérer, elle a réussi dernièrement quelques beaux coups en commercialisation et maintient sa réputation d'entreprise de plusieurs milliards de dollars solide et bien gérée.

Bob Murphy, chef du service de l'organisation et du personnel de direction chez Rockwell International donne le conseil suivant: «Toute grande corporation doit être dirigée par des systèmes et des marches à suivre. Les jeunes gens doivent apprendre qu'ils ne peuvent pas tout simplement prendre une idée et la mettre en pratique. Ils doivent être patients. Il y a des frustrations quand on entre dans une grande entreprise. Il peut être difficile de voir sur-le-champ les résultats de votre travail parce que les affaires traitées sont tellement importantes. Oui, la bureaucratie existe.

«Mais je conseille de l'oublier. Oublier l'attente et mettez-vous dans une situation où vous apprenez beaucoup. Commencez à comprendre tout ce que vous pouvez sur le métier. Continuez à apprendre. Concentrez-vous là-dessus, et avant longtemps, on vous remarquera et vous allez avancer. Le reste n'aura plus d'importance.»

En fait, ce qui attire le plus dans une grande corporation, c'est l'éventail vaste et imprévisible des occasions. De nouvelles possibilités passionnantes se présentent sans cesse. Tout en apprenant à vivre avec les inévitables échecs humains que l'on rencontre dans les grandes organisations, il faut être un bon scout et être prêt.

Vous avez bien mérité une occasion aujourd'hui

Même si la concurrence est énorme dans une grande entreprise, les occasions éventuelles sont encore plus nombreuses. Tout ce qu'il faut, c'est une chance. Et en dépit de toute la science et de tous les systèmes utilisés pour déplacer les gens dans l'entreprise, les événements les plus improbables peuvent jouer un rôle dans la progression d'une carrière, et le jouent effectivement.

John Sculley, par exemple, qui, à 41 ans est président-directeur général de Pepsi pour les États-Unis, s'est fait surtout connaître pour la première fois en passant au réseau national de télévision. Ça n'était pas dans ses prévisions. C'est arrivé comme ça. « Au départ, j'ai été engagé comme chef du développement des nouveaux produits », dit-il de son bureau du troisième étage qui donne sur le lac Pepsico, à Purchase, dans l'État de New York, où le vol d'oies du Canada appartenant à la corporation erre parmi les oeuvres de Henry Moore et de Calder. « Celui qui avait le poste était censé recevoir une promotion. Mais ça ne s'est pas fait. Et ils ne savaient pas vraiment quoi faire de moi. »

Après un apprentissage de deux ans pendant lesquels il a travaillé dans toutes les usines Pepsi de mise en bouteille du pays, Sculley est revenu au bureau central de la corporation. « On m'a envoyé dans le service de recherche des marchés », se souvient-il. « Personne ne savait vraiment pourquoi j'étais là et les gens étaient méfiants, ils ne voulaient pas que je comprenne trop ce qui se passait. J'étais là, sans travail à faire. Alors, pour m'occuper, j'ai lu tous les dossiers concernant la commercialisation.

« Au bout d'un an de ce régime, j'ai commencé à me décourager. Et au moment même où j'ai pensé que mon expérience chez Pepsi n'avait pas marché, on m'a transféré pour travailler sur un projet avec des experts-conseils de l'extérieur. Je crois qu'ils avaient beaucoup de difficultés à obtenir les renseignements dont ils avaient besoin pour faire leur travail; personne ne savait où trouver les données nécessaires. Et puisque j'avais lu tous les dossiers, je savais où tout se trouvait. Je suis devenu un membre clef de l'équipe. »

Étant donné que les experts-conseils travaillent avec les gros bonnets, la présence visible de Sculley l'a fait entrer en contact avec Donald Kendall, qui était alors le président-directeur général de la compagnie. « J'ai été transféré dans son équipe de commercialisation, se souvient Sculley, et nous avons établi une bonne relation. » À peu près à la même époque, la controverse au sujet des édulcorants artificiels, les cyclamates, a fait la une des journaux. Walter Cronkite a essayé de faire venir J. Paul Austin, de Coca-Cola, à son émission d'information, mais

Austin était à l'étranger. Le personnel de Cronkite a appelé Pepsi. Kendall avait déjà des engagements, mais il a proposé que le jeune Sculley prenne sa place.

« Kendall était certain que je ferais bonne impression et que je représenterais bien la compagnie et notre industrie », dit Sculley. Il l'a fait. Tout à coup, des gens de partout dans la compagnie ont commencé à demander : « Qui donc est ce John Sculley ? » Ils allaient bientôt le savoir. Lors d'une importante réorganisation de la compagnie, Kendall l'a nommé chef du service de la commercialisation de Pepsi-Cola.

« Le bon moment, c'est très important dans la vie, dit-il, et je me suis trouvé au bon endroit au bon moment. » Mais les tâches qui ont suivi n'avaient pas grand-chose à voir avec la chance. Sculley a réorganisé, reconstruit et donné de l'ampleur à plusieurs compagnies d'outre-mer qui avaient des problèmes. Il a dû créer une bonne équipe directive, formuler des stratégies gagnantes et faire fonctionner tout cela sur le marché. Mais dans la série de succès qu'il a connus, le premier pas fut d'être prêt — parfaitement prêt — à tirer profit d'une occasion qu'il n'aurait jamais pu prévoir.

Le même genre de chose est arrivé à James Berrett de chez Honeywell. Sa chance a commencé au moment où quelqu'un d'autre a perdu la sienne. En 1962, Berrett est venu comme jeune ingénieur chez Honeywell en Californie, et il a travaillé à des questions de défense. « J'étais l'un des cent ingénieurs qui travaillaient sur des systèmes de contrôle balistique pour la marine », dit cet homme grand et maigre de quarante-trois ans. « Il s'est trouvé que je travaillais dans un domaine qui s'intéressait au système dans sa totalité plutôt qu'à l'un de ses aspects. Au bout d'environ six mois, l'homme qui était mon patron a fait faillite à force de jouer à Las Vegas. On l'a mis à la porte. Il ne restait plus personne qui comprenne le système dans sa totalité. J'ai donc hérité de tout le programme quelques mois après avoir reçu mon diplôme de l'université. J'étais le seul à savoir comment tout cela fonctionnait. »

Très rapidement, Berrett dirigeait le programme et surveillait les installations dans les bases navales. Il continua à connaître des triomphes sur le plan technique et de la gestion, après s'être posé comme enfant prodige de la technologie chez Honeywell. Lorsqu'il arriva à trente-deux ans, il dirigeait une division tout entière en tant que vice-président et directeur général, le plus jeune que la compagnie ait jamais connu. En chemin, il a ramassé deux brevets d'invention pour l'idée de nouveaux procédés technologiques, et a fait passer plusieurs entreprises du stade de l'enfance ou de la non-existence au stade d'entreprises qui génèrent plus de un demi-milliard de dollars chaque année.

Il est à présent de retour au bureau central de Minneapolis comme vice-président du service de perfectionnement de l'entreprise. Il est directement sous les ordres du président, Ed Spencer. Berrett est le stratège en chef de la croissance future de la compagnie. « Toutes les divisions nous font part de leur stratégie et nous les examinons en prenant une perspective plus large », dit-il en sirotant son café d'après le dîner. « En ce moment, nous assemblons les morceaux d'une nouvelle entreprise en communications. Cela va se faire à la suite d'une série d'acquisitions, et je pense que l'entreprise pourrait finir par gagner un milliard en à peu près cinq ans. »

Avec toute son aptitude à façonner le destin de la compagnie, a-t-il jamais vraiment contrôlé sa propre destinée ? « Non, pas du tout, répond-il, on ne sait jamais quand des occasions vont se présenter. Ce que vous pouvez faire, c'est de beaucoup travailler, de travailler avec plaisir, afin de vous faire remarquer. Puis, quand les choses arrivent, vous allez peut-être choisir ce que vous voulez faire. Je suppose que, en ce sens, vous pouvez contrôler votre propre destin. Mais plus vous montez, plus c'est difficile. De nouvelles occasions se présentent pour des raisons qui vous dépassent de beaucoup. Il est bien évident que je n'aurais pas pu planifier ma carrière après la première étape. Tout ce que vous pouvez faire, c'est d'être prêt. Et d'espérer avoir un peu de chance et une occasion. »

Dans la plupart des cas cependant, la bonne fortune n'arrive pas de façon aussi spectaculaire que dans les cas de Berrett et de Sculley. L'aide la plus fréquente pour grimper l'échelle de la compagnie vient sous la forme d'une personne plus âgée qui vous soutient, et dont les propres intérêts sont servis en donnant un coup de pouce au plus jeune directeur. Cette personne a reçu des noms différents tels que mentor, parrain, rabbin et autres. Tout cela revient au même. Et, dans le milieu d'une entreprise, cela est très sensé. Quand les parties sont des cadres efficaces, le parrainage est une alliance qui sert à la fois les deux et la corporation.

Jack Landry et Jim Morgan, de chez Philip Morris, en sont des exemples. Jack Landry, vice-président senior et directeur de la commercialisation pour le monde entier, est dans la cinquantaine avancée. L'homme qu'il a parrainé, Jim Morgan, est dans la trentaine avancée. « J'ai presque suivi la même série de postes que Jack », dit Morgan. Nous avons suivi des chemins à peu près parallèles, sauf que je suis entré ici sept ans avant. Nous avons presque travaillé sur les mêmes marques et nous avons grimpé presque de la même façon. Morgan, qui a commencé dans la vente, s'est ensuite élevé à la gestion de marque puis au poste de directeur adjoint de la commercialisation; il est à présent vice-président et directeur de la commercialisation pour le marché intérieur de Philip Morris, le poste que détenait Landry avant que ses responsabilités ne s'étendent à toute la corporation.

Pourquoi Landry a-t-il distingué Morgan dans cette foule? « C'était la copie conforme de moi-même la plus approchante que je puisse trouver dans la compagnie, explique Landry. Lors d'une discussion, d'un débat ou d'une évaluation, Jimmy réagit — tout seul — beaucoup comme je l'ai toujours fait. Et, ajoute-t-il avec un petit rire, j'ai toujours eu *le plus grand* respect pour moi-même. J'ai pensé qu'il serait un bon successeur. »

« Je ne suis pas certain que nous pensions tout le temps la même chose, dit Morgan, c'est plutôt que nous abordons toujours les problèmes avec les mêmes valeurs de base. Nous pensons les problèmes de la même façon. »

« Oui, répond Landry, de toute évidence Jim et moi travaillons en étroite collaboration. »

« Notre relation de travail, qui dure depuis dix-huit ans, a créé une confiance tacite, ajoute Morgan. N'importe lequel de nous deux peut s'adresser à l'autre pour un problème, et il sait quand c'est le moment. Nous comprenons parfaitement ce qui mérite notre attention et ce qui ne la mérite pas. »

Ce rapport aide tous les gens concernés. En Morgan, Landry a un lieutenant qu'il apprécie et en qui il a confiance. Cela l'aide à mieux travailler lorsqu'il traite avec les niveaux inférieurs de la compagnie. Cela étend également son influence, en ce sens que Morgan va probablement choisir des gens qui eux aussi partagent ses valeurs; cela crée donc une plus grande harmonie au sein de la compagnie et cela fait tourner toute la machine plus facilement. Plus Landry va s'élever, plus ils en tireront tous les deux avantage.

« Je me sers aussi de Jack à des fins politiques, dit Morgan; quand je vais voir mon patron pour quelque chose, c'est bien plus facile si je peux dire que Jack a déjà vu la question et qu'il est d'accord. C'est une ressource que j'utilise pour faire accepter mon propre point de vue. »

Aussi longtemps qu'ils resteront compatibles, aussi longtemps que le plus âgé des deux gardera son pouvoir et que le plus jeune continuera à donner un bon rendement, ils continueront tous deux à grimper dans la hiérarchie.

Mais que se passe-t-il pour celui qui n'a pas de coup de chance ou qui ne trouve pas de parrain? Que peut-il ou que peut-elle faire pour appeler la chance?

« Il faudra que vous sentiez où est l'avenir de la corporation », explique Eugene J. Sullivan, président de chez Borden. « Essayez de vous placer là. Vous devez percevoir qui sont les chefs dans ce domaine et essayer de comprendre leurs priorités. » Une fois placé en position stratégique, le néophyte devrait ensuite essayer de se distinguer de ses concurrents. « Si vous dépassez de dix pour cent les objectifs qui ont été établis pour vous, vous allez commencer à vous distinguer de la masse. Il est crucial d'obtenir ce premier titre — adjoint à quelque chose — et de montrer ensuite que vous êtes remarquable dans ce groupe de pairs. »

Il recommande de lire des choses sur le président et les membres de la haute direction. « Suivez la route que suit la compagnie. Quand vous allez grimper, il sera de plus en plus difficile de vous distinguer puisque vos pairs seront de plus en plus remarquables. À ce stade, dit-il, la chance doit entrer en jeu. Quelque chose de bon doit vous arriver, dit-il, essayez d'être le chef d'un groupe remarquable. Nous aimons penser que nous influons sur les choses nous-mêmes, mais nous bénéficions tous du bon travail des autres. En vous posant en tant que chef, vous obtiendrez une partie du crédit et cela va vous distinguer. C'est ça la chance. Ce sera en partie dû à votre leadership et en partie au travail des autres. »

« Une fois que vous avez atteint un certain niveau, continue-t-il, c'est à vous de jouer. Parlez à des gens de la compagnie et à des gens de l'extérieur. Faites bonne impression à des gens qui pourraient parler à votre patron ou au patron de celui-ci. Il est crucial que les gens importants vous connaissent. Par nécessité, ils se forment souvent une opinion de vous après vous avoir vu très brièvement. En un sens, cela joue en faveur de ceux qui ont assez de présence pour faire bonne impression, de ceux qui savent se faire remarquer de quelqu'un qui, plus tard, dira quelque chose à quelqu'un d'autre qui, plus tard...»

Malheureusement, monter dans la hiérarchie de la corporation n'a rien de sûr ni de précis. Sauf que l'on doit y mettre une détermination tenace et un dévouement aveugle.

À quel prix?

Les corporations sont de rudes tyrans. Qu'un directeur reste dans une compagnie ou qu'il passe par plusieurs, les exigences sont les mêmes. Comme le dit Bill Cook, directeur général de Union Pacific et ancien de trois importantes compagnies: «Dans n'importe quelle grande compagnie, les gens de la haute direction se sont attelés au travail depuis plus de vingt ans. Et ils ont travaillé très dur. Ils sont passés par des expériences nombreuses et diverses qui mènent à une chose appelée «jugement». Certains jeunes veulent tout, tout de suite. Mais je ne crois pas que ça marche comme ça, et si c'est parfois le cas, cela n'arrive que très rarement. Pour arriver au sommet de n'importe quelle corporation d'envergure, vous devez être prêt à en payer le prix. Quel qu'il soit. Cela prend du temps, des efforts et beaucoup de sacrifices». Et dans de nombreux emplois différents, dans toutes sortes de circonstances. Selon le point de vue, il faut ce qu'on pourrait appeler de la souplesse, de la flexibilité ou la capacité de tromper les autres.

Bruce Henderson, fondateur du Boston Consulting Group, fait remarquer: «À l'intérieur d'une organisation, les gens passent par toutes sortes d'ambiances. Pour survivre, il faut savoir s'adapter. Et il faut apprendre à maîtriser totalement ses émotions — c'est crucial. De bien des façons, vous êtes un acteur qui essaie de jouer un rôle qui correspond aux valeurs du groupe dans lequel vous vous trouvez. Il faut que vous appreniez à vivre avec ces valeurs, même si elles ne sont peut-être pas en accord avec les vôtres.»

Le directeur qui monte doit saisir les chances qu'offre la compagnie, où que ce soit. Bien que le coût élevé du logement et qu'une certaine réticence des directeurs aient rendu les déplacements plus difficiles ces dernières années, il ne fait aucun doute que la mobilité continuera à jouer un rôle important dans l'accession au sommet. Dans la mesure où la corporation exerce ses activités partout dans le monde, elle doit déployer ses directeurs en conséquence. Si nombre de directeurs ne sont plus aussi facilement prêts à être mutés, ceux qui le font pour agréer la compagnie continueront à avoir un net avantage. Une étude récente menée par le *Wall Street Journal* et la maison de sondages Gallup a montré que la plupart des membres de la haute direction des mille trois cents plus grandes corporations avaient changé de lieu de travail au moins deux ou trois fois. Et 20 pour cent d'entre eux ont déménagé au moins six fois au cours de leur carrière. La mobilité (ou le manque de racines) a été et restera sans doute une partie intégrante du succès chez les soldats des corporations.

«À chaque changement s'est associé un déménagement dans un nouveau coin du pays, et cela voulait dire qu'il fallait encore plus s'adapter», dit un cadre d'avenir. «Quand vous passez de l'éternel été californien à l'hiver éternel du Minnesota, vous devez devenir très souple. Ça a été dur pour ma famille, mais la compagnie me menait à une promotion. Ça a payé. J'ai fait mes preuves dans toutes sortes de circonstances.»

Selon Bruce Henderson, qui a déménagé plusieurs fois pendant les deux décennies où il a été directeur principal chez Westinghouse: «En déménageant d'une ville à l'autre, d'un milieu de travail à un autre, vous vous adaptez bien ou non. Certains n'y arrivent tout simplement pas. Si *tout* changement dans la vie peut engendrer du stress, alors le plus grand stress est peut-être d'être constamment promu. Parce que cela exige des rapports différents à chaque fois. Vous changez d'amis, d'endroit, d'entreprise et vous changez de fonction.

«Et pourtant, vous avez entendu parler des gamins qui restent dans l'armée ou dans la marine — le service est le seul foyer qu'ils aient jamais connu. C'est la même chose dans une grande entreprise. La compagnie fournit le seul univers constant de gens importants pour vous, parce que vous n'avez jamais l'occasion de vous enraciner profondément dans une ville. Les gens que vous avez connus dans la compagnie pendant toutes ces années sont des gens que vous avez vus dans un grand nombre d'endroits différents. Vous avez partagé des buts, des préoccupations, des essais et des tribulations. C'est comme vivre dans le même gourbi que vos copains pendant une guerre.»

Robert Anderson de chez Rockwell ajoute: «L'entreprise doit être votre préoccupation première. Elle doit se situer un peu au-dessus de toute autre chose. Ça ne peut pas n'être qu'une association à temps partiel. C'est beaucoup trop envahissant. Cela engage votre vie sociale, votre vie sportive, et votre foyer dans une large mesure. Vous ne prenez peut-être pas consciemment la décision de tout abandonner pour réussir. Je ne crois pas que ça se passe comme ça. Vous continuez à faire de votre mieux, vous y travaillez. Et si ça n'est pas votre préoccupation première, ça le devient vite. Et puis, quand vous avancez dans la hiérarchie, il devient très difficile de dire: « Je vais relâcher mes efforts. » Si vous êtes le genre de personne qui aime progresser dans la hiérarchie, vous ne pouvez pas le faire.

Atteindre les hauteurs

En matière de leadership, les caractéristiques personnelles qui sont valorisées changent d'une compagnie à l'autre. Certaines sont fortement structurées et autoritaires, d'autres plus lâches et plus individualistes. Les valeurs changent même entre les divisions d'une même corporation. Cela dépend du produit et de la façon de réussir dans une branche particulière. Ainsi que le fait remarquer John Sculley: « Mon homologue chez Frito-Lay (directeur de la division) est monté par la branche financière de l'entreprise. Il perçoit son travail avec les yeux d'un contrôleur financier. Il essaie de rendre les affaires de plus en plus serrées. Et c'est ce qu'il faut pour réussir sur le marché des casse-croûte.

« Par contre, dans les boissons gazeuses, à moins de travailler de façon assez flexible pour pouvoir changer votre façon de fonctionner tous les deux ou trois ans, vous n'arriverez pas à suivre les changements du marché. Les boissons gazeuses sont un marché où vous vendez des idées; pour les casse-croûte, c'est une question d'efficacité des opérations, vous faites faire aux gens la même chose chaque année, mais avec de plus en plus d'efficacité. »

Cependant, faire preuve de leadership dans tous les cadres est une qualité impalpable. « Quand vous cherchez à voir qui va réussir dans la hiérarchie », dit un agent financier de premier ordre, vous cherchez ce que, faute de mieux, j'appelle la « présence ». Vous pouvez souvent la détecter très tôt. Certains l'ont, d'autres pas. C'est un certain degré d'assurance, de confiance et de projection. C'est difficile à définir exactement. »

Sculley ne peut être précis non plus. « Mais quand je vois un talent de leadership, je le reconnais, dit-il. Dans une corporation, le leadership consiste à voir où va l'entreprise et à être capable de motiver les gens pour qu'ils suivent le mouvement. Il faut aussi être capable de travailler au sein de l'organisation pour que les choses se réalisent. Il faut mettre des mots sur le défi et faire monter les gens en voiture.»

Dès le début, il est crucial de se faire accepter de ses pairs et de ses subordonnés. Paul Thayer, président de LTV, déclare: «Je pense que la plupart des cadres dirigeants — pas tous, mais la plupart — n'ont pas réussi tout seuls. Comme moi-même, je crois, la plupart des dirigeants qui ont réussi ont grimpé dans la hiérarchie parce que beaucoup d'autres gens le voulaient. Ils ont reçu toutes sortes de coups de pouce et d'aide. Cela n'est pas quelque chose que vous pouvez exiger. Mais je crois qu'eux-mêmes ne veulent pas être des chefs. Il se peut même qu'ils ne se l'avouent pas à eux-mêmes. Mais ils veulent vraiment voir d'autres personnes mener. Peut-être sans même savoir pourquoi, ils décident d'accrocher leur wagon à la locomotive de quelqu'un d'autre et d'avancer ainsi.»

Chaque corporation a son propre processus de «sélection naturelle» pour trier les chefs. Dans bien des compagnies, il est largement admis que les chefs doivent avoir certains antécédents. Chez IBM, les dirigeants viennent toujours des ventes. Chez General Motors, le président vient habituellement des services financiers. Dans les compagnies de pétrole, une formation d'ingénieur mène à la gloire. Pourtant, plus on s'élève, plus on doit s'en remettre au destin.

«Vous ne pouvez vouloir à tout prix devenir président du conseil de direction», assure Max Ulrich, directeur général de chez Ward Howell, l'une des meilleures firmes de recrutement des cadres du pays. «C'est comme la roulette. Il y a, tout en haut, un petit groupe de cadres. Ils ont tous fait la preuve de leurs capacités. Mais une seule personne est consacrée, et pour de très bonnes raisons.» Ulrich, dont la firme a placé certains des meilleurs «frappeurs» des entreprises américaines, explique: «Le président sortant et les membres du bureau savent quelles caractéristiques ils recherchent à un moment précis. Il vous aurait été impossible de planifier votre carrière pour ce moment-là. Supposons que vous ayez été le meilleur qu'ils aient vu dans le domaine de la finance ou de la fabrication. S'il s'avère que les relations avec le gouvernement sont au premier plan des préoccupations de la corporation à ce moment précis, vous allez être supplanté par, disons, l'avocat de l'entreprise. On ne peut pas prévoir.»

William Haselton, l'affable président de St. Regis Paper est d'accord : « Nombre de gens capables et qualifiés ne sont pas choisis comme président du conseil de direction, uniquement à cause de circonstances qui les dépassent. Peut-être qu'au moment où ils étaient prêts, le poste n'était pas ouvert. À l'époque, ils étaient peut-être trop vieux ou trop jeunes, ou, pour une raison quelconque, quelqu'un qui avait des antécédents différents a eu le poste. Heureusement pour moi, ajoute-t-il, j'avais toujours le bon âge, au bon endroit, au bon moment et la bonne expérience. »

Choisir la haute direction est, au mieux, une question de flair. Ed Lund, de chez Honeywell, a vu choisir trois présidents du conseil de direction pendant qu'il était en fonction. « Vous devez porter des jugements très larges, dit-il; vous considérez habituellement trois ou quatre candidats chez qui toutes les qualités palpables sont déjà évidentes et prouvées. Vous cherchez quelqu'un qui a une large vision des affaires et l'envergure, ou l'envergure potentielle, pour représenter la compagnie *quelles que soient* les circonstances. Vous essayez donc de prévoir qui va le mieux s'en tirer. Au-delà d'un certain point, la décision repose sur des choses intangibles. »

Il n'y a pas de formation pour un président du conseil de direction. En parlant du point de vue du professionnel qui allie des gens à des descriptions de poste, Max Ulrich note que : « Les aptitudes requises pour être président du conseil de direction d'une importante corporation sont différentes de celles dont on a besoin ailleurs dans l'organisation. » Le président doit « vendre » la compagnie à Wall Street, il doit la défendre à Washington, parler en son nom et en donner une bonne image dans les pages du *Wall Street Journal* et dans *Business Week*. Il doit rallier ses dizaines de milliers d'employés de par le monde, et répondre aux actionnaires lors des réunions annuelles. Il doit établir la stratégie de la compagnie, arbitrer ses conflits internes et, en dernier ressort, retirer le mérite ou les reproches attachés aux résultats financiers. Bien que le président du conseil de direction puisse puiser des conseils auprès d'un personnel compétent et auprès d'experts-conseils dans tous ces domaines, il doit en fin de compte prendre les décisions tout seul.

Selon Ulrich, si un grand nombre de cadres supérieurs disent qu'ils voudraient être un jour président du conseil de direction, « dans le fond, ils ne voudraient pas de cette autorité suprême. On entend souvent un cadre dire : « Je suis bien content de ne pas avoir à prendre cette décision.» Il y a une différence entre celui qui décide et celui qui peut réduire un problème à trois options et qui va ensuite voir son patron pour lui demander laquelle il choisit. Le président du conseil de direction est l'homme qui peut dire «oui» ou «non» sur une question cruciale, tout en n'ayant qu'une information limitée — il ne peut évidemment pas savoir tout ce qu'il devrait savoir. Beaucoup de cadres très doués et très capables ne sont tout simplement pas de taille pour ce travail.»

Chez la plupart de ceux qui se retrouvent dans le fauteuil de président, un mélange de volonté de réussite et une forte réaction à la hiérarchie rigide les amène à un rendement supérieur et à un sens élevé de la manoeuvre. Au lieu de simplement réussir correctement, ils ont dépassé leur ambition et se sont retrouvés au sommet de la pyramide. Comme le fait remarquer Bruce Henderson, qui a travaillé pendant des décennies avec des présidents du conseil de direction: «Qui est le président? Dans la hiérarchie, il est le seul qui puisse imposer son initiative à *tous* les autres membres. Des gens qui ont énormément d'énergie et quelque chose qui ressemble à un complexe d'infériorité auront cet élan. S'ils ont grandement besoin d'être sûrs que personne d'autre ne va rien *leur* imposer, ils peuvent accomplir plus que des réalisations étonnantes.»

Et c'est, bien sûr, ce que l'organisation veut et ce dont elle a besoin de son commandement en chef.

Peut-être que le seul problème, quand on atteint le sommet du monde des affaires, c'est que cela prend si longtemps pour y arriver — et que cela semble se terminer très vite.

«Vous espérez pouvoir laisser une sorte d'empreinte, explique Eugene Sullivan de chez Borden. Dans la salle à manger de la direction, il y a les portraits des anciens présidents, du fondateur Gail Borden à nos jours. J'arrive à reconnaître deux des derniers, mais après ça, je ne sais qui diable ils sont. Quand je pense à moi-même en deuxième, troisième ou quatrième place, je me pose des questions. Je suppose que c'est pour qu'on se souvienne de vous, ce désir de laisser son empreinte. Mais en fait, après trois ou quatre présidents du conseil de direction, vous vous évanouissez dans le passé. Et la compagnie continue à avancer.»

Dans les plus grandes corporations surtout, le mode de direction et l'ambiance qui prévaut sont tellement stables que les personnes qui se trouvent à la barre sont presque secondaires.

Le président d'Exxon, Clifton Garvin Jr, a un jour fait la remarque suivante: «Exxon continuerait à fonctionner sans la moindre anicroche si je devais disparaître.» Un autre membre de cette organisation gigantesque fait remarquer qu'un seul des cinq présidents du conseil de direction des vingt dernières années a réussi à faire passer une décision qui a eu un effet palpable sur la compagnie: c'est le chef qui a fait changer le nom d'Esso en Exxon. Reginal Jones, ancien président du conseil de direction de General Electric a dit un jour qu'essayer de changer sa compagnie, c'était comme essayer de changer la route d'un grand pétrolier: il faut huit kilomètres pour qu'un changement de un degré ait lieu. La puissance et la gloire d'un dirigeant d'entreprise ont des limites.

«Il n'y a rien de plus «ex» qu'un ex-président», a dit à un journaliste J. Paul Lyet, président de chez Sperry. «Je ne me fais pas d'illusions, les choses qui se passent actuellement n'arriveront plus lorsque je partirai. Si, par exemple, une des lampes de mon bureau cesse de fonctionner, un électricien arrive immédiatement. Je suis réaliste, je sais que normalement ça n'arrive pas. Je sais également que plus vous vous croyez haut, plus la chute peut être difficile.

«La leçon à en tirer est qu'il faut garder une certaine perspective. Parce qu'un jour, elle ne sera plus là. Je ne suis qu'un employé et je suis payé comme n'importe qui d'autre.»

Tout de même, l'expérience n'est pas sans avantages.

Gâter les vainqueurs

«Notre haute société comporte vingt-quatre personnes, explique Eugene Sullivan. Nous dirigeons la compagnie. Toutes ces personnes obtiennent bien plus de bénéfices que les autres: primes spéciales, options d'achat, cotisations pour être membre de clubs, assurance-vie, remboursements médicaux. Ils sont très en vue dans la compagnie. Chacun leur tour, je les amène dans les réunions d'actionnaires. Ils ont l'occasion de rencontrer les administrateurs lors de parties de golf, dans des dîners et des soupers. Ces événements symbolisent le statut — ce sont des récompenses — et ils sont conçus dans ce but. Puisque je ne peux connaître tous les salariés de la compagnie, je veux absolument connaître personnellement ces vingt-quatre personnes.»

Comme les gorilles qui se tapent sur la poitrine ou les oiseaux qui exhibent leurs plumes, les cadres supérieurs utilisent des symboles pour établir leur rang dans le groupe.

« Dans mon ancienne compagnie, dit un ancien cadre supérieur qui a très bien réussi, il y avait des cercles de gens, des cercles de pouvoir. Il y avait vingt personnes autour du président. C'était le cercle le plus large. Parmi ces vingt personnes, il y en avait six qui formaient un autre cercle, puis trois autres dans un autre cercle encore. » Il continua à expliquer que, parmi cette élite, il y avait une gradation subtile de la taille des bureaux. Quelques mètres carrés de plus équivalaient à plus de pouvoir. Avoir ou non des toilettes privées était encore un signe. La compagnie avait même des budgets différents pour la décoration des bureaux, pour être sûre que les distinctions hiérarchiques étaient reflétées par le niveau de vie des vingt personnes au sommet de la compagnie. Un cadre obtenait un budget de décoration de 15 000 $; dans le bureau légèrement plus grand d'à côté, son supérieur obtenait 20 000 $. Dans cette compagnie particulière, les épouses et les décorateurs entraient aussi dans la compétition pour créer le bureau le plus impressionnant.

Outre des lieux de travail luxueux, il y a des cotisations à des clubs, des suites dans des hôtels, ou des appartements de fonction à New York, Washington ou Londres, partout où les affaires amènent régulièrement le cadre dirigeant. Un vestige des jours anciens encore très prisé, c'est le pavillon de chasse de la compagnie, situé sur de grandes zones désertiques appartenant à la compagnie; là, le haut de la hiérarchie peut recevoir les clients et conclure des marchés tout en pêchant la truite ou en contemplant le feu qui craque dans la cheminée après une journée de chasse. En ville, les limousines sont de rigueur.

L'avantage le plus attirant de tous, c'est l'avion de la compagnie — le « jet d'affaires » pour ceux qui sont au courant. Plus de la moitié des mille entreprises classées par *Fortune* utilisent leur propre avion pour aller voir les bureaux du monde entier. Les plus grandes d'entre elles ont des flottes comprenant des dizaines d'avions privés. Dans la hiérarchie des jets d'affaires, le plus prestigieux se nomme le Gulfstream III. Même à 10 millions de dollars par avion, il y a une liste d'attente de trois ans pour toute compagnie qui désire en acheter un.

« La raison d'être de ces avions d'entreprise, c'est qu'ils épargnent de la fatigue à nos cadres », explique un dirigeant de haut niveau. « Cela permet à un homme d'aller de notre usine de

Fairlawn, en Ohio, jusqu'à la campagne d'Arkansas en un jour, et d'être de retour à Chicago pour le souper. Avec un vol commercial, il lui faudrait deux jours pour toutes ces correspondances. Vous pouvez aussi aller en Europe et faire quatre villes en trois jours. Cela évite les tracas d'un voyage normal. Et je ne vois pas comment mettre un prix là-dessus. »

Mais est-ce qu'un avion d'entreprise est économique par rapport au prix des billets d'un vol commercial ? « Sûrement pas, répond un cadre dirigeant, avec un sourire narquois et amusé. Les cadres inférieurs et intermédiaires prennent les vols commerciaux. « Si le jet est si essentiel aux affaires, allez simplement voir à Louisville au moment du Derby ou allez au Super Bowl. Vous ne pouvez pas entrer dans l'aéroport à cause de tous les avions d'entreprises. Il y a d'énormes encombrements. Il n'y a pas de place pour tous ces avions. Bien sûr, je me rends compte qu'ils s'occupent des clients importants pendant ces voyages. Mais je me demande si les ventes dégringoleraient s'ils n'organisaient pas des fêtes pour le Tournoi des Maîtres ou la course d'Indianapolis. »

Comme un cadre de haut niveau le dit : « Diable, je me moque bien d'être multimillionnaire, je veux simplement vivre comme si j'en étais un. » De fait, les chefs de nombreuses grandes corporations vivent mieux que beaucoup d'hommes dont la fortune personnelle est de loin plus importante.

Questions d'argent

Pendant la plus grande partie de leur carrière, les directeurs d'entreprises reçoivent de superbes salaires. La plupart des titulaires de MBA qui entrent à présent dans les rangs des 500 de *Fortune* gagnent un peu moins et un peu plus de trente mille dollars. Les augmentations arrivent plutôt rapidement, et la plupart des postes que l'on placerait dans la direction intermédiaire sont rémunérés entre quarante et quatre-vingts mille dollars. Quand les directeurs commencent à obtenir des responsabilités de taille — diriger une usine importante par exemple — les salaires commencent à s'approcher des six chiffres. Au fur et à mesure que le poste devient important — directeur général, chef de région, etc. — une rémunération qui dépasse facilement les 100 000 $ est chose courante. Quant aux chefs de divisions ou de filiales, leur salaire dépasse 200 000 $ et parfois 300 000 $.

Publiée par le *Wall Street Journal,* une étude récente menée par Heidrick & Struggles et qui portait sur quatre mille cadres, a montré que la personne située en haut de l'échelle recevait 134 500 $ en rémunération et en argent. L'augmentation moyenne était d'environ trente pour cent. Mais ce sont les primes qui en fait gonflent le portefeuille des cadres dirigeants. Chez de nombreux directeurs, les primes représentent fréquemment cinquante pour cent du salaire. Les primes sont un appât que la haute direction utilise pour encourager les cadres à produire des résultats précis, à atteindre leurs quotas. Dans certaines compagnies, les cadres peuvent recevoir des primes en argent comptant égales à cent pour cent de leur salaire, quand ils ont atteint un but fixé à l'avance. À ce stade d'une carrière de dirigeant, le symbole du dollar commence à devenir plus intéressant.

On a récemment critiqué les corporations car leurs régimes de primes mettent l'accent sur la performance à court terme. Malgré une productivité décroissante et une concurrence étrangère acharnée, on a accusé les dirigeants de sacrifier le bien-être à long terme de leurs entreprises afin de décrocher de gros profits annuels. Pour réagir, certaines corporations ont commencé à instituer des régimes de revenus à long terme, dans lesquels les dirigeants gagnent des «points» au fil des années. Les primes ne sont payées que lorsque tous les points sont acquis.

Quelle que soit la période en question, les corporations utilisent leurs régimes de primes pour renforcer le sens de la hiérarchie. Il y a des programmes de primes pour les lieutenants dans leur terrier, des programmes plus sélects pour les cadres confirmés, et d'autres encore plus intéressants pour les chefs qui se trouvent au bureau central. Ce sont les modes de rémunération les plus sélects, parmi les hauts dirigeants, qui font les gros titres des journaux d'affaires.

En 1980, Rawleigh Warner Jr, président de Mobil, a battu le record avec une rémunération totale de 4,3 millions de dollars. Cela comprenait bien sûr le salaire, les primes, les options d'achat, les régimes de rémunération à long terme, les assurances et toutes sortes d'autres «bonbons» qui passent pour une rémunération. Il ne s'agissait pas d'une somme payée en argent comptant. En 1981, Rolan Genin, vice-président exécutif de chez Schlumberger, a surpassé Warner avec la somme énorme de 5,6 millions de dollars dont simplement 438 000 $ représentaient le salaire et les primes. Si l'on regarde l'«Étude de la rémunération des cadres» faite en 1981 et compilée par *Business Week,* on s'aperçoit que Warner est tombé à un simple 1,02 million de dollars en salaire et primes, auquel s'ajoutent 427 000 $ en revenu à long terme. Même en ces temps économiques difficiles, *Business Week* a trouvé qu'en 1981, la rémunération des cadres dirigeants s'était élevée en moyenne de 15,9 pour cent, alors qu'elle était de 13,7 pour cent en 1980.

Un pointage non scientifique de cette étude montre que la plupart des présidents du conseil de direction figurant sur la liste ont gagné une somme nette allant de 300 000 $ à 600 000 $, en salaires, primes et avantages. On peut s'attendre qu'un haut dirigeant d'une grande corporation gagne aux alentours de 500 000 $. C'est effectivement un revenu généreux. Mais il faut garder à l'esprit le fait qu'un président du conseil de direction reste peut-être dix ans ou moins dans cette tranche de revenu — et cela seulement en fin de carrière.

Et si personne ne songerait à faire la quête pour ces gens, ces revenus ne les font tout de même pas entrer dans la catégorie des super riches.

«Il est intéressant de voir comment ces hommes au sommet de la hiérarchie réduisent leur train de vie quand ils prennent leur retraite», dit un cadre dirigeant. «Souvenez-vous que leurs goûts se sont développés en fonction de leur salaire. Ils finissent par vivre comme les gens extrêmement riches, mais ils ont besoin du moindre sou de leur revenu pour conserver ce style de vie. Et ils ont également besoin de tous les bénéfices que la compagnie leur paie. C'est leur revenu actuel qui leur permet cette vie. Lorsqu'ils prennent leur retraite, le revenu diminue au moins de moitié. On vent l'appartement de la Cinquième Avenue ou la maison de Lyford Cay. Ils ont un train de vie extrêmement à l'aise, mais ça n'est jamais aussi grandiose qu'auparavant. Ils ne peuvent tout simplement pas accumuler assez de capital pour le maintenir.»

C'est la différence entre l'homme d'affaires entrepreneur et le gestionnaire professionnel. Même avec des options d'achat conséquentes, les avoirs amassés par la plupart des cadres sont microscopiques comparés à la richesse totale qu'ils génèrent pour leur compagnie. Tout de même, il y a bien pire que de devenir membre de l'élite des grandes corporations.

Des clubs pour hommes

Les grandes corporations montrent avec fierté leur pourcentage de dirigeants femmes: 20 pour cent, 40 pour cent — certaines se targuent même d'avoir presque 50 pour cent de femmes parmi leurs dirigeants. Avec presque 40 pour cent de femmes dans les deuxième et troisième cycles des écoles d'administration, les échelons de direction des grandes corporations s'ouvrent aux femmes pour toujours. Lorsqu'on parle à des dirigeants, on s'aperçoit qu'ils font un effort concerté pour reconnaître que les femmes font partie du décor. Au lieu de dire «les hommes» quand ils parlent du personnel, ils font bien attention de dire «les personnes» ou au moins d'ajouter «les femmes» quand ils parlent des gens les plus performants de leur entreprise.

Le gouvernement a été très actif dans ce comportement éclairé, c'est le moins qu'on puisse dire. Quelle meilleure façon d'apaiser le gouvernement qu'avec des succès que l'on expose? Les compagnies ont connu de brèves périodes pendant lesquelles elles ont accordé une promotion à chaque femme qui pouvait en avoir une. Mais le nombre de femmes qui s'approchent du sommet même des grandes corporations se compte sur quelques doigts.

Officiellement, le temps est le seul obstacle entre les femmes de talent et les suites des cadres de direction.

«Le seul facteur empêchant les femmes d'être placées à des postes élevés, c'est qu'il n'y en a pas assez qui ont l'expérience, le terrain déjà fait», explique A.D. Hart Jr, de chez Russell Reynolds Associates, une firme internationale de recrutement des cadres. «Actuellement, il n'y a pas assez de femmes avec suffisamment d'expérience pour rivaliser avec les hommes quand il s'agit de diriger de grandes compagnies. Mais l'avenir des femmes est magnifique. Surtout dans les postes de direction du deuxième niveau.»

Cependant, pour l'instant, toute femme cadre doit s'adapter à l'ambiance décidément masculine de la grande entreprise.

Selon Johanna Dorsey, dirigeante de niveau intermédiaire-supérieur chez New York Telephone: «Vous n'avez pas à essayer à être efficace dans un monde masculin.» Elle est entrée dans la compagnie tout de suite après être sortie du collège il y a quatorze ans, et elle ne voit aucune raison de ne pas y faire carrière. Elle a connu de l'avancement et des satisfactions dans sa carrière.

Dorsey fait remarquer qu'il y a des avantages des deux côtés. « À égalité de cerveau et de compétence, dit-elle, l'homme a des possibilités que la femme n'a pas. Un homme peut, par exemple, entrer dans le bureau de son patron et parler du match de la veille. Pendant la conversation, il peut apprendre des potins que je n'entendrai probablement pas. Il a cet avantage tout simplement parce que c'est un milieu où les hommes prédominent. »

Mais, pour la même raison, elle se distingue de la foule. « C'est le syndrome de la visibilité, dit-elle, on remarque plus les femmes. Si j'arrive dans une réunion où il y a vingt personnes — que des hommes —, je serai plus remarquée qu'un homme. Si vous utilisez cet avantage correctement, il peut vous donner de l'avance ou vous mettre en première ligne plus facilement. Être remarquée vous fait connaître. Quelqu'un d'un niveau hiérarchique supérieur aura davantage tendance à me rappeler au téléphone, car il y a de bonnes chances qu'il ait entendu parler de moi ou qu'il sache qui je suis. Le désavantage, c'est que toute erreur sera également d'autant plus remarquée. » Mais quand plus de femmes entreront dans les rangs, cette façon d'être facilement visible s'estompera.

La clef, c'est de s'adapter aux règles implicites de la corporation. Johanna l'a compris il y a plusieurs années en lisant un livre sur les femmes dans les affaires. « C'est la première fois que j'ai compris que le travail ne consiste pas à vous épuiser, dit-elle; votre travail, c'est un jeu où l'on perd et où l'on gagne. C'est la structure de la compagnie, l'organisation, etc. Si vous le voyez uniquement du point de vue du travail sérieux, vous tombez à côté de la question. Cela ne veut pas dire que vous ne faites pas votre travail du mieux que vous pouvez. C'est que vous comprenez aussi la dynamique du bureau, le pouvoir, la politique et ainsi de suite. Tout ceci est crucial pour bien faire votre travail.

« C'est encore une affaire d'hommes, ajoute-t-elle, c'est son territoire, son terrain, son règlement. Que ça vous plaise ou non est en dehors de la question. C'est ainsi. Ça fait des siècles que c'est ainsi. Toute l'affaire est basée sur l'Église catholique et sur l'organisation militaire, et cela veut dire un univers masculin. Avec le temps, les hommes apprendront autant des femmes que celles-ci apprennent des hommes. Mais pour l'instant, il n'y a tout simplement pas assez de femmes pour changer le règlement. »

Pas assez pour *changer* le règlement, sûrement. Mais il y a maintenant assez de femmes pour entraîner certaines adaptations du règlement. Des questions telles que celles des couples où les deux conjoints font une carrière et celles des femmes cadres qui, dans la trentaine, choisissent d'avoir des enfants, ont commencé à forcer les corporations à faire des arrangements que l'on aurait pas espérés il y a quelques années. Aux niveaux de direction inférieurs et intermédiaires, les femmes ont au moins commencé à remettre en question certaines des règles traditionnelles.

On ne sait pas à quel point leurs chances de devenir présidentes du conseil de direction ou autre vont s'accroître au cours de la décennie à venir. Actuellement, de tels postes semblent certainement lointains. Mais une chose est sûre, en tant que bastion inexpugnable exclusivement masculin, la grande entreprise ne se trouve plus dans la même ligue que le Vatican et le Pentagone.

Incorporez-vous

Jack Landry, de chez Philip Morris, a résumé la question plutôt simplement: «Nous nous posons une seule question chaque fois que nous engageons quelqu'un: Est-ce le genre de personne qui pourra se mêler à notre famille? Ou est-ce quelqu'un qui va nous déranger? Cette personne sera-t-elle compatible avec notre façon d'aborder les choses et notre façon de faire des affaires? Sera-t-elle *l'un des nôtres*?

Comme toute famille ou tout pays, les corporations ont leur propre personnalité. Chacune a son caractère, son ambiance et son style. Que ce soit l'adhésion à des façons de procéder consacrées et formelles, comme chez Proctor & Gamble; le tribalisme qui vous protège, comme General Motors; le dévouement aveugle et étroit, comme chez IBM; ou l'ouverture - qui - permet - de - tout - dire, comme chez Philip Morris et dont Landry est si fier, il y a une atmosphère dominante plus forte que les individus qui forment la corporation, le dirigeant qui y réussit sera avant tout quelqu'un qui s'y intègre. Certaines personnes trouvent dans leur compagnie un réseau de valeurs et une personnalité entièrement conformes aux leurs. D'autres s'aperçoivent qu'elles doivent se couler dans le moule voulu par la compagnie. Pour la plupart des gens, il s'agit d'un mélange des deux.

Il est essentiel que le bon dirigeant comprenne ses produits, ses marchés, le climat des affaires. Mais ça ne suffit pas. Il doit être capable de concrétiser ses idées à l'intérieur du carcan de la bureaucratie d'entreprise. Et cela requiert encore un autre ensemble d'aptitudes. Il doit savoir motiver ses subordonnés et persuader ses supérieurs. Il doit, de haut en bas de l'échelle hiérarchique, arriver à faire le consensus sur ses projets. Il doit profondément respecter la chaîne formelle des ordres, de l'influence et du pouvoir. Tout autant que les exigences externes du marché, les préoccupations internes de la corporation mettront à l'épreuve le talent et la détermination d'un dirigeant. L'administration mesurera ses ressources et déterminera son astuce en matière de bureaucratie et son jugement politique.

Il doit jalousement garder son propre pouvoir dans un milieu où la compétition est acharnée, tout en déléguant des pouvoirs à ses subordonnés afin de construire ses propres factions et de mener à bien de grandes entreprises. Il doit de bonne grâce céder du terrain à ses supérieurs tout en étant prêt à s'arroger une autorité supplémentaire avec un opportunisme implacable, si les ambiguïtés de la structure du pouvoir le permettent. Il doit clairement se connaître et connaître ses points forts, mais être aussi maléable que l'argile, quand la corporation le fait passer par différents patrons, différents postes et différents endroits. Ceux qui comprennent le mieux les aspects complexes de la corporation avanceront le plus loin, parce que ce sont eux qui accompliront le plus pour l'entreprise.

Quel que soit le rang qu'ils détiennent dans la hiérarchie, tous les cadres supérieurs restent des personnes qui ont été engagées. La liberté dont ils jouissent doit être autorisée par d'autres, habituellement dans les comités. Ce que ces dirigeants professionnels obtiennent en échange de leur obéissance à la corporation, c'est la possibilité de diriger des entreprises bien plus importantes que ce qu'ils pourraient probablement créer eux-mêmes. Un entrepreneur dont la compagnie ferait un chiffre d'affaires de 60 millions de dollars serait riche et en pleine réussite. Dans un corporation, un dirigeant qui aurait un tel fief n'aurait que des responsabilités plutôt moyennes et serait loin d'être riche. Mais grâce à des ressources de la corporation, il aura un accès très facile à l'information, au capital, à la main-d'oeuvre et au talent. Ils lui donnent un véritable pouvoir.

Bien que les récompenses que l'on obtient au sommet soient aussi somptueuses qu'elles puissent l'être, elles ne peuvent être l'unique raison qui pousse à choisir de vivre dans une grande entreprise. Comme le dit un jeune dirigeant: «Si vous jouez pour gagner, rappelez-vous qu'il n'y a qu'une seule partie. Quand la partie sera finie, votre vie sera finie. Votre poste doit vous plaire, où qu'il soit. Vous ne pouvez regarder le sommet de la hiérarchie et vous dire: «C'est là que se trouve la satisfaction.» Si ce que vous faites en attendant ne vous plaît pas, vous n'avez aucune raison d'y être.»

Dans une corporation, les chefs qui réussissent sont peut-être poussés à être performants et à gagner de l'argent. C'est peut-être la soif de statut et de pouvoir d'organisation qui les pousse. Ce sont les butins pour lesquels le soldat de fortune de la corporation a peut-être signé son départ. Mais il ne s'élèvera certainement pas assez haut pour en jouir à moins d'être d'abord heureux et satisfait de tout simplement faire partie de l'armée de la corporation.

Pour ceux qui aspirent à commander, servir doit être une fin en soi.

LA BANQUE
Formalités égalent normalité

Les gardiens des clés

Il est midi et l'ascenseur est plein à craquer. Il fait de nombreuses escales et le trajet qu'il suit, depuis la salle à manger de la compagnie au soixantième étage, semble durer une éternité. À chaque escale, le numéro de l'étage s'illumine et la porte s'ouvre en émettant un «bing». Des silhouettes élégantes se pressent pour entrer ou sortir. Enfin, l'ascenseur entame une descente rapide jusqu'au vestibule mais non sans une dernière escale imprévue: la sonnerie retentit, la porte s'ouvre mais aucun numéro d'étage ne s'illumine au-dessus. D'après le panneau d'indications, cet étage n'existe pas.

Aussi gracieusement que possible, un homme vêtu d'un complet sombre se faufile à l'extérieur. Replaçant une toute petite clé dans sa poche, il sourit au garde de sécurité posté dans le vestibule vide. Traversant à grandes enjambées la moquette luxueuse, il passe devant une divinité de bois vigilante, originaire de Nouvelle-Guinée, tourne le coin et disparaît. La porte de l'ascenseur se referme, la foule descend.

Bienvenue au dix-septième étage du siège mondial de la Chase Manhattan Bank! Seulement une douzaine d'hommes peuvent atteindre le dix-septième étage ainsi. Ils sont les seuls à détenir la clé du panneau de contrôle de l'ascenseur. Ce sont les dirigeants de la Chase.

Autrefois, cette banque était considérée comme «la banque de David Rockefeller». Et pour beaucoup de gens du monde entier, elle l'est toujours, bien que Rockefeller ait pris sa retraite au printemps 1981. Il était le symbole le plus visible de la grosse banque américaine, mondain, aristocratique, ami et confident des princes, premiers ministres et intellectuels les plus éminents. Pour la planète entière, Rockefeller semblait représenter la banque. Mais il n'est pas aussi représentatif des banquiers que son successeur.

Willard Butcher a grandi au sein d'une famille relativement ordinaire d'une banlieue tranquille et bourgeoise. Il s'est élevé dans la hiérarchie de l'organisation après avoir fait ses preuves en qualité de vendeur puis de gestionnaire obstiné et énergique. Aujourd'hui âgé de cinquante-quatre ans, c'est un homme de haute taille, légèrement voûté, à la voix âpre, et que l'on a décrit comme « un bison de commerce agréable ». Avant de prendre les rênes de l'institution, il a spécialement été préparé par Rockefeller. Durant presque deux ans, il a voyagé avec « D.R. », rencontrant des chefs d'État, des chefs d'entreprise, des lumières de toute espèce et pratiquement tous ceux qui comptaient dans les affaires, en politique, et tous ceux qui tiraient des ficelles. Il lui fallait ces contacts extraordinaires pour mener à bien les affaires du dix-septième étage. Mais, s'il a hérité du manteau de Rockefeller, il n'a pas hérité de sa magie. C'est pourquoi il est aujourd'hui beaucoup plus représentatif du monde de la banque.

David Rockefeller était un personnage important qui se trouvait être le principal dirigeant de la Chase. Bill Butcher est un personnage important *parce qu'* il est un dirigeant de la Chase. L'influence et le prestige des dirigeants de banques telles que la Chase sont réels. Mais ils sont avant tout l'influence et le prestige de la banque elle-même.

Ce n'est que de l'argent

L'histoire de la banque est unique parmi les différentes histoires des entreprises. Jusqu'à une date très récente, les banques paraissaient même *physiquement* différentes des autres établissements commerciaux. Les colonnes élancées et les massives dalles de marbre avaient pour but d'inspirer, pour la sécurité et l'inviolabilité des richesses précieusement conservées à l'intérieur, sinon une terreur mystique, du moins une grande confiance.

P. Henry Mueller, principal agent de crédit de la Citibank, à la retraite depuis peu, raconte que lorsqu'il est entré dans les affaires bancaires au cours des années 30, il s'agissait d'un univers « ennuyeux, empesé, morne ». Mueller était quelqu'un de spécial. Il travaillait à la banque tous les soirs pour payer ses études universitaires. À cette époque-là, les banques avaient coutume de fournir un refuge à vie à la caste privilégiée des jeunes gens de bonne famille, issus des écoles de l'Ivy League*. Le travail était propre, respectable et peu exigeant. La banque était un sanctuaire en lui-même, exclusif. Les relations que les études et l'adhésion aux clubs permettaient de nouer étaient à la base des rapports avec la clientèle.

Cependant, le monde des affaires et le monde des banques ont changé. De nos jours, seules quelques banques sont encore installées dans les vieux sanctuaires impériaux, la plupart d'entre elles occupant des gratte-ciel modernes, tout comme n'importe quelle entreprise. Elles préfèrent se considérer comme des compagnies qui offrent des « services financiers », dont les activités sont bien plus variées que la simple réception des dépôts ou le simple octroi de prêts. Leurs activités vont de la gestion des cartes de crédit jusqu'au prêt de capital de risque en passant par beaucoup d'autres.

Aujourd'hui, les grosses banques sont plus grosses et plus puissantes que jamais. Les quelques institutions géantes qui dominent le secteur représentent la plus forte concentration de capitaux privés que le monde ait jamais connu. Leur influence s'étend sur tout le globe et elle est peut-être plus pénétrante et plus étendue que celle dont jouissent les autres types d'entreprises parce que les banques participent aux affaires de tout le monde.

En décembre 1981, *Business Week* publia une liste des quinze banques principales, classées selon l'importance de leurs avoirs :

Banque (siège social)	Avoirs (en milliards de dollars)
1. Bank of America (San Francisco)	121 158
2. Citicorp (New York)	119 232
3. Chase Manhattan (New York)	77 839
4. Manufacturers Hanover (New York)	59 109
5. Morgan (New York)	53 522
6. Continental Illinois (Chicago)	46 972
7. Chemical (New York)	44 917
8. First Interstate Bancorp (Los Angeles)	36 982
9. Bankers Trust (New York)	34 213
10. First Chicago	33 562
11. Security Pacific (Los Angeles)	32 999

*Groupe des quelques universités américaines les plus prestigieuses de la Côte est. (Note du traducteur.)

12. Wells Fargo (San Francisco)	23 219
13. Crocker National (San Francisco)	22 494
14. Marine Midland (Buffalo)	18 682
15. Mellon National (Pittsburgh)	18 448

Parmi ces banques, seulement dix sont considérées comme véritablement influentes à l'échelle mondiale.

La première question que l'on se pose est la suivante: d'où viennent tous ces milliards?

Dans le passé, les banques étaient principalement les protectrices de l'argent des déposants. Aujourd'hui, la plus grosse partie de l'argent qu'elles prêtent provient des sommes qu'elles achètent sur les marchés monétaires mondiaux. Cet argent est ensuite «vendu» aux clients, à profit. (Du moins la banque l'espère-t-elle!)

Les activités financières d'une grande banque qui centralise les ressources financières représentent un jonglage de grande envergure. Wayne Lyski, directeur du service de recherches sur les marchés financiers auprès du Morgan Guaranty Trust, déclare: «Nous représentons 50 milliards de dollars. En gros, nous faisons circuler quotidiennement le double de notre bilan. C'est-à-dire qu'environ 100 milliards de dollars entrent et sortent de la banque chaque jour.» Les propres capitaux de la banque ne représentent qu'un petit pourcentage de l'argent qu'elle utilise. Le solde est constitué d'argent acheté, négocié par courtage.

De nos jours, les banques sont exposées aux hausses et aux baisses des taux d'intérêt du monde entier. Les fondements du secteur bancaire sont différents de ce qu'ils étaient il n'y a guère plus de quelques décennies. Le monde jadis inaltérable et rigoriste de la banque subit maintenant les assauts d'un changement inéluctable.

Les banquiers, autrefois si rangés et proverbialement prudents, seraient-ils en train de se métamorphoser en joueurs au goût du risque développé? Les bureaucraties gigantesques deviendraient-elles des lieux de travail aux activités frénétiques et débridées?

Rien n'est moins sûr!

Les hiérarchies consacrées

«Ici, on est formaliste», déclare un jeune agent de crédit dans une grande banque. «Les gens sont courtois et civilisés, on se conduit avec modération et raison.» Son large bureau de chêne est l'un des douzaines que contient une vaste pièce ouverte, qui occupe la majeure partie du septième étage. Les rangées bien ordonnées semblent s'étirer à l'infini, la moquette est d'un beige distingué, les murs lambrissés de chaud bois brun. «Le titre et la position représentent ce que tout le monde travaille à obtenir. Ce que vous êtes, ce que vous faites, combien vous gagnez, tout cela est déterminé par votre ancienneté et votre position au sein de la hiérarchie. C'est un peu comme au gouvernement. Le protocole est très important.»

Quelques cadres supérieurs disposent de vastes bureaux dotés de fenêtres à la périphérie de la pièce. En dépit des appels téléphoniques et de toutes les conversations qui se déroulent en même temps, l'impression dominante est celle d'un vaste espace tranquille.

«La plupart des gens commencent par suivre le programme de formation portant sur le crédit», explique le jeune homme en montrant d'un geste ses collègues du prêt, des hommes (et quelques femmes) vêtus de façon classique, dont l'âge varie entre vingt-cinq et trente-cinq ans. «Vous passez plusieurs mois à suivre des cours au sein de la banque. Vous étudiez la comptabilité, les opérations financières, monétaires et bancaires des sociétés, ainsi que le droit des affaires. Puis, à l'aide d'une analyse de solvabilité, vous apprenez comment la banque dissèque le bilan d'une compagnie afin de déterminer sa solvabilité. C'est un enseignement valable pour la voie que vous choisissez ensuite. Et on vous paie 18 000 dollars par-dessus le marché.»

Les banques sont l'un des derniers refuges des diplômés en lettres du premier cycle. «Tout le monde veut être admis au programme», déclare Richard Moore, qui dirige la formation des agents de crédit auprès du Manufacturers Hanover Trust. «Que voulez-vous faire avec un BA en histoire de nos jours?» Moore estime que sa banque étudie quelque vingt-deux mille curriculum vitae afin de sélectionner les deux cents chanceux qui seront admis à suivre le programme. Sans être le sanctuaire «preppy» qu'il était autrefois, le secteur bancaire offre toujours une carrière aux enfants présentables et bien élevés de la classe moyenne.

La formation et l'enseignement bancaires offrent de telles

possibilités d'avenir que nombreux sont ceux qui quittent la banque au bout de deux ans. Quelle meilleure référence peut-on mentionner sur une demande d'inscription à l'école de gestion de Harvard ou de Stanford? «Nous nous efforçons de les dissuader de nous quitter pour Harvard au bout de deux ans», explique Bruce Brackenridge, vice-président général et chef du personnel auprès du Morgan Guaranty Trust. Sa solution consiste à identifier les diplômés du premier cycle les plus prometteurs et à accroître rapidement leur salaire jusqu'à ce que celui-ci soit presque égal à celui qu'ils gagneraient s'ils obtenaient leur diplôme de maîtrise en administration des affaires. Après trois ans, les deux niveaux de salaires se rejoignent et, explique-t-il, tous en sont au même point, qu'ils possèdent ou non une maîtrise en administration des affaires.

Avec ou sans maîtrise, les jeunes banquiers suivent le même chemin le long de la voie hiérarchique de l'établissement. Le tableau ci-dessous présente, en gros, une vue d'ensemble du système.

Titre	Effectif approx. dans une banque	Nbre d'années entre les promotions	Échelles des salaires
Stagiaire au crédit	100-250	6-18 mois	$17 000 - 23 000
Secrétaire adjoint	300-400	1-3	20 000 - 26 000
Trésorier adjoint	300-400	2-4	26 000 - 34 000
Vice-président adjoint	300-400	4-8	26 000 - 42 000
Vice-président	300-600	5-20 ou jamais	38 000 - 90 000
Premier vice-président	30-50	variable	80 000 - 160 000
Vice-président général	10-15	variable	100 000 - 400 000
Vice-président (conseil)	1-3	variable	200 000 - 450 000
Président	1		200 000 - 500 000
Président (conseil)	1		250 000 - 600 000

À l'instar des autres compagnies, la pyramide est très large au milieu puis s'effile sensiblement vers le sommet. Parmi les vice-présidents, on distingue encore d'autres subdivisions hiérarchiques diversifiées en fonction de l'ancienneté et du niveau. La position, l'influence et le revenu de deux vice-présidents peuvent varier beaucoup. Encore récemment, la vice-présidence était un titre convoité et relativement peu octroyé. Il était rare qu'il fût accordé à quelqu'un qui n'avait pas encore atteint la quarantaine. Mais le secteur bancaire a enregistré une croissance considérable et une grande partie de cette croissance s'est reflétée sur ce qui compose maintenant le centre de la pyramide. La loyauté, le rendement, l'ancienneté sont maintenant presque autant de garanties d'obtenir le titre de vice-président. Nombre d'entre eux le deviennent autour de la trentaine. Malheureusement, il est très facile de demeurer vice-président jusqu'à la fin de ses jours. En revanche, le titre de premier vice-président ouvre des horizons plus larges!

« C'est le premier titre qui possède un certain mordant, estime un vice-président qui sent venir sa promotion prochaine. Le poste de vice-président est d'une tout autre dimension. Il vous faut faire vos preuves pour l'obtenir. Mais en qualité de premier vice-président, vous faites partie de la haute direction de la banque. Vous participez aux comités et votre nom est sur les bonnes listes. Votre statut est différent, votre bureau est plus grand, le mobilier est plus beau, etc. »

Mais même les vice-présidents doivent tenir compte de certaines limites. Ce sont les vice-présidents généraux qui ont véritablement conquis l'Olympe. Ce sont eux qui dirigent réellement la banque. Ils sont à la tête des diverses divisions. Leurs bureaux sont fréquemment situés à côté de celui du président de la banque ou du président du conseil et ils sont parfois eux-mêmes membres du conseil. Au fur et à mesure que les banques ont connu leur essor, leur organisation interne s'est faite plus complexe et même le titre de vice-président général s'est révélé insuffisant. Au cours d'une réorganisation structurelle entreprise il y a quelques années, la Citibank a nommé trois vice-présidents généraux au poste de «premiers vice-présidents généraux». Il est évident que les banques sont accablées d'une «inflation» des titres!

Pour la plupart des gens, la progression à travers ces vastes ensembles bureaucratiques est lente. On gagne son ancienneté pas à pas et on attend son tour pour l'avancement espéré. La patience est plus qu'une vertu, elle est une nécessité. On veut des têtes grisonnantes au sommet de l'échelle. La banque n'est pas un monde où la jeunesse est reine. Cependant, au cours des dernières années, un certain nombre de gens ont été promus à des postes très élevés à un âge relativement jeune. Depuis une quinzaine d'années, on constate que les réorganisations structurelles se produisent dans les banques avec la régularité de l'apparition des taches solaires. Et chaque fois qu'une grosse compagnie prend le temps de faire son propre inventaire, des possibilités surgissent. En dépit du traditionnel fardeau bureaucratique, les banques doivent constamment guetter l'apparition de nouveaux talents. Elles ont prouvé qu'elles étaient capables d'offrir une liberté d'action extraordinaire et de court-circuiter les programmes d'avancement lorsqu'elles estimaient que le jeu en valait la chandelle. Elles tiennent à jour des listes confidentielles de leurs employés les plus prometteurs, qu'elles ont identifiés comme étant les plus susceptibles et les plus capables de contribuer à longue échéance à l'essor de la banque. C'est à la Citibank que revient la palme de l'élégance : elle possède une pièce secrète où sont épinglées aux murs les photographies des gestionnaires intermédiaires qu'elle estime les plus prometteurs. D'autres grandes banques se contentent de compiler, plus ou moins officiellement, des listes dactylographiées.

Les banques interviennent dans tant d'affaires différentes, sont elles-mêmes constituées de tant de secteurs divers et sont tellement à la merci de ce qui se passe dans le monde extérieur que toutes recherchent l'éclectisme et la largeur de vues. Les banques ont besoin de généralistes. Leurs dirigeants doivent être pluridimensionnels. C'est à cette fin que servent les listes, à s'assurer que les plus brillants ont l'occasion d'évoluer au sein de plusieurs secteurs de l'organisation. Quiconque possède de l'avenir dans une banque fera l'objet d'expériences de croisement entre les diverses disciplines. Bien que chaque secteur d'exploitation soit unique, le groupe des « partis pour la gloire » doit circuler dans un grand nombre d'entre eux. Parfois, ils ne seront que de simples fantassins, parfois des officiers à l'abri des batailles quotidiennes. Où qu'ils soient expédiés, ils seront ensuite évalués d'après leur capacité d'obtenir des résultats et de s'adapter. C'est ainsi qu'est choisie la classe des dirigeants d'une grande banque.

Bien qu'il n'existe pas de formule figée pour une carrière éblouissante dans une banque de nos jours, il est certain que la plupart des recrues de choix devront, à un moment donné, être expédiées dans deux secteurs fondamentaux pour y faire leurs preuves.

Les prêts-tendants

Cela peut paraître difficile à croire, mais l'argent n'est pas un produit qui se vend facilement. Il suffit d'écouter le jeune agent de crédit du septième étage : « Il faut des mois, parfois des années pour persuader une compagnie de nous emprunter de l'argent. La plupart de celles avec lesquelles nous aimerions traiter reçoivent déjà de l'argent de tous côtés.» Il s'agit des entreprises, grosses ou petites, qui détiennent des valeurs vedettes. «Vous ne pouvez guère vous présenter devant le chef d'entreprise et lui demander: «Voulez-vous de l'argent»? Il faut lui téléphoner à de nombreuses reprises et le convaincre progressivement de votre désir de comprendre son travail, ses objectifs, ses problèmes. Il faut le convaincre de s'adresser à votre banque pour des raisons autres que des taux bon marché.»

Il ne faut pas oublier que l'argent qui vient d'une banque n'est d'aucune façon différent de l'argent qui provient de la banque voisine. La belle époque des relations avec la clientèle, entretenues par les contacts entre «vieux copains» d'université est révolue depuis que le taux préférentiel de 3 pour cent a été instauré. Les loyautés traditionnelles des clients, sur lesquelles on pouvait alors compter et qui faisaient de la banque un véritable country club, ne sont plus. Les banquiers parlent aujourd'hui de «banque transactionnelle», ce qui est une manière ampoulée de dire que les compagnies traiteront avec la banque qui leur offrira le taux d'intérêt le plus bas et le meilleur service.

De nos jours, les agents de crédit ne sont pas moins courtois que leurs prédécesseurs mais ils doivent se montrer plus agressifs en tant que vendeurs: ils sont des marchands et, à ce titre, ils doivent trouver de nouveaux moyens d'adapter les services de leur banque aux besoins du client. «Nous dressons des listes de compagnies», poursuit le jeune agent de crédit. «Nous recherchons ensuite leurs lacunes, par exemple un certain type de service ou de prêt qu'on ne leur a encore jamais proposé. Puis nous allons essayer de le leur vendre. Nous leur offrons toutes les ressources de la banque: des conseils sur les opérations de change, le financement d'importations ou d'exportations, le crédit-bail, l'affacturage, la gestion des liquidités, tout ce que vous voulez. Et si rien ne marche nous réduisons nos prix.» Il s'agit là d'une relation commerciale typique.

Tous ces employés du septième étage consacrent leurs journées à des appels téléphoniques, prospectant le marché, amadouant, enjôlant les cadres financiers des compagnies disséminées aux États-Unis, leur rafraîchissant la mémoire, attirant leur attention. «J'entre en contact avec quatre-vingts personnes une fois toutes les deux semaines» ajoute notre agent en faisant légèrement tournoyer son Rolodex. «Et si je compte toutes les compagnies que j'aide mon groupe à contacter, on peut dire que j'entretiens des relations téléphoniques avec quelque trois cents personnes. Mon travail consiste à faire rentrer l'argent. Ce bureau et tous les autres qui sont éparpillés dans le pays ont pour objet d'aller frapper aux portes. D'obtenir des entreprises qu'elles nous empruntent de l'argent. »

Prêter demeure l'activité primordiale des banques et la principale aire de compétence des banquiers. Que demande-t-on à l'agent de crédit de déterminer à propos d'un éventuel client ?

George Scott, ancien vice-président du conseil de Citibank a résumé ces exigences il y a quelques années: « Je connais ce boulot comme ma poche », avait-il déclaré à un journaliste. « Rien ne peut remplacer ces questions de base: Pourquoi voulez-vous emprunter ? Comment comptez-vous me rembourser ? Et qu'allez-vous faire pour me rembourser si vos plans tombent à l'eau ? »

Les agents de crédit travaillent au sein d'un système étroitement structuré, où prédominent les limites à ne pas dépasser et les vérifications qui sont entreprises par les supérieurs hiérarchiques. La banque détient des formules bien précises à l'aide desquelles on peut évaluer le bilan et les perspectives d'une compagnie. « Dans son essence, estime Robert Engle, vice-président général de Morgan, le travail du banquier consiste à relier les problèmes des entreprises à leurs besoins financiers. » Après avoir convaincu son client, l'agent de crédit doit alors le persuader de déposer une demande puis s'efforcer de « vendre » son idée au sein de la banque même.

Donald McCree est, auprès de Manufacturers Hanover, l'une de ces personnes qu'il faut convaincre. Vice-président général, il dirige la division nationale des opérations bancaires, c'est-à-dire que plusieurs centaines d'agents de crédit, disséminés sur toute l'étendue du territoire, dépendent de lui. « Nous devons faire ratifier par deux agents tous les prêts consentis par la banque. Les montants maximums des prêts accordés par les agents subalternes sont très faibles si on les compare aux dizaines de millions couramment prêtés de nos jours aux compagnies. Mais les jeunes apprennent le métier en exécutant les travaux de recherche concernant les contrats conclus par des employés plus expérimentés. » Une fois que le montant exact a été calculé, l'employé subalterne et son collègue expérimenté rendent visite au bureau de M. McCree. « Ils m'exposent leur projet en détail afin d'obtenir ma signature. S'il s'agit de quelqu'un que je ne connais pas, il m'arrivera de passer une demi-heure à sonder la personne et à poser des questions. En revanche, avec certains employés, toute la séance ne dure que cinq minutes. »

Tout agent de crédit efficace doit être capable de comprendre parfaitement tout ce qui a trait aux affaires de son client, d'assimiler, d'interpréter les chiffres afin de satisfaire les normes de la banque, de coucher sur papier le résultat de ses recherches et de les présenter sous une forme convaincante à ses supérieurs. « Il est possible que vous soyez un agent de crédit compétent, techniquement parlant, explique McCree, mais si vous n'êtes pas capable de formuler vos conclusions et de les « vendre », non seulement à l'intérieur mais aussi à l'extérieur, vous n'avez fait qu'une partie du travail qui vous incombe. »

En dépit des formules et des étapes de contrôle que possède une banque, prêter n'est ni une science ni un exercice mécanique. Les chiffres, même s'ils révèlent beaucoup, ne vous disent pas tout. « Je demande aux agents s'ils se sentent personnellement satisfaits par la transaction en question », poursuit McCree. « S'ils me répondent par l'affirmative, je ratifie. Ils viennent me voir pour obtenir mon approbation mais moi, je fais fond sur leur jugement. »

Le jugement personnel est l'ultime critère que doit satisfaire un prêt. S'agit-il d'un bon prêt? Quel en est le risque réel? Joseph Manganello, premier vice-président de Bankers Trust, explique: « Je m'efforce de convaincre les jeunes de déterminer quel est le risque. Mais attention! Le risque n'est pas le fait de savoir si la banque sera remboursée ou non! Le risque est représenté par les *raisons* pour lesquelles la banque sera remboursée ou non. Et que risque-t-il de se produire qui empêcherait la banque de rentrer dans ses fonds? C'est ici qu'intervient le jugement personnel. »

Nonobstant les garde-fous, on consent parfois des prêts à tort. Mais cela ne porte pas nécessairement un coup mortel à l'avancement de l'agent responsable. Au début de sa carrière, un jeune banquier californien se rendit responsable d'une perte de 564 000 dollars, occasionnée par un prêt consenti à tort. Il se nommait Tom Clausen et, en dépit de ce fâcheux incident, devint plus tard directeur général de la Bank of America et, encore plus tard, directeur de la Banque mondiale.

« Nous avons tous vécu cela » déclare Frank Stankard, vice-président général et directeur des opérations bancaires internationales auprès de la Chase Manhattan. « Même le patron »! Il précise cependant que ce type d'incident ne devrait pas se reproduire trop fréquemment. «Tous les jours, nos cadres intermédiaires prennent des décisions concernant de gros prêts. Si l'un de ces prêts se révèle être une perte à 100 pour cent, les bénéfices enregistrés par la banque dans son ensemble en subiront les conséquences. Je ne pense pas que cela puisse se produire dans une autre catégorie d'entreprises. Par exemple, je peux prêter 150 millions de dollars à n'importe qui, mais si cette somme passe au compte des pertes dans une banque qui enregistre annuellement 400 millions de bénéfices, imaginez les conséquences possibles!»

L'évaluation du rendement des agents de crédit est une tâche des plus subjectives. Manganello, de Bankers Trust fait remarquer: «Nous suivons les fluctuations de la demande globale. Nous ne pouvons créer la demande comme peuvent le faire les fabricants de biscuits ou de laque à cheveux. Tout ce que nous pouvons faire, c'est offrir. C'est pourquoi il est impossible d'établir des quotas ou d'évaluer le rendement des agents de crédit par rapport à des normes fixées objectivement. Quelle serait la norme de productivité d'un agent subalterne? Il n'en existe pas. C'est une question entièrement subjective. Un peu comme une partie de poker: ce ne sont pas tant les cartes qui comptent mais la manière dont on les joue.»

Les aptitudes que Manganello recherche chez les gens dont la carrière progresse sous sa houlette ne sont pas mesurables. Il tient compte de qualités de nature générale, telles la capacité de synthétiser et d'interpréter les montagnes de données que les agents de crédit doivent absorber, la capacité de prendre des risques, et aussi la motivation. «C'est une question de style, et quiconque vous dira le contraire se moquera de vous. Pour vous distinguer des autres employés subalternes, vous devez posséder la manière, après quoi vous devrez obtenir des résultats. Mais en général, si vous avez la manière, vous finissez par obtenir les résultats.»

Pour Manganello, cela signifie faire preuve d'initiative et accepter les responsabilités. C'est surtout dans une grande banque qu'un jeune qui possède ces qualités pourra être remarqué. À partir de ce moment-là, le reste de l'organisation concentre son attention sur lui.» Tout est dans la manière d'utiliser les règles et les principes directeurs en vigueur dans la banque. «Vous pouvez utiliser l'organisation comme une béquille, une canne, ou simplement une ligne blanche tracée au milieu de la route. Les vérifications et les bilans ont pour objet de garantir que certaines questions ont été posées et que certaines réponses ont été obtenues. Mais au fur et à mesure qu'une proposition de prêt escalade l'échelle hiérarchique en vue d'être approuvée, les cadres supérieurs peuvent de plus en plus difficilement revenir en arrière et reprendre les calculs de l'agent de crédit à chaque fois. Il faut donc se fier au jugement initial de ce dernier. »

Le travail de l'agent de crédit met à l'épreuve un vaste éventail de compétences très subjectives y compris l'intelligence générale et la capacité de nouer et d'entretenir des relations à l'intérieur et à l'extérieur de la banque.

« Vous en arrivez à mettre la main à toutes sortes d'affaires, ajoute Manganello. Je me suis occupé de compagnies ferroviaires, d'immobilier, de centres de villégiature, de cinéma et de bien d'autres choses encore. Ma carrière a été extraordinairement diversifiée simplement parce que je suis un banquier. » Pour la plupart des gens en route pour le sommet de la pyramide, cela signifie aussi de nos jours l'expérience des affaires internationales.

La légion étrangère des États-Unis

La tour bleu argenté de la Citicorp est un point de repère très impressionnant mais non incongru au coeur de Manhattan. De même le gratte-ciel brun roux de la Bank of America à San Francisco. Mais on ressent le sentiment de déjà-vu le plus surprenant à Taipeh, lorsque, après avoir longé pendant des kilomètres des pagodes et des enseignes rédigées en chinois, on arrive face à une tour brun roux ornée du logo de la B of A. Juste à côté s'élève un bâtiment bleu argenté de proportions similaires, dont le fronton porte le nom: CITIBANK.

Des visions aussi incongrues se produisent aussi à Kuala Lumpur, à Guayaquil, à Sydney, à Madrid, à Lagos, au Caire et presque partout où un passeport américain vous permet de vous rendre. Les grosses banques américaines n'y seront peut-être pas contiguës, mais elles ne seront jamais bien éloignées les unes des autres et vous les trouverez généralement rassemblées dans le quartier qui constitue l'adresse la plus prestigieuse.

Jusqu'aux deux tiers des effectifs peuvent être employés aux opérations bancaires internationales d'une banque américaine. Il arrive que près de 60 pour cent des bénéfices y trouvent leur origine. L'expérience des affaires internationales et la prise de conscience qu'elle crée chez ceux qui peuvent en profiter font des banquiers des gens différents de la plupart des hommes et des femmes d'affaires américains.

« J'ai déjà vu des gens qui n'avaient jamais voyagé auparavant », nous dit Frederick Allen, l'un des vice-présidents de Morgan, qui a passé deux ans à Beyrouth, chargé des affaires avec les pays d'Afrique situés au sud du Sahara. « Leur conception de la vie en a été radicalement modifiée. » Et cette expérience, un nombre croissant de futurs grands banquiers devront la vivre.

Parce que les affaires de la banque sont constituées *par le pays même*, ces Américains envoyés à l'étranger ont tendance à participer beaucoup plus profondément à la vie sociale et culturelle que les gens qui y sont envoyés par d'autres catégories d'entreprises et qui, souvent, jouent un rôle à peine plus important que celui de gérants coloniaux. Écoutons Frank Stankard, de la Chase Manhattan : « Notre métier nous oblige à faire preuve d'une curiosité intellectuelle beaucoup plus poussée que beaucoup d'autres professions. Il est essentiel d'évaluer véritablement les autres cultures et les autres peuples. Si j'envoie un type diriger nos affaires au Japon, par exemple, je veux qu'il passe ses six premiers mois là-bas à étudier la culture japonaise. Je me fiche de la banque. Nous travaillons tout d'abord avec des gens, aussi bien au plan interne qu'à l'extérieur. »

Du point de vue professionnel, l'expérience des affaires bancaires internationales a pour résultat de former des banquiers confiants en leurs capacités et dotés de compétences universelles. « Vous avez là une chance de diriger votre propre banque », remarque Stankard. Bien que des établissements comme la Chase Manhattan ou la Citibank possèdent leurs propres systèmes de communications de portée globale, le contrôle que l'agence centrale peut exercer sur un bureau situé à 14 400 kilomètres est limité. « L'individu est laissé à lui-même », ajoute Stankard.

Tandis que les agents de crédit postés à l'intérieur du pays prennent peu à peu conscience des diverses industries, les gens qui sont nommés à l'étranger apprennent à trouver leur chemin parmi les méandres de l'économie mondiale et de la politique internationale. « L'un des aspects délicats du métier, explique Stankard, est qu'il est difficile de rentrer au pays pour raconter aux autres ce que vous faites. Ou bien cela ne les intéresse guère, ou bien ils s'imaginent que vous vous montez en épingle.

Certains d'entre nous considèrent les pays comme leurs clients et cela est parfois difficile à comprendre pour les autres.» Un vice-président raconte des anecdotes à caractère un peu irréel: «Il y a quelques années, le Liberia était au bord de la faillite. Le gouvernement allait même se trouver dans l'impossibilité de remettre les chèques de paye à ses employés. Nous avons alors reçu des coups de téléphone du State Department* qui proposait: «Pourquoi ne prêterions-nous pas de l'argent à ce pays?» Le gouvernement du Liberia n'avait besoin que de 3 millions de dollars, environ. Alors, la Citibank, la Chase et nous-mêmes avons fourni un million chacun, pour le tirer d'affaire.»

Stankard fait remarquer que les prêts accordés aux gouvernements sont quelque peu différents des autres. «Lorsque vous prêtez à un organisme privé, quelle que soit sa taille, il y a toujours un shérif dans le coin pour venir à la rescousse si l'emprunteur décide de ne pas vous rembourser. Mais lorsque vous prêtez à un gouvernement, c'est comme si vous prêtiez au shérif lui-même.» Cependant, il ajoute d'un ton rassurant: «Il y a certaines choses dont tout le monde sur la terre a besoin et l'une d'entre elles est une cote élevée de solvabilité. Les chefs d'État aiment jouir du respect et de la bonne volonté de l'auditoire international. Il est certainement vrai qu'aucune banque ne peut à elle seule influencer les actes d'un gouvernement mais il en va autrement des pressions exercées par le marché.» Il ne faut pas oublier que c'était l'idée de l'Iran de rembourser les banques américaines au cours des négociations relatives aux cinquante-deux otages. Même Khomeiny désirait être en bons termes avec le marché international.

À l'étranger, les banquiers américains jouent un rôle extraordinaire. Un cadre supérieur nous a déclaré: «Ces pays savent que nous pouvons faire en sorte que la croissance annuelle de leur économie soit de 2 pour cent, de 5 pour cent ou de 8 pour cent. La manière dont je suis traité à Washington est plus problématique que la manière dont on me traite à l'étranger.»

G. A. Costanzo, vice-résident du conseil de Citibank, dirige la division internationale qui englobe quatre-vingt-douze pays. Il n'est donc guère surprenant que les hauts fonctionnaires de tous les pays du monde soient anxieux de le rencontrer. «Chaque fois que je me rends à l'étranger, je dois au moins m'entre-

---

*Le State Department est l'équivalent américain du ministère des Affaires extérieures. (Note du traducteur.)

tenir avec le ministre des Finances, le ministre de la Planification, le gouverneur de la banque centrale et, quelquefois, avec le président de la République.» Costanzo et ses banquiers demeurent en contact étroit avec les chefs des États dans lesquels ils traitent des affaires. «Avant de prêter à un pays, je veux connaître l'équipe d'économistes qui le dirige et savoir s'ils sont capables de se débrouiller. Si le type concerné se trompe dans son raisonnement, cela laisse peut-être présager des ennuis et il faut que je sois tenu au courant. Nous devons connaître les dirigeants et les réalités politiques.» Encore plus que dans le cas des prêts aux entreprises, les évaluations doivent aller au-delà des simples chiffres. «L'une des raisons pour lesquelles nous faisons confiance au Brésil, ajoute-t-il, n'a rien à voir avec les chiffres mais dépend de la confiance que nous inspire l'homme qui le dirige. Il arrive également que le dirigeant d'un pays ne nous inspire pas confiance. Et ce sentiment est des plus importants. Les chiffres peuvent paraître favorables aujourd'hui, mais nous devons tenir compte que nous vivons dans un monde en mouvement.»

Les banquiers doivent étudier des situations politiques avec autant de perspicacité qu'ils étudient des bilans. Cependant, en tant qu'hommes d'affaires, ils doivent arborer une attitude neutre face aux affaires intérieures des pays. «Il faut discuter avec tout le monde, conseille Costanzo. Aussi, lorsqu'un nouveau venu se présente au pouvoir, il n'est pas un inconnu. Il faut essayer de deviner qui prendrait les rênes du pouvoir si le gouvernement du moment s'effondrait. Mais il est entièrement faux de penser que nous essayons d'influencer la situation interne d'un pays. Nous ne soutenons pas les prétentions d'un candidat au détriment d'un autre. Quel que soit celui qui prend la tête, nous nous efforçons de garantir qu'il s'est déjà entretenu avec six ou sept représentants de Citibank.»

Les banquiers américains parcourent le monde entier et, par la même occasion, font progresser leur propre carrière. Ils peuvent être nommés à un poste inconfortable en Arabie Saoudite ou goûter à toute l'élégance de la civilisation dans un bureau de Lombard Street, au coeur de Londres. Où qu'ils soient et quelles que soient leurs fonctions, ils en sortiront dotés d'une vision d'ensemble plus large, tant du point de vue personnel que professionnel.

Prenez par exemple ce banquier dans la trentaine, posté en Indonésie: «Je ne vois pas comment on peut espérer parvenir au sommet de l'échelle sans avoir eu l'expérience des affaires internationales. » Sa vaste demeure, perpétuellement climatisée pour lutter contre la chaleur tropicale, est la propriété de la banque. Son épouse et lui l'ont décorée de meubles, tapis, bric-à-brac recueillis lors de leurs séjours à Paris, Nairobi, New Delhi, Hong-Kong et aux Philippines. « Mes expériences sont incroyables et j'ai terriblement progressé. Je n'étais qu'un agent de crédit affecté aux affaires internationales et j'en suis venu à diriger toutes nos activités dans ce pays. Je suis presque sûr de figurer sur les bonnes listes. » Le soleil se couche derrière la palmeraie qui borde sa terrasse. La trompe éraillée d'une mosquée voisine appelle les fidèles à la prière. « Mais je pense qu'il est temps de rentrer au pays, ajoute-t-il d'un air songeur. Là où la haute direction peut me voir. »

Du grille-pain à la technologie de pointe

Bien que les prêts aux compagnies et aux gouvernements soient souvent considérés comme le principal flux artériel de la banque, ils ne sont pas seuls. Ce que l'agent de crédit typique juge peut-être comme étant « le reste du travail bancaire » est en réalité « la majeure partie du travail bancaire ». Et l'expérience professionnelle qu'on peut en retirer est pour le moins variée.

Au cours de sa préparation à l'accès à la haute direction, le banquier se trouvera peut-être en train de diriger un magasin à succursales, de présenter sa stratégie en matière d'opérations boursières, d'administrer un établissement de placements, ou de superviser les activités non industrielles d'une gigantesque « usine ». Ces départements portent les noms respectifs de « détail », « trésorerie », « fiducie et placements », et « opérations ». Chacun d'entre eux est un monde en lui-même, englobant des professionnels et des employés très spécialisés qui progressent au sein de ce monde et y demeurent. Voici ce qui s'y passe et ce qu'y découvrent les généralistes de la banque lorsqu'ils y évoluent.

Détail: Imaginez la surprise du distributeur de General Electric lorsque la Bank of America a commencé à lui envoyer de grosses commandes de petits appareils électriques. Cela, auquel s'ajoutent les queues sans fin de gens énervés qui attendent d'encaisser leur chèque de paye, ainsi que les caisses électroniques qui crachent des billets de 20 dollars, constitue les opérations de détail. L'Illinois, où les lois confinent chaque banque à un seul endroit, faisant exception, il s'agit du système de succursales disséminées sur le marché national.

Ce que les forteresses à colonnes d'antan ont perdu en dignité, elles l'ont gagné en savoir-faire commercial. De nos jours, les cadres supérieurs affectés aux opérations de détail ne sont pas chargés de signer les prêts accordés pour l'achat d'une automobile. Ils s'occupent de planification stratégique, d'ouverture de dossiers, de promotion et de technologie de pointe. Les gens qui dirigent réellement les succursales, qui aident les vieilles dames à encaisser leurs chèques de la Sécurité sociale ou qui accrochent les barrières de velours demeurent généralement au sein du réseau de succursales. Les titulaires de maîtrise en administration des affaires qui s'intéressent aux opérations de détail ont des antécédents en commercialisation plutôt qu'en finance. De même que leurs homologues des finances, ils s'occupent des opérations bancaires des consommateurs à l'échelon de l'institution et doivent résoudre, par ailleurs, les problèmes posés par des établissements non bancaires tels que Merrill Lynch, Sears, American Express et Prudential.

Trésorerie: Dans ce département, les banquiers entament souvent leur journée à 6 heures du matin, à l'heure où les opérateurs à terme interviennent sur les marchés européens. C'est ce département qui achète et vend l'argent acquis par la banque. C'est ce qu'on appelle «le financement» ou «la gestion des valeurs passives». Dans de nombreuses banques, la trésorerie est sur le point de rattraper, sinon de dépasser, en importance, le secteur des prêts. Après tout, personne n'est mieux en mesure de savoir quel intérêt appliquer à un prêt de 50 millions de dollars que les gens qui doivent aller acheter ces 50 millions! Si la trésorerie estime que le coût de l'argent enregistrera une forte hausse dans trois mois, les agents de crédit doivent-ils avoir toute latitude pour offrir des prêts d'un an à un taux fixe égal au taux applicable au moment de la transaction?

Les gens qui se hissent dans la hiérarchie du secteur de la trésorerie sont d'une autre espèce. La plupart d'entre eux sont des opérateurs à terme (voir le chapitre consacré à Wall Street) et ils passent en général toute leur carrière dans cet environnement jumeau de celui de Wall Street. (Cependant les opérateurs à terme qui travaillent dans les banques gagnent beaucoup moins d'argent que leurs homologues des sociétés de courtage.) Le généraliste en affaires bancaires qui est transféré à la trésorerie n'est pas censé devenir du jour au lendemain (ni même jamais) un spéculateur frénétique en valeurs. Le nouveau venu y apprend la mise au point de stratégies et la gestion. En ces temps où l'argent acheté est roi, il s'agit de disciplines qui valent bien la peine d'être étudiées.

Fiducie et placements: Ce département est juridiquement et géographiquement distinct du reste de la banque. L'un des objectifs des rigoureuses lois sur les banques qui furent promulguées pendant la Grande Crise était de s'assurer que les banquiers qui prêtaient de l'argent et les banquiers qui l'investissaient ne se réunissaient pas pour échanger des secrets. En effet, les possibilités d'abus sont terrifiantes.

Les banques ne se contentent pas d'élever une «Muraille de Chine» entre ce département et les autres. Elles entretiennent également un fossé culturel. Les départements fiduciaires ne sont pas des banques commerciales mais des firmes de placements. Elles contiennent une horde de gestionnaires financiers et d'analystes du marché, des comités de sélection des valeurs, et les murs y sont tapissés de graphiques du marché Dow Jones. De nouveau, on peut dire que le jeune banquier affecté au département fiduciaire ne deviendra sans doute pas un gestionnaire financier. Il s'agit là d'une spécialité dans laquelle peuvent s'engager ceux qui veulent en faire une carrière.

Pendant longtemps on a considéré l'affectation au département fiduciaire comme la pire, ou autrement dit: l'impasse. Mais un nombre suffisant de cadres supérieurs y ont passé assez de temps pour que l'on puisse affirmer qu'il s'agit là d'une notion qui ne se justifie plus. Pour quelqu'un qui est destiné à diriger un établissement dont les affaires l'entraînent dans tous les aspects de l'économie, quelle meilleure manière d'apprendre à connaître son territoire qu'un stage efficace à Wall Street? En outre, il y a peu de choses auxquelles le dirigeant d'une banque accorde plus d'attention que la cote en bourse des actions de sa propre banque. Pourquoi ne pas apprendre à connaître les rouages du système?

Opérations: «Ceux qui travaillent dans ce département traitent quelque trois millions de chèques tous les soirs, nous a déclaré un banquier. Si tout ce papier était du métal, nous serions une usine.» D'ailleurs, lorsque le jeune John Reed fut placé à la tête des opérations vers le milieu des années 60, c'est en ces termes qu'il songeait à son travail. Et il révolutionna le monde des opérations bancaires. Il recruta des ingénieurs de production, qu'il persuada de quitter des compagnies manufacturières comme Ford, et leur confia la tâche de superviser les activités d'une armée de commis et d'employés administatifs qui utilisaient encore les méthodes mises au point à l'époque de Charles Dickens.

Les banquiers amadouent rondement leurs clients et semblent exercer un métier plein de prestige. Mais la somme de paperasserie et de travail détaillé qui suit la dernière poignée de main est étourdissante. Encore récemment, la plus grosse partie de ce travail était assumée par le personnel. Aujourd'hui, ce sont les ordinateurs qui se chargent d'une grande partie du fardeau, mais la nécessité veut que les humains soient encore nombreux. À la Chase, environ quatre mille personnes travaillent aux opérations, dont seulement quatre cents environ sont considérées comme des cadres. En dépit de la révolution technologique, la plupart des cadres supérieurs affectés aux opérations estiment que leur tâche exigera d'importants effectifs de main-d'oeuvre pendant de nombreuses années encore.

De même que les aciéries, les départements des opérations travaillent vingt-quatre heures sur vingt-quatre et emploient toutes sortes de travailleurs qualifiés et semi-qualifiés. (Robert Redford travailla jadis dans l'équipe de nuit de la Citibank, tandis qu'il poursuivait ses études à New York. Sa tâche consistait à concilier les soldes des comptes de chèques.) Autrefois le « vilain petit canard » de la banque, le département des opérations connaît peut-être, actuellement, un destin semblable à celui de Cendrillon. « Les départements des systèmes et opérations étaient autrefois négligés, nous dit un banquier international. Le banquier était le financier qui ignorait ce qui se passait dans l'arrière-boutique. Cette attitude était compréhensible à une époque où la main-d'oeuvre était bon marché ; nul besoin de systèmes. Si le volume de travail croissait, il suffisait d'embaucher des employés supplémentaires. Mais aujourd'hui la main-d'oeuvre est si coûteuse qu'on ne peut plus négliger ce secteur. Il est essentiel que tout dirigeant d'une banque possède la capacité de concevoir le matériel et les systèmes qui lui permettront d'accroître la productivité des employés. Pour que nos activités demeurent profitables, il nous faudra acquérir ces compétences vitales. »

En outre, puisque les banques vendent un produit de base, le service devient l'un des rares moyens disponibles pour prendre de l'avance sur ses concurrents. « À quoi bon un élégant agent de crédit, si la banque égare un transfert de 3 millions de dollars?» C'est la question que se pose un cadre supérieur affecté aux opérations. Il est certain que quiconque a été victime d'une erreur commise par la banque au détriment de son compte de chèques abondera dans ce sens.

Une certaine différence culturelle prévaut encore entre les cadres supérieurs du département du crédit et ceux qui sont chargés du département des opérations. Écoutons Nicholas Palermo, premier vice-président chargé des opérations à la Chase: «Nous n'allons toujours pas aux mêmes cocktails, mais nous avons commencé à accompagner les agents de crédit lorsque le moment est venu d'offrir nos services à nos compagnies clientes. Nous nous comprenons mieux. Nous n'avons pas les mêmes antécédents mais nous pouvons certainement gagner de l'argent ensemble.»

Les banquiers qui s'orientent vers le sommet de la pyramide prennent garde de ne pas négliger ce point puisqu'ils passent un certain temps au département des opérations. L'«arrière-boutique» peut se révéler une escale utile pour ceux qui désirent occuper un jour le premier plan.

La puissance et la gloire

Un si large éventail d'emplois étant disponible dans une grande banque, comment déterminer ceux qui offrent les plus grandes possibilités? Il est impossible d'en juger.

En posant la question autrement, quels postes ont permis à ceux qui sont aujourd'hui au sommet de faire progresser leur carrière? Il n'existe pas de modèle absolu.

Tout dépend de la banque, de l'individu et des circonstances. Un rapide survol des bureaux occupés par les cadres supérieurs de la banque aux États-Unis confirmera cette ambiguïté pourtant sans équivoque.

Lorsque la First de Chicago entreprit de découvrir un nouveau président du conseil en 1980, elle rechercha quelqu'un doté d'une grande expérience de la banque et des qualités indispensables de diplomate afin de réconcilier entre elles les factions dressées à l'époque du bouillant Robert Abboud, le dirigeant récemment congédié. La First obtint Barry Sullivan, de la Chase, un vice-président général de quarante-neuf ans, qui avait fait ses preuves dans presque tous les départements de la banque. Son curriculum vitae mentionnait des postes dans les affaires bancaires internationales, avec les sociétés, auprès du service des placements, dans le département des fiducies, des transactions de détail, des opérations, de l'administration et des services d'informations. Il avait également été directeur général de l'agence londonienne de la Chase. Il possédait l'expérience du prêt dans le secteur du crédit à l'échelle mondiale et de la recherche sur le financement des entreprises. Sullivan était, en tant que banquier, un homme aussi complet qu'il était possible d'en trouver. Pourtant, on racontait qu'au moment où il quitta la Chase, il était sur le point d'être battu au poteau de la présidence par un homme de presque dix ans son cadet. Si la First de Chicago n'avait pas eu besoin d'un homme de l'extérieur pour renverser la vapeur, Sullivan aurait peut-être achevé sa carrière dans la déception unique en son genre que ressent celui qui est passé tout près d'atteindre son but, à l'abri d'un revenu supérieur à 400 000 dollars par an.

La Bank of America est bien connue pour la prudence et la lenteur dont elle fait délibérément preuve lorsqu'il s'agit de l'avancement de ses employés. Ses dirigeants principaux ont vécu la totalité de leur carrière en Californie, là où se trouve le siège de la banque. Là-bas, un séjour au service du crédit est le mot de passe de l'avancement. Pourtant, lorsque la banque a choisi le successeur du président sortant, Tom Clausen, en 1981, elle a jeté son dévolu sur un homme de quarante et un ans, qui n'avait pas occupé le même poste plus de deux ans de suite. Samuel Armacost avait dirigé l'agence londonnienne, ouvert un bureau à Chicago spécialisé dans le financement des entreprises, dirigé des affaires bancaires en Europe, au Moyen-Orient et en Afrique du Nord, occupé les postes de caissier et de principal agent financier. Bien que sa carrière n'eût pas été coulée dans le moule habituel, Armacost était étroitement lié avec le président sortant, Clausen.

« Comme tous les autres services, estime un cadre haut placé, la banque attache une grande importance à la personnalité des gens. Ceux pour lesquels ou avec lesquels on travaille, les relations qui se nouent entre les divers joueurs, tout cela est crucial. En dépit de l'objectivité apparente qui régit l'institution, la plupart des événements sont le fruit de la subjectivité et même des rapports personnels entre les gens. »

À quarante-quatre ans, Thomas Theobald est l'un des trois « *premiers vice-présidents généraux* » qui ont été promus vice-présidents du conseil vers le milieu de 1982. C'est un homme élancé, de haute taille, qui porte une chemise blanche et des boutons de manchettes en or gravés au sigle de la Citibank. Son nez et son visage anguleux en font un jeune Basil Rathbone, mais son sourire est toujours gamin et cent pour cent américain. Bien qu'il démontre une contrariété évidente lorsqu'on met le sujet sur le tapis, beaucoup le considèrent comme le candidat le mieux placé pour succéder au président Walter Wriston (qui doit prendre sa retraite en 1984). Bien qu'il soit maintenant à la tête de toutes les activités internationales de la Citicorp, comprenant les rapports avec les compagnies, les gouvernements et les autres institutions financières, il a atteint ces hauteurs exaltantes après avoir occupé une série de postes inattendus.

« Tout le monde pensait que j'étais nommé à des postes impossibles, juste le genre de mission que quiconque désireux de faire progresser sa carrière n'était pas censé accepter. » Si l'on en juge d'après le vaste bureau en coin, situé à quelques portes des bureaux présidentiels, les choix peu orthodoxes de Theobald se sont révélés justifiés. Bénéficiaire en 1960 d'une bourse Baker pour étudier à l'école de gestion de Harvard, il fut attiré vers le secteur bancaire à la suite des appels téléphoniques répétés d'un cadre supérieur qu'il avait rencontré lors d'un dîner parrainé par la banque. Theobald affirme qu'il ne s'était rendu au dîner que dans l'espoir d'un repas gratuit.

Après qu'il eut rempli quelques tâches en qualité d'agent de crédit, puis participé aux recherches d'un groupe de travail sur les opérations de crédit-bail, sa requête en vue d'une affectation à l'étranger fut acceptée et il eut la possibilité de partir pour l'Australie, afin d'y cogérer une petite compagnie financière dont la banque avait acquis la moitié du portefeuille. « C'était un travail de comptabilité qui occupait une dizaine de personnes. Un peu comme le service financier d'une chaîne de détaillants, comme la société de crédit de Sears, par exemple. Mes amis me trouvaient stupide, étaient sûrs qu'on allait m'oublier de l'autre côté du monde. Mais là-bas, je n'avais pas de patron », ajoute-t-il en souriant.

Ses réalisations aux Antipodes lui valurent un « autre poste impossible ». Lorsqu'il revint aux pays, on l'expédia au département fiduciaire, traditionnellement le cimetière des carrières de banquiers. « Le travail était si mal réparti, explique-t-il, que le type pour lequel je travaillais ne savait même pas que j'avais été affecté dans son service. » Il a certainement dû faire quelque chose de bien pendant cette affectation, car l'escale suivante fut le secteur international, qu'il dirige maintenant, à la suite de plusieurs promotions.

Il jette un coup d'oeil à l'antique taureau peint originaire de l'Inde qui se dresse sur un socle à côté du bureau et ajoute : « J'ai toujours fait ce qui m'intéressait, sans me soucier de ce qu'allait être l'étape suivante. » Son bureau ovale de marbre vert est nu à l'exception d'un petit réveil et des quelques documents qu'il étudie présentement. « C'est la tactique habituelle des gens qui arrivent à la Citibank de rechercher les départements « en plein essor ». Mais ils perdent entièrement leur temps. Cet organisme contient tant de rouages différents qu'aucun d'eux ne fait l'objet d'une préférence. En outre, nous entamons une réorganisation tous les deux ans. C'est pourquoi, même si vous avez commencé dans une division « en plein essor », il est fort possible que vous vous trouviez en queue quelques années plus tard. Il est beaucoup plus prometteur de faire en sorte de vous distinguer que de tenter de découvrir quel est le secteur le plus bouillant de la compagnie. »

En causant avec lui, on a l'impression qu'il dissèque tous les aspects possibles de ses réponses, tout en continuant de parler. « Je suppose que les caractéristiques que je recherche chez les autres sont celles dont j'essaie moi-même de faire preuve : un sentiment de curiosité quant au comment et au pourquoi des choses, des efforts pour se poser des questions et pour trouver des solutions qui dépassent peut-être les limites les plus strictes du travail qu'on doit faire. » Il ajoute que les gens qui concoctent de faux problèmes finissent par se faire du tort. « Mais si vous savez identifier les questions ou des possibilités qui peuvent être utiles à l'essor de la banque, vous ferez là, je crois, quelque chose de positif. »

Le secret est de se faire remarquer, quelles que soient les tâches qui vous incombent, mais d'une manière qui demeure en harmonie avec le caractère particulier de la banque en question. Chaque banque possède son propre style, sa propre personnalité et il est essentiel de savoir s'y conformer. Il convient également de tempérer son ambition grâce à des compétences pratiques en matière bureaucratique.

Un vice-président plein d'ardeur fait le point et déclare, à propos de son cas personnel : « Au stade où je suis parvenu, je n'ai plus besoin de faire mes preuves. Les gens savent qui je suis. Le président de la banque me connaît de nom. Il ne me connaît peut-être pas très bien, mais il sait que j'existe. Quant aux premiers vice-présidents, il est incontestable qu'ils me connaissent. Je sais que je suis sur la liste des gens que la banque estime devoir un jour nommer premiers vice-présidents, mais il faut que je joue correctement mes cartes. Si je me tiens tranquille, sans faire trop de bruit, j'obtiendrai ma promotion dans quatre ou cinq ans. Mais parfois, il m'arrive de penser que je serais capable de l'obtenir dans un ou deux si je prenais des risques. Bien sûr, je peux aussi tout faire rater. C'est pourquoi il faut que j'évalue jusqu'où je peux m'engager, que je décide des compromis que j'accepterais de faire. »

Les financières

La banque offre de grandes possibilités aux femmes de nos jours. Il est évident que les directions des grandes banques ne s'engagent pas personnellement à recruter des femmes, mais elles ne semblent pas non plus avoir de préjugés à leur égard.

« N'était la EEOC*, déclare une vice-présidente, je ne serais pas ici. Je m'en rends très bien compte. Mais on peut dire, à l'avantage des banques, qu'elles sont beaucoup plus progressistes à l'égard des femmes que beaucoup d'autres entreprises. Cela n'a encore rien de fantastique, mais si vous faites la comparaison avec le secteur manufacturier, vous verrez la différence. Cependant, je crois que les banques nous offrent des possibilités surtout parce que cela fait leur affaire ! »

Et pour cause ! « Les banques sont les cibles favorites de la EEOC, annonce un banquier qui parle par expérience. Elle s'est montrée particulièrement dure avec nous à propos des femmes et des minorités. Pourtant, je suis d'avis que les femmes se débrouillent bien dans le secteur bancaire et qu'elles continueront de le faire. Le programme de formation est une bonne introduction et les banques offrent aux femmes de belles possibilités. C'est un métier agréable, propre, pour gens bien élevés. Il est orienté vers les relations humaines. Je veux dire par là que si vous demandez à une femme si elle préférerait vendre de l'acier industriel ou entrer dans une banque, je ne crois pas que sa réponse laisserait place au doute. »

*La EEOC (Equal Employment Opportunity Commission) est l'organisme gouvernemental américain chargé de défendre l'égalité d'accès à l'emploi. (Note du traducteur.)

Aujourd'hui, les effectifs de la plupart des programmes de formation offerts par les banques sont composés de 25 à 40 pour cent de femmes. On ne compte plus les vice-présidentes dans les grandes banques et certaines ont même atteint l'échelon des premiers vice-présidents. « Vous ne trouverez pas de femmes parmi les dirigeants, déclare une vice-présidente pleine d'ambition, mais cela ne doit pas vous surprendre. Lorsque je suis entrée ici, il y a quatorze ans, il n'y avait pas de femmes du tout. » Le temps et l'accroissement démographique jouent en leur faveur.

« Les préjugés sont relativement minimes explique le chef du personnel de Morgan, Bruce Brackenridge. Le plus gros problème que me posent les vice-présidentes est qu'elles reçoivent des offres d'autres compagnies au bout de quelques années. »

Les femmes sont un fait accepté de l'univers bancaire, au sein de tous les rouages de l'organisation. Cependant, quelques obstacles existent encore, qui ne sont pas du ressort de la haute direction. « Dans certaines régions du monde, les femmes ne peuvent réussir, explique une vice-présidente de la section des affaires internationales. Par exemple le Moyen-Orient, l'Amérique latine, certains pays d'Asie. Mes tout premiers clients furent des Japonais. Je me souviens d'avoir été invitée à déjeuner à un club avec les autres agents de la banque. Les Japonais ont poliment salué tous les autres et sont passés devant moi comme si je n'existais pas. Cependant, je dois dire que deux mois après ils me téléphonaient pour me poser des questions à propos de leurs entreprises. On a toujours l'impression de débuter bien en dessous de zéro, de se hisser jusqu'à zéro, puis de progresser normalement ensuite. »

Comme dans les autres secteurs, la question est de savoir jusqu'où les femmes pourront progresser. Brackenridge imagine difficilement une femme présidente d'une grande banque au cours des dix prochaines années. Mais au cours des vingt prochaines années ? « J'espère... commence-t-il, non, que dis-je, je serais surpris que cela n'arrive pas au cours des vingt prochaines années. Quelqu'un m'a demandé l'autre jour de dresser la liste des dix personnes d'environ trente-cinq ans qui, d'après moi, possédaient le plus de potentiel dans notre division nationale. Savez-vous que parmi ces dix personnes, cinq étaient des femmes ? »

Les chocs du futur

Les services financiers seront le principal champ de bataille sur lequel s'affronteront les membres du monde des affaires dans les années 80. Déjà, les lignes de démarcation qui séparent les banques des compagnies d'assurances, des sociétés de courtage, des sociétés d'épargne et de prêt, des détaillants, des caisses de crédit, des compagnies financières et autres établissements de ce type sont floues. Même les compagnies sidérurgiques, les géants de l'électronique, les conglomérats, ont acheté des parts dans des compagnies de services financiers. Tout le monde veut entrer en lice.

Dans la bataille pour quelques dollars de plus, les banques semblent à première vue les mieux placées, étant donné leurs ressources en capitaux, leur expérience, leurs capacités en matière d'exploitation. Mais elles sont assujetties à la réglementation la plus stricte. Pour entrer efficacement en concurrence avec les semblables de Merrill Lynch, American Express, Sears, et autres, les banques seront obligées de faire refondre nombre de lois qui réglementent la manière dont elles peuvent traiter leurs affaires. Ce travail est déjà entamé mais il est trop tôt pour déterminer quel type de compagnie terminera la mieux placée.

Quel que soit l'aspect que revêtiront dans l'avenir les marchés de services financiers, les banquiers y pénétreront avec la conception des gens qui ont vécu leur carrière dans les institutions que nous appelons aujourd'hui des « banques » et qui sont différentes des sociétés de courtage, des compagnies d'assurances, des compagnies de vente au détail et des entreprises de télécommunications. Un cadre supérieur d'une banque, qui a quitté un secteur d'activités délirantes pour entrer au département des opérations, le plus frénétique de la banque, nous explique clairement la situation : « Par comparaison, on peut dire que les banques ne sont pas des cocottes-minutes. Une banque est un endroit civilisé. Les décisions sont prises de manière bien plus rationnelle que dans l'entreprise d'où je viens. Là-bas, on commençait à travailler à 7 h 30 du matin et on se débattait comme des forcenés jusqu'à 7 h 30 du soir, puis on rentrait chez soi complètement épuisé. J'étais au départ désorienté par le travail bancaire, par cette manière d'agir plus logique et plus mesurée. J'avais l'impression de me tourner les pouces. Je me demandais comment je pouvais ne pas rentrer chez moi à moitié fou, comment j'avais fait pour ne pas passer ma journée à courir!»

Même si on le compare avec les autres domaines financiers, le domaine bancaire est plus tranquille. «La banque d'affaires est un travail de fous, déclare un jeune agent de crédit. On débute à 45 000 dollars et, si on devient l'un des associés, on est riche avant d'avoir quarante ans. Mais si on divise son salaire par le nombre d'heures de travail, on obtient tout juste le salaire minimal. La pression est incessante. On y passe quatre-vingt pour cent de son temps à essayer de conclure de nouveaux contrats et le reste à simplement entretenir les relations avec les clients. Ici c'est tout le contraire. Si vous voulez mener une existence civilisée, tout en conservant un certain niveau de vie, entrez dans une banque commerciale.»

En mettant en parallèle la vie dans le secteur du courtage avec son expérience de banquier commercial, Peter Cohen, vice-président de Shearson-American Express, fait remarquer: «En tant que banquier, je me suis aperçu qu'il y avait moins de décisions à prendre quotidiennement. Beaucoup pouvaient être reportées. Par conséquent, j'étais soumis à une pression moins forte.»

L'ancien vice-président général de Morgan, Alexander Vagliano, déclare: «Contrairement à de nombreuses entreprises de services, nous avons des activités indépendantes de notre clientèle. Nous avons d'autres sources de profits. Notre affaire est à nous. C'est pourquoi nous n'avons pas cette impression d'être au pied du mur chaque fois que nous discutons avec un client.»

Par conséquent, la banque est toujours, dans une large mesure, un métier de gentlemen. Elle offre également plus de possibilités d'accueil aux gens qui ne sont pas dévorés par l'ambition que les entreprises où il faut absolument grimper si on ne veut pas se retrouver dehors. «J'ai connu des gens brillants qui figuraient sur les bonnes listes, nous déclare un banquier expérimenté, et qui ont simplement choisi de ne pas monter plus haut. Ils se sont spécialisés dans un domaine qui leur plaisait et y ont vécu tout le reste de leur carrière. Certains ont des activités extérieures qui les intéressent tout autant. Nous considérons cette attitude comme tout à fait légitime, sinon admirable.» D'autre part, il est encore très difficile d'être mis à la porte d'une grande banque. Pas aussi difficile que jadis, mais difficile tout de même.

Il est très gratifiant de travailler avec de grandes compagnies prestigieuses, dit un banquier. Ici, les gens sont portés à réaliser des choses et à nouer des relations. Lorsqu'on est en contact avec des grands, on finit par éprouver un sentiment de puissance, de statut hiérarchique élevé. Et je crois que cela compte pour beaucoup de banquiers. Lorsque je parle de mon identité personnelle, je m'aperçois que je me perçois par rapport aux critères de ma banque. C'est un transfert de puissance. Et lorsque vous pensez aux dirigeants d'une compagnie, vous ne les imaginez pas en tant que particuliers mais en tant que clones de l'établissement qu'ils représentent. »

La taille d'une grande banque et l'éventail de ses activités permettent aux employés de bénéficier d'une expérience personnelle dont le caractère diversifié n'a pas d'égal. « La banque relie tant de choses les unes aux autres... elle fait des banquiers des gens plus intéressants », explique l'un d'entre eux. Bien que cette affirmation puisse certainement être contestée, il est évident que les banquiers en apprennent tous les jours, tout au long de leur carrière.

Après plus de quarante ans, P. Henry Mueller, déclare être toujours aussi intéressé par le contenu didactique de son travail. « On en apprend tous les jours. On doit se renseigner sur tout ce qui concerne Chrysler, par exemple, d'où cette compagnie tire son argent, comment elle va le dépenser. Et il en va de même pour les pays. On apprend continuellement des choses sur le fonctionnement du monde. C'est fascinant. »

Écoutons un autre cadre supérieur d'une banque: « Le banquier consciencieux ne se repose jamais. Tout ce qui arrive dans le monde peut avoir un impact spectaculaire sur les affaires bancaires. Si vous êtes employé par une compagnie qui fabrique des aliments pour chiens, le nombre de boîtes de pâtée que vous vendez ne sera d'aucune façon déterminé par les interventions de l'URSS en Afghanistan ou en Pologne. Toutefois, de telles actions ont une influence sur le dollar, l'or et les taux d'intérêt. Personnellement, je ne peux me permettre d'ignorer ce qui se passe dans le monde. »

En fin de compte, c'est ce sentiment de participer aux événements du monde qui différencie la banque des autres institutions. La fascination qu'elle exerce n'est certainement pas le fait d'une cupidité démesurée. Bien sûr, les banquiers sont bien payés. Mais bien que les revenus des dirigeants les plus haut placés varient entre 500 000 et 650 000 dollars, les magnats d'autres industries gagnent couramment deux, trois et quatre fois plus d'argent.

Walter Wriston a très justement résumé dans une entrevue datant de plusieurs années ce qu'est un banquier. Bien qu'il ait contribué, plus que personne, à faire éclater le moule dans lequel devait traditionnellement être coulé tout banquier, la mentalité de l'espèce ne lui a pas échappé: «Travailler pour la Citibank représente pour moi un passeport d'admission aux événements du monde entier. Il n'y a pas de passeport qui équivale celui-là. J'y pense souvent lorsque je regarde la télévision le samedi soir et que j'aperçois sur l'écran une ville, comme Bangkok, Rio ou une autre. J'établis immédiatement un contact avec ce qui se passe sur l'écran. Je suis allé là-bas, j'ai vu cette ville, j'ai parlé aux gens qui y vivent et c'est une sensation palpitante. Un petit garçon du Wisconsin n'a guère de chance de rendre un jour visite au Premier ministre britannique! Pourtant, je l'ai fait. Non pas parce que je m'appelle Wriston — je ne me fais jamais d'illusions à ce sujet — mais parce que je travaille pour la Citibank.»

les créateurs

Ils représentent les moyens de communication.
Leur vie est vouée à la séduction d'un public.

QUOTIDIENS ET PÉRIODIQUES
Le spectre du tirage

Plus que de l'argent

Les ours se dressent dans le bureau d'Otis Chandler, du haut de leurs deux mètres soixante-dix. Tous crocs et griffes dehors, ils se dévisagent en grimaçant silencieusement de chaque extrémité de la pièce : le grizzly brun foncé près de la porte, l'ours polaire d'un blanc sale près de la fenêtre.

Chandler les a tous deux empaillés à la suite d'expéditions de chasse. Au-dessus du canapé, une photographie prise au grand angulaire représente la salle des trophées de sa résidence secondaire. Sa passion pour le gros gibier est évidente si l'on en juge par le nombre d'animaux empaillés et montés sur socle qu'elle contient. Sa vie d'homme d'affaires semble également corroborer cette impression.

Lorsque l'héritier de la famille Chandler vint occuper, en 1960, la place qui lui revenait de droit, soit celle d'éditeur du *Los Angeles Times*, le quotidien était prospère et lucratif, mais on jugeait qu'il ne valait pas grand-chose comme journal. Il était reconnu pour ses préjugés politiques et son provincialisme. Tenant bon contre les pressions exercées par sa propre famille et par l'«establishment» de la Californie méridionale (dont il est un membre privilégié), Chandler commença à métamorphoser le *Los Angeles Times* en une centrale journalistique. Il embaucha d'abord de bons journalistes venus des quatre coins du pays et créa ensuite l'environnement qui allait permettre à son journal de devenir l'un des organes d'information les plus respectés et les plus influents.

«Je suis très fier de la réputation du *Los Angeles Times*, déclare cet ancien champion du lancer du poids, dont la chevelure blonde et le corps musclé démentent les cinquante-quatre ans. En vingt ans, nous avons réussi à transformer un quotidien médiocre (l'un des dix plus mauvais du pays en 1958) et à le placer au rang des trois meilleurs. Il peut occuper la première, la deuxième ou la troisième place, selon la liste où il figure. »

En outre, au fur et à mesure que la compagnie de Chandler, Times Mirror, faisait l'acquisition d'autres journaux dans tout le pays, Chandler lui-même poursuivait le même objectif: « Newsday est devenu l'un des meilleurs journaux du pays. En fait, comme Newsday a été reconnu comme l'un des dix meilleurs, nous sommes la seule compagnie à compter deux journaux sur la liste, ajoute-t-il. Partout où nous allons, nous dérangeons l'« establishment » et je crois que c'est bon signe. Les nombreux marchés que nous avons pénétrés étaient habitués à des journaux partiaux, qui appuyaient toujours les initiatives de la ville ou des compagnies dominantes. Laissez-moi vous dire que ce n'est pas le rôle d'un quotidien. Les gens nous demandaient pourquoi nous détruisions leur journal local mais ce n'était pas notre intention. Nous désirions simplement acquérir notre indépendance d'organe de presse, attitude qui leur était encore étrangère. »

Chandler est un homme d'affaires, non un Croisé. « À mon avis, un journal ne peut qu'être indépendant. À long terme, une telle attitude lui gagnera plus de respect et un plus grand nombre de lecteurs. À la suite de quoi, il recevra des offres d'annonces publicitaires et sera capable de hausser ses tarifs, accroissant ainsi ses bénéfices. » Les bénéfices, en effet, n'ont guère boudé. La Times Mirror Company, dont Chandler a été nommé président en 1980, possédait un quotidien à sa fondation et est devenue un conglomérat des communications de 2,1 milliards de dollars. Elle possède neuf journaux, sept stations de télévision, quatre magazines de diffusion nationale, des compagnies d'édition, des fabriques de pâte à papier, des services de traitement de l'information, des entreprises de télévision par câble et diverses autres entreprises. Mais c'est le secteur journalistique, en général, et le Los Angeles Times, en particulier, qui font d'Otis Chandler un personnage national bien plus important que le président de toute autre compagnie de 2,1 milliards, ou même de 20 milliards, spécialisée dans la fabrication de chaises ou d'équipement de forage.

Chandler est un magnat des médias. Ceux-ci et plus particulièrement les quotidiens, représentent les tribunes publiques possédées par des compagnies privées, où la société est analysée et qui permettent l'échange des idées. Au cours des vingt dernières années, on a assisté à une évolution darwinienne.

Ville après ville, un journal unique en est venu à dominer ou à monopoliser le secteur, les autres concurrents ayant disparu ou ayant été pratiquement anéantis. La propriété des journaux est progressivement passée des familles locales aux grandes «chaînes» de compagnies.

La compagnie de Chandler a été l'une des principales bénéficiaires de cette évolution. Celui-ci estime-t-il que cette concentration du pouvoir est profitable à la société? «Non, répond-il. Mes sentiments sur la question sont mitigés. Les gens sont troublés par la tendance actuelle, qui vise à donner la prééminence à des journaux dominateurs, détenteurs d'un monopole. Ils ne sont pas favorables à des chaînes de journaux ou à des compagnies qui possèdent plusieurs médias. Ils estiment que c'est néfaste, que cela comprime le nombre d'opinions publiques qui se font entendre sur divers sujets. Et ils ont raison. En théorie, nous pourrions envisager de publier une deuxième page éditoriale dans laquelle nous laisserions vingt ou trente chroniqueurs ou rédacteurs exprimer des opinions différentes.

Mais cela n'aurait quand même pas la même portée que celle qu'entraîne la possession de deux journaux concurrents par la même compagnie».

Dans une industrie où la concentration de propriété est de plus en plus courante et où la concurrence est en perte de vitesse, les gens qui dirigent les compagnies exercent un pouvoir sans aucune proportion avec le montant des bénéfices de leur compagnie. Il suffit de lire le paragraphe suivant, extrait d'un article publié par le *New York Times*, le 29 mars 1981.

«Arthur Ochs Sulzberger, éditeur du *New York Times*, a organisé le traditionnel cocktail offert annuellement aux membres du bureau que le quotidien occupe à Washington, ainsi qu'aux amis et connaissances de l'éditeur, parmi lesquels on compte plusieurs membres haut placés du gouvernement ou des gouvernements précédents. Parmi les quelque cent invités au Club Metropolitan, se trouvaient M. Bush, vice-président, M. Warren Burger, président de la Cour, et l'ancien secrétaire d'État, M. Henry Kissinger, M. Paul Volcker, président de la banque centrale américaine et M. David Stockman, directeur du bureau de gestion et du budget.»

A l'instar de Chandler, Arthur Sulzberger, connu au *Times* sous le sobriquet de «Punch», est l'héritier et le président de la compagnie multi médias créée autour de son célèbre quotidien. Cependant, avec un chiffre de ventes de 845 millions de dollars, la New York Times Company est d'une taille inférieure à la moitié de la Times Mirror Company. Dans le contexte des grosses entreprises, un chiffre d'affaires de 845 millions serait presque suffisant pour constituer une division d'une compagnie industrielle de taille.

Pourtant, il existe peu de présidents de compagnies qui seraient capables de rassembler une brochette d'invités aussi distingués. Il est évident qu'il ne s'agit pas d'une influence que l'on peut mesurer d'après les millions de dollars de recettes ou les avoirs détenus. Il s'agit de tout autre chose.

Le New York Times est un organe dont l'influence dans le monde entier est impressionnante. Le quatorzième étage du bâtiment du Times est tout aussi impressionnant: il possède les salles caverneuses et les plafonds élevés d'un club sélect de gentlemen des années 1900. Les voix y sont assourdies, le mobilier y est massif et traditionnel.

Sulzberger, lui-même, est cependant un homme affable et simple de cinquante-six ans, de constitution moyenne, aux cheveux bruns. Il travaille en manches de chemise derrière un vieux bureau imposant. « C'est le métier le plus palpitant du monde. Nous fabriquons un nouveau produit chaque jour! Le procédé se répète mais le produit n'est jamais le même. »

Comme Chandler, il est avant tout un homme d'affaires. Ayant acquis pour la compagnie dix-huit autres journaux, il les considère comme des investissements. Les critères sont en premier lieu d'ordre économique. « J'étudie le marché et j'essaie de déterminer ce que je ferais si je possédais le journal en question. Je pourrais utiliser des techniques de tarification et de vente plus agressives. Je pourrais investir dans de nouvelles installations et dans un nouveau matériel. Je pourrais refondre le produit. C'est ainsi que nous avons amélioré la qualité du quotidien de Lakeland, en Floride, et en avons fait le quotidien possédant le pourcentage de croissance le plus élevé du pays. »

Mais ce n'est pas à cause de l'expansion du Lakeland Ledger que les candidats à la présidence font dûment leur entrée dans les salles à manger pour y être invités à déjeuner et analysés. Ils viennent parce que le New York Times doit décider quel est l'homme dont il soutiendra la candidature à la présidence.

Punch Sulzberger consacre la plus grande partie de son temps à effectuer les mêmes tâches que n'importe quel directeur général. Cependant, en qualité d'éditeur du New York Times, il explique: « Vous devez parfois retrousser vos manches et vous attaquer à l'actualité. » Ce qui peut aller jusqu'à écrire l'Histoire et même ébranler des gouvernements. « Dans certaines occasions, vous découvrez des instruments épineux et délicats, tels que les documents du Pentagone. Dieu merci, cela ne se produit pas tous les jours! Mais d'autres questions moins vitales surgissent également de temps en temps. Il est incontestable que la prise de décisions concernant l'actualité et la rédaction représente la tâche la plus agréable. » L'actualité et la rédaction représentent effectivement les tâches les plus agréables et ce sont elles qui font de l'édition une industrie bien différente des roulements à billes ou du ciment.

Tout le monde peut apercevoir les produits de cette industrie à la devanture des kiosques à journaux. Il suffit d'entrer dans le vestibule d'un édifice administratif, de se rendre au coin de la rue, ou de pénétrer dans le centre commercial local. Là, une variété étourdissante de publications est empilée, alignée sur les porte-journaux: le *New York Times*, le *Wall Street Journal*, le *National Enquirer* voisinent avec *Scientific American*, *Vogue*, *Saturday Review*, *Sports Illustrated*. Une seule et même industrie: l'édition. Les journaux enregistrent annuellement plus de 17 milliards de dollars de recettes provenant des annonces publicitaires. Les cent premiers magazines d'intérêt général enregistrent à eux seuls plus de 3 milliards. Et puisqu'il existe plus de cinq cents magazines d'intérêt général en tout, et plus de dix mille périodiques à l'échelle du pays, les recettes totales des magazines dépassent de beaucoup ces chiffres.

L'industrie est à la fois centralisée et fragmentée. Des compagnies géantes occupent l'horizon des quotidiens et des magazines ainsi que d'autres médias: La Hearst Corporation, le groupe Newhouse, Knight-Ridder, Times Inc, Times Mirror, Gannett et autres. Mais les nouveaux venus ou les indépendants, tels que *Rolling Stone* et *Savvy*, ou le journal local destiné aux acheteurs peuvent aussi se trouver un public et se tailler une part du marché.

Le monde de la presse est caractérisé par la diversité et par l'individualité et présente de nombreux points communs avec la mosaïque de couvertures que l'on retrouve dans les kiosques à journaux. Mais seule une infime partie du processus est visible pour le public. Quelle que soit la publication, ce processus est toujours le même: fabriquer un produit de publication et inciter le public à le lire régulièrement. L'obtention d'un certain nombre de lecteurs s'appelle le « tirage ». Lorsque cette étape est franchie, les annonceurs payent pour que leurs biens ou leurs services fassent l'objet d'annonces publicitaires dans la publication, laquelle commencera alors à enregistrer des bénéfices. Bien que la formule paraisse simple, l'édition de journaux est un travail complexe. De nombreux talents sont nécessaires pour l'exécuter, des missionnaires passionnés aux mercenaires exsangues. Elle sert plusieurs types de clients et d'électeurs différents. Elle opère sur un marché d'idées, qu'il s'agisse d'*Atlantic Monthly* ou de *Simplicity Patterns*. Contrairement à la majorité des activités économiques, l'édition encadre, reflète, influence notre identité, nos désirs, l'avenir de notre société.

Bien que le produit de l'édition et le travail de l'éditeur soient liés, ils se considèrent eux-mêmes distincts. Sous de nombreux rapports, cette distinction est justifiée.

Commençons notre étude par cette espèce singulière que l'on nomme «les journalistes».

La parole est à ceux qui écrivent

Les salles de rédaction sont beaucoup plus tranquilles en réalité que dans les films de jadis. Tout d'abord, les sols sont moquettés. D'autre part, seulement quelques irréductibles enfoncent encore bruyamment les touches de machines à écrire jacassantes. Les journalistes d'aujourd'hui travaillent devant les claviers silencieux de terminaux, scrutent l'écran sur lequel les mots se matérialisent dans le vert étrange des rayons cathodiques. Même la salle des communications est calme. Les imprimantes automatiques des services de presse se déclenchent par saccades en n'émettant qu'un bourdonnement, tels des insectes de métal, tandis qu'elles captent mot pour mot les rapports qui proviennent des quatre coins de la planète. Bien sûr, la salle de rédaction contient toujours des bureaux. Ils occupent un étage entier du bâtiment et sont rassemblés en fonction des divisions du journal: actualité internationale, actualité nationale, nouvelles municipales, sports, peut-être les affaires, cette nouvelle division consacrée au mode de vie, et les rubriques consacrées aux banlieues.

À la périphérie de la salle de rédaction se trouvent les bureaux vitrés des rédacteurs en chef. On ne sait jamais qui surveille qui. Les téléphones grésillent un peu partout dans la pièce. Des messages se font entendre dans différentes directions. Des conférences, des séances de potins et, occasionnellement, de badinage, se déroulent çà et là. Seulement la moitié des bureaux des journalistes est occupée à un moment donné. Car le travail du reporter consiste à aller chercher la matière de ses articles.

Mais la plupart des journalistes considèrent qu'ils font beaucoup plus que simplement gagner leur vie en rédigeant des articles sur l'actualité. « Un journaliste doit avoir le sentiment de remplir une mission, estime Otis Chandler. C'est nécessaire pour devenir vraiment bon. Il doit être convaincu que ce qu'il fait est très important pour tous. Les journalistes doivent jouer le rôle de chevaliers : porter l'épée, combattre la corruption, préserver la sécurité du public, défendre le droit du public de savoir ce qui se passe dans la collectivité et dans le monde. »

Les sagas épiques du type Watergate et l'affaire des documents du Pentagone ont montré au public l'impact et l'importance du rôle social des journalistes. Woodward et Bernstein sont presque devenus des héros nationaux. Au cours des années qui suivirent l'affaire Watergate, les demandes d'inscription dans les écoles de journalisme sont montées en flèche, un événement sans précédent. Osborne Elliott, doyen de la prestigieuse école de journalisme de l'Université Columbia et ancien directeur de rédaction de *Newsweek* explique : « Les journalistes estiment que leur métier demande une vocation plus forte que la plupart des professions. Les bons journalistes jugent, de surcroît, qu'ils ont une responsabilité plus grande que les autres professionnels. »

Écoutons Robert Phelps, rédacteur en chef technique du *Boston Globe :* « Les bons journalistes doivent brûler du désir de transmettre l'information et de réaliser le rôle du journal dans la vie publique. Nous devons absolument croire ce que nous disons de nous-mêmes. Nous devons jouer le rôle de courtiers des idées. Autrefois, lorsque huit journaux étaient publiés dans une seule ville, chacun d'entre eux pouvait refléter un point de vue différent. Le client achetait le journal qui correspondait à ses idées propres. Mais cette situation n'existe plus. C'est pourquoi il est très important que les journalistes dévoilent le maximum d'informations au public. »

Tout bon journaliste doit être à la fois engagé et détaché. Edward Cony, vice-président chargé de l'actualité au *Wall Street Journal*, ancien directeur de la rédaction et lauréat d'un Prix Pulitzer pour ses enquêtes, déclare : « Il est important que la société dans laquelle vous exercez votre métier vous fournisse quelques préoccupations de base. Il est également capital d'être un sceptique, à propos de tout et de tout le monde, tout en étant cependant conscient, dans une certaine mesure, de vos propres préjugés. »

Mais les lourdes responsabilités ne sont qu'un aspect du travail. « La plupart des journalistes se considèrent très chanceux, ajoute Osborne Elliott. En effet, ils sont payés pour faire quelque chose qui consiste essentiellement à prendre du bon temps. » Pensez-y. Les journalistes sont envoyés autour du monde pour se préoccuper des événements importants. Ils sont chargés d'écrire sur les aspects les plus intéressants de la vie. « Un bon journaliste doit être absolument curieux ou indiscret à propos de tout ce qui se passe autour de lui », déclare Allen Neuharth, directeur général de Gannett, la plus grosse chaîne de quotidiens du pays. Neuharth est lui-même un ancien journaliste. « J'estime que le journaliste doit avoir une fenêtre ouverte sur le monde. Il doit toujours occuper les premières loges face à tout ce qui se passe dans la région où il se trouve. Et il s'agit là d'une place imbattable ! »

Le matériel essentiel de tout journaliste est ce que l'on appelle « le sens de l'actualité ». De même que le bon sens, le sens commun, il est en partie inné et en partie acquis. Il consiste à deviner ce qui doit ou ne doit pas faire l'objet d'un article.

« Il faut réagir personnellement face aux événements, déclare Mitchel Levitas, rédacteur en chef de l'article « Week in Review », publié le dimanche dans le *New York Times*. Si un événement vous intéresse, il y a des chances pour qu'il en intéresse d'autres. Il vous faut le croire. Un article doit être intéressant, révélateur, important ou opportun. Il doit posséder ces caractéristiques mais pas nécessairement dans cet ordre. »

Tout journaliste rêve d'un grand reportage exclusif, d'être présent au moment où se déroulent des événements historiques : une guerre, une invasion, une émeute, un coup d'État, la mort d'un héros. Richard Clurman, autrefois à la tête des correspondants du magazine *Time*, apprenait aux journalistes aspirants que le chemin de la gloire leur serait ouvert s'ils parvenaient à déterminer quelle partie du monde serait la prochaine à entrer en ébullition et à s'y rendre. En apprenant le maximum de choses à propos du pays, le journaliste pouvait espérer voir ses connaissances atteindre des proportions satisfaisantes avant que la situation n'explose. Il est évident que le journaliste doit apprendre l'art délicat de se trouver au bon endroit, au bon moment, à moins qu'il puisse se payer le luxe de se fier entièrement à sa bonne étoile.

Alors jeune journaliste employé par le service de presse de United Press International, Harrison Salisbury eut l'occasion de concocter quelques bons articles. Il vécut la fin de l'ère des gangsters de Chicago et les années du New Deal à Washington. Mais il réussit vraiment à percer dans sa profession après la Deuxième Guerre mondiale, alors qu'il séjournait pour la seconde fois à Moscou en qualité de correspondant du *New York Times*. Il avait espéré obtenir un poste prestigieux, à Paris par exemple. Mais manque de chance, il se retrouva de nouveau soumis au terrible hiver russe.

Un judicieux travail de planification de carrière lui révéla que son séjour de trois ans risquait d'être trop long. « La seule chose qui me retenait là-bas, c'était que j'étais certain qu'il y aurait un article exclusif à écrire au moment de la mort de Staline », raconte l'éminent vétéran, maintenant retraité, du journalisme américain. Sa silhouette élancée est couronnée de cheveux argentés. « C'était probablement un risque trop élevé mais je l'ai pris. Et j'ai gagné mon pari : Staline est mort et tout s'est déchaîné. » C'était bien d'U.R.S.S. que l'article en exclusivité devait provenir et il fut imprimé dans le cadre de la chronique de Harrison Salisbury. Il avait suivi les événements depuis les premières loges. Plus tard, il écrivit un livre qui remporta le Prix Pulitzer et fut accueilli comme une célébrité à son retour aux États-Unis.

Mais c'est en écrivant des articles sans grande importance que le journaliste gagne ses galons et apprend son métier. Osborne Elliott débuta comme jeune reporter auprès du *New York Journal of Commerce*, chargé des articles concernant les métaux non ferreux, sujet dont il ignorait tout. « Mais j'ai appris que dès qu'on commence à s'intéresser à un sujet quelconque, tout peut devenir intéressant, dit-il. Je crois que c'est ainsi que l'on peut essentiellement décrire le journaliste : quelqu'un qui est susceptible de s'intéresser à n'importe quoi. » N'oublions pas que Woodward et Bernstein n'étaient, à l'époque de Watergate, que d'humbles journalistes chargés de couvrir les activités de la police et qui se trouvaient, à ce moment-là, occupés à mener une enquête sans éclat, d'intérêt strictement local. Les recherches remarquables qu'ils entreprirent à la suite du cambriolage leur furent inspirées par l'engagement professionnel dont ils auraient fait preuve à propos de n'importe quel article prometteur. Il est bien rare que pour faire avancer sa carrière, un journaliste soit obligé de donner des rendez-vous à 2 heures du matin ou de mettre en échec les écoutes téléphoniques du

FBI. En général, il doit contribuer à remplir les pages du quotidien en fournissant, jour après jour, un produit de bonne qualité.

Les pressions habituellement ressenties par les journalistes proviennent des sempiternels et inéluctables délais ainsi que des contraintes d'espace. Le journaliste doit fournir son produit avec efficacité et avant l'échéance. Il doit tout faire plus vite, toujours plus vite. Mitchel Levitas remarque : « Ils finissent souvent par acquérir une confiance en eux qui frise l'arrogance. Dans notre métier, il faut constamment prendre des décisions. Sur les lieux, il faut décider de ce qui est important et de ce qui ne l'est pas. Ces décisions sont amorales et, ne le nions pas, souvent arbitraires. Les reporters ont parfois tendance à être trop certains de ce qui constitue l'essence de l'événement. Ils sont portés à croire qu'ils ont toujours raison. »

Lorsqu'on met plusieurs douzaines ou plusieurs centaines de ces personnes en concurrence au sein d'un quotidien ou d'un périodique, on obtient des résultats très intéressants. Se remémorant l'époque où il travaillait pour *Newsweek*, Osborne Elliott remarque : « Les problèmes sont nombreux, c'est exactement comme si vous essayiez de tenir en main un troupeau de licornes : il y a tant d'égos distincts! Vous devez vous efforcer cependant de créer au moins l'impression d'une démocratie dans laquelle tout le monde a le droit de participation. Et plus cette impression est vive, plus les gens sont satisfaits. »

En réalité, vous pouvez toujours chercher la démocratie au microscope! Les rédacteurs en chef exercent un pouvoir de décision définitif et sévère sur le travail des journalistes et sur les journalistes mêmes, les deux étant naturellement indissociables. La ligne de démarcation entre le jugement professionnel et l'opinion personnelle est parfois difficile à discerner.

« Les journalistes sont très difficiles à tenir en main, estime Otis Chandler. Ils ont besoin d'être amadoués car ils sont gâtés et deviennent susceptibles. Ils sont très ennuyés à l'idée que leur produit puisse être annoté, raccourci ou, pire encore, ne pas être publié. Ils ont travaillé sur une affaire et lorsque le rédacteur en chef leur déclare que les recherches sur ce sujet ne sont plus justifiées, ils peuvent en faire une maladie. D'autre part, ils semblent vivre des rumeurs de ce qui se passe au sein de la compagnie. Ils semblent tous connaître les salaires de tous leurs collègues. Mais c'est dans leur nature. S'ils n'étaient pas curieux, s'ils n'étaient pas orgueilleux, ils ne feraient pas de bons journalistes. »

Il n'existe pas vraiment de hiérarchie chez les journalistes. Bien sûr, l'âge, l'expérience, la réputation donnent droit à un certain rang. Les jeunes reporters ne sont habituellement pas affectés à des événements complexes et importants, susceptibles d'aboutir en première page. Mais du point de vue de la compagnie, ils sont sur un pied d'égalité. Cependant, ils rivalisent furieusement entre eux pour obtenir les missions de choix, écrire les articles exclusifs et atteindre enfin la gloire. Mais l'exercice du métier de journaliste est une fin en lui-même. Il faut simplement s'améliorer, s'améliorer, s'améliorer jusqu'à ce que...

«En général, quelque chose se passe en eux, un peu avant qu'ils n'atteignent la quarantaine, dit Robert Phelps. J'ai très souvent observé ce phénomène. Ils vont voir quelqu'un en qui ils ont confiance pour lui demander: «Vais-je continuer à faire ce que je fais jusqu'à la fin de mes jours? Ne devrais-je pas songer à trouver un autre genre d'emploi?» J'ai découvert que c'est aux meilleurs d'entre eux que cela arrive d'abord. Quelque chose se passe et à environ trente-neuf ans ils sentent qu'ils n'ont plus rien à écrire, qu'ils sont au bout du rouleau et qu'il est temps de passer à autre chose. La majorité des journalistes peuvent exercer leur métier pendant une période de vingt ans, tout au plus. C'est pourquoi on en rencontre tant qui commencent à douter lorsqu'ils atteignent la quarantaine.»

«Jusqu'à ce que le coeur lâche.» C'est ainsi que l'on qualifie l'inévitable rendez-vous du journaliste avec l'usure. Au cours des années passées, un facteur supplémentaire contribuait à interrompre abruptement les carrières des journalistes quadragénaires: les salaires étaient négligeables. Tout homme désireux de vivre confortablement, ou simplement raisonnablement, avec sa famille, était obligé de rechercher un autre genre d'emploi. L'une des portes de sortie traditionnelles vers la prospérité bourgeoise était la désignation à des postes de «relations publiques» dans une agence ou une grosse compagnie. De nos jours, les salaires sont meilleurs. Il est possible de gagner respectablement sa vie en étant journaliste, même s'il n'en demeure pas moins que le premier pas vers la fortune est encore loin.

Dans les grandes régions métropolitaines, le salaire du journaliste moyen se situe facilement entre 25 000 et 30 000 dollars. Bien que les traitements des débutants soient fréquemment inférieurs à 10 000 dollars, moins de quatre ans suffisent parfois à atteindre les 20 000 dollars. Les bons journalistes peuvent gagner plus de 40 000 dollars, même s'ils ont moins de dix ans d'expérience. Les grands talents gagnent parfois entre 50 000 et 60 000 dollars et s'ils écrivent des chroniques publiées simultanément dans plusieurs journaux, ils peuvent facilement arrondir ces chiffres. Les livres, les articles à la pige et autres sources de revenu peuvent amener certains journalistes au-delà des six chiffres. Mais ils ne sont guère nombreux.

Le journalisme n'offre pas une carrière linéaire comme c'est le cas d'autres professions. L'étape suivante consiste à devenir rédacteur en chef et cela ne représente pas nécessairement l'ambition de tout journaliste.

Les malheurs du rédacteur en chef (Première partie)

« Il est presque impossible de prévoir si un journaliste fera ou non un bon rédacteur en chef, estime Otis Chandler. Il se peut que quelqu'un qui semble avoir atteint le zénith de sa carrière de reporter échoue lamentablement lorsqu'on lui confie un bureau de rédacteur en chef. Il se montrera peut-être impatient avec les jeunes, son propre travail de journaliste lui manquera peut-être. Toutes sortes de problèmes peuvent surgir car c'est vraiment un coup de dés. La plupart d'entre eux échouent et sont soulagés de retrouver leurs tâches de journalistes. »

Quel que soit le type de publication, un bon rédacteur en chef doit faire preuve de talent dans trois domaines dans lesquels il n'est pas nécessaire pour un journaliste d'être doué: l'administration, la prise en main des gens, les idées. « Les pressions auxquelles est soumis le rédacteur en chef sont plus extériorisées que les pressions que subissent les journalistes, estime Osborne Elliott. En tant que rédacteur, vous passez tout votre temps avec un tas de gens plutôt qu'avec vous-même. Bien que j'adore le journalisme, j'étais plutôt fait pour être rédacteur en chef. J'ai rencontré bien des gens plus doués que moi pour le journalisme. Mais j'étais plus porté vers le côté organisation, intégration. »

Dans le domaine de l'actualité, notamment, les critères sont presque de nature militaire. « Il vous faut quelqu'un qui possède le talent de diriger les troupes comme un maréchal, explique Otis Chandler. Lorsqu'un événement se produit, le rédacteur en chef doit réagir instantanément: « Jim, tu t'occupes de ceci, Joe, tu t'occupes de cela. » C'est ainsi qu'il doit réagir et il s'agit d'une attitude instinctive que l'on ne retrouve pas nécessairement chez le meilleur journaliste. »

Le rédacteur en chef doit faire taire toutes ses velléités et toute sa fierté d'auteur pour accepter de diriger le travail des coulisses. «En sus de son sens de l'actualité, dit Harrison Salisbury, le rédacteur en chef doit pouvoir travailler avec les gens, les encourager, les stimuler et les évaluer. En tant que rédacteur en chef, j'aimais songer longuement aux journalistes que je me proposais d'affecter à tel ou tel sujet. Il faut être psychologue, ce que les journalistes ne sont habituellement pas. Parfois, un brillant correspondant deviendra un brillant rédacteur en chef mais ce sera l'exception plutôt que la règle.» Le journaliste se consacre à lui-même, le rédacteur doit se consacrer aux autres.

Dans l'intérêt de la publication, l'une des tâches principales du rédacteur en chef est de guider. «Je crois que la fonction essentielle du rédacteur en chef, nous dit Allen Neuharth, est de conserver un point de vue détaché. Nous sommes tous des humains et nous en venons à être personnellement touchés par l'événement dont nous nous occupons. À moins que nous ne puissions compter sur un professionnel objectif, qui regarde par-dessus notre épaule et devine où nous voulons en venir, nous risquons de rencontrer des difficultés. Le rédacteur en chef est là pour déterminer en fin de compte ce qui doit ou ne doit pas être imprimé.»

Les rédacteurs en chef sont aussi les gardiens des principes de la rédaction. C'est à leur échelon que l'on verse le plus de sang. Les journalistes doivent soumettre leurs précieux mots à l'annotation. Le couperet (ou le bistouri, selon le point de vue qui est le vôtre), peut faire des dégâts considérables. La plupart des journalistes déclarent qu'ils finissent par s'habituer à être arbitrairement malmenés par le crayon bleu. Se remémorant ses propres expériences, Robert Phelps soutient que «le bon rédacteur en chef doit être à la fois compatissant et doté de sens critique. Il doit s'efforcer de dégager l'objectif du journaliste puis aider ce dernier à le réaliser. Ensuite, il doit mettre en route son esprit critique et se demander: comment m'y prendrais-je? Ferais-je mieux? Si le journaliste penche d'un côté et le rédacteur en chef de l'autre, et s'il ne s'agit pas d'une question de normes ou d'éthique, le rédacteur doit respecter le point de vue du journaliste. Malheureusement, un grand nombre de rédacteurs déclarent encore: je m'y connais mieux que toi, fais ce que je te dis.»

Les joies de la rédaction recoupent les joies d'être le patron. «Pour parler franchement, déclare Jason McManus, rédacteur en chef technique de *Time*, tout dépend dans quelle mesure vous aimez exercer votre pouvoir, vous aimez avoir avec les gens des rapports imposés par une hiérarchie. Il existe bien des façons de mettre les gens à l'aise et d'améliorer la qualité de leur travail. En tant que rédacteur en chef, vous pouvez les stimuler afin qu'ils en arrivent à dépasser leurs propres espérances. »

Le rédacteur en chef a également la possibilité de créer. De fondre et refondre la publication, ou tout au moins le petit coin qui constitue son domaine. Il doit savoir ce qu'il veut faire des rubriques sur lesquelles il exerce son autorité. « Vous devez avoir toutes sortes d'idées sur ce qui constituera une matière riche et intéressante pour vos journalistes et pour vos lecteurs, explique Mitchel Levitas. Certains journalistes réussissent merveilleusement à couvrir l'événement auquel ils ont été affectés. Mais si vous leur demandez de vous donner quatre ou cinq idées sur les sujets qui les intéresseraient, vous vous apercevrez qu'ils sont pris de court, ou que les idées qu'ils vous soumettent ne sont pas vraiment bonnes. »

Il est bien évident que « bonnes » ou « mauvaises » idées relèvent de la subjectivité. « Comme la plupart des autres rédacteurs en chef, reconnaît Harrison Salisbury, je me suis aperçu que ma définition des bons articles avait tendance à se modeler sur mes propres inclinations et sur ce que j'estime personnellement constituer l'actualité. » Cela se retrouve à tous les échelons de la rédaction, de haut en bas. Salisbury ajoute : « Chaque directeur de rédaction a sa propre vision du journal, qui est le fruit de sa propre personnalité. Prenez par exemple Ben Bradlee : il voyait le *Post* comme le journal qui serait le premier à publier tous les événements importants de Washington et au diable ceux qui essaieraient de lui mettre des bâtons dans les roues. Et parce qu'il voyait ainsi son journal, et qu'il a été capable, à sa façon turbulente, désordonnée, de projeter cette conception sur papier, le *Post* est effectivement le premier à publier tout ce qui se passe à Washington. Ce qui n'était pas le cas auparavant, c'était un quotidien très provincial. »

Punch Sulzberger se souvient de la torpeur qui engourdissait la section métropolitaine du *Times* au début des années 60. « Puis Abe Rosenthal est arrivé et a tout changé du jour au lendemain. Il a simplement fait ce qu'il fallait faire. Certains l'ont trouvé plutôt impitoyable mais je ne vois pas comment on peut apporter le changement autrement. Il a balayé les feuilles mortes, des gens qui étaient là depuis des siècles, a ouvert des possibilités et a introduit du sang frais. En deux ans, notre section métropolitaine a été métamorphosée. Il a réuni son équipe, puis a été nommé au poste de directeur adjoint de rédaction.» Il occupa ensuite le poste de directeur de rédaction, puis de rédacteur en chef technique et, du haut de cet Olympe, connut la puissance et la gloire. «Il était évident que nous avions tiré le bon numéro avec Abe Rosenthal, ajoute Sulzberger. C'était quelqu'un en qui j'avais une très grande confiance. J'aimais sa conception du *Times*, son attitude vis-à-vis des normes du journal. Il les avait continuellement à l'esprit, ce que je ne fais même pas moi-même, imaginez-vous! Aussi mon choix a été facile. C'était un homme que les gens admiraient sans forcément l'aimer. Et il fourmillait d'idées. Tous les jours il avait de nouvelles idées et beaucoup d'entre elles aboutissaient entre les feuilles du journal!»

Osborne Elliott remarque: «On recrute et on fait avancer les gens tout autant par instinct qu'après avoir systématiquement évalué leur travail. On m'a un jour accusé de ne pas avoir embauché un journaliste aspirant parce qu'il avait posé sa pipe dans mon beurrier au cours du déjeuner. En ce qui me concerne, il s'agit d'un critère tout aussi valable qu'un autre.»

Écoutons Harrison Salisbury: «Comme dans toutes les autres bureaucraties, les promotions sont fonction des capacités, mais aussi des contacts et de la chance. Beaucoup dépend de la personnalité des gens qui dirigent.» Il existe inévitablement une hiérarchie, officielle ou non, et il est important que journalistes et rédacteurs en chef acquièrent une bonne compréhension de ses rouages. Il ajoute: «Les journalistes doivent savoir qui est en route pour le sommet, qui est en haut et qui est en bas. Les jeunes doivent apprendre ce genre de choses, sinon ils feront des faux pas. Ils ne seront pas aussi efficaces qu'ils pourraient l'être. Pourtant, ils ne doivent pas non plus être esclaves de ces notions. Nonobstant toute la politique qui règne au sein d'un journal, un exploit hors du commun effacera tout le reste. Quelqu'un qui écrit un article exclusif se verra propulsé plus haut que toutes les intrigues n'auraient réussi à le faire.»

«Lorsque je suis revenu de Moscou, poursuit-il, j'ai passé un certain temps à observer les intrigues de la salle de rédaction des rubriques locales: qui parlait à qui, où conduisaient les lignes de communication. Dans une grande salle, ces tactiques peuvent être fort complexes et très importantes. On peut y glaner toutes sortes de renseignements utiles. Et si vous le jugez judicieux, vous pouvez vous-même jouer à ce petit jeu qui consiste à cultiver délibérément l'amitié des gens qui, d'après vous, pourront vous être utiles pour parvenir à vos fins. Si vous désirez ardemment écrire des articles exclusifs d'un type particulier, vous pouvez tendre vers ce but. Ce qui signifie nouer des contacts avec certains rédacteurs en chef au détriment d'autres. »

« Beaucoup d'intrigues se déroulent dans le service de la rédaction, explique Otis Chandler. On peut les remarquer entre les rédacteurs en chef chargés des faits bruts et ceux qui s'occupent des commentaires. Combien d'argent recevront-ils pour améliorer leur département ? Combien d'espace ? Ils rivalisent pour dominer le journal, pour l'emplacement de leurs articles, pour la prééminence de leurs articles. Le rédacteur en chef de la rubrique nationale estime que son article mérite d'être publié en haut de la une tandis que celui qui est chargé de la rubrique locale estime que cette place revient à son propre article. » On pourrait continuer longtemps sur ce thème. Chaque rédacteur en chef doit représenter sa « circonscription » auprès de la haute direction du journal.

« Lorsque je suis devenu rédacteur en chef de la rubrique nationale, se souvient Harrison Salisbury, j'ai été surpris de constater que je devais exercer des pressions pour que certains articles soient publiés à la une. Je pouvais faire écrire les meilleurs articles du monde mais je ne savais comment m'y prendre pour les « vendre ». J'aurais été meilleur rédacteur en chef si j'avais eu un peu plus de sens politique. »

La direction d'une publication importante, quel que soit son genre, n'est pas une tâche de tout repos. Punch Sulzberger estime que « la section de la rédaction ressemble à une université avec ses divers départements. On y retrouve le même type de situations : tout le monde essaie d'arriver le premier afin de faire avancer la cause de son propre département. » Un journal est tout aussi ingouvernable, individualisé et soumis aux conflits de personnalités qu'une université.

Les malheurs du rédacteur en chef (suite et fin)

La dynamique rédactionnelle du quotidien est semblable à celles qui sont de rigueur dans toutes les autres publications, à la différence près que le quotidien emploie de plus gros effectifs et met sur le marché un nouveau produit tous les jours, et non toutes les semaines ou tous les mois. D'autre part, il s'efforce d'attirer un public étendu plutôt que spécialisé. Cependant, étant donné l'expansion dans les quotidiens des sections spéciales, des départements spécialisés dans « le mode de vie », les articles de fond, il n'est pas déraisonnable de les considérer un peu comme des magazines ou des groupes de magazines quotidiens réunis sous une seule et même manchette. Les carrières des professionnels du journalisme les conduisent des quotidiens aux périodiques et vice-versa.

Pour une large part, la rédaction est toujours la rédaction, nonobstant le sujet traité ou les délais. Lorsque Jason McManus décrit la progression de la carrière d'un rédacteur en chef auprès du magazine *Time,* il décrit la progression de la carrière qui pourrait être celle de n'importe quel rédacteur en chef. « Une fois les rangs des rédacteurs en chef atteints, peut-être à la tête d'une section mineure, on commence à penser à sa propre section comme s'il s'agissait d'un mini-magazine. On commence à penser aux photographies, on commence à avoir des idées nouvelles. Tout comme le directeur de rédaction est responsable du magazine dans son ensemble, chaque rédacteur en chef est responsable de sa propre section. Plus on prend du galon, plus il faut prêter attention aux détails, ce que certains appelleraient du travail de routine. On ne se contente pas de préparer les articles de sa section pour la publication, de décider de ce qui devrait être publié ou non et d'essayer ensuite de « vendre » le fruit de son labeur au directeur de rédaction. Il faut également étudier toutes les légendes des photos. Sont-elles judicieuses, appropriées ? Les manchettes ont-elles une bonne longueur ? Brillent-elles ? Ne répètent-elles pas les légendes ? Il faut également vérifier la présentation définitive dans l'exemplaire. Le travail tient-il debout ? » Le rédacteur en chef doit être un artisan pointilleux tout autant qu'un prolifique générateur d'idées.

La tension entre les détails et l'ensemble augmente au fur et à mesure que l'on approche du sommet de l'échelle. Parce qu'il est l'un des deux rédacteurs en chef techniques, McManus doit fréquemment remplacer le directeur de production lorsque celui-ci s'absente. Il reconnaît que les premiers remplacements ont mis ses nerfs à rude épreuve mais il se réjouit maintenant de ces occasions. « Le travail de création représente la partie la plus importante de l'utilisation de votre temps dans ce métier.

Quelle couverture voulez-vous publier cette semaine? Où va l'actualité? Une fois que vous avez pris une décision à cet égard, que pouvez-vous faire encore de différent, de spécial? Que fera *Newsweek*? Comment vous y prendrez-vous pour que *Time* ressorte parmi tous les autres? Quel genre d'article illustré en couverture a-t-on vu ces dernières semaines? Dans quelle mesure a-t-on réussi à équilibrer les faits bruts avec tout le reste? C'est probablement au directeur de rédaction qu'il incombera de résoudre tous ces problèmes. »

Qu'il s'agisse de *Time, House & Garden, Saturday Review, Road & Track, Seventeen,* le processus est fondamentalement le même. Les différences se situent au plan des effectifs et de l'objectif du périodique. Les magazines d'actualité, dont l'éventail de lecteurs est le plus étendu (*Time, Newsweek, Business Week* et autres) emploient à eux seuls de gros effectifs de journalistes et de rédacteurs. Au sein de ces compagnies, on débute en général comme reporter / rédacteur pour atteindre ensuite les rangs des rédacteurs en chef. La plupart des autres périodiques, cependant, confient les articles à des journalistes indépendants, dont la carrière suit des voies plus purement rédactionnelles. Du moins pour celui qui parvient à débuter!

On ne manque pas de jeunes gens qui rêvent de devenir rédacteurs en chef de magazines. Il s'agit de l'une de ces fonctions prestigieuses, pour lesquelles la concurrence est encore amplifiée par le petit nombre de postes disponibles, malgré l'extrême maigreur des salaires proposés. Les postes offerts en général aux débutants, fréquemment dotés du titre pompeux d'« adjoint à la rédaction », ne sont le plus souvent que des postes de secrétaire ou de commis. Pour un salaire ne dépassant pas 10 000 dollars par an (et se situant fréquemment au-dessous), le titulaire du poste peut aller et venir dans les bureaux du magazine, observer ce qui se passe autour de lui, porter des messages et se charger des corvées. Ce premier emploi est généralement considéré comme le plus difficile à décrocher dans un périodique.

Les salaires s'arrondissent par la suite mais nul ne doit oublier qu'on ne va pas travailler pour une entreprise de presse dans l'espoir d'y faire fortune. Les traitements offerts par les périodiques varient en fonction du succès de la publication, de son tirage, etc. Chaque publication possède sa propre hiérarchie et les titres abondent dans cette industrie (peut-être parce qu'ils coûtent moins cher que des augmentations de salaire). Les agents de recherche et les adjoints reçoivent entre 10 000 et

20 000 dollars. Les rédacteurs en chef de petites sections gagnent entre 20 000 et 30 000 dollars. Mais les rédacteurs dont l'ancienneté est supérieure et qui sont en général chefs de département peuvent percer le plafond de 30 000 dollars et parfois atteindre 40 000 dollars. Les deux ou trois créneaux ouverts aux directeurs de rédaction comportent des salaires qui peuvent se situer n'importe où entre 25 000 et 55 000 dollars. Le rédacteur en chef le plus haut placé peut porter le titre de « directeur de la rédaction », de « rédacteur en chef technique » ou autre titre pompeux. Bien entendu, le titulaire de ce poste reçoit un salaire sensiblement plus élevé que les autres. Les rédacteurs en chef de sections très importantes peuvent gagner de 40 000 à 100 000 dollars ou plus. Le rédacteur en chef de *TV Guide*, le périodique qui jouit du plus grand tirage au pays, gagne sûrement plus que le rédacteur en chef de *Martial Arts Monthly*. Mais ceux qui jouissent d'un traitement de 100 000 dollars sont vraiment peu nombreux. Dans l'ensemble, on peut dire que quiconque dont le salaire atteint 50 000 dollars appartient à la catégorie des rédacteurs en chef qui ont atteint le sommet de l'échelle, catégorie qui englobe seulement 1 à 2 pour cent de tous les rédacteurs.

Au sein d'un périodique peut régner l'atmosphère de grosse entreprise des magazines de Time Inc., l'ambiance bohème étudiée du *New Yorker* ou le chic technologique dernier cri de *Rolling Stone*. Les gens ont tendance à refléter leur publication bien que cela ne soit pas une règle générale. Il est évident que ceux qui s'intègrent à *High Times* ne seront pas à leur aise à *National Review*. Mais la plupart des rédacteurs en chef de périodiques sont des professionnels dont la tâche consiste à comprendre les lecteurs, non à les imiter.

Prenez par exemple *Family Circle*, l'une des publications de la New York Times Company. « Je ne sais si nos rédacteurs en chef de *Family Circle* vont danser au Xenon ou au Studio 54, déclare Punch Sulzberger, mais ils ne manquent pas de produire un magazine destiné à l'Américain de province. Il y a quelques années, nous avons suggéré de transférer les salles de rédaction en dehors de New York. Tollé général! Ce sont des New-yorkais, non des Américains de province. Mais ils viennent travailler tous les matins après avoir endossé leur peau d'Américain moyen afin de produire cette belle publication. Ils prennent constamment le pouls de leurs lecteurs. Ils les comprennent. Mais lorsque la sonnerie de 5 heures retentit, ils redeviennent New-yorkais. »

Certains rédacteurs en chef sont plus que d'autres le reflet de leurs lecteurs, bien que cela ne soit pas une condition sine qua non du succès. « J'ai de la chance car je suis rédactrice en chef d'un magazine dont le public me plaît, déclare Amy Levin, directrice de rédaction de *Mademoiselle*, le magazine de Condé-Nast, spécialisé dans la mode, la beauté et tout ce qui intéresse en général les femmes dans la vingtaine. J'ai été moi-même une des lectrices. J'ai donc vécu dans leur peau, je comprends leurs problèmes, » explique-t-elle. La frêle Amy Levin pourrait même passer pour une de ses propres lectrices. Bien que sa carrière dans la presse eût débuté en 1964, elle possède le frais minois d'une femme dans la vingtaine et porte sans problème sa garde-robe éblouissante et juvénile.

Amy Levin a acquis toute son expérience professionnelle dans les magazines féminins. Entrée comme secrétaire à *Redbook*, elle devint ensuite adjointe à la rédaction, rédactrice déléguée, rédactrice en chef, puis rédactrice en chef déléguée chargée des articles ce qui, au sein de l'organisation complexe de *Redbook*, était la voie à suivre si on voulait faire carrière. « Il y avait des centaines d'échelons, se souvient-elle. Ce qu'il fallait faire, c'était travailler avec les journalistes, avoir des idées à propos d'articles et les concrétiser. Les articles étaient souvent limités aux problèmes domestiques et conjugaux. Disons que j'ai les antécédents classiques de quelqu'un qui a fait son chemin dans des magazines féminins, toujours dans le secteur de la rédaction. » Après treize ans à *Redbook*, dont deux ans en qualité de rédactrice en chef chargée des articles, elle obtint le poste de directrice de rédaction de la section des articles auprès du *Ladies' Home Journal*. « Je dirigeais mon propre département. J'étais responsable de tout ce qui n'était pas de la fiction. Cela signifiait guider les chroniqueurs, trouver des rédacteurs. Chaque article, chaque extrait de livre devait d'abord passer par moi. J'assemblais, j'annotais, je raccourcissais, je rédigeais le baratin publicitaire pour tout le monde à l'exception des articles écrits par les célébrités. » En effet, les célébrités relevaient du domaine d'un autre rédacteur en chef.

Sa nomination, vers la fin de 1980, au poste le plus élevé de *Mademoiselle*, en surprit plusieurs. « J'ai découvert que mes instincts étaient fiables, dit-elle. Que j'étais capable de faire abstraction de ma propre anxiété et de mon propre trouble pour dégager le plus juste de mes instincts. Je peux ensuite présenter mes idées, les expliquer, les défendre, combattre pour elles. Je trouve des idées partout, elles viennent tout le temps et je peux ainsi créer un environnement palpitant autour de moi. »

L'une des plus fortes pressions qu'elle subit provient de la nécessité de présenter sous des angles nouveaux des sujets fréquemment traités auparavant : la mode, les petits « trucs » de beauté, les régimes, l'exercice physique, les hommes et autres. « Oh, je suis bien certaine que mois après mois, une certaine similarité s'installe. Mais si on commence à y penser, on devient défaitiste. On serait frappé de paralysie si on entreprenait de s'analyser sous cet angle. Notre travail est de découvrir comment présenter sous une forme chaque fois renouvelée des idées maintes fois ressassées. »

Peu de temps après son arrivée à *Mademoiselle*, le magazine commença à enregistrer de fortes hausses de son chiffre de ventes. « Je vis en fonction des exemplaires vendus. Si leur nombre baisse, je ne passe pas le mois aussi agréablement. Si un numéro ne se vend pas, je finis par haïr tout ce qu'il contient. C'est vraiment une attitude des plus subjectives. Lorsque j'évalue les autres magazines je cherche seulement à voir si leur forme est à mon goût ou non. Si c'est le cas, j'aime le magazine. Sinon, je ne l'aime pas. C'est entièrement personnel. »

Cependant, avant que les rédacteurs en chef puissent mettre à l'épreuve leur sens artistique, quelqu'un doit avoir décidé à quelle tranche du public le magazine s'adressera et si cette tranche vaut financièrement la peine que l'on s'adresse à elle. Les rédacteurs en chef sont responsables du produit. Quelqu'un d'autre est responsable du marché.

Comment faire mentir les statistiques

Il semble que tout le monde désire lancer un magazine sur le marché. L'industrie est devenue un foyer d'activités dans ce domaine. Depuis la fin des années 70, les nouveaux magazines font leur apparition au rythme de plus de deux cents par an.

Dans le meilleur des cas, moins d'un sur dix survivra assez longtemps pour commencer à enregistrer des bénéfices. Les autres s'engleuront peu à peu dans les dettes jusqu'à ce que leurs propriétaires et créanciers s'avouent battus, sans pour autant en prendre nécessairement de la graine.

Rien ne peut garantir le succès, ni l'expérience, ni l'argent, ni l'influence au sein de l'industrie. Même les compagnies géantes les plus puissantes du monde de la presse ont connu l'échec avec de nouveaux périodiques. Les propriétaires de *TV Guide*, le magazine à plus gros tirage du pays, ont dû retirer du marché *Panorama*, leur magazine distingué destiné aux amateurs de télévision cultivés. Hearst avait prédit à tort que *Next*, son magazine concernant le futur, survivrait. Newsweek Inc. a finalement vendu *Inside Sports* et la New York Times Company en a fait de même avec *Us*.

Parmi les parutions récentes les plus prometteuses, on compte *Art Express, Beach World, Electronic Games, Going Slim, Hunting and Shooting Sportsman, Needle & Thread, Young Miss, Zolar's Lucky Number Horoscope.* Nous sommes entrés dans l'ère du magazine spécialisé, destiné à plaire à une tranche de lecteurs très spécifique. Aujourd'hui, il semble naturel et évident aux éditeurs de concentrer leurs efforts sur des marchés étroitement délimités. Mais il a fallu quelques pionniers intrépides pour que l'idée fasse son chemin. On compte parmi eux un jeune homme du nom de Bud Knapp.

« Je n'en savais pas assez à l'époque pour m'apercevoir qu'il s'agissait d'une idée complètement farfelue », explique Cleon T. Knapp (surnommé Bud). En 1965, à l'âge de vingt-sept ans, il réunit 60 000 dollars de fonds empruntés pour acheter, à la succession de son grand-père récemment décédé, le petit périodique dans lequel il travaillait depuis le début de ses études universitaires. Le magazine se nommait *Architectural Design* et avait pour principe de présenter les travaux de décorateurs d'intérieur en échange d'annonces publicitaires. À cette époque, les géants du magazine d'intérieur, tels que *House Beautiful* et *House & Garden* s'efforçaient de rabaisser leur style afin de s'assurer un groupe de lecteurs plus étendu, plus jeune, moins nanti. Le jeune Knapp, tout seul dans son bureau d'une pièce du centre-ville de Los Angeles, décida en revanche d'endimancher son magazine.

« Les lecteurs de la classe supérieure ont été très difficiles à atteindre, confie-t-il. J'ai eu beaucoup de mal à découvrir le moyen de communiquer avec eux. Nous avons vu l'intérêt qu'il y avait à utiliser une approche ponctuelle par rapport à l'approche « éclatée », utilisée par les moyens de communication de masse. »

Il commença par mettre un terme à la politique qui consistait à échanger des annonces publicitaires contre des articles. En dépit du contrecoup que les recettes subirent, il se trouva alors libre de refondre le magazine en tenant compte de ce qui pourrait intéresser le lecteur. Il éleva le prix du numéro et commença à utiliser la photographie en couleurs. Le travail ne lui manquait pas. «Je devais tout faire moi-même. J'exécutais la mise en page, j'écrivais les articles, je travaillais avec l'imprimeur, je rédigeais les annonces en vue de la campagne de promotion, je vendais les espaces publicitaires. Je ne peux pas jurer n'avoir fait que du bon travail mais j'ai réussi à atteindre mon but, dans une certaine mesure.»

Le magazine connut un essor progressif. Knapp embaucha du personnel supplémentaire et put accroître encore la qualité de la publication. Toute l'entreprise ne tenait qu'à un fil. «Je ne sais combien de fois j'ai été littéralement au bord de la faillite sans véritablement aller jusqu'à déposer mon bilan.» Mais sa tactique de base était saine. Sept années furent nécessaires pour qu'*Architectural Design* enregistre enfin des bénéfices substantiels apportés par la publicité. La plupart des magazines auraient été incapables de tenir si longtemps, à moins d'être financés par une compagnie géante. Mais Knapp insistait pour mettre de côté une partie du prix de vente de chaque exemplaire (en 1982 ce prix était fixé à 4 dollars); il put ainsi disposer de liquidités dès le début. En effet, la plupart des magazines acceptent d'enregistrer une perte sur les abonnements et le tirage afin d'élargir leur tranche de lecteurs et attirer ainsi les annonceurs.

En 1971, Knapp nomma Paige Rense au poste de directrice de rédaction d'*Architectural Design*. Sous sa houlette, le magazine devint véritablement le premier recueil de décoration d'intérieur du monde. Les décorateurs et leurs riches clients sont prêts à tout (ou presque tout) pour que leur logis soit présenté au public par *Architectural Design*. Avec un tirage d'un demi-million en 1982, le magazine peut s'enorgueillir que son lecteur moyen dispose d'un revenu de 114 790 dollars et vit dans une demeure évaluée à plus de 251 000 dollars. Plus de 40 pour cent des lecteurs sont membres du conseil d'administration d'une compagnie. L'argent, le pouvoir, l'influence, voilà le dénominateur commun des lecteurs d'*Architectural Design*, dans des proportions que les lecteurs d'autres magazines pourraient difficilement concurrencer.

«Nous avons d'abord réussi à prouver, explique Knapp, qu'il est possible de s'adresser directement à un public spécialisé et de le faire payer pour compenser le coût de la publication. Ensuite, les annonceurs qui s'adressent généralement au grand public vont vous approcher afin d'atteindre cette tranche du marché et modèleront leurs messages pour répondre à ses besoins. » Il ne prétend pas avoir pensé à tout cela aussi clairement, ce fameux jour de 1965. « C'est une idée qui s'est matérialisée de plus en plus clairement avec le temps. Il s'agissait de tirer parti des circonstances. » Son second triomphe, qui a fait de *Bon Appétit* le plus dynamique magazine destiné aux gourmets et aux amateurs de spectacles, le prouve bien. De nouveau, il a soigneusement entrepris d'attirer le lecteur de la haute société.

Poursuivant son objectif de devenir le plus important fournisseur de périodiques du consommateur nanti, non seulement aux États-Unis mais dans le monde entier, Knapp Communications a par la suite acquis les droits de reproduction en langue anglaise de GEO, le magazine de voyages sur papier très glacé. La compagnie emploie maintenant plus de trois cents personnes. « Les gens qui prospèrent ici ont l'esprit d'entreprise, explique Knapp. Ils savent prendre des risques, essayer des nouveautés. Ils sont toujours en mouvement, décharnés, affamés. Ce sont eux qui font véritablement les magazines. »

Bud Knapp est l'exemple classique de l'entrepreneur de presse. En revanche, Richard Durrell représente le type traditionnel de l'homme d'une compagnie qui se spécialise dans la publication de magazines. Chacun d'entre eux serait probablement très malheureux dans la peau de l'autre. Mais tous deux ont connu l'expérience vertigineuse de lancer un magazine sur le marché.

Lors d'une distribution de rôles, Durrell recevrait presque inévitablement celui du cadre supérieur d'âge moyen. Cet ancien « Marine », au rude visage, champion universitaire, était ce que ses collègues de Time-Life appellent « l'un des légendaires » vendeurs de publicité de *Life*. Lorsque *Life* disparut, Durrell fut transféré dans un groupe chargé de mettre au point de nouvelles idées en matière de magazines. Un beau jour, le président de Time Inc. demanda au groupe s'il avait déjà pensé à lancer sur le marché un magazine exclusivement consacré à des gens. Le groupe avait étudié des idées à propos de la santé, de la famille, de la culture, etc. Mais non à propos de gens. Quelques mois plus tard, le premier numéro d'essai d'un magazine de tirage national était élaboré. Il s'agissait de *People*.

Durrell fut désigné comme éditeur. « Mon petit doigt me dit que l'un des facteurs en ma faveur a été mes antécédents dans le domaine du détail.» En effet, le premier emploi qu'il avait occupé auprès de *Time* était un poste de vendeur, chargé de desservir les kiosques de sa région natale de Minneapolis-St-Paul. La haute direction de Time avait décidé que si *People* devait réussir, ce serait principalement comme périodique vendu dans les kiosques.

Le premier numéro parut le 3 mars 1974. Les consommateurs furent immédiatement séduits. Mais non les annonceurs. Les premiers numéros ne comportaient que cinq à six pages de publicité. Optimiste, Time annonça que le magazine serait tiré à un million d'exemplaires pour commencer. Les chiffres de ventes semblèrent confirmer cet optimisme. Les choses paraissaient aller si bien que le président de Time annonça publiquement que *People* tirerait à 1,25 million d'exemplaires de là à 1975. Cependant, cet optimisme se révéla quelque peu prématuré.

Il s'avéra que les chiffres de ventes que Time recevait de son distributeur n'étaient pas tout à fait exacts. Le million d'exemplaires se situait parfois à 900 000, parfois en-dessous. Pourtant, la compagnie s'était engagée publiquement à atteindre 1,25 million dans les six mois. L'épreuve ne serait pas mince. Time décida d'établir son propre réseau de distributeurs et entreprit rapidement de recruter de jeunes vendeurs d'articles manufacturés, employés auparavant par des compagnies telles que Scott Paper, Procter & Gamble, Chesebrough-Pond's. Ils ne connaissaient rien à l'industrie de la presse mais étaient imbattables dans les supermarchés, là où *People* espérait trouver les lecteurs qui composeraient son pain quotidien. Les nouvelles recrues reçurent pour mission d'aller vendre le produit aux grosses chaînes, de remplir «les corbeilles» (ces porte-journaux métalliques qui vous accueillent aux caisses enregistreuses). «Tout le monde était sur les dents, se souvient Durrell. Nos distributeurs étaient tous occupés à «remplir les corbeilles», à traiter avec les grosses chaînes et à sauvegarder les positions qu'ils avaient acquises aux comptoirs. Une vraie guerre.» On obligea les rédacteurs en chef à concevoir plus de couvertures destinées à appâter le lecteur qu'ils auraient aimé le faire. (À l'aide de ces couvertures, on est certain d'attirer l'attention et de vendre le numéro même si elles ne constituent pas la meilleure preuve de goût en matière de publication.)

People se débattait pour atteindre le chiffre de ventes annoncé, conserver son crédit et survivre en tant qu'éventuel organe publicitaire. Le blitz a-t-il permis de vendre le nombre annoncé de 1,25 million d'exemplaires? «Oui, mais cela nous a coûté cher. Tous ces gens et toutes ces corbeilles à journaux!» L'investissement se révéla fructueux. «Le scepticisme des annonceurs s'émoussa légèrement. Et nous avions comblé notre découvert dans les dix-huit mois suivant la publication. C'était sans précédent.» C'était vrai: la plupart des magazines doivent s'attendre à survivre au minimum trois ou quatre ans avant d'enregistrer des bénéfices. *Sports Illustrated,* cette autre publication de Time, perdit de l'argent pendant dix ans avant de gagner un sou.

Maintenant que *People* obtient un grand succès et que tout un chacun au nord du Rio Grande ressort du supermarché son exemplaire sous le bras, Durrell peut-il se permettre de se reposer un peu? «Non, pas un instant. Il faut protéger la corbeille car la guerre que se livrent les périodiques ne connaît pas de trêve. Je passe beaucoup de temps avec les exploitants des supermarchés américains. Je représente le magazine auprès de la communauté des annonceurs. Tout continue à bien se passer.» *People* occupe la deuxième place derrière *Time,* pour ce qui est des bénéfices enregistrés au sein de la compagnie.

Bien que Durrell ait été membre d'une équipe bien approvisionnée et bien financée par la riche compagnie mère, le succès de *People* n'avait rien d'inéluctable. Se remémorant l'épisode, il soupire: «Quelle aventure!»

Le jeu des chiffres

Le nombre des lecteurs régit le monde de la presse. Qui sont-ils? Quel est leur revenu? Quel type de produits achètent-ils? Le magazine doit être conçu de façon que les réponses à ces questions trouvent grâce auprès des annonceurs.

La population étant composée d'un mélange toujours fluctuant de groupes de besoins et de genres, le marché de la publicité se déplace sans cesse et doit constamment se rajuster lui-même. C'est pourquoi le secteur des magazines est si dynamique. On ne peut jamais prévoir quand un nouvel événement ouvrira un créneau à une nouvelle publication, tout en grignotant sur la part d'une autre.

Les gens qui travaillent pour les magazines doivent faire fonctionner continuellement leurs antennes afin de pouvoir fabriquer le meilleur numéro possible. Prenons l'exemple d'*Apartment Life*. Lancé vers la fin des années 60, il s'agissait d'un magazine d'intérieur destiné à la génération qui avait vécu Woodstock. Il fournissait des idées de décoration utiles et sa clientèle avait un mode de vie simple, peu coûteux et essentiellement idéaliste. Vers la fin des années 70, la direction du magazine sentit qu'un changement se produisait chez ses huit cent mille lecteurs. Elle fit appel aux services de spécialistes en études de marché.

Dorothy Kalin, rédactrice en chef, déclara à un journaliste: «Les lecteurs ont adopté le mode de vie de la classe supérieure. Ils travaillent plus dur, s'habillent différemment, ont plus d'argent. Ils ont remplacé les jeans et les bottes Frye par des robes de soie et des costumes trois-pièces. Ils ont commencé à se préoccuper de participation en capital, de paravents fiscaux et de leur cadre de vie. Toutes ces considérations ont pris pour eux plus d'importance que la méthode de construire une table à l'aide de planches de pin. »

A l'aide de techniques d'étude de marché à l'origine conçues pour la vente des produits manufacturés, le magazine mit à l'essai une notion nouvelle: *Apartment Life* se métamorphosa en *Metropolitan Home*, poli, élégant et entièrement matérialiste. Aujourd'hui, il vous parle d'immobilier: condominiums, copropriétés, demeures urbaines et même appartements. Les valeurs que reflète *Metropolitan Home* sont plus proches des valeurs d'*Architectural Design* que des valeurs de l'ancien *Apartment Life*. Résultat? Deux cent mille abonnés d'*Apartment Life* annulèrent leur abonnement. Ils représentent probablement les derniers irréductibles qui s'accrochent jusqu'au bout à leurs principes «amour et paix». Du point de vue des annonceurs, ils ne sont pas regrettés. *Metropolitan Home* a conservé le type de lecteurs dont il a besoin et dont le nombre a fortement augmenté. Les lecteurs d'*Apartment Life* étaient en moyenne âgés de vingt-neuf ans et disposaient d'un revenu de 21 300 dollars, d'après les rapports publiés. Le lecteur de *Metropolitan Home* a en moyenne trente-trois ans et dispose d'un revenu de 28 500 dollars.

Tout est dans les chiffres. Des chiffres favorables représentent l'arrivée d'annonces publicitaires et la plupart des magazines tirent 75 pour cent de leurs recettes des annonces (par comparaison aux recettes qui proviennent des abonnements et de la vente dans les kiosques). C'est pourquoi la vente d'espace publicitaire est un art qu'il est vital de posséder. Elle représente un travail à plein temps, rémunéré par un salaire de base fixe auquel s'ajoutent des commissions. Le magazine fournit à ses vendeurs un tableau des tarifs, quelques numéros du magazine et toute la recherche que le client peut absorber.

Les départements de vente d'espaces publicitaires sont généralement divisés en fonction des catégories de produits que l'on trouve dans le magazine. Plus l'éventail de produits est large, plus les catégories de vente sont nombreuses. « La différence entre nous et la plupart des autres magazines est que notre champ d'activités s'étend sur presque toutes les industries, déclare Charle Kennedy, ancien éditeur de *Newsweek*. Si vous retirez les trois produits de base — alcool, tabac, véhicules automobiles — il nous reste des spécialistes de neuf autres industries, des appareils électroniques destinés aux ménages jusqu'aux biens d'équipement, en passant par les montres, les bijoux, etc. Nous avons treize directeurs de catégorie et chacun d'entre eux établit des plans financiers et des plans de commercialisation relativement à l'industrie en question et aux grosses compagnies qu'elle regroupe. » Ces gens s'efforcent de devenir des experts en ce qui concerne les besoins de commercialisation des industries auxquelles ils désirent vendre l'espace publicitaire.

Écoutons Kennedy : « Le truc, lorsque vous êtes intéressé par un produit particulier d'une compagnie, comme des boissons alcoolisées, est de faire exécuter des recherches par plusieurs bureaux, qui concluront tous que vos lecteurs sont des buveurs de scotch. Il est plus difficile pour un vendeur que pour son rédacteur en chef, de faire l'éloge des qualités d'un magazine. Si un magazine peut prouver qu'il possède plus de lecteurs propriétaires de Cuisinart, il attirera les annonceurs de produits alimentaires. Si vos chiffres prouvent que vous pouvez vendre à un public-cible, vous recevrez les annonces. »

Les salaires et les commissions sont en général fonction du tirage. De nouveau, les gros sous proviennent des grosses publications. Un bon vendeur, possédant cinq à six ans d'expérience, peut gagner en tout quelque 40 000 dollars. Un vendeur vraiment exceptionnel, affecté à une catégorie prospère dans une grande publication peut doubler ce chiffre. Les éditeurs des grandes publications ont un salaire qui se situe entre 40 000 et 120 000 dollars. Notamment dans les grandes compagnies de communications, il faut sortir de la publication même et obtenir un poste élevé dans la hiérarchie de la compagnie mère pour jouir de revenus de l'ordre de 150 000 ou 200 000 dollars.

« Les gens qui travaillent dans les affaires administratives et financières ne bougent pas beaucoup, observe Kennedy. Nous devons respecter une certaine continuité dans nos relations avec certains clients très importants. On ne peut s'attendre à accomplir des merveilles dès le départ. C'est pourquoi nombre de gens qui ont réussi dans une entreprise de presse travaillent pour la même publication depuis de nombreuses années. Il est difficile de réussir dans ce métier si vous butinez d'un magazine à l'autre. »

« Aujourd'hui l'éditeur doit être un supervendeur, remarque Robert Sweeney, directeur de la promotion à Time. Exactement comme le président d'une université, qui est non pas un homme de lettres mais un collecteur de fonds et un personnage public. L'éditeur doit être capable de coudoyer les grands industriels, de les divertir sans cesser de vendre subtilement. Il doit également posséder les compétences nécessaires pour intervenir lorsqu'un vendeur a des problèmes afin de sauvegarder le contrat. »

Une tâche qui n'incombe généralement pas à l'éditeur du magazine est la direction du département de la rédaction. En qualité de directeur de l'entreprise, il doit avoir sous les yeux les budgets de la rédaction. Après tout, la raison d'être du magazine est sa responsabilité. Mais comme l'a fait remarquer un journaliste devenu cadre supérieur d'une entreprise de presse : « Rares sont les éditeurs qui connaissent quelque chose à la rédaction. Le seul moment où ils ont à faire avec les rédacteurs, c'est lorsqu'il faut approuver l'achat de nouveau matériel ou des augmentations de salaires, mais il est rare que leurs rapports avec le personnel de rédaction aillent plus loin. Ils n'ont pas été formés pour cela et on ne s'attend pas à autre chose de leur part. »

Écoutons l'élégant Sydney Gruson, vice-président de la New York Times Company et directeur de ses entreprises de presse périodique : « Tout éditeur ou président, s'il est un tant soit peu intelligent, laissera à son rédacteur en chef une énorme autonomie. Les plus intelligents laissent les rédacteurs en chef tranquilles. Ils conviennent des budgets et c'est là que leurs rapports s'arrêtent. En ce sens, on peut dire que le rôle de l'éditeur d'un périodique est très différent du rôle de l'éditeur d'un quotidien. »

On ne saurait si bien dire !

Comment se fabriquent les magnats de la presse

« On ne peut pas dire que l'un des aspects du travail de l'éditeur d'un quotidien soit plus important que les autres, estime Otis Chandler. C'est un travail très diversifié, qui s'accomplit vingt-quatre heures sur vingt-quatre. Il commence généralement au stade de la rédaction mais je ne saurais affirmer qu'il s'agit là de l'aspect le plus important. L'éditeur a pour tâche de traiter tous les aspects simultanément. Quoi que vous vous efforciez de faire, si vous n'avez pas soigneusement réfléchi aux conséquences sur les autres aspects du travail, vous échouerez dans votre entreprise. L'éditeur doit s'assurer que toutes les pièces du puzzle s'imbriquent bien les unes dans les autres. »

« La solution idéale, poursuit-il, serait que l'éditeur aille travailler dans tous les départements du journal avant de prendre les rênes. » Chandler lui-même a suivi un tel apprentissage. Pendant sept ans, il a travaillé dans tous les coins et recoins du *Los Angeles Times*, des rubriques locales à la salle de presse, de la vente d'annonces au garage. Mais il est presque le seul à avoir été soumis à de telles expériences.

Depuis des générations, les quotidiens sont des institutions très compartimentées. Les personnes employées à la diffusion demeuraient à la diffusion. Les employés des affaires administratives ne quittaient pas leur domaine. Les vendeurs affectés aux annonces classées et aux placards publicitaires poursuivaient en général leur carrière dans cette spécialité.

« Nous commençons à peine à jouer à la marelle avec plusieurs des cadres supérieurs des journaux que nous possédons en Floride, annonce Punch Sulzberger. Nous espérons entreprendre d'autres expériences de croisement entre les diverses carrières afin de former une meilleure promotion de gestionnaires polyvalents. Le programme n'est pas encore appliqué mais nous commençons à introduire du sang neuf dans les secteurs de la commercialisation, des finances et de la distribution. Cependant, vous devrez patienter quelques années avant de voir comment tout cela fonctionne. »

Otis Chandler fait rapidement le point sur les antécédents des éditeurs affectés aux divers journaux de Times Mirror : « Il n'y a pas vraiment de modèle précis. Deux viennent du groupe des rédacteurs en chef, un de la publicité et des ventes, un autre des affaires financières et deux de l'administration. » Mais Chandler admet qu'il a un certain préjugé. « Je crois que nous préférons les gens qui ont des antécédents en rédaction, et qui ont, par la suite, travaillé dans le domaine administratif. Vous pouvez entourer une personne qui possède une solide expérience de rédacteur d'un groupe de gens qualifiés en matière de ventes, commercialisation, production, traitement de données et finances. »

Passant en revue les antécédents des éditeurs de quotidiens de la Gannett Company, Jack Heselden, président de la division des quotidiens, déclare que vingt-huit sont d'anciens rédacteurs, quatorze proviennent des ventes d'espace publicitaire, dix des affaires administratives, cinq de la diffusion, trois de la promotion, deux de la commercialisation, deux de la division juridique et deux de secteurs « divers ». Gannett, qui possède des quotidiens dans des collectivités de petite et moyenne taille, utilise sa propre « pépinière de talents » et fait circuler les gens doués d'une section à l'autre, leur permettant d'acquérir une expérience diversifiée. Propriétaire de journaux dont le tirage peut aller de sept mille à trois cent mille exemplaires, Gannett peut procurer la plupart des types de formation, sinon un emploi, au sein des plus gros quotidiens métropolitains. Plusieurs cadres de Gannett ont occupé au moins trois postes d'éditeurs avant d'avoir atteint leur quarantième anniversaire.

« Quels que soient vos antécédents, ajoute le président de Gannett, Allen Neuharth, vous devez savoir que notre rôle est de développer, acheter et vendre nouvelles et informations. Tout découle de cela. » Neuharth a débuté en qualité de journaliste puis a occupé un poste de rédacteur en chef avant de se diriger vers les affaires administratives. La transition a-t-elle été difficile ? « Disons que j'ai beaucoup appris, réplique-t-il en riant. Mais après être sorti des rangs des rédacteurs, je savais utiliser l'instinct du journaliste pour prendre des décisions en affaires. » Par exemple, beaucoup racontent que le projet qui lui valut la présidence de Gannett fut le lancement fructueux d'un quotidien à Cocoa, en Floride.

Trois semaines après la première publication du quotidien, la région fut dévastée par un terrible ouragan. « C'était vraiment une exclusivité, se souvient-il. Des dégâts épouvantables et de nombreux morts. Notre petit journal rivalisait avec le *Miami Herald* et les quotidiens d'Orlando. Il s'agissait du premier article important qui allait permettre aux lecteurs de faire une comparaison directe, immédiate. Instinctivement, nous avons rapidement décidé de libérer les sept premières pages et de publier des nouvelles d'actualité à propos du désastre. C'était une décision administrative prise en suivant un instinct de journaliste. L'impression que vous procurez au lecteur ce jour-là est plus importante que les dollars perdus en annonces publicitaires. »

Neuharth explique sans équivoque la manière dont il conçoit le fonctionnement de Gannett. « À mon avis, il est essentiel que les gens dont le travail est orienté vers l'actualité aient la priorité dans des compagnies orientées vers l'actualité. Il n'est pas nécessaire d'avoir une longue expérience du journalisme, mais il vaut mieux pour vous que vous y compreniez quelque chose et que vous sachiez en faire une juste appréciation. Malheureusement je crois qu'il existe d'autres grosses entreprises de presse qui sont plutôt portées à se considérer comme des écoles de comptabilité. Je ne crois pas que cette attitude soit la bonne, à longue échéance. » Cependant, au sein d'une industrie où les journaux dominants ou détenteurs d'un monopole sont la règle plutôt que l'exception, la mentalité d'« école de comptabilité » pourrait se révéler fructueuse à long terme.

Une chose est pour le moins certaine : les gens qui travaillent aux affaires administratives peuvent s'attendre à gagner plus d'argent que leurs collègues de la rédaction. « Les meilleurs journalistes que nous avons, déclare Gruson, vice-président du *New York Times*, gagneront 50 000 dollars en 1982. Et cela dans le meilleur des cas ! Quelques chroniqueurs et rédacteurs en chef des bureaux de presse gagneront peut-être plus mais pas beaucoup plus. Cependant, pour un emploi équivalent dans les affaires administratives, avec des responsabilités à peu près équivalentes, vous gagneriez deux à trois fois plus. Certainement deux fois plus. Les entreprises récompensent le talent financier et économique plus concrètement que le talent artistique. C'est le monde à l'envers, que voulez-vous. »

Quotidien ou périodique, un monde sépare les deux secteurs : rédaction et administration. Ils cohabitent comme deux nations différentes forcées de partager le même territoire.

Relations diplomatiques

« On le sent lorsqu'on monte à la rédaction, nous dit un cadre supérieur d'un périodique. C'est tangible, les rédacteurs nous regardent avec condescendance. Ils nous font sentir que nous n'appartenons pas au même monde. Il en a toujours été ainsi. »

Un vieux cliché décrit le fossé qui sépare la rédaction de

l'administration : «la séparation de l'Église et de l'État». Ce fossé a été creusé par la crainte que l'indépendance des journalistes et rédacteurs ne soit compromise par les pressions provenant des annonceurs.

«Les rédacteurs peuvent écrire des articles qui nous coûteront des pages et des pages de publicité, déclare Kennedy, de *Newsweek*. Nous n'avons pas voix au chapitre. Nous en subissons les conséquences mais, heureusement, cela ne semble pas se produire trop souvent.» L'annonceur, courroucé par un article énergique qui montre sa compagnie sous un jour défavorable, retire ses annonces.

Voici comment les choses doivent se passer : «Le département des ventes n'aimera peut-être pas l'idée d'une toute nouvelle section chargée des affaires administratives, explique Otis Chandler, si cette section emprunte une voie distincte plutôt que d'essayer systématiquement de stimuler les affaires des compagnies locales. Les vendeurs se plaignent que pendant qu'ils sont à la banque en train d'essayer de vendre leurs espaces, le journal publie un article sur le dernier scandale bancaire. À ce moment-là, ils sont sur des charbons ardents ! Mais j'estime qu'un quotidien doit être indépendant. À long terme, une telle attitude accroîtra son tirage, ainsi que les profits et le respect dont il jouit.»

Pourtant, un large fossé existe toujours, quels que soient les objectifs communs. Il s'agit d'une conception différente de la vie. «J'ai découvert qu'il m'était impossible de m'adapter aux affaires administratives, rappelle Osborne Elliott. Je n'étais pas fait pour cette vie, je ne l'aimais pas et je me débrouillais mal car je n'ai jamais pu me débarrasser de cette vieille antipathie. Je sais qu'elle est injuste mais je me suis aperçu que les affaires administratives étaient totalement étrangères à mes intérêts. J'y suis resté deux ans, en qualité de président de *Newsweek*, puis je suis retourné joyeusement à mon bureau de rédacteur en chef.»

«Nous encourageons notre personnel à ne pas penser au côté affaires du magazine, explique Jason McManus. La plupart des journalistes seraient horrifiés si nous leur demandions le contraire. Ils ne veulent rien savoir à propos d'annonces publicitaires. Ils veulent être libres de faire du journalisme.» Pourtant, l'ambition élargit forcément les perspectives. «Au fur et à mesure que vous montez en grade, affirme McManus, vous accordez plus d'importance à l'idée que vous travaillez pour une entreprise commerciale. Vous réalisez que vous pourriez publier le meilleur magazine du monde, mais si les gens ne l'achetaient pas, il n'y aurait pas de magazine du tout. Cela peut paraître élémentaire mais ferait peut-être sursauter quelques-uns de nos meilleurs journalistes. »

Le degré de détachement encouragé par la direction varie en fonction du caractère de la publication et de sa mission journalistique. « Dans notre catégorie de magazines, notamment, déclare Amy Levin, de *Mademoiselle*, nous devons être conscients du fait que nous vivons des recettes générées par les Revlon, L'Oréal, Lancôme et autres. Nous ne les attaquons pas, nous ne leur portons pas préjudice. Par exemple, Ralph Nader effectue depuis longtemps des recherches sur les dangers de l'utilisation du mascara, un produit que j'emploie beaucoup moi-même. Mais si quelqu'un publie son rapport, ce sera *Mother Jones*. Car moi, je ne peux pas. Et je serais folle d'essayer. »

Pourtant, l'immixtion directe de la publicité dans les affaires de la rédaction est considérée comme taboue dans toute publication qui se respecte. S'il n'y a pas d'hostilité entre les deux, il existe pour le moins une incompréhension. Cependant, au cours des dernières années, les deux camps ont appris à mieux collaborer. Notamment dans le secteur des quotidiens, la naissance d'une mentalité portée vers la commercialisation a conduit les services de rédaction et de publicité à créer ces « sections spéciales », qui prolifèrent maintenant dans tout le pays. Les nouveaux produits de la rédaction fournissent un environnement spécial aux annonceurs, anciens et nouveaux. Exactement comme les quotidiens qui ont toujours consacré une journée par semaine aux produits alimentaires, les « sections spéciales hebdomadaires » sur le foyer réunissent toutes les publicités relatives au mobilier et à la décoration au sein d'une rubrique locale. Le *New York Times* a créé un département de planification, d'études de marché et d'informations sur le marché, spécialisé dans l'exploration de nouvelles possibilités de conception d'un environnement rédactionnel spécial pour certaines catégories de produits. La rédaction et la publicité se marchent parfois sur les pieds mais elles ne sont pas des ennemis héréditaires.

Écoutons Punch Sulzberger : « La rédaction et les affaires administratives travaillent en étroite collaboration dans toutes nos sections spéciales. Les vieux préjugés disparaissent. La dernière section était spécialement consacrée aux voyages. Et lorsque nous avons appris que les demandes d'annonces pour cette section avaient connu une hausse spectaculaire, le plus heureux était Abe Rosenthal, notre rédacteur en chef technique! Il rayonnait! Regardez ce que nous avons réussi à faire! Il était très content de la participation de la rédaction à ce succès. Mais il n'en allait pas de même autrefois. Maintenant nous réunissons les groupes de journalistes et d'annonceurs pour qu'ils mettent leurs idées en commun et produisent quelque chose de bien. Bien entendu, les journalistes fourmillent d'idées mais si la publicité ne peut les mettre à exécution, nous passons à autre chose.»

«L'objet de notre comité de direction des périodiques», explique Bud Knapp, à propos de son groupe pluridisciplinaire de dirigeants, est d'apprendre aux gens à travailler ensemble et de faire connaître à chaque spécialiste les difficultés des autres, ainsi que les possibilités qui leur sont offertes. Rendre les administrateurs sensibles aux problèmes des rédacteurs et faire comprendre aux rédacteurs ce que signifient les termes «profits» et «pertes».

Femmes sur papier journal

Comme dans toutes les autres industries, la présence des femmes qui travaillent dans la presse est de plus en plus sensible. Cependant, on ne peut dire que leur situation soit plus favorable au sein des quotidiens, des périodiques et du journalisme en général, que dans d'autres industries, moins connues pour leur largeur d'idées.

«A mon avis, les médias ont eu beau prêcher l'égalité de l'accès à l'emploi sous toutes les formes possibles, estime Allen Neuharth, les femmes n'ont pas mis leurs sermons en pratique.» Jusqu'à une date très récente, les journaux étaient un domaine presque exclusivement masculin. Les périodiques — même les magazines féminins — employaient des femmes à des postes subalternes, mais leur donnaient rarement la possibilité d'occuper un poste de responsabilité. Les rédactrices en chef célèbres telles que Helen Gurney Brown et Paige Rense sont l'exception et non la règle. Les services administratifs et financiers n'ont pas agi différemment. Les femmes n'essayaient même pas de s'y tailler une place!

Cependant, comme ailleurs, les procès du début des années 70, l'afflux de femmes dans les écoles de gestion et les établissements d'études supérieures au cours de la décennie passée ont commencé à porter fruits. « Les femmes sont de nouvelles venues dans ce domaine, explique Punch Sulzberger. Elles ont très bien fait leur chemin tout au long de l'organisation. » Récemment, le *Times* a nommé des rédactrices en chef chargées de la page « OP-ED »* et de la rubrique sportive, bien que toutes deux aient reçu depuis d'autres affectations. Le journal a également nommé quelques directrices de bureaux, une vice-présidente dans le secteur de l'administration (informatique), une trésorière, une conseillère juridique générale et quelques autres.

« Pourtant, déclare Gruson, vice-président du *Times*, ce n'est pas aussi simple pour les femmes de progresser dans ce secteur que certains veulent bien l'affirmer. Les postes très haut placés sont rarement occupés par des femmes. » Mais c'est simplement parce qu'on n'a pas encore eu le temps d'examiner comment les femmes se débrouillent au sein des conseils d'administration. Les dirigeants semblent faire des efforts.

Vers la fin de 1981, Gannett a nommé sa première éditrice noire à l'un de ses journaux de diffusion générale. « Nous comptons maintenant dix femmes parmi nos quatre-vingt-cinq éditeurs, annonce Allen Neuharth. Ce n'est pas encore représentatif de la population mais c'est dix de plus que nous avions il y a dix ans. »

L'avenir du papier

Câbles et ordinateurs rendront-ils la presse écrite désuète ?

Bien que toutes les grandes entreprises de presse semblent se protéger en faisant l'acquisition de moyens de communication électroniques de tout genre, elles n'ont pas encore vendu leurs fabriques de papier.

« Je ne vois pas comment on pourrait transformer le *New York Times* en un écran de télévision, dit Sulzberger. Je ne peux imaginer un système qui présenterait des informations écrites, complexes, sur un écran. Tous les systèmes que j'ai vus sont ennuyeux à mourir. » D'autre part, au fur et à mesure que nous avançons dans l'âge de l'information, les gens veulent des rapports plus complets et plus complexes, non le contraire.

---

*OP-ED : Opposite editorial. Représente la page située en face de celle où est publié l'éditorial et contenant parfois des articles spéciaux. (Note du traducteur.)

«Les gens qui prétendent que les journaux disparaîtront au profit des cassettes et des câbles ont négligé ce que j'appelle le «facteur flânerie», dit Otis Chandler. En ouvrant le journal, les lecteurs n'ont peut-être aucune envie d'acheter un nouveau poste de télévision, mais s'ils aperçoivent une annonce de soldes, ils pourront changer d'avis. Peut-être pensaient-ils n'être pas du tout intéressés par l'Afghanistan, jusqu'au moment où ils ont aperçu un article relatant les derniers événements là-bas. Un journal est imprévisible. On peut y être fasciné par des articles inattendus. Mais l'électronique ne peut jouer ce rôle. Bien sûr, des changements se produiront. Certaines informations pourraient entrer dans les systèmes électroniques des ménages. Cependant, même si dans dix ans il existe moins de journaux, ceux qui auront survécu jouiront d'un plus grand tirage. Ils seront plus gros, matériellement parlant et même plus importants. Leur impact sera régional plutôt que local. Et ils continueront de fournir une activité très lucrative.»

«Les diverses formes de presse électronique élargiront la portée des médias, estime Bud Knapp. Mais la télévision ne pourra recréer la sensation de tenir un magazine entre les mains, d'en tourner les pages. Cela ne sera d'ailleurs pas nécessaire. A l'avenir, le papier et l'électronique travailleront de concert; le public jouira d'un plus large éventail de moyens de communications en tout genre.» Même s'il ne reste pas cinq magazines de nautisme, par exemple, ceux qui survivront seront probablement capables de produire des émissions télévisées sur le nautisme, disponibles par câble et sur cassettes.

Avec toutes ces informations, des pages à remplir et des heures à diffuser des programmes, il y a de grandes chances pour que le journaliste ou l'homme d'affaires des médias trouvent encore du travail. Quelle que soit la voie choisie, les magnats de la presse continueront d'imprimer des mots qui valent de l'or.

TÉLÉVISION ET CÂBLOVISION
Tension électrique

Un monde sans pareil

C'est vrai, le monde du spectacle est sans pareil. Et c'est une chance pour la plupart d'entre nous!

Si les autres industries américaines partageaient les caractéristiques de la télévision, le pays serait dans de bien mauvais draps. Tout d'abord, chacun d'entre nous aurait son agent. Des négociations interminables régiraient la signature de tout contrat avant que la plus petite tâche puisse être entreprise. Dans toutes les compagnies, les cadres supérieurs se verraient mis à la porte dès l'apparition présumée de la moindre mauvaise fortune. La planification de carrière ne voudrait plus rien dire : chacun bondirait d'une occasion à l'autre ; les trois quarts des produits sur lesquels vous avez sué sang et eau ne feraient pas long feu sur le marché. Votre milieu de travail serait perpétuellement en ébullition et en émoi. Et, selon toutes probabilités, votre propre contrat ne serait pas renouvelé.

Bien sûr, vous auriez quelques compensations. Votre travail ne vous ennuierait jamais. Vous seriez probablement angoissé ou rongé de doutes les trois quarts du temps, vacillant entre la joie et le désespoir, mais vous ne vous ennuieriez jamais. Vous connaîtriez la satisfaction créatrice de construire, à partir de petits morceaux de papier, des personnages et des vies chargés d'amuser, de distraire, de toucher des millions et des millions de gens. Et vous rouleriez probablement en Mercedes-Benz.

Toutes ces considérations s'appliquent également à l'industrie cinématographique. La télévision et le cinéma sont deux facettes distinctes d'une même industrie, « l'industrie », comme l'appellent ceux qui en font partie. Toutes deux empruntent au même réservoir de talents et les acteurs effectuent une navette perpétuelle entre les deux. Réunis, la télévision et le cinéma ne représentent qu'un univers très réduit dont les éléments naviguent entre New York et Los Angeles.

Il est logique de pénétrer dans cet univers en prenant la voie déjà empruntée par tant de ses membres: la télévision.

Espèces sonnantes et trébuchantes

Les réseaux de télévision ne font pas vraiment partie du monde du spectacle. Ils appartiennent plutôt au monde de la publicité, car la télévision est le plus grand moyen de communications de masse jamais inventé. La chaîne de télévision existe pour réunir des millions d'yeux et d'oreilles qu'elle «vendra» ensuite aux annonceurs. Du point de vue financier, le contenu de base des émissions télévisées est représenté par les annonces publicitaires. Les programmes ne sont que l'appât.

Posséder un réseau ou même une seule station équivaut à détenir le permis de faire marcher la planche à billets. Lorsqu'on sait que la production d'une seule émission de *60 minutes* coûte 300 000 dollars, pour des recettes brutes de plus de 2 millions de dollars, en comptant les gains provenant des annonces incorporées à l'émission, on peut dire que la télévision est une affaire qui marche.

Les tarifs publicitaires sont déterminés par la célèbre cote Nielsen. Il s'agit d'un échantillon scientifiquement sélectionné de 1 200 ménages, dont les habitudes en matière d'écoute représentent le tableau de marque des programmes diffusés par les réseaux. Les cotes Nielsen reflètent le nombre de téléspectateurs qui ont regardé une émission donnée. Le prix d'un message publicitaire de trente secondes peut varier entre 10 000 et 250 000 dollars ou plus, en fonction de la cote d'écoute de l'émission. D'après certaines sources, l'obtention d'un point supplémentaire sur le tableau des cotes relatives aux émissions diffusées aux heures de forte écoute, représente 6,3 millions de dollars de revenu pour une chaîne. «Les chaînes se livraient autrefois une concurrence énergique mais toujours loyale, nous révèle un vieux professionnel. Mais aujourd'hui, elles se livrent une guerre sans merci.» Être la chaîne numéro un, numéro deux ou numéro trois représente une différence considérable du total des recettes. Entre 1977 et 1980, alors que NBC occupait la troisième place, ses gains sont tombés de 150 millions à 75 millions de dollars. Un réseau de télévision est une entreprise d'une complexité effarante. Il regroupe pratiquement tous les métiers connus de l'homme, du coiffeur à l'ingénieur spécialisé en micro-ondes, en passant par l'analyste financier. Mais le travail clé est celui du programmeur. Étant donné que le tarif que l'on peut exiger de l'annonceur fluctue en fonction de la cote d'écoute, la personne qui décide ce qui doit être diffusé pour attirer les téléspectateurs joue un rôle important. Les recettes publicitaires sont en quelque sorte le carburant du réseau. Et le montant de ces recettes varie selon que le programmeur a réussi ou échoué.

C'est la programmation qui fait de la télédiffusion une entreprise pas comme les autres. «Chaque fois que je rencontrais les analystes boursiers de Wall Street, se souvient l'ancien président de CBS, John A. Schneider, ils me parlaient tous de compression des coûts. Quelles mesures allais-je donc enfin prendre pour comprimer les coûts? Et je leur répondais à chaque fois: «Espèce d'idiots! Vous ne comprenez donc pas! Pas un seul d'entre vous ne m'a posé la bonne question.» Et ils répondaient: «Quelle est donc cette question?» «*Les plaisanteries vont-elles faire rire?*» Voilà ce que vous devez vous demander. Car si je dois investir de l'argent dans votre entreprise, je veux savoir si vous aurez du succès l'an prochain. Que pouvez-vous faire apparaître sur l'écran qui attirera mon attention de manière continue? Que diffuserez-vous qui m'incitera à garder le nez collé sur mon écran au détriment de vos concurrents? C'est cela, la télédiffusion!»

Mission impossible

N'oubliez pas que les chaînes ne produisent pas leurs propres programmes. A l'exception des bulletins d'information, des résultats sportifs et de quelques émissions spéciales, elles achètent les programmes d'autres sources. Les dirigeants de la programmation ne sont pas des artistes en tant que tels. On pourrait plutôt les comparer à des acheteurs professionnels, se promenant dans les allées d'un supermarché spécialisé en émissions, remplissant leur panier des plus succulentes. Puis, ils disposent leur choix dans une grille de programmes qui, du moins l'espèrent-ils, retiendra l'attention d'un plus grand nombre de téléspectateurs que celle de la chaîne concurrente.

Les programmeurs mènent une vie trépidante et sont soumis à de fortes tensions. Leurs bureaux renferment fréquemment trois ou quatre postes de télévision et il arrive qu'ils les regardent tous en même temps. Ils connaissent intimement tous les aspects de la production télévisée. Ils exercent un pouvoir considérable au sein de la communauté du spectacle et influencent très fortement l'orientation et le contenu de ce qui est diffusé sur les ondes. Ils sont aussi très bien payés. Il n'est pas rare qu'un programmeur qui possède seulement dix ans d'expérience gagne plus de 100 000 dollars par an. Quelle vie!

« Je ressens une pitié et une compassion infinie pour eux », nous dit le chef d'une agence, qui a vu passer un grand nombre de programmeurs. « Leur demi-vie est très courte et ils travaillent dans un monde dont le contrôle leur échappe totalement. Ils ne sont pas seulement faillibles, ils le sont extrêmement. Leur travail n'est ni une science, ni même un art. Ils sont les esclaves de la chance. Personne n'est assez brillant pour *savoir* quelle émission plaira à 30 pour cent des téléspectateurs. Pour réussir, il faut connaître les gens qui fabriqueront vos programmes et que ceux-ci soient insérés dans des intervalles en eux-mêmes productifs. Il faut avoir la chance de voir les concurrents programmer des émissions de faible impact. Et finalement, tout dépend du dernier coup de dés: la réaction des téléspectateurs. Pensez-y en faisant la comparaison avec un joueur de baseball. Nombreux sont ceux qui ont eu une moyenne au bâton de 350 ou même de 400. Mais je ne crois pas qu'un seul programmeur ait même approché ces chiffres. »

Il n'existe pas d'école pour les programmeurs. CBS organise cependant un internat deux fois par an pour une poignée de diplômés en art dramatique et en communications, mais on ne peut le qualifier de véritable stage de formation. Il n'existe pas non plus de voie traditionnellement suivie pour devenir programmeur. Certains se frayent un chemin en passant par un autre département du réseau. Une fois bien casés dans le secteur de la recherche ou des relations avec les filiales ou ailleurs, ils nouent des contacts dans les services de programmation. S'ils font bonne impression, ils auront peut-être la chance de se faire la main lorsqu'un emploi subalterne sera offert.

Certains acquièrent une certaine réputation dans une autre branche de l'industrie, par exemple auprès d'une compagnie productrice ou peut-être d'une station locale, et font tout pour obtenir ce que l'on pourrait appeler des références. Les actuels directeurs des programmes ont débuté comme vendeurs, assistants de production, scénaristes, messagers et l'un d'eux avait même pour fonction de répondre aux lettres des admirateurs de Johnny Carson. Il faut avant tout pénétrer dans l'industrie, puis trouver ensuite un moyen de faire bonne impression sur les gens qui vont vous ouvrir les portes.

Brandon Tartikoff, président de NBC Entertainment, âgé de trente-trois ans (il obtint ce poste assorti d'un salaire de 250 000 dollars à trente et un ans), a débuté dans le département de promotion d'une station locale. Diplômé de Yale en 1971, il travailla comme vendeur dans une station de New Haven, puis pour la filiale d'ABC à Chicago. Deux ans après, il était nommé chef des ventes et de la promotion. On lui donna alors pour tâche d'accroître la cote d'écoute du film de l'après-midi, diffusé à 15 h 30.

Comme il l'expliqua dans *TV Guide* : « Le film possédait une cote de 10, correspondant à 26 pour cent des téléspectateurs. Mais au début de 1976, on ne parlait que de la sortie de *King-Kong*. Je me suis dit : pourquoi ne pas organiser une semaine de promotion avec un programme intitulé : « Gorilla My Dreams* ». Diffusons une série de ces films commerciaux japonais qui parlent de gorilles et ne comportent qu'une seule vedette ! Et c'est ce que nous avons fait. Le lendemain de la première diffusion, nous obtenions une cote de 17 et un pourcentage de 37. Et nous avons réussi à maintenir ces chiffres toute la semaine. »

Tout au long de sa carrière, Tartikoff s'était efforcé de se faire connaître de Fred Silverman, alors président d'ABC Entertainment, en lui faisant part de ses idées et de ses réalisations. Peu de temps après le succès remporté avec la série de films de gorilles, Silverman convoqua le jeune Tartikoff, alors âgé de vingt-sept ans, pour le nommer directeur de la production dramatique à ABC. Si l'homme qui est devenu président de NBC Entertainment a pu entamer son ascension grâce à un programme intitulé « Gorilla My Dreams », tout est possible dans ce milieu délirant.

Les titres de la division des spectacles sont, comme il se doit, étranges : vice-président des comédies, gestionnaire des programmes de fin de soirée, directeur des romans. Les responsabilités sont réparties en fonction du type d'émission et de sa place dans la grille horaire. En bas de l'échelle se trouvent les gestionnaires, puis on atteint les directeurs, et les vice-présidents. Ces derniers relèvent du président de la division des spectacles, lequel rend compte aux dirigeants de la compagnie.

---

* Le gorille de mes rêves. (Note du traducteur.)

Le directeur de la programmation a d'abord et avant tout pour tâche de superviser le travail des personnes extérieures au réseau qui créent et produisent les émissions. « Nous jouons un rôle de rédacteur en chef et d'embellisseur », nous dit un directeur de la programmation. Ils servent également d'agents de liaison entre les producteurs et les personnages haut placés du réseau. Ils sont chargés de contrôler la qualité, d'organiser des séances de discussion intensive et de contribuer de manière générale à la diffusion de bonnes émissions. Chaque scénario, chaque distribution, chaque intrigue doit être traité et approuvé par plusieurs échelons de cadres supérieurs de la programmation, avant d'être télédiffusé. Ces personnes sont là pour garantir que la chaîne a bien reçu le programme qu'elle avait commandé en vertu du contrat.

Voici les tâches que peut avoir à accomplir le programmeur au cours d'une journée: lire des scénarios, regarder les vidéocassettes utilisées pour la distribution des rôles, flâner autour d'un plateau de tournage, regarder les épreuves des séances de tournage de la veille, assister à d'interminables réunions aux ordres du jour les plus divers, du nouvel horaire d'automne au choix de la falaise d'où sera projetée une Camaro en flammes à la fin d'une poursuite.

Chacun possède son propre territoire, selon sa position au sein de la hiérarchie. Le programmeur peut aussi bien superviser le détail de la production d'une émission donnée ou être le premier maillon de la chaîne des approbations auxquelles sont soumises les nouvelles intrigues d'un feuilleton en cours. Il peut encore diriger l'ensemble du personnel chargé de diffuser une tranche entière d'émissions, telles que les émissions en début de matinée, ou de l'après-midi. Il peut aussi être responsable de l'achat des longs métrages aux studios ou de la mise au point d'émissions pilotes en vue du tournage éventuel de nouvelles séries dramatiques.

Il est important de se souvenir que les gens les plus haut placés peuvent usurper les pouvoirs de ceux qui sont directement au-dessous et certains n'ont aucun scrupule à cet égard. Supposons que le directeur et le vice-président des comédies ont approuvé la distribution particulière d'un futur épisode d'un feuilleton. Si le vice-président des feuilletons diffusés aux heures de forte écoute ou le président de la division des spectacles estiment, après avoir vu les bandes de distribution, que celles-ci ne leur conviennent pas, il faudra effectuer un nouveau choix, en fonction du goût de ces messieurs. A l'exception de ceux qui détiennent les postes les plus haut placés, pratiquement tous verront leur pouvoir usurpé à un moment ou à un autre par un supérieur. Jusqu'à ce qu'une émission reçoive une cote Nielsen, tout le monde a raison.

Les programmeurs ne sont pas reconnus comme des gens qui demeurent longtemps à leur poste. Ils ne restent là qu'en attendant d'être congédiés. Ils exploitent au maximum le caractère fortement en évidence de leurs fonctions au sein du monde du spectacle afin d'obtenir un emploi meilleur. Ils peuvent changer de réseau, aller travailler pour un studio ou une compagnie de production, ou former leur propre compagnie et s'efforcer de vendre des idées d'émission à leur ancien employeur.

Les listes du personnel de la programmation sont de véritables kaléidoscopes. Le milieu est petit. Tout le monde connaît tout le monde, du moins de nom. Chacun tente de faire son chemin. La réputation est la devise qui a cours légal dans ce royaume et dès que le succès vous sourit, il faut exploiter les occasions qui l'accompagnent, sinon l'échec risque fort de vous prendre au tournant.

Doutes et incertitudes sont inhérents à cette vie. Écoutons un jeune programmeur: «Les relations sont souvent très complexes. Il est parfois difficile de savoir de qui viennent les ordres et, souvent, entre le moment où vous les avez reçus et celui où vous les avez exécutés, la personne responsable n'est plus là. Quelqu'un d'autre arrive, qui déclare vouloir justement le contraire de ce que vous avez fait. Aussi, les atermoiements sont nombreux et le gaspillage important. Vous concluez des contrats pour obtenir des programmes, puis vous les laissez moisir. Une idée de scénario est décapitée puis ressuscitée, puis remaniée à nouveau. Plus tard, après tout ce gaspillage, on la remet sur le tapis, dans sa forme originale. Vous devez constamment marcher sur la pointe des pieds. L'air est perpétuellement chargé de menaces innombrables et vous ne pouvez savoir si l'une d'elles ne prendra pas la forme d'un missile qui viendra vous exploser sous le nez. »

Les succès, quand ils se présentent, tendent à devenir la propriété commune en raison de leur rareté. Certaines estimations révèlent que 80 à 85 pour cent des nouvelles émissions sont des échecs. «Notre industrie est plutôt orientée vers l'échec, estime Donald B. Grant, président de CBS Entertainment. La plupart des nouvelles émissions échouent. »

Bud Grant est un homme trapu de taille légèrement au-dessous de la moyenne. Comme tout un chacun au sein du complexe de Television City à Los Angeles, il s'habille de manière décontractée, dans la tenue de rigueur en Californie. Grant et ses collègues de la programmation occupent des bureaux particulièrement élégants dans une partie de ce vaste ensemble blanc de studios, qui ressemble à une usine de tracteurs bien entretenue. « Une émission qui perce et devient un grand succès ne fera certainement aucun tort à la carrière de personne. Mais on ne doit pas vous évaluer d'après le nombre de fois où vous avez programmé un succès, mais plutôt d'après le nombre de fois où vous avez échoué. Nous traitons une matière considérable. Nous avons quelque trois cents projets différents en cours au même moment. »

C'est le jeu du pourcentage. Votre moyenne au bâton étant pratiquement condamnée à demeurer médiocre, la seule méthode dont vous disposez pour accroître vos chances de marquer des points est d'essayer de frapper la balle le plus souvent possible. Et bien que les cotes Nielsen présentent des évaluations claires et précises, Grant préfère évaluer ses programmeurs à l'aide de critères nuancés, fortement subjectifs. « Vous ne pouvez faire mieux que de vous fier à votre réaction instinctive face à quelqu'un qui, selon vous, a du goût, est intelligent, possède une vision créatrice. Je ne vois pas ce que vous pourriez faire d'autre. » Il ramasse l'un des nombreux scénarios qui parsèment son luxueux bureau et le tient à bout de bras. « Personne ne peut peser un scénario et déclarer : Ah! en voici un qui vaut 40 p. cent! Ce n'est pas ainsi que ça marche. »

Ces considérations s'appliquent également lorsqu'il s'agit d'évaluer un cadre supérieur de la programmation. « Vous ne pouvez quantifier quoi que ce soit, reprend Grant. Ses aptitudes à nouer des contacts avec les gens comptent beaucoup. Lorsqu'un producteur qui travaille en collaboration avec un programmeur finit par apprécier l'opinion de ce dernier et à avoir confiance en son jugement, il sera prêt à écouter ses suggestions. Mais si le programmeur ne participe pas au travail, le producteur écoutera ce qu'il a à dire, mais n'en fera de toute façon qu'à sa tête. Tout est fonction de la personnalité de votre homme et de sa capacité de nouer des contacts avec les gens et de faire passer un message. Quelqu'un qui a accompli un beau travail et a participé à la création d'une émission digne d'être télédiffusée sera reconnu, que l'émission ait ou non du succès. »

Cependant, personne ne devient directeur d'une chaîne en ayant acquis la réputation de ne programmer que des «fours» et la lutte pour le grand succès peut faire un nombre effrayant de victimes. Au cours des trois années pendant lesquelles Fred Silverman présida aux destinées de NBC, on raconte qu'il nomma tour à tour soixante-douze vice-présidents, alors qu'il s'efforçait, en vain, de faire décoller la chaîne de la dernière place qu'elle occupait en matière de cotes.

A qui faire confiance?

Au printemps dernier, le *Los Angeles Times* rapporta que Tony Thomopoulos, président d'ABC Entertainment, et son supérieur Fred Pierce avaient, de 1978 à 1980, conservé un médium parmi le personnel du réseau afin de savoir quelles émissions obtiendraient du succès.

«Les gens ont peur de l'échec et des émissions qui échouent, nous dit un programmeur. La peur est un élément important de cette vie et elle en occupe chaque minute. Même si vous n'êtes pas directement responsable d'un échec, vous ne voulez même pas que votre nom y soit associé, de près ou de loin.» Bien entendu, plus haut vous montez dans la hiérarchie du service de programmation, plus nombreuses seront les émissions auxquelles sera associé votre nom. «Tant d'éléments déterminent votre longévité dans ce métier! Ce que la précédente direction vous a laissé sur les bras, les relations et les intrigues, et la personne qui a été choisie comme bouc émissaire. Les dirigeants sont des colosses aux pieds d'argile. Ils gagnent beaucoup d'argent, ils détiennent de grands pouvoirs, et ils tiennent à les conserver. Ils ne veulent pas commettre d'erreurs. Par conséquent, la tendance n'est guère à l'héroïsme.»

L'un des aspects curieux de cette industrie est qu'elle soit dominée par un si petit nombre de gens. Il n'existe, par exemple, qu'une poignée de fournisseurs d'émissions télévisées. Moins de douze compagnies fournissent plus de 90 pour cent des programmes diffusés aux heures de forte écoute par les trois chaînes. Hollywood est une ville fermée. Vous n'aurez l'occasion d'y tenter votre chance que si vous avez déjà produit une émission qui a obtenu un franc succès. Car l'instinct de conservation est maître.

«La plupart du temps, les gens qui travaillent pour les réseaux protègent leur emploi», nous dit Garry Marshall, créateur de quelques-uns des plus grands succès de la télévision, tels que *Happy Days, Laverne & Shirley, Mork & Mindy*. Dans un documentaire diffusé par PBS, il a eu l'occasion de parler de ses émissions et de ses succès. « C'est très simple, un enfant le comprendrait. » Il expliqua que le dirigeant d'une chaîne qui embauche un inconnu pour tourner une émission pilote qui se révèle être un désastre risque de se retrouver à la porte ou, tout au moins de perdre son crédit. « Mais si c'est moi qu'il charge de ce travail et que l'émission foire lamentablement, il peut toujours se replier en disant : Qui aurait cru que Garry Marshall aurait produit une émission aussi stupide ? Quelle malchance que Garry Marshall ait échoué ! Qui l'eût cru ! Car c'est pour lui une échappatoire. S'il choisit une célébrité, il peut toujours prendre une position de repli. S'il choisit quelqu'un d'autre, il prend un risque. » Et il se met lui-même en danger.

Cela s'applique également aux programmes mêmes. Afin de réduire les risques, des hordes de programmeurs supervisent la réalisation de chaque émission, même si les producteurs sont présumés être les plus compétents dans ce domaine. Les programmeurs sont là pour s'assurer que ce qui va passer sur les ondes est fait pour être télédiffusé exactement comme l'entendent les professionnels de la télédiffusion. Cette attitude conduit fréquemment les personnes chargées des aspects artistiques à se plaindre de l'immixtion des bureaucrates.

Les lamentations de ce producteur expérimenté ne sont pas uniques en leur genre : « Les gens de la chaîne insistent pour se mêler de nos affaires car ils ne peuvent rien faire d'autre. Ils constituent cette strate bureaucratique placée entre le public et la communauté artistique. Pour justifier son existence, elle doit s'immiscer dans les affaires des producteurs. » Les griefs vont plus loin. Les réseaux, dit-on, ne s'intéressent qu'aux indices d'écoute, ce qui constitue du commercialisme pur et simple. Au lieu d'essayer d'améliorer la qualité des émissions, ils ne se préoccupent que d'utiliser les artifices traditionnellement efficaces pour accroître la cote d'écoute. Qu'il s'agisse de scènes croustillantes ou attendrissantes. En dépit de tout leur éclat et de tout leur dynamisme apparent, les réseaux s'accrochent aux vieilles formules.

Bien entendu, ce n'est pas pour rien que cela s'appelle de la « télévision commerciale ». « Oui, il existe un antagonisme entre la communauté artistique et les gestionnaires, affirme Seymour Amlin, vice-président d'ABC Entertainment. En grande partie, c'est stupide. Nous sommes tous désireux d'obtenir la même chose: le succès. Nous n'avons pas l'intention de piétiner la créativité des esprits, nous voulons au contraire la voir s'épanouir. Et s'ils sont vraiment créatifs, nous ne les ennuyons pas beaucoup. Un producteur comme Aaron Spelling, le père de *La croisière s'amuse**, qui sait très bien ce qu'il fait, ne subit que très peu d'ingérence. Bien sûr, nos suggestions mêmes peuvent passer pour de l'ingérence, mais vous pouvez aussi les considérer comme des preuves de bon sens. »

Amlin est entré à la programmation après avoir quitté le service d'études et de recherches d'ABC, il y a de cela vingt ans. « En qualité de chargé d'études, on commence à comprendre le risque inhérent à ce moyen de communications. On se fait une idée de ce qui doit marcher et de ce qui ne pourra pas marcher. On en arrive même à être sûr de soi à 90 pour cent. Mais le petit 10 pour cent qui reste peut vous jouer de drôles de tours. »

« Aux heures de forte écoute, ajoute-t-il, le plus gros risque est représenté par les programmes de variétés. Quant aux risques les plus faibles... laissez-moi vous dire qu'aucun risque n'est vraiment faible. On peut dire, à la rigueur, que diffuser un programme du même genre juste après un grand succès représente un risque faible. »

Même Amlin reconnaît en fin de compte que de nombreuses décisions concernant la programmation sont prises en se basant sur des instincts, des intuitions, des devinettes, quel que soit le nom qu'on leur donne. Dans le monde de la télévision, ce sixième sens est devenu légendaire. Les gens parlent de « tripes d'or » (golden gut), du don inestimable de celui qui, semble-t-il, sent par instinct ce que le public désire. Le célèbre Fred Silverman a souvent été surnommé « l'homme aux tripes d'or » pendant ses jours de gloire à ABC et CBS. Il « savait » que le public aimerait les comédies écervelées et les feuilletons d'aventures romanesques qui devinrent sa marque personnelle. Hélas, lorsqu'il prit la tête de NBC pour essayer de stimuler ses cotes d'écoute languissantes, il ne « savait » plus, semble-t-il, ce que le public voulait voir. Ses « tripes d'or » n'étaient plus que du laiton et Silverman épuisa ses ressources de programmeur avant d'être écarté de la présidence de NBC, à l'âge de quarante-trois ans.

Il est merveilleux de penser que les « tripes d'or » existent, mais cela tient peut-être un peu trop du mythe. « Les tripes d'or

---

* *Love Boat*. (Note du traducteur.)

n'existent pas, déclare Seymour Amlin. Je n'ai encore jamais rencontré personne, dans ce métier, qui n'ait connu que des succès sur une longue période. Bien sûr, de temps en temps, des gens tombent sur un filon riche. Mais à long terme, je me suis aperçu que leurs conceptions de l'échec ou de la réussite n'étaient pas différentes de celles des autres. »

Que voulez-vous parier ?

On peut toujours dénicher un futur grand succès, du moins dans l'absolu. Oui, je suis prêt à mettre en jeu ma carrière sur le succès d'un feuilleton intitulé *Here's Boomer**, dont le héros est un adorable chien bâtard qui rôde d'une ville à l'autre en venant à la rescousse des humains maladroits.

C'est parfait. Mais la question importante est la suivante: à quel moment la chaîne diffusera-t-elle ce succès certain? Car l'horaire fait tout. Le moment où l'émission paraît sur l'écran est aussi important, sinon plus important que son contenu.

« C'est une mosaïque, une tapisserie dont les morceaux s'imbriguent les uns dans les autres, horizontalement et verticalement», explique John Mitchell, ancien président de Screen Gems (compagnie de productions télévisées de Columbia), et aujourd'hui président de la Television Academy of Arts and Sciences (dont les membres décernent les prix Emmy). «Certains téléspectateurs regardent une émission donnée à un moment bien précis et non n'importe quel moment. »

Les producteurs suent sang et eau, nourrissent pendant des années un espoir impossible. Enfin, ils réussissent à obtenir que leur émission soit diffusée sur une chaîne de télévision. Des sommes étourdissantes de temps, de talent et d'argent ont été investies. Et que se passe-t-il? La chaîne a besoin d'une victime expiatoire à opposer le vendredi soir à 21 h à l'imbattable *Dallas*. Alors, votre émission, votre enfant, se voit annulée après trois épisodes. Votre seule consolation est peut-être qu'elle soit demeurée un secret bien gardé, étant donné le nombre peu élevé de téléspectateurs qu'elle a été capable d'attirer.

Non, les chaînes ne complotent pas pour faire connaître le succès à certaines émissions et en laisser d'autres dans l'ombre, bien que d'aucuns vous diront le contraire. Les chaînes aimeraient que toutes leurs émissions obtiennent un grand succès.

---

* *Voici Boomer*. (Note du traducteur.)

Seulement, la programmation est une partie qui n'est pas jouable. « C'est comme un jeu d'échecs à trois, dit Seymour Amlin. Il ne se termine jamais. » Les programmeurs tiennent à jour, dans leur bureau, de grands tableaux des grilles de programmes, les jours et les heures étant soigneusement encadrés pour former des colonnes. Les titres de leurs émissions et des émissions des concurrents étant imprimés sur de petites cartes aimantées, les programmeurs avancent, reculent, jonglent, mettent au point, prévoient... jouent aux devinettes.

Bien que la boule de cristal ou la planchette Ouija soient des outils tout aussi utiles que d'autres dans le travail de programmation, certaines techniques ont gagné du crédit. Par exemple, la « contreprogrammation », qui consiste à programmer délibérément des émissions destinées à faire contrepoids aux succès établis du concurrent, et la « programmation groupée », qui consiste à présenter des émissions du même type par tranches de plusieurs émissions.

« Nous utilisons constamment cette stratégie », déclare Bud Grant, en jetant un coup d'oeil au tableau aimanté suspendu en arrière de son bureau. « Nous avons des groupes de comédies le dimanche soir. Mais les vendredis soirs ont été difficiles. Nous ne parvenions pas à décoller entre 20 h et 21 h. Maintenant, nous avons Mr *Merlin* qui, je l'espère, nous permettra de percer à cette heure. Nous avons placé *WKRP in Cincinnati*, juste après. Et si ce groupe marche, nous pourrions programmer une autre émission à 21 h, de préférence quelque chose de nouveau. Ainsi nous utiliserions l'horaire pour bâtir notre grille de programmes. C'est ce que nous avons fait les jeudis et vendredis soirs de cette saison /1981-1982/. Nous avions réussi avec nos émissions de 21 h à 23 h, nous les avons donc déplacées de 20 h à 22 h. Notre but, et là j'entre dans le domaine de la théorie, était de fournir des téléspectateurs aux nouvelles émissions de 22 h. Nous avons une fois de plus utilisé l'horaire pour bâtir le programme. Nous nous efforçons continuellement de le régénérer car les émissions de télévision ne sont pas dotées de pérennité. Certaines vivent plus longtemps que d'autres mais, tôt ou tard, elles doivent disparaître. »

Grant explique très clairement dans quelle mesure sa programmation relève de la spéculation, de la théorie et de l'espoir. Peu de dirigeants sont aussi francs. « Les chaînes vous révèlent des prétendues théories dont elles se servent pour essayer, à retardement, de justifier leurs actes », déclare un publiciste qui achète du temps de passage à la télévision depuis que ce système existe. « Il y a quelques saisons, NBC claironnait sa « théorie de la poutre maîtresse ». La compagnie avait, paraît-il, placé des émissions solides à 21 h les sept soirs de la semaine, et qui devaient, selon elle, recevoir une cote d'écoute élevée. Ce système était censé attirer les téléspectateurs devant les émissions de 20 h à 21 h, dans l'attente des émissions vedettes de 21 h, puis les retenir devant leur écran pour les émissions de 22 h à 23 h. C'était purement et simplement absurde. Une tentative inepte à laquelle la compagnie se sentait obligée de donner un nom. Les autres réseaux ont tous agi de même à un moment ou à un autre. Il s'agit simplement d'un artifice destiné à monter en épingle le nouveau programme. Chacun sait que le nom que vous donnez à une technique de programmation n'a rien à voir avec le succès qu'elle obtiendra. Les téléspectateurs n'en ont que faire. »

La télévision a toujours été un métier risqué et tracasseur mais jamais autant que de nos jours. Elle use les gens jusqu'à la corde, les mâche puis les recrache.

« C'est un métier vraiment très dur », déclare John Schneider, aujourd'hui président de Warner-Amex, compagnie de câblodiffusion par satellite. Cet homme est l'un de ceux que l'on avait considérés comme l'héritier présomptif de William Paley, président de CBS. « Vous voyez un tas de gens qui parviennent au bout de leur rouleau. En ce qui me concerne, je me suis épuisé. Je suis resté trop longtemps à mon poste et mon engagement et mon zèle professionnels en ont souffert. » Schneider fut prié de démissionner de son poste de président de la chaîne en 1978.

« Je vous le demande avec le plus grand sérieux : combien de programmes pensez-vous pouvoir élaborer aux heures de forte écoute ? Ce qui signifie ; combien de fois pouvez-vous consacrer huit à dix semaines par an à déterminer si *Me and The Chimp* devrait passer le jeudi à 20 h ou s'il vaut mieux le remplacer par *Dukes of Hazzard* ? Ou quelle devrait être la longueur des jupes des filles dans *Dukes of Hazzard* et à quel moment le bouton supérieur du chemisier de la fille doit-il sauter dans *The Beverly Hillbillies* ? Vous ne tarderez pas à devenir cynique. » Chacun est évalué tous les jours, toutes les semaines, tous les mois et sans appel. Même les victoires ne durent pas longtemps. Il vous faut réitérer votre exploit la semaine suivante. Le passé est le passé, seul compte le présent. Les dirigeants en

viennent à avoir des idées fixes. Ils travaillent sept jours sur
sept, vingt-quatre heures sur vingt-quatre. Ils regardent tout le
temps la télévision. En se rasant et même dans la douche, où ils
emportent leur petit poste portatif de trois pouces.

« Pour fuir ce métier, dit Bud Grant, il faut se découvrir une
activité physique. » Récemment, Grant a consacré une semaine
de ses vacances à travailler dans l'équipe d'une plate-forme de
forage. Il estime qu'il y a trouvé exactement le changement
d'horizon qu'il lui fallait. « Lorsque vous travaillez près d'une
des pompes, vous ne pensez à rien d'autre qu'à ce que vous
faites, sinon vous risquez de finir en chair à pâté. » On peut dire
que c'est aussi le risque que court tout programmeur qui travaille pour un réseau de télévision, à la différence près qu'il est
probablement beaucoup moins dangereux de travailler sur un
gisement de pétrole.

Topez là

Les vestibules des édifices qui abritent les chaînes de télévision sont perpétuellement encombrés de messieurs arborant les
coûteuses tenues décontractées, de rigueur en Californie méridionale. Ils viennent vanter ardemment les mérites d'idées qui
se transformeront en émissions. Ils sont porteurs de promesses,
d'idées, de traitements, de scénarios, et de droits contractuels
concernant des « pièces » de talent. Leur but est d'obtenir des
contrats, encore des contrats, toujours des contrats. Ils sont
agents, avocats, producteurs, assembleurs, et cadres supérieurs
des studios. Bien qu'ils opèrent en symbiose avec les réseaux,
leur milieu professionnel est tout à fait différent : ils sont les
pourvoyeurs d'émissions.

Les chaînes misent sur le fait que les émissions qu'elles choisiront recevront des indices d'écoute favorables, lesquels leur
permettront de faire payer cher aux annonceurs leurs secondes
publicitaires. Les fournisseurs misent sur le fait que l'émission
qu'ils vendront à la chaîne vaudra une fortune quelque temps
après que la chaîne l'aura diffusée pour la première fois.

Voici comment tout cela fonctionne : un fournisseur vend une
émission à la chaîne, soit un « film de la semaine », soit un mini-
feuilleton, soit une émission spéciale, soit un feuilleton hebdo-
madaire. Il s'efforce de faire payer à la chaîne un prix suffisant
pour que les coûts de création et de production de l'émission
soient recouvrés. Il lui arrivera parfois d'enregistrer un petit

profit mais, la plupart du temps, il vendra à perte. Tout dépend du projet.

Après que la chaîne aura utilisé l'émission comme elle l'entend, le fournisseur reprendra possession du film ou de la cassette. Il essaiera alors de gagner de l'argent en vendant ce programme légèrement usagé à plusieurs compagnies à la fois. Ce qui signifie le mettre à la disposition des filiales des réseaux et des stations indépendantes de l'ensemble du pays ou du monde. Quelqu'un a dit un jour qu'à tout moment du jour ou de la nuit, un téléspectateur sur Terre regardait un épisode d'*Adorable Lucy (I Love Lucy)*. Souvenez-vous de ces épisodes de *La croisière s'amuse* qui sont diffusés à 10 heures du matin. De ces épisodes de *The Odd Couple* qui sont diffusés à 23 h ou des épisodes de *Les ennuis de Marie (The Mary Tyler Moore Show)* qui passent à 3 heures du matin et que vous avez regardés par des nuits d'insomnie. C'est ce type de programmes qui pousse d'abord les gens à entrer dans ce milieu de fous qu'est la production d'émissions télévisées.

C'est un jeu de hasard. Mais si vous gagnez, votre fortune est faite. Des sources sûres estiment que les recettes déjà fournies par deux émissions à grand succès qui sont diffusées sur plusieurs chaînes à la fois, *Happy Days* et *Laverne & Shirley*, dépassent 300 millions de dollars. Récemment, le créateur de *Barney Miller* aurait, paraît-il, reçu 17 millions de dollars en paiement de sa part des droits afférents à cette émission. En effet, les émissions d'une longévité exceptionnelle fournissent à leurs vedettes des rentes atteignant les six chiffres et aux compagnies qui les vendent à plusieurs réseaux à la fois, une assiette de gains généreux et stables.

Merveilleux! Où s'inscrit-on?

Ce n'est pas si simple. Les stations locales ont de nombreuses heures à remplir et elles ont besoin d'émissions qu'elles peuvent caser dans un intervalle et oublier ensuite. Mais pour qu'un feuilleton puisse être vendu, à un bon prix, à plusieurs chaînes à la fois, il doit avoir été diffusé pendant au moins cinq ans. Et combien d'émissions ne dépassent pas le stade des cinq premiers épisodes!

Les programmes à diffusion unique, tels que les films tournés pour la télévision, les mini-feuilletons, les émissions spéciales et les films pilotes qui n'ont jamais été transformés en feuilletons, peuvent devenir profitables avec le temps. Ils peuvent être vendus de nombreuses fois mais les profits qu'ils permettent d'enregistrer ne peuvent se comparer avec le pactole presque intarissable des feuilletons à forte longévité.

Concrètement, les chaînes de télévision sont les banquiers des producteurs et leur fournissent assez (ou presque assez) d'argent pour créer le produit susceptible de générer des recettes. Les deux camps jouent gros jeu mais pour des motifs différents. Les chaînes doivent constamment avoir des émissions en cours d'élaboration (CBS en a plus de trois cents), afin de pouvoir remplacer les émissions qui sont annulées et conserver des programmes frais et attrayants. Les fournisseurs ont besoin d'avoir le maximun d'émissions en chantier car il y a de fortes chances pour que la chaîne annule une émission donnée avant que lesdits fournisseurs aient eu la possibilité de voir programmer suffisamment d'épisodes pour qu'ils puissent espérer gagner de l'argent en la vendant à plusieurs chaînes à la fois. Pour les deux camps, la stratégie est la suivante: garder en scène un grand nombre de produits en espérant mettre la main sur un de ces rares succès qui paiera pour tous les échecs.

Afin de comprendre les conditions sine qua non du succès lorsqu'on est dans le camp de l'offre, il faut d'abord admettre le principe le plus fondamental mais aussi le plus mal compris du métier: «Lorsque je travaillais pour le réseau, se souvient Jack Schneider, et que quelqu'un venait me trouver avec une idée d'émission, je l'écoutais à peu près quinze secondes. Personne n'a une «idée» d'émission en tant que telle. L'idée n'a aucune importance. L'exécution fait tout. Il n'existe de toute façon que six idées. Ce qui compte, c'est l'exécution... dans les délais, en respectant le budget, avec esprit, avec grâce, avec charme.»

Qu'en pense le producteur Bud Austin? «Le grand mythe de notre métier c'est l'idée. Les gens ignorent que les idées ne comptent pas, ne signifient rien. Quelle est l'idée de *Taxi*, de *M*A*S*H**, de *Hill Street Blues*? Non, la question est la suivante: qui va créer l'émission, qui va écrire le scénario, qui va être la vedette, de quoi a l'air le rassemblement de talents? Voilà ce qui compte.»

Par conséquent, le pourvoyeur doit, soit être l'un des talents (comme le producteur-scénariste Norman Lear), soit réunir les talents en un groupe qu'une chaîne sera susceptible d'acheter. On peut conclure toutes sortes de «contrats de création» avec les chaînes. La chaîne paiera pour voir un producteur transformer un thème possible en scénario. Si le scénario lui plaît, elle pourra conclure un contrat avec une vedette, concernant la réalisation d'un seul film pilote, lequel sera peut-être mis à l'essai par des spécialistes des études de marché et, si les résultats sont favorables, la chaîne commandera peut-être quatre épisodes d'un feuilleton tiré du film. Si les deux premiers épisodes reçoivent une cote d'écoute élevée, la chaîne commandera alors peut-être d'autres épisodes et, avant de pouvoir dire « ouf », vous avez un feuilleton à grand succès. Ou un « four ».

Mais on ne procède pas sur un mode linéaire. Il faut considérer le monde du spectacle comme des piles de pièces détachées éparpillées tout autour de New York ou de Los Angeles. Les gens passent leur temps à fouiller dans les piles, à essayer d'accorder une pièce à une autre, afin de mettre au point un mécanisme qui fonctionnera. Les pièces détachées sont les acteurs, les scénaristes, les scripteurs, les producteurs.

En 1970, un régisseur d'acteurs nommé Allen Shayne venait de quitter Warner Brothers pour CBS, où il reçut le titre de vice-président chargé des artistes. Ce qui signifiait que toutes les distributions d'émissions pilotes produites pour le réseau devaient recevoir son approbation. A Warner, Shayne avait vu le scénario de l'adaptation télévisée du film *Alice n'est plus ici* (*Alice Doesn't Live Here Anymore*), qui avait remporté un Oscar. A CBS, l'une des affaires dont il dut s'occuper concernait une comédienne qui avait conclu un contrat avec CBS, aux termes duquel elle devait créer quelque chose. Il décida de raccorder ces deux éléments.

« Le contrat de Linda Levin avec CBS arrivait à expiration le lendemain », se souvient Shayne. J'avais vu le scénario d'*Alice* à Warner et il m'avait séduit. Mais c'était une histoire sérieuse, et non comique. C'était l'un de nos nombreux scénarios pilotes. Cependant, il m'a semblé pouvoir en faire quelque chose d'amusant, que Linda rendrait encore plus amusant. Elle l'utiliserait peut-être comme son propre moyen de communication. » Il exécuta le reste de la distribution en collaboration avec Warner et CBS commanda un nouveau scénario d'*Alice*. Celui-ci reçut un jugement favorable et la chaîne commanda alors un feuilleton.

Pendant ce temps, Shayne était retourné à Warner Brothers pour prendre en main sa compagnie de production télévisée presque vouée à l'extinction. Il surveilla très soigneusement le tournage du nouveau feuilleton. Il recruta puis congédia quatre fois de suite les producteurs. Il étudia chaque scénario et s'employa à changer le personnel jusqu'à ce qu'il fût certain de tenir le bon groupe. « Heureusement, dès le début, *Alice* se trouva diffusé à un moment favorable. Juste après *All In the Family*. Les téléspectateurs d'Archie Bunker demeurèrent dans leur fauteuil sans songer à tourner le bouton. » Cela sauva la situation jusqu'au jour où l'émission fut bien ancrée et se révéla elle-même un grand succès. *Alice* a entamé sa septième saison à l'automne 1982 et représente l'un des plus grands succès de CBS.

Shayne a débuté comme acteur au moment des premiers balbutiements de la télévision et a appris le métier de régisseur d'acteurs sur les scènes de Broadway. Il juge que les événements qui ont marqué sa carrière sont des « accidents ». L'histoire de ses émissions est souvent la même.

« Je connaissais Tony Randall depuis des années », dit-il, installé dans le bureau dépouillé, fait de dalles et de stuc, qu'il occupe dans le complexe historique de Warner Brothers. « Nous avions joué ensemble dans une pièce il y a bien longtemps. Il m'a appelé ici il y a quelques années pour me dire qu'il détenait le résumé en deux pages d'une histoire qui lui plaisait. Je l'ai lu et l'ai trouvé à mon goût. Oui, lui ai-je dit, j'aimerais en faire un film. A ce moment-là, je savais que l'histoire était plutôt celle qui formerait un bon feuilleton mais je savais aussi que Tony s'était juré de ne plus jamais tourner de feuilletons. Il a réussi sa carrière, il ne travaille que lorsqu'il en a envie. »

Lorsque Shayne revint à CBS, il parcourut la liste des projets disponibles pour la vente. Il mentionna l'idée de Tony Randall. « Je l'ai vendue d'un air désinvolte, dit-il. Ah, oui, Tony aimerait tourner ce petit truc-là. » CBS a mordu à l'hameçon et a signé le contrat de création. « Nous avons écrit le scénario, mais ils ont décidé en fin de compte de ne pas continuer. A ce moment-là je savais que Fred Silverman avait demandé à Tony de tourner un feuilleton, aussi j'ai demandé à NBC: pourquoi ne pas tourner le film qui plaît tant à Tony? Ils ont accepté et nous avons signé le contrat. Le film s'est intitulé *Sydney Shorr* et tout le monde, dans la compagnie, l'a adoré. Excepté Fred Silverman. La date de diffusion était déjà fixée mais Fred a retiré le film de la circulation. » Shayne et ses collègues le soumirent à l'épreuve du public, ce qui peut être très convaincant pour une chaîne réticente. « Tout a bien marché. Le public l'a adoré. A la suite des essais, NBC commanda le feuilleton. Fred Silverman a même regardé le film avec sa femme qui a pleuré et a été emballée. »

Shayne avait peut-être reçu une commande de feuilleton du réseau, mais il n'avait reçu aucun engagement de ce genre de sa vedette. « Chaque fois que j'avais demandé à Tony de tourner le feuilleton, il avait refusé. Finalement, nous avons dû prendre l'avion pour la Nouvelle-Écosse, où il se trouvait en vacances, pour essayer de le convaincre. Nous avons accepté de faire un don en argent à une troupe de répertoire à laquelle il s'intéressait. Nous avons accepté de tourner les épisodes à New York, sa ville de résidence. Et il a finalement accepté. » *Love, Sydney* vient d'entamer sa deuxième saison.

En sa qualité de président de l'un des fournisseurs les plus prospères d'émissions télévisées, Shayne remplit une variété de fonctions : régisseur d'acteurs, scripteur, négociateur de contrats. Tout dépend des circonstances. « Les relations humaines sont parmi les tâches les plus importantes. J'essaie de savoir pourquoi les gens sont insatisfaits. J'essaie de régler les problèmes. Par « relations humaines », je ne veux pas dire que je dois être ami avec tout le monde. Je n'avais pas vu Tony Randall depuis des années et il m'a téléphoné parce qu'il savait que j'étais dans le métier et qu'il avait aimé ce que la compagnie avait fait auparavant. Par « relations humaines », je veux dire que puisque tous les studios rémunèrent tout le monde de la même manière, les gens les plus doués travaillent pour qui ils veulent, avec qui ils se sentent le plus à l'aise. » Par conséquent, sa tâche la plus importante est de faire de Warner Brothers un endroit où les gens les plus talentueux auront envie de venir travailler.

Son expérience professionnelle de régisseur d'acteurs, de producteur, de dirigeant d'une chaîne et même de présentateur à la radio l'a préparé à la complexité de son travail actuel. « Je n'ai pas la moindre idée du chemin que l'on doit suivre pour faire ce métier, dit-il en haussant les épaules. Je ne sais comment on s'y prend et je ne sais pas non plus quel genre d'antécédents vous êtes censé avoir pour réussir. Si vous posez cette question à dix personnes qui ont réussi dans ce métier, vous recevrez dix réponses différentes, tout aussi valables les unes que les autres. Il est certain qu'en ce qui me concerne, je n'ai rien fait, ni même rien entrepris qui pourrait me conduire au poste que j'occupe actuellement. »

Pour Robert Harris, président d'Universal TV, le plus gros fournisseur d'émissions télévisées, la route a été semée de tours, de détours qu'il a chaque fois négociés à une vitesse casse-cou, sans même consulter de carte routière. Chacun des postes qu'il occupait le soumettait à une tension plus forte, comportait plus de risques et était moins sûr d'un à l'autre. La manière dont il a accepté la vie au sein du monde du spectacle n'est pas singulière. Il est aussi représentatif et aussi unique que n'importe quel autre membre de l'industrie cinématographique.

« Je suis un joueur, dit cet homme affable, âgé de trente-six ans. J'adore les champs de course. J'aime prendre des risques. J'ai suffisamment foi en moi-même pour espérer ne jamais me retrouver sans travail. Je vois mes contemporains monter et descendre, entrer et sortir, mais quoi qu'il arrive, j'ai l'impression que je suis capable de me fier aux connaissances que tous les postes que j'ai occupés m'ont permis d'acquérir. Je ne réfléchis pas à long terme. J'ai toujours su me décider au bon moment, lorsqu'il était temps de changer d'air. Aujourd'hui, je sais où je vais. Ainsi, j'évite de connaître l'impatience. »

Il a eu peu de raisons et encore moins d'occasions de connaître l'impatience au cours de sa carrière. Après avoir décidé, au cours de ses études universitaires, qu'il voulait devenir journaliste de la presse parlée, il demanda à son père, qui travaillait dans une boutique de mode pour hommes de Beverly Hills, s'il avait des relations dans ce milieu. Par l'intermédiaire d'un client, son père réussit à lui obtenir une entrevue à CBS. Il débuta comme messager, puis commença à travailler à la production des bulletins de nouvelles locales. Après avoir ébahi tout le monde par ses talents de programmeur prodige, il obtint un poste dans le secteur des émissions, d'abord à NBC puis à ABC.

Par hasard, il se retrouva producteur d'une des émissions d'ABC dont il était censé superviser le tournage : *Baretta*, le feuilleton policier tant apprécié du public. Au moment où il s'apprêtait à quitter le plateau de tournage en raison de problèmes indépendants de sa volonté, le président d'Universal, la compagnie qui produisait *Baretta*, lui offrit un poste de responsabilités. L'impression qu'il fait aux dirigeants d'Universal le conduisit, en 1981, à la présidence d'Universal TV. « On dit que pour faire ce métier, vous devez avoir une mentalité de tueur, dit-il, qu'il faut vous débarrasser des gens qui vous gênent. Mais cela n'a jamais été mon genre. Il semblerait que ma réputation soit plutôt celle d'un brave type. J'ai eu la chance de pouvoir prouver de quoi j'étais capable et, jusqu'à présent, j'ai survécu. Mais je dois dire que, du siège que j'occupe, dépassent beaucoup plus d'épines que je ne l'aurais imaginé. »

Comme tous les gens de la télévision, Robert Harris reconnaît que son titre ne tient qu'à un fil: celui des cotes d'écoute. «Je sais que je peux perdre mon poste en dix minutes. Mais quoi qu'il arrive, je pourrai retourner dans les salles de rédaction. J'y ai encore des amis, ajoute-t-il en souriant. Je pourrai toujours m'occuper à rédiger les bulletins d'actualité de onze heures. Mais si tout se passe bien, cette compagnie offre de grandes possibilités d'avenir. Sinon, il y a toujours les réseaux et les autres compagnies.»

Son tempérament semble être parfaitement modelé sur les conditions de vie dans l'industrie du spectacle. Il s'épanouit dans un milieu où le risque et l'incertitude font partie de la vie de tous les jours et où chacun s'exprime à sa façon. Ses talents lui ont offert un débouché et lui ont permis d'être reconnu à sa juste valeur. D'autre part, ses supérieurs ont encouragé son épanouissement professionnel. On peut dire de Robert Harris qu'il a été exceptionnellement chanceux. Il n'en va pas toujours de même dans le monde du spectacle.

Miel et vinaigre

«On trouve quatre mille personnes pour occuper chaque poste disponible de l'industrie, observe John Mitchell, ancien président de Screen Gems. Pour débuter, les gens mendient, empruntent, volent, font tout pour avoir la chance de tenir le coup. Et c'est tragique. La libre concurrence a disparu. Aujourd'hui, l'industrie ne forme qu'un univers réduit. Tant de choses se liguent contre le nouveau venu.»

«D'autre part, les enjeux sont trop élevés. Les gens ne sont pas portés à prendre de risques en accordant leur confiance à un inconnu. Pourtant, notre industrie ne s'est pas préparée pour l'avenir. Nous n'avons jamais mis au point de milieu de formation destiné à ceux qui viendront après nous. Nous n'élèverons pas nos descendants.» Et pourquoi pas?

«Le problème réside dans le fait que cette pépinière, si on lui offre la possibilité de se créer, risque de venir ensuite nous chasser à coups de pieds dans le derrière, si on lui laisse la chance de le faire. Chacun utilise tout son potentiel énergique à demeurer dans la course.»

«Vous devez suivre la vague. Vous avancez, simplement. Si vous ne le faites pas, attendez-vous à avoir des ennuis. Tout change trop vite. Notre métier est terriblement exigeant. Il mise sur les angoisses des gens, il mise sur la peur de se retrouver sans travail car il ne sera pas facile de retrouver ensuite un poste du type de celui dont vous êtes sur le point d'être démuni. C'est pourquoi la tension est considérable. Des sommes énormes sont en jeu et la prime est obligatoirement fonction du succès. »

Ceux qui ne réussissent pas subissent-ils des sanctions? « Les gens sont anxieux de réussir car nombreux sont ceux qui en sont au même stade qu'eux. Alors ils s'imposent des tensions inouïes pour se frayer un chemin jusqu'au sommet de la pile. Mais une fois qu'ils l'ont atteint, il leur faut se battre pour ne pas être renversés. Les pressions viennent de vous-même et aussi de votre propre famille. »

Effectivement, ce qui se passe en dehors du bureau peut être aussi important, sinon plus important que ce qui se passe à l'intérieur. « La raison pour laquelle un homme a été nommé directeur d'un studio au détriment de quelqu'un d'autre, en admettant que tous deux possèdent des aptitudes équivalentes, est souvent d'ordre social ou politique, explique un producteur expérimenté. Le type qui a eu le poste avait recruté le bon avocat, le bon agent, il avait été aperçu dans toutes les rencontres sociales d'importance. C'est un homme très en vue. C'est cela qui conduit les gens à s'acheter des Mercedes-Benz ou des Rolls-Royce et à porter des toilettes coûteuses. Ils adorent se mêler à leurs collègues pour les épater. Par exemple, au cours d'une réception, quelqu'un laisse tomber deux mots à propos d'une éventuelle réorganisation administrative. Notre bonhomme se jette dessus comme l'aigle sur sa proie et finit par entrer dans la danse. Pour réussir dans ce métier, il ne faut pas sous-estimer l'importance des contacts amicaux que vous réussissez à nouer en vous comportant comme une bête mondaine, en étant en vue. Si vous êtes vraiment doué, vous pouvez les envoyer tous se faire pendre mais tellement peu de gens ont cette chance! Surtout parmi ceux qui sont à la tête des compagnies! »

La paranoïa sociale de la communauté du spectacle est légendaire. « Il existe des restaurants dans cette ville / Los Angeles / dont le seul but est d'attirer les gens qui veulent être aperçus en compagnie d'autres gens, ajoute-t-il. Si vous voulez voir comment tout cela fonctionne, allez donc déjeuner à Ma Maison. Ça ne mange pas beaucoup et ça boit encore moins! Tout le monde est occupé à nouer ce qu'on appelle des « contacts ». Pendant que vous êtes en grande conversation avec quelqu'un, vous voyez ses yeux vagabonder vers tous les coins et recoins de la pièce. Soudain, il aperçoit près de la porte une personne à qui il aimerait parler. Alors il vous dit : « Attends une seconde, mon vieux et le voilà parti. C'est ainsi que cela se passe. Vous apercevez ce regard vague dans les yeux des gens. »

« Le plus tragique c'est lorsqu'ils ne sont pas remarqués par quelqu'un qu'ils estiment important. Le type en question entre dans la pièce sans remarquer votre interlocuteur. C'est un agent, ou peut-être un producteur. Mais pour votre bonhomme, la journée est gâchée et il finira peut-être par en devenir insomniaque. Suis-je en train de manquer à ma tâche, se demandera-t-il. Souvent, c'est simplement une manière d'excuser un manque de talent. Mais cette industrie est bourrée de gens qui sont montés jusqu'à des sommets embarrassants uniquement grâce à leur habileté à évoluer en société. Ils dirigent toutes sortes de choses mais leur seul atout, c'est leur sourire. »

Agents doubles

Les gens de la télévision sont en général très brillants, très agiles d'esprit et plein d'entrain. En tant que groupe, ils sont sophistiqués, mondains et assez prospères pour cultiver le goût des plus belles choses de la vie. La plupart sont instruits et savent bien s'exprimer.

Mais que font-ils donc à la télévision ?

« Quiconque est dans un milieu où il a affaire avec un marché de masse, quel que soit le produit vendu, possède deux goûts distincts, explique Bud Grant. Nous vendons un produit à un annonceur. Notre objectif est de livrer le plus grand nombre de gens possible à cet annonceur. La cote d'écoute de l'émission que nous vendons ne correspond peut-être pas à mes goûts personnels mais il nous faut des programmes équilibrés. Nous avons d'une part une émission telle que *Dukes of Hazzard* et, d'autre part, *60 minutes*. Personnellement, j'estime que toutes deux sont extrêmement bien faites pour ce qu'elles sont ! »

Comme l'a dit à un journaliste le dirigeant de Lorimar, Lee Rich : « Je sais ce qu'est *Dallas*, c'est de la cochonnerie ! Mais nous le tournons aussi soigneusement que possible et les gens en retirent indirectement des sensations fortes. » Lorimar crée des émissions de télévision très appréciées des téléspectateurs.

Nous sommes dans un milieu commercial, non un milieu artistique. Les acteurs peuvent gagner 100 000 dollars ou plus en tournant un seul épisode d'un feuilleton et le scénariste qui l'a concocté sur sa machine à écrire a gagné en une seule semaine 30 000 dollars. Le contrat du producteur stipule des honoraires de 150 000 dollars ou plus. Le cadre supérieur chargé de la programmation en retire peut-être 50 000, son patron 100 000 et le patron de son patron 180 000. Quant à la compagnie qui détient les droits de l'émission, elle verra des dizaines de millions tomber dans son escarcelle. C'est pourquoi tout ce monde peut se permettre de satisfaire son goût des plaisirs distingués pendant ses moments de loisir.

« Je ne reste pas assis ici à me plaindre que j'aimerais bien lire un classique de la littérature mais que je dois faire ce travail qui m'ennuie considérablement », nous dit Allen Shayne. « C'est vrai, nous devons posséder deux types de goûts distincts. Lorsque je regarde un épisode d'*Alice*, je m'amuse, pourtant. Je le regarde comme un téléspectateur parmi tant d'autres. J'ai adoré *La maîtresse du lieutenant français**, mais je peux aussi regarder *Dukes of Hazzard* et me divertir. Je pense d'ailleurs que, les choses étant ce qu'elles sont, *Dukes of Hazzard* est merveilleusement réalisé. Bien sûr, ce n'est pas *Hamlet*. Mais ce n'est pas non plus du travail bâclé et nous n'essayons aucunement de lésiner dessus. Je regarde constamment la télévision. Constamment. Je regarde même les émissions pour enfants du samedi matin. Cependant, je ne peux pas vous dire quelle serait mon attitude si je ne travaillais pas dans ce milieu. C'est une autre histoire. Il est probable que je ne regarderais rien de tout cela. »

Ce qui nous conduit à la nature de ces moyens de communication de masse, destinés à la masse. Ensemble, les chaînes doivent combler plus de cinq mille heures, en ne comptant que les heures de forte écoute, de 20 h à 23 h. Plus de cinq mille heures de comédies, de dramatiques, de chants et de danses, de bulletins d'information, de documentaires, de films et de Dieu sait quoi encore. Existe-t-il suffisamment de gens doués pour remplir chaque minute de ces cinq mille heures dans les meilleures conditions possibles?

« Lorsque je rencontre des gens au cours d'un dîner et qu'ils découvrent que je travaille pour la télévision, dit Bud Grant, ils se mettent à grogner: « Comment parvenez-vous à laisser passer toutes ces sottises à la télévision? » Eh bien, laissez-moi vous dire que tous les soirs à la télévision vous avez au moins

---

* *French Lieutenant's Woman*. (Note du traducteur.)

une heure d'émissions intéressantes, gratifiantes, qui valent la peine d'être regardées. Mais les gens persistent à demeurer assis devant leur écran pendant six ou sept heures. Mais vous ne pourrez jamais avoir, pendant six ou sept heures, que des émissions que vous aimerez regarder. Essayez donc de lire cinq ou six livres à la fois! Vous ne les trouverez certainement pas tous excellents. Avec un peu de chance, peut-être qu'un sur cinq vaudra la peine d'être lu ou peut-être qu'un chapitre ou deux seulement vaudront la peine d'être lus. Pourquoi en irait-il différemment à la télévision?»

Les réseaux de télévision, cependant, ne sont plus seuls en lice.

La câblomanie

Le moment ne fut pas aussi dramatique que Morse demandant ce que Dieu avait inscrit sur le premier télégramme ou que Bell appelant son assistant à l'aide du premier téléphone.

En 1972, un jeune avocat nommé Gerald Levin demanda qu'on lui livre un canapé, une lampe de chevet et un écran de télévision dans un bureau situé dans un bâtiment industriel peu reluisant de la vingt-troisième rue à Mahattan. Puis un homme arriva et raccorda la télévision à un câble. Quelques soirées plus tard, Levin vint s'asseoir dans sa simili-salle de séjour et alluma son poste de télévision. Un film suivi d'une rencontre sportive défilèrent sur l'écran, ininterrompus par des annonces publicitaires. Levin éteignit ensuite son poste et rentra chez lui. Seuls lui et quelque trois cents familles de Wilkes-Barre, en Pennsylvanie, venaient d'être témoins de cet événement de l'histoire de la télévision.

C'est ce soir-là que naquit l'entreprise Home Box Office. L'âge de la télévision à péage venait de commencer. «J'étais convaincu, après avoir vu ce film, déclare Levin, que je venais d'assister à quelque chose de spécial. Les mêmes éléments traditionnels venaient d'être assemblés pour former un tout différent. J'ignorais comment les choses allaient tourner, mais ce que je peux affirmer c'est que, ce soir-là, je me suis dit: nous sommes au bord d'une découverte.»

Dix ans plus tard, Levin est assis dans le spacieux bureau beige, à l'étage des cadres supérieurs de Times Inc; dans le gratte-ciel de la compagnie situé à trente pâtés de maisons de son vieux repère. En qualité de vice-président de groupe, chargé des opérations vidéo, il supervise des activités qui engendrent plus de 600 millions de dollars par an, englobent le plus gros système de câblodiffusion du pays, des compagnies de production vidéo, une station de télévision, et le service de télévision à péage Home Box Office, qui dessert plus de six millions d'abonnés dans tout le pays.

« Nous avions sous-estimé la rapidité avec laquelle cette idée ferait son chemin », dit-il. Levin est coutumier de ces euphémismes. En réalité, on peut qualifier d'explosion ce qui est arrivé. La câblodiffusion était, au début des années 70, réservée aux habitants des régions reculées qui ne pouvaient obtenir une bonne réception à l'aide des antennes de toit. Et des programmes télévisés qu'on paierait pour recevoir n'étaient qu'un rêve. Aujourd'hui, plus de 25 pour cent du total des ménages dotés d'un poste de télévision sont raccordés par câble. (Les analystes estiment que d'ici au milieu de la décennie, ce pourcentage sera de 35.) Plus de dix millions de ménages sont maintenant abonnés aux programmes de télévision à péage.

La câblodiffusion était autrefois la chasse gardée de quelques entrepreneurs. Aujourd'hui, des géants tels que Westinghouse, Getty Oil, Time, Times Mirror, Warner Communications, American Express, les trois réseaux de télévision et les studios sont entrés dans l'arène. Le coût du temps de diffusion par satellite porteur de signaux d'images a connu une véritable flambée. Quelqu'un doit être persuadé qu'il y a de l'argent à gagner.

Plus d'une douzaine de services de programmation par câblodiffusion rivalisent pour obtenir les dollars des abonnés, et on s'attend que ce chiffre augmente. L'industrie de la câblovision atteindra donc rapidement son stade de développement adulte. Gerald Levin était l'homme à tout faire de Home Box Office, en compagnie de la personne chargée de balayer les planchers. « Maintenant, si nous débutions, je ne serais peut-être pas capable d'obtenir un poste à HBO. Tous ici sont des spécialistes et je n'appartiens à aucune catégorie. » Exactement comme au sein d'un réseau, on aperçoit des techniciens, des spécialistes de la commercialisation, des programmeurs, des agents de recherche, des vendeurs, etc. En sus de son canal réservé aux films, HBO, Time a récemment créé Cinemax, un autre canal où ne seront diffusés que des films. Levin est particulièrement enthousiaste à propos de sa nouvelle entreprise de câblodiffusion. Il s'agit d'un magazine électronique qui, selon lui, n'a encore jamais eu son pareil.

«Ce que notre groupe Teletex s'efforce de faire pour le moment n'est pas simplement de transformer le magazine *Time* en émission vidéo. Il ne s'agit pas seulement d'un texte imprimé et de photos en couleurs qui apparaîtront sur un écran. C'est un nouveau moyen de communication. Nous allons commencer à partir d'une banque d'environ mille «pages». Vraiment de l'actualité. Vous pourrez la voir changer au fur et à mesure que les journalistes la mettront à jour. On créera une section de rédaction distincte du reste de la compagnie. Le téléspectateur pourra avoir accès à la «page» qu'il désire à l'aide d'un simple clavier. Nous utiliserons un affichage graphique différent de tout ce que vous avez pu voir sur d'autres systèmes vidéo. Pas de défilement en déroulant mais un produit tout à fait nouveau. Ce service sera réservé aux abonnés et comportera des annonces publicitaires. Rien de tel n'existe... Du moins pas encore.»

Y-a-t-il une demande pour Teletex? «Les gens disent qu'il n'en veulent pas lorsque nous leur posons la question par sondage, reconnaît Levin. Mais ils ne voulaient pas non plus de HBO et, avant cela, on leur avait demandé s'ils aimeraient que leur transistor soit accompagné d'images. Leur réponse avait été absolument négative. Personne ne voulait entendre parler de la télévision. Jusqu'au moment où ils l'ont vue. Il faut aiguillonner la demande pour la faire émerger.» Un autre projet de Time Video est une entreprise, en association avec MCA et Paramount, intitulée USA Network, une chaîne libre de télévision par câble, assortie d'annonces publicitaires.

Lorsqu'on se trouve face à des gens comme Ted Turner, qui a fait les manchettes grâce à sa Superstation (diffusion par satellite à l'échelle du pays) ou à des compagnies comme Cable News Network, on pourrait penser que l'industrie de la câblodiffusion a capturé l'imagination populaire. Le potentiel est de plus de cent canaux par sélecteur, une chaîne pour tous les goûts, y compris des systèmes interactifs grâce auxquels les spectateurs peuvent «répondre» à l'écran. Rédiger des articles qui vantent les futures merveilles de la câblodiffusion est devenu l'un des passe-temps favoris des journalistes.

Mais le jury n'a pas encore fini de délibérer. De tous les services de télévision à péage, seul HBO enregistre des bénéfices. La totalité de l'industrie de la câblodiffusion ne procure que 50 millions de dollars de recettes publicitaires, que l'on peut comparer avec les 5 milliards enregistrés globalement par les trois réseaux. Il convient donc de savoir si le câble est rentable et, si tel est le cas, comment le rendre profitable. A ce stade, les gens investissent dans un futur imprévisible. D'une compagnie à l'autre, les opinions différent. La câblodiffusion et la télévision à péage ne sont pas encore des industries bien organisées. Chacun en fait à sa tête, au gré de ses idées.

« Nos principaux dirigeants sont orientés vers les affaires et la gestion, observe Gerald Levin. C'est pourquoi il règne ici, à Time Video, une atmosphère plus traditionnelle qu'on pourrait s'y attendre dans un milieu en pleine gestation. Nous élaborons de nombreux plans économiques. Nous évaluons les conséquences financières. Car il y a une raison financière derrière notre réussite. Nous encourageons un état d'esprit analytique. Nous essayons de faire le tri parmi les options que nous soumettent les analyses. Nous sommes systématiques et nous nous efforçons de tout planifier. » Bien que nombreux soient ceux qui considèrent Time Video comme le refuge des diplômés en administration des affaires, Levin (qui ne possède pas ce diplôme) dément cette idée. « Vous n'avez pas besoin de ce diplôme pour travailler ici. Il vous faut simplement posséder cet état d'esprit analytique. »

Qu'en est-il des communications ? Du monde du spectacle ? Levin n'en a dit mot. « C'est exact. Nous entreprenons la majorité de nos projets sans faire appel au monde du spectacle. Il me paraît important de ne pas oublier que nous ne sommes pas une de ces compagnies de plaisantins. Une certaine orientation, un certain intérêt pour le monde du spectacle seraient utiles, mais beaucoup de mes collègues ne le conçoivent pas ainsi. » Time Video recherche-t-elle les compétences qui permettraient de réussir, par exemple, en programmation ? « Non », répond Levin.

Il n'en va pas de même, trois tours plus bas dans la même avenue, où Jack Schneider et ses collègues de Warner-Amex Satellite Communications mûrissent leurs propres projets. Au sein de la coentreprise de télévision par câble, Warner Communications-American Express, l'équipe de Schneider s'occupe de la programmation. L'autre compagnie est chargée de tendre le câble.

« Notre mission est très claire, dit-il. Nous sommes des professionnels de la télédiffusion. Nous savons quelles sont les difficultés qui se posent pour remplir une heure de programmes. Mes collègues savent ce qui est nécessaire pour retenir l'attention des téléspectateurs. Notre attitude est tout à fait différente de celle du Time. Nous recherchons plus ou moins des gens qui réussiraient au sein d'un réseau. Bien sûr, les réseaux pensent en termes d'émissions, telle demi-heure leur permet d'être tranquille pour une heure, etc. Mais ici nous pensons en termes de canaux.»

Jusqu'à présent, Warner-Amex a créé The Movie Channel qui projette, vingt-quatre heures sur vingt-quatre, des films récents du même type que ceux qui sont projetés par HBO ou Showtime. Elle a aussi créé Nickelodeon, des programmes éducatifs et comiques pour enfants et MTV qui présente, vingt-quatre heures sur vingt-quatre, les meilleurs chanteurs «rock» interprétant leurs plus grands succès. Des canaux... oui, mais comment s'y prendre pour concevoir un canal?

«Admettons que vous commenciez par une chaîne d'achats, nous explique l'expansif ancien président de CBS. Peter Ustinov retient votre attention par des anecdotes extraites de son dernier livre et vous explique que vous pouvez le recevoir chez vous dans quarante-huit heures en appelant tel numéro. Ensuite, Julia Child vous montre comment exécuter une recette. Puis à la fin, vous apprenez que tout est à vendre: la casserole, le fouet, les couteaux, les terrines. Tout. C'est ainsi que votre pensée commence à s'organiser. Le problème réside dans le fait que si ni les livres ni la cuisine ne vous intéressent, vous changerez de chaîne. Nous devons alors concevoir nos émissions pour une industrie de la câblovision qui ne comporterait pas moins de cinquante-cinq canaux.»

Les idées continuent d'affluer à l'esprit de Schneider: «Nous pensons à une chaîne de jeux. Elle serait payante et comporterait l'attribution de récompenses en argent. Il ne s'agirait pas de jeux de hasard, de loterie, mais de jeux d'adresse. Si vous prenez en considération le nombre de gens susceptibles de jouer, vous verrez que nous pourrions réunir des fonds importants qui serviraient pour les prix. Mais ce système se fonde sur une certaine participation du public, et notre problème serait justement d'obtenir cette participation à l'aide d'un numéro de téléphone commençant par 800. Si nous pouvions vraiment faire renaître le vieux phénomène de «la question à 64 000 dollars», si nous pouvions faire utiliser un numéro commençant par 800, nous en arriverions à faire rendre grâce à la compagnie téléphonique.» Mais la câblodiffusion à dialogue n'est pas très éloignée. Warner-Amex a déjà expérimenté un système interactif à Columbus (Ohio). «Nous attendons impatiemment que notre système de dialogue soit en ligne avec Pittsburgh, Cincinnati et Dallas», ajoute-t-il.

Bien intéressants, ces canaux de jeux ou d'achats. Ils pourraient venir compléter la programmation des stations qui ne diffusent que des rencontres sportives, des émissions d'actualité ou des films. Mais où se déverserait la créativité? Où sont les audacieuses nouvelles dramatiques que les réseaux ne veulent pas réaliser? Où s'épanouiront les émissions de délassement d'autrefois?

D'autre part, d'où viendra l'argent? Et qui fournira la matière artistique? L'année dernière, avec l'aide de leurs recettes publicitaires, les réseaux ont dépensé environ 3 milliards de dollars en programmation. Tous les services de câblodiffusion payant ont, à eux seuls, dépensé 400 millions. Les réseaux dépensent une moyenne de 500000 dollars par heure de programme. HBO, le plus prospère des services de télévision payante, dépense une moyenne de 100000 dollars. Tant de choix seront offerts grâce à la câblodiffusion que le public se fractionnera en petits groupes d'intérêts spéciaux. Un nombre suffisant de téléspectateurs se réunira-t-il assez longtemps autour d'un canal pour générer des recettes assez élevées pouvant justifier la conception originale du programme? Cela ne signifie pas que l'on ne diffusera pas d'émissions originales, spécialement réalisées pour la télévision à péage. Quelques-unes existent déjà. Un style «télévision à péage» émerge, qui diffère du style adopté par les réseaux. Mais nous n'entrons pas dans le millénaire culturel cher au coeur de certains. Jack Schneider pense en connaître les raisons fondamentales.

«J'éprouve un respect considérable pour l'engagement professionnel et le travail qui sont nécessaires pour remplir une page entière», dit-il en accentuant l'effet de ses paroles par un geste de la main, qui laisse dépasser un long cigare Macanudo. «Les trois réseaux ne sont pas meilleurs parce que personne, quels que soient ses moyens, ne pourrait en faire quelque chose de mieux.» Cette affirmation peut paraître contestable puisque les réseaux eux-mêmes ne seraient pas ce qu'ils sont si leur unique objectif n'était pas d'appâter les annonceurs.

«Les sources d'énergie créatrice de ce pays ne sont pas inépuisables. Les mâchoires voraces des trois réseaux et de PBS en réclament déjà une énorme quantité qu'il faudrait multiplier par 54 puis par 108. Rien de ce qui serait alors produit ne serait bien nouveau. La câblodiffusion vous en promet plus, elle ne vous promet rien de mieux. La quantité est peut-être intéressante dans la mesure où elle vous offre un choix plus grand, mais elle n'a jamais battu la qualité, n'est-ce-pas? »

Que devrons-nous attendre du câble et quels types d'idées pourront être concrétisés par la câblodiffusion? « Rien de ce que nous faisons n'est original, explique Schneider. Il n'existe simplement pas de fondement économique suffisant pour justifier la programmation d'émissions originales par câblovision. C'est vrai, sur Nickelodeon nous programmons cinq heures d'émissions inédites par jour. Mais nous les reprenons six fois par an. The Movie Channel ne représente aucune pensée originale si l'on fait exception des interludes entre les films. Mais ils ne demandent pas autant de travail que le remplissage d'une heure de programme. Notre chaîne musicale n'aura rien d'original. Le canal réservé à l'actualité n'a rien de créatif. C'est du reportage. Cable News Network n'est pas une entreprise de création quotidienne. Eastern Sport Network n'invente pas les matches de tennis mais se contente de les diffuser. C'est pourquoi je ne cherche rien de purement créatif. »

« À l'aide du câble, nous pouvons transmettre, regrouper, distribuer. Je n'invente pas les jeux. Les films que je diffuse existent déjà, je me contente de les regrouper et de les distribuer. Les émissions d'actualité, les émissions sportives et culturelles existent déjà ou entrent dans la catégorie du reportage. Une fois que j'ai réussi à décider comment diffuser tout cela, je mets mon plan à exécution et je n'ai plus à m'en préoccuper. Bien sûr, vous pouvez toujours me dire que cet objectif n'a rien de distingué, rien d'artistique. Mais ce n'est pas moi qui ai posé les règles du jeu. Lorsque quelqu'un a dit que le câble serait installé dans 60 pour cent des foyers à l'avenir et comporterait 54 à 108 canaux, il m'a fallu modeler mon entreprise pour l'adapter à cette théorie. »

Nombreuses sont les grosses compagnies de l'industrie du spectacle qui sont prêtes à entreprendre la production destinée à la câblodiffusion. C'est ce que vous disent tous les communiqués de presse. Mais, selon les experts, les dirigeants désirent simplement poser les jalons en attendant le moment où le jeu en vaudra la chandelle. Il faudra encore du temps pour voir les possibilités se matérialiser. Il est trop tôt pour décrire à quoi ressemblera la câblodiffusion ou déterminer s'il s'agira d'une entreprise lucrative. Même si le câble a commencé à éroder la tranche globale de téléspectateurs que tiennent les réseaux, on s'attend que les trois géants demeureront, des années encore, les rois des moyens de communication de masse, en se taillant la part du lion des recettes publicitaires.

Schneider effectue un parallèle avec une scène célèbre du film *Le Lauréat (The Graduate)*, dans lequel le diplômé éberlué de la promotion 1967 entend l'un des amis de ses parents lui dire: «J'ai là un mot qui va t'intéresser, Benjamin: «plastique».

«Je suis sûr, dit Schneider d'un air songeur, que dans tous les foyers du pays, on dit aux gamins: J'ai un mot qui va vous intéresser: le «câble». Qu'il s'agisse d'une parole judicieuse ou non, nous ne le savons pas encore.»

LE CINÉMA
La rançon de la gloire

Les formules du succès

Tout ce qui est vrai de la vie dans l'industrie de la télévision l'est d'autant plus dans l'industrie du cinéma, à la différence près que cette dernière forme un milieu beaucoup plus réduit. Les occasions sont plus rares et les enjeux beaucoup plus élevés. Les éléments sont les mêmes, mais ils se présentent sous une forme plus intense — la compétition, le risque, l'incertitude, le chiffre d'affaires. Le produit est créé avec un plus grand soin. Après tout, les longs métrages sont destinés à un grand écran installé dans une salle obscurcie et non à un poste de télévision portatif posé dans une cuisine remplie de marmaille hurlante.

Deux années et plus peuvent s'écouler entre le moment ou une idée est achetée et celui où un nouveau film paraît sur les écrans. A la télévision, seulement huit semaines après avoir signé un contrat, la chaîne peut s'attendre à recevoir le produit fini.

La télévision représente la pépinière du cinéma, exactement comme les films de série B, il y a trente ou quarante ans. De nombreux personnages haut placés dans l'industrie cinématographique, dans le secteur artistique ou financier, ont fait leurs débuts à la télévision, qui déroule chaque année ses milliers de kilomètres de film, offrant ainsi aux nouveaux venus quelques chances de percer. Mais Hollywood ne produisant que cent vingt films par an, environ, le travail est plus rare.

En outre, les longs métrages sont beaucoup plus coûteux que les émissions télévisées. L'heure moyenne de programmation à la télévision coûte 500 000 dollars aux réseaux. En 1982, un film moyen de 90 minutes coûte quelque 11 millions de dollars. Et les dépenses préliminaires occasionnées par le film sont encore plus considérables. En général, 5 ou 6 millions de dollars supplémentaires sont consacrés à la publicité, promotion, commercialisation de ce film. Par conséquent, il faut qu'un film génère au moins 16 millions de dollars de recettes pour atteindre son seuil de rentabilité. Pourtant, en 1978 encore, le coût moyen d'un film se situait autour des 5 millions.

Pour couronner le tout, le gâteau des recettes s'est à peine agrandi au cours de cette période où les coûts ont flambé, tandis que les revenus garantis s'amoindrissaient. L'industrie continue de n'enregistrer que 3 milliards de recettes par année. Depuis le début une affaire risquée, la production de film est plus que jamais un jeu de hasard.

Réjouissez-vous tout de même: ceux qui gagnent de l'argent peuvent vraiment «faire leur beurre»! Depuis l'apparition des superproductions au succès inouï de ces dernières années, à savoir *Les dents de la mer (Jaws) La guerre des étoiles (Star Wars), Rencontre du troisième type (Close Encounters of The Third Kind), Superman, Les aventuriers de l'arche perdue (Raiders of The Lost Ark)* et *E.T.*, le terme «recueilleur de cent millions bruts» (*$100 million grosser*), est entré dans le vocabulaire des Hollywoodiens et tous ces zéros dansent comme autant d'étoiles dans l'imagination de chaque producteur. Bien que le créateur de *La guerre des étoiles*, George Lucas, représente l'exemple extrême de ces producteurs qui ont gagné le gros lot, il est aussi la preuve du genre d'espoirs permis dans le métier. Après *La guerre des étoiles*, alors qu'il n'était pas encore âgé de trente-cinq ans, Lucas valait, dit-on, cent millions de dollars de plus que lorsqu'il avait débuté. Et le deuxième épisode, *L'empire contre-attaque (The Empire Strikes Back)*, a enregistré presque autant de recettes que le premier.

Mais des films à revenus plus modestes peuvent cependant déclencher une hyperactivité des glandes salivaires. Un bon film de niveau intermédiaire peut procurer près de 25 millions et, si vous recevez un pourcentage de cette somme, vous pourrez rouler en Mercedes-Benz pendant encore quelques années. La Grosse Galette est le flux artériel de Hollywood, sa raison d'exister. Tout le travail, tout le talent, toutes les luttes sont pour l'argent, beaucoup d'argent très vite gagné. Bien sûr, tout cela est enrobé du vernis artistique, mais c'est le commerce et non l'art qui tient les vannes ouvertes. A Hollywood, c'est l'argent qui compte. Rien d'autre.

Malheureusement, seulement deux films sur dix enregistrent des bénéfices et, comme c'est le cas de toutes les créations artistiques, personne ne détient la formule d'un succès inéluctable. Étant donné que les dirigeants des compagnies cinématographiques ont pour tâche d'obtenir le succès avec le plus de régularité possible, un grand nombre de gens finissent par se succéder à ces postes. Un milieu plus instable que celui-là est difficilement imaginable. Au cours des trois dernières années seulement, cinq des sept principaux studios ont assisté à un remplacement soudain de leur haute direction. Les luttes intestines, les intrigues, les révoltes de palais et les purges sont le pain quotidien de l'industrie. Les dirigeants changent si fréquemment, et dans des circonstances si soudaines, que les gens du cinéma qualifient les équipes instables qui les gouvernent de «régimes», comme si les studios cinématographiques étaient des petites républiques exotiques rongées par la corruption, à jamais engluées dans des luttes destructrices pour le pouvoir. C'est d'ailleurs ce que sont beaucoup d'entre eux.

Les gens ne progressent pas au sein d'un système rationnel d'avancement. Ils saisissent les occasions, exploitent le désordre, et se font valoir sans la moindre honte. Ils sont constamment en mouvement, d'un studio à l'autre.

«Aujourd'hui, le cinéma ressemble à une porte à tambour dans laquelle sont pris les cadres supérieurs des studios, nous dit l'ancien directeur de production d'un studio. Il s'agit d'un milieu follement explosif. Les personnes qui dirigent sont là pour le bon plaisir d'autres gens, lesquels en veulent immédiatement pour leur argent. Les directeurs ont un contrat de deux ou trois ans. Lorsque vient le moment de la réévaluation... alors...»

John Veitch, président de Columbia Pictures, travaille pour ces studios depuis plus de vingt-deux ans. Il a donc eu le temps de voir passer dix équipes différentes de dirigeants qui changeaient en moyenne tous les deux ans et demi. Il a survécu à tout ce tumulte parce que, dit-il, lorsqu'on commençait à s'intéresser à lui, le monde s'était fatigué des changements. «Toutes les directions ont essayé de produire des films commerciaux, dit-il. Mais il faut trois ans pour que le film que vous avez choisi prouve sa valeur commerciale. En attendant, les conseils d'administration s'impatientent et deviennent moroses.»

Disparus, les anciens nababs de Hollywood. Ils ont été remplacés par un vaste éventail de dirigeants: des hommes de loi, des financiers, des agents, des programmeurs de réseaux, et même quelques personnages qui ont fait leurs armes dans le domaine de la production cinématographique. Leur unique trait commun est peut-être l'angoisse, tandis que leur monde incertain frémit des changements et continue de se fragmenter.

« A mon avis, la chance compte pour 90 pour cent du succès, ajoute Veitch. Dieu regarde un studio avec bienveillance pendant un certain temps, puis détourne son regard vers un autre studio et décide de lui laisser connaître à son tour quelques succès. »

Bénis soient les négociateurs

Jadis, les studios fabriquaient des films comme on fabrique des voitures sur une chaîne de montage. Chacun était un employé salarié de l'usine, acteurs, producteurs, scénaristes, réalisateurs, équipe, etc. Les directeurs des studios décidaient des films qui devaient être tournés et les travailleurs les confectionnaient, les uns après les autres.

Aujourd'hui, Hollywood est un monde de travailleurs indépendants. Les gens qui arrivent sur le plateau et tournent les films sont à leur propre compte. Chaque film est une nouvelle opération, comportant de nombreux associés, de nouvelles combinaisons de talents, de nouveaux parrains et de nouvelles conditions contractuelles. Nombreux sont les cas où les gens qui dirigent les studios ne font pas grand-chose de plus que fournir les fonds. Naguère, ils faisaient les films. Aujourd'hui, ils négocient des contrats.

« Cette ville est la métropole des marchés, a déclaré le président de Paramount, Barry Diller à *Newsweek*. Savez-vous combien de temps on passe à négocier des marchés au lieu de se préoccuper de ce dont doit être fait un film ? Je suis allergique à tout cela. » Comme à la télévision, c'est souvent le contrat global qui compte. Mais bien que les idées mêmes ne soient pas si capitales pour les émissions télévisées, elles sont importantes dans le contexte des films. Cependant, accorder sa confiance à une idée représente un saut dans l'inconnu de l'univers de l'artiste et, au prix de 11 millions de dollars le saut, rares sont ceux qui peuvent se permettre d'accorder cette confiance. C'est pourquoi, au lieu de produire des films sur un plateau de tournage, Hollywood les fabrique au téléphone.

Par exemple, j'ai sous la main une personne de grand talent, quelqu'un de négociable. Vous-mêmes avez à votre disposition quelqu'un de tout aussi négociable. Nous les réunissons pour obtenir un contrat global négociable. L'idée n'était pas géniale ?

Et puis après? Ce marché représente pour nous de l'or en bar-
res. Lorsque vous allez voir un film qui vous paraît tomber à
plat en dépit des grands noms qui apparaissent sur le généri-
que, et que vous vous demandez comment un scénario aussi
médiocre a pu être transformé en film, il y a de grandes chances
pour que vous ayez été voir non un film, mais un marché.

«Dans la mesure où les dirigeants des compagnies cinématographiques sont d'anciens agents ou des diplômés de l'école de
gestion de Harvard, déclare David Brown, coproducteur avec
Richard Zanuck de films tels que *L'arnaque (The Sting)* et *Les
dents de la mer,* ils préfèrent évaluer les chances du film plutôt
que le sujet du film lui-même, car ils ne savent pas grand-chose
du tournage des films et ne savent pas non plus quels films
devraient être tournés.»

Brown, un monsieur de soixante-six ans à l'allure distinguée,
portant une élégante moustache grise, représente le passage de
l'ancien au nouvel Hollywood. Pendant vingt ans, il a appris à
réaliser des films en remplissant presque toutes les fonctions
imaginables auprès des studios de Twentieth-Century Fox.
Brown et Zanuck formèrent leur compagnie de production en
1972, abandonnant Fox après l'une de ses nombreuses guerres
intestines. Comme la plupart des gens qui connaissaient la production de films comme leur poche, ils sont demeurés en dehors
de la hiérarchie des studios, laissant ces postes aux gens dont
les antécédents étaient différents. «Rassembler des fonds et
vendre des projets sont maintenant très difficiles, explique
Brown, car ceux qui, de nos jours, décident d'approuver ou non
la production d'un film sont fréquemment moins qualifiés que
ceux qui soumettent le projet. C'est pourquoi, il faut fréquemment leur faire lire quelque chose, les faire réagir. La plupart du
temps, ils s'intéressent plus aux prétendus éléments que vous
apportez au projet, une vedette, un réalisateur, quelque avantage démographique, qu'au sujet même. L'enthousiasme, l'amour
viscéral que l'on éprouvait autrefois à l'idée de réaliser un film
ont disparu.»

De nos jours, les studios achètent des idées, des contrats glo-
baux, et leur mission principale est d'empêcher tout l'assemblage d'éléments de s'effondrer avant la fin du tournage. Pour
Barry Diller, les dirigeants des studios sont aujourd'hui «éloignés du tournage». «Nous discutons de sujets tels que les loges
des acteurs. Ce que nous faisons jusqu'à en être épuisés, irrités
et saturés c'est conclure des marchés et non tourner des films.»

Le producteur a pour tâche de jongler avec le déplacement de l'autorité, au fur et à mesure de l'application des clauses du contrat. « Mais aujourd'hui, il est très facile pour un producteur de perdre toute autorité sur son film, tel qu'il le conçoit, déclare Brown. Il peut tenir en main un livre ou un scénario et rechercher alors un réalisateur qui trouvera grâce aux yeux des bailleurs de fonds. Si le réalisateur veut modifier le scénario, le producteur devra accepter ses suggestions, sinon, il perdra non seulement ledit réalisateur, mais aussi les bailleurs de fonds. Il sera même peut-être obligé de faire de plus grands compromis si une grande vedette est entrée en jeu. »

Ce qui apparaît finalement sur les écrans des salles de cinéma est le produit final d'un processus souple auquel de nombreuses personnes ont mis la main à la pâte. Un film n'est que rarement la réalisation du projet grandiose d'un seul, bien qu'il débute en général sous cette forme.

Brown ajoute : « Le talent essentiel du producteur est d'avoir l'idée originale, la notion originale du film. Il acquiert la matière de base et choisit les réalisateurs. Il a pour tâche de s'efforcer de concrétiser le plus possible ses idées grâce au choix du réalisateur, à l'approbation de la distribution et à l'orientation générale du scénario. »

Il n'existe pas de domaine, en matière de réalisation d'un film, dont le producteur n'est pas, en définitive, responsable. Mais la mesure dans laquelle il participe au travail est déterminée en grande partie par les gens qu'il rassemble au cours de la négociation du contrat. La production exige la combinaison de plusieurs types de compétences mais le flair, la vision d'ensemble et le courage sont nécessaires pour réussir dans cette profession. « Il n'existe pas d'école pour les producteurs, déclare Brown. Les exigences les plus importantes sont les capacités d'évaluer les projets et de les vendre aux gens qui financent la réalisation des films. Un grand nombre de gens possèdent toutes sortes de compétences en matière de tournage. Ils connaissent les problèmes des budgets, de la distribution, des effets spéciaux et tout le reste. Mais on peut les comparer aux tacticiens, par opposition aux généraux. Ils ne saisissent pas la stratégie dans son ensemble. Ils savent réaliser des films, mais ils ne savent pas quels films réaliser. » Et c'est autour de cela que pivote toute l'industrie.

Les devins

« J'étais assis autour d'une table avec un groupe de collègues, déclara Barry Diller au *New York Times* en 1980, et ce n'était ni des idiots de village ni des imbéciles... Nous discutions de deux projets. Chacun devait coûter 6 millions de dollars. Nous avons décidé que l'un des deux ne comportait aucun risque à ce prix-là, car c'était un vrai spectacle de délassement, à propos d'un clown féminin, et nous avions une grande vedette de la télévision pour le premier rôle masculin, Robert Blake. Nous avons fait le film, *Coast to Coast,* et ce fut un désastre. L'autre nous avait paru trop risqué pour être réalisé mais nous avons cependant donné le feu vert. Ce fut *Des gens comme les autres**. »

Vous avez là, énoncée par le maître de l'un des studios les plus prospères de l'industrie, la formule secrète du choix des films qui obtiendront un grand succès. « C'est comme si vous alliez jeter vos dés à Las Vegas », déclare Howard W. Koch, producteur vétéran, réalisateur, ancien directeur de studios pour Paramount et producteur indépendant pour cette compagnie depuis 1966. « Aucune étude ne pourra vous dire à l'avance ce qu'une grande vedette fera pour votre film. Ce n'est pas à cause d'elle que vous devrez ou non signer le contrat. »

Mince, bronzé, élancé, aux cheveux argentés, Howard Koch, âgé aujourd'hui de soixante-cinq ans, a débuté à Hollywood il y a presque quarante ans, en empilant des boîtes de films dans la cinémathèque de Fox. Il devint par la suite assistant-réalisateur de gens comme Mervyn Leroy et Joseph Mankiewicz. Plus tard, en qualité de producteur délégué auprès de la compagnie de Frank Sinatra, il supervisa la réalisation de films tels que *T'es plus dans la course, Papa (Come Blow Your Horn),* et *Les trois sergents (Sergeants Three).* Il fut ensuite responsable de la réalisation de *Drôle de couple (The Odd Couple),* d'après l'oeuvre de Neil Simon, de *Plaza Suite,* de *Last of The Red Hot Lovers,* ainsi que de *On a Clear Day You Can See Forever,* de *Une fois ne suffit pas (Once is not enough),* tiré de l'oeuvre de Jacqueline Susann, et de la comédie à grand succès de 1980, *Y a-t-il un pilote dans l'avion? (Airplane!).* Il est également ancien président de la Motion Picture Academy of Arts and Sciences, organisme chargé de remettre les Oscars.

**Ordinary People.* (Note du traducteur.)

« J'ai fait quelques films qui, à mon avis, devaient obligatoirement être des grands succès, en raison de la distribution et du sujet », dit-il d'une voix cordiale, en mâchonnant légèrement ses mots. « Pourtant, ils n'ont eu aucun succès. Mais prenez par exemple un petit film comme *Y a-t-il un pilote dans l'avion?* Aucune grande vedette dans la distribution et il bat des records dès le premier jour ! »

Koch estime qu'il est difficile de prévoir ce qui se passera même après une avant-première réussie, face au public d'essai. « Les avant-premières peuvent vous jouer des tours. Nous avions réalisé en Angleterre un film intitulé *Dragonslayer*. Les effets spéciaux étaient parmi les meilleurs que j'aie vus, pratiquement aussi bons que dans *La guerre des étoiles*. Les spectateurs des avant-premières l'ont adoré. Ils hurlaient et applaudissaient ces effets spéciaux. Les résultats des sondages que nous avons entrepris ensuite étaient fantastiques ! 79 pour cent des gens avaient aimé le film et seulement 2 pour cent l'avaient trouvé mauvais. Mais quelques semaines plus tard, lorsqu'il est sorti sur les écrans, personne n'est allé le voir. »

Était-ce parce que le film n'avait pas reçu tout le soutien publicitaire dont il aurait eu besoin ?

« Peut-être », répond Koch en haussant les épaules.

Ou a-t-il subi le contrecoup de la sortie à peu près simultanée de *Les aventuriers de l'arche perdue?*
Il hausse de nouveau les épaules. « C'est possible. Vous pouvez jeter le blâme sur qui vous voulez mais pas sur le film. Visiblement, il n'était pas fait pour les spectateurs. Pourquoi les gens vont-ils voir un film et non un autre ? demande-t-il sans attendre de réponse. Si vous êtes capable de me l'expliquer, nous deviendrons les producteurs les plus puissants que cette ville ait jamais vus. Que voulez-vous, les gens ont envie d'aller voir un film et ils y vont. »

Koch ne se montre pas très optimiste en ce qui concerne les dirigeants modernes pour qui l'étude de marché est l'instrument principal, semble-t-il, de recherche des films réalisables. « Vous ne pouvez découvrir qui, du public, voudra ou ne voudra pas aller voir tel ou tel film, dit-il. Mais les goûts du public évoluent continuellement. Nous effectuons une ventilation par catégorie des gens qui sont allés voir un film donné. Et les résultats sont toujours différents de ce que nous attendions. » Dans ce cas, que doit faire le producteur en puissance ? « Aller au cinéma. Prêter attention à ce qui se passe autour de lui et réaliser les films dans lesquels il croit. Personnellement, j'essaie, comme producteur, de découvrir des sujets qui me plaisent. Puis je jette mes dés. Parfois je gagne, parfois je perds. »

Avec l'aide de deux secrétaires, Koch jongle avec le flot régulier d'appels téléphoniques qui lui parviennent. Il joue du téléphone comme un virtuose, parfois énergique, parfois conciliant, cordial ou distant, selon ce qu'il attend de son interlocuteur.

« J'ai toujours essayé de divertir les gens, dit-il en laissant les signaux lumineux de ses deux lignes téléphoniques sur la position d'attente. Je n'ai jamais produit que des films divertissants. J'ai dû cependant tourner quelques films pour des raisons commerciales. Une grande vedette et moi-même avions besoin de cet argent. Mais nous savions tous deux que cela ne marcherait pas. Et ça n'a pas marché. Le public n'a pas davantage aimé ou apprécié l'histoire que nous. Nous espérions cependant, contre toute attente, que l'affaire tournerait bien. »

Mais la foi en un projet n'est pas non plus une garantie de réussite. « J'avais réalisé avec Frank Sinatra et John Frankenheimer un film merveilleux intitulé *Un crime dans la tête*.* A mon avis, c'était un classique mais il lui a fallu quinze ans pour percer. Nous avions mal choisi notre moment. C'était un film policier dans lequel les Russes lavaient le cerveau d'un candidat à la présidence des États-Unis. Les gens le comprendraient peut-être mieux aujourd'hui, dit Koch, une nuance de regret dans la voix. Mais nous l'avons réalisé il y a vingt ans. »

Donc, il faut deviner aussi si tel ou tel film sortira au bon moment sur les écrans ?

« Bien sûr, mais faites attention ! Si vous essayez de suivre la mode, vous serez massacré. Vous ne pouvez savoir où vous vous retrouverez lorsque cette mode disparaîtra. Nous avions réussi un beau coup avec *La filière française***. Mais lorsque, ensuite, nous avons présenté *Police Connection* ***, c'était déjà trop tard, la veine était tarie. Personne n'est allé le voir. »

Koch explique clairement qu'on ne peut pas tabler sur les succès. Ils se présentent d'eux-mêmes. « Tout le monde avait rejeté le scénario d'*Y a-t-il un pilote*. « Paramount aussi. Mais un ami du président des studios a persuadé ce dernier de revoir la question. Le président fit envoyer le scénario au bureau de Howard Koch. « Ce scénario m'est apparu comme l'une des

---

* *The Mandchurian Candidate*. (Note du traducteur.)
** *The French Connection*. (Note du traducteur.)
*** *Badge 373*. (Note du traducteur.)

choses les plus cocasses qu'il m'était arrivé de lire. En outre, le film ne coûterait pas cher. Nous pensions tenir en main un gentil petit film-surprise et récolter ainsi quelques dollars. » *Y a-t-il un pilote dans l'avion?* dont le scénario, la réalisation et la production déléguée avaient été confiés à trois illustres inconnus, « ces trois gamins fantastiques », pour reprendre l'expression de Koch, a coûté moins de 4 millions de dollars pour des recettes mondiales brutes de plus de 180 millions. C'est la deuxième comédie la plus réussie de tous les temps (derrière *Animal House*) et le film qui occupe la deuxième position en termes de recettes brutes pour 1981.

« Nous n'avons jamais pensé qu'il obtiendrait un succès pareil », reconnaît Howard Koch.

Koch a une opinion très favorable de l'initiative et du courage des dirigeants de Paramount qui acceptent de financer la réalisation de films inhabituels tels que *Y a-t-il un pilote dans l'avion?* « Gulf + Western /le conglomérat propriétaire de Paramount/ est une compagnie intelligente, progressiste. Ses dirigeants soutiennent Diller et son équipe, car ils comprennent que dans ce métier vous devez être capable de prendre des risques et d'en subir les conséquences. » Depuis que Gulf + Western a nommé Barry Diller à la tête de Paramount en 1974, la compagnie a triplé en taille et a produit plus de grands succès que n'importe quel autre studio. « Ils vous font confiance, ils ont foi en votre conception des films », ajoute Koch. Mais il se souvient qu'il n'en a pas toujours été ainsi. De 1964 à 1966, juste avant que Gulf + Western n'achète les studios, Koch avait occupé le feuteuil de directeur de production. Cette époque ne lui a guère laissé de bons souvenirs!

« J'étais prêt à tout envoyer promener au bout de deux mois. Dans ce métier, les personnalités et les sentiments personnels dominent tout le reste. Je devais souvent traiter des affaires avec des gens angoissés et même paranoïaques. J'avais hérité de contrats que je n'aurais personnellement jamais conclus. J'ignorais, au départ, que j'allais devoir produire des films avec des gens avec lesquels je n'éprouvais pas la moindre envie de travailler. D'autre part, notre conseil d'administration devait approuver toutes les dépenses supérieures à 100 000 dollars. Un jour, un ami est venu me voir avec une esquisse de film intitulée *La planète des singes**. » Koch fut immédiatement emballé et bondit dans le dernier vol de nuit pour New York. Ses des-

---

* *Planet of The Ape*. (Note du traducteur.)

sins en main, les yeux injectés de sang et plein d'enthousiasme, il s'efforça de convaincre les sombres administrateurs, qu'il décrit comme «une bande de vieux de plus de quatre-vingts ans». Aucune réaction.

«Des singes? Ils ne pouvaient comprendre. Ils ne voulaient pas de singes. Je leur ai expliqué que cette histoire était différente de tout ce qui avait été fait auparavant. Je leur ai dit qu'il fallait que nous tournions ce film, sinon, quelqu'un d'autre le ferait. Mais ils ne voulaient rien avoir à faire avec des singes. Le film est allé à Fox et la série de *La planète des singes* a permis de recueillir plus de 200 millions de recettes brutes.»

Sous l'ancien régime, Koch n'était pas soutenu par ses supérieurs comme il aurait dû l'être. En outre, il n'appréciait guère les migraines sans fin que lui causaient la production, les intrigues, les corvées administratives qui lui incombaient en même temps que la direction des studios. «Un dirigeant de studio doit posséder un amalgame de plusieurs aptitudes. Il doit avant tout être capable de lire un scénario et de s'imaginer ce qu'il donnerait sur un écran. Il doit aussi pouvoir se représenter le film, une fois réalisé, d'après sa lecture. Il doit avoir des aptitudes pour la diplomatie afin d'arbitrer les querelles et de satisfaire les talents. Il doit également être bon négociateur. Il arrive que vous en trouviez un qui soit capable de remplir deux des rôles, mais jamais les trois à la fois.»

Un studio selon son coeur

«J'ai dit aux gens que je ne voulais pas me regarder dans un miroir à soixante-cinq ans en me disant que je n'avais jamais eu la chance de diriger une compagnie cinématographique», explique Frank Price. Il n'avait guère besoin de se faire du souci à cet égard: il préside aux destinées de Columbia Pictures depuis 1979.

Cependant, lorsqu'en 1978 il abandonna la présidence d'Universal TV, un siège au conseil d'administration de MCA, l'héritage probable de l'un des postes les plus haut placés de ce conglomérat du spectacle, l'un des plus prospères, et 3 millions de dollars d'actions non dévolues, ses amis durent craindre pour sa santé mentale. Il abandonna une carrière de dirigeant de l'un des plus riches pourvoyeurs d'émissions de toute l'histoire de la télévision pour *régresser* en acceptant le poste de directeur de production auprès de ce qui restait d'un studio décimé, nommé Columbia Pictures.

L'ancien président des studios, David Begelman, avait été déchu de ses fonctions après qu'il eut avoué avoir falsifié un chèque. Certains de ses alliés étaient restés à Columbia, d'autres s'étaient égaillés au gré des divers studios. Il ne restait à Columbia qu'un vide à l'échelon directorial et une lutte intestine d'une complexité byzantine. C'était un bouillon de culture typique des jalousies et des intrigues hollywoodiennes.

Après neuf mois en qualité de directeur de production, Price fut nommé président de Columbia Pictures et les éventuels rivaux, vestiges de l'ancien régime, étaient partis. «J'étais M. Net», avait-il dit à un journaliste pour expliquer son accession à un moment où l'image de marque du studio avait bien besoin d'être javellisée.

Ce natif du Middle-West, au parler simple, à la mâchoire carrée, possède également des antécédents exceptionnels en tant que génie universel de la télévision (scénariste, producteur, producteur délégué) et dirigeant. Nombreux étaient ceux qui prévoyaient que si Price ne succombait pas sous les intrigues de Columbia, il se casserait le nez en essayant d'assurer la transition entre la télévision et le cinéma.

«En tant que directeur de production, mon travail ressemblait, dans l'ensemble, à celui dont j'étais chargé auparavant, dit-il. Je devais trouver des histoires susceptibles de plaire au grand public. Dans ce domaine, ma mission fondamentale était la même, en dépit de la différence qui existe entre des téléspectateurs et des spectateurs de salles de cinéma.»

Dans quels domaines a-t-il dû se recycler? «J'ai dû travailler avec des gens entièrement nouveaux. J'ai dû nouer des relations avec des vedettes, telles que les Paul Newman et Dustin Hoffman et avec des réalisateurs, tels que Sydney Pollack. Dans le cinéma, les relations sont plus importantes qu'à la télévision, car sept grands studios se battent pour obtenir les gens les plus talentueux alors qu'à la télévision il n'existe que trois réseaux et la concurrence y est donc moins féroce.»

Deux aspects du métier étaient nouveaux pour lui: la distribution et la commercialisation. Il fit son possible pour tout apprendre sur la location des films, l'ordre dans lequel les salles doivent recevoir les nouveaux films, etc. «Quant à la commercialisation, sans avoir eu de contacts directs avec ce secteur, j'avais passé trente ans à la télévision à traiter des affaires avec les agences de publicité et les agents de commercialisation. J'avais appris les principes démographiques inhérents à la télévision : quel type d'histoire plaira à quel groupe socio-économique, etc. » Il avait tout au moins reçu une préparation dans ces deux nouveaux domaines. « Mais une fois que j'eus réalisé comment fonctionnait véritablement l'industrie cinématographique, je me suis aperçu que nous en étions encore au Moyen Âge. Les films n'avaient encore jamais été évalués en fonction de la réaction du public, comme nous le faisions à la télévision à l'aide des indices d'écoute. La plupart des gens dans le cinéma utilisaient le jargon de la commercialisation sans savoir ce que les mots voulaient dire. » Price recruta des professionnels de la commercialisation et des études de marché, formés dans la publicité et auprès des réseaux de télévision.

« C'est une ironie, dit-il, je suis le seul chef de studio qui possède des antécédents dans les secteurs artistiques et c'est moi qui ai introduit la notion d'études de marché sérieuses dans l'industrie cinématographique. Mais je ne suis pas partisan d'une foi aveugle en les résultats des sondages car ils se sont trop souvent révélés faux. On doit s'en servir comme d'un outil utile pour confirmer ou infirmer sa propre opinion. » Il considère les études comme l'un des facteurs, mais se fonde sur son propre jugement.

En revanche, il attache beaucoup d'importance aux études de marché dans le secteur de la commercialisation des films de Columbia. Après avoir consacré 5 ou 6 milllions de dollars à une campagne publicitaire, Price et ses collègues s'efforcent ensuite d'en dégager soigneusement les résultats.

Son poste de commandement se trouve dans un ensemble caverneux de bureaux, dans un coin assez tranquille du deuxième et dernier étage de l'édifice préfabriqué de verre et d'acier qui s'élève au coeur du complexe des studios de Burbank. Pour se rendre de l'entrée principale au quartier général de Columbia, il suffit de suivre une ligne bleue peinte sur l'asphalte. La route serpente entre les bâtiments qui abritent des compagnies de production indépendantes, des petites pancartes peintes attachées aux moustiquaires portant le nom des « petits » magnats qui travaillent à l'intérieur. On dépasse ensuite les plateaux d'enregistrement sonores qui ressemblent à des hangars d'aéroport et des décors de rues criants de réalisme : l'angle des rues Hudson et Prince dans le Bas-Manhattan au début du siècle, une petite ville française de province qui semble attendre l'irruption des Alliés et, bien entendu, la rue principale de Dodge City, Sweet Water ou Silver Junction, ou de toute autre ville du Far-West qui est en vedette cette semaine. Les embouteillages sont partout: Rolls-Royce décapotables, Porsches, gerbeuses, camionnettes d'électriciens, chariots Conestoga, un éléphant, des garde-robes. Tout autour du petit bâtiment administratif de Columbia, des emplacements de stationnement réservés au personnel portent, peint au bord du trottoir, le nom du titulaire. Plus l'emplacement est proche de l'entrée principale du bâtiment, plus son titulaire est haut placé dans la hiérarchie. Mais si on joue les archéologues et qu'on se penche pour observer de plus près les noms inscrits, on aperçoit la trace d'autres noms, inscrits au-dessous. Comme les anciens monticules, vestiges d'une civilisation éteinte, les couches de peinture vous racontent l'histoire des monarques qui, jadis, occupèrent ces emplacements.

Disposant chaque année de 150 à 200 millions de dollars à investir dans les coûts de production et de 60 millions, environ, dans les opérations de commercialisation, Price estime que ses critères financiers se ramènent à deux questions : «Possédons-nous un film susceptible de percer et de devenir un grand succès? D'autre part, si nous sommes dans l'erreur, de quel genre de position de repli disposons-nous? Par position de repli, je ne veux pas dire qu'il nous faut avoir vendu le film à l'avance. Mais il est possible de prévoir l'attraction qu'un film exercera. Je veux donc savoir quel sera le montant minimal que nous tirerons de la sortie du film sur les écrans nationaux, le minimum que nous tirerons de la vente à un réseau, etc. Bien entendu, plus le budget est élevé, plus ces facteurs prennent de l'importance. »

Se faisant le porte-parole de l'industrie, Price répète cette dure vérité : «Tant de choses peuvent mal tourner pendant la production. Vous pensez qu'un scénario donnera un film comme ci ou comme ça et vous êtes surpris par le résultat. Par exemple, ce film aurait très bien marché avec Robert Redford. Mais au dernier moment, vous n'avez pu avoir Redford. Puisque vous vous étiez engagé à produire le film, vous avez dû commencer le tournage avec un dénommé X et tout ce qui vous paraissait devoir bien marcher s'est mal passé. Les scènes sentimentales tombent à plat. Ou la comédie n'est pas drôle. Tant de choses peuvent arriver! »

Les dirigeants des studios suivent la production de tous leurs films. Les réunions sont organisées avant et après la projection des épreuves, soit le tournage des scènes que le réalisateur esti-me assez bonnes pour être tirées. Chacun regarde les bouts de film dans le désordre, au fur et à mesure du tournage, en atten-dant le montage, au cours duquel ils seront rassemblés en une histoire cohérente. Les décisions importantes concernant la commercialisation et la distribution du film sont prises lorsque le tournage tire à sa fin. Les campagnes publicitaires et autres commencent à prendre forme. Chaque film représente un pro-cessus unique qui culmine par la sortie sur les écrans et le ver-dict du public.

Cependant, dans les studios, le filtrage des futurs projets est une tâche sans fin. « Je travaille au milieu des idées, dit Price. Les idées viennent de partout : de notre division des thèmes, de nos vice-présidents chargés de la production, de tous les em-ployés engagés dans les affaires artistiques. Nous travaillons avec tous les agents principaux, ici, à New York et à Londres. Quels livres vont être publiés ? Comment obtenir des informa-tions préalables à ce sujet ? Quelles pièces seront produites au cours des deux années à venir ? Je rencontre des gens tous les jours. Je veux qu'on me parle de tout ce qui peut présenter la moindre possibilité de film. Quel en est le sujet, le thème ? Il faut aussi garder le contact avec les scénaristes les plus impor-tants. Quelles sont leurs idées ? Les contacts doivent être per-manents. Vous connaissez peut-être un acteur qui a été séduit par un scénario ? Il a peut-être des idées sur la manière dont on peut remodeler le personnage. Si c'est quelqu'un comme Dustin Hoffman qui se montre intéressé... alors... »

Lorsqu'il ne participe pas à des réunions ou à des rencontres sociales en compagnie de gens avec qui les « contacts » sont importants, Price lit des scénarios, des traitements de sujets, des thèmes, car Columbia fait feu de tout bois. Son premier emploi, en sortant de l'université, était un poste de lecteur au sein de la division des thèmes de CBS. On peut dire que, dans une certaine mesure, sa tâche n'a pas tellement changé. Il a simplement plus d'influence aujourd'hui.

« Je crois que pour bien faire ce travail, il faut avoir des anté-cédents dans le secteur artistique. Il faut cet instinct qui per-met de sentir s'il s'agit ou non d'une bonne histoire. On doit finir par savoir quel film devrait ou non être tourné. Même si vous jouissez du meilleur réseau de commercialisation, vous fi-nirez par vous casser le nez si vous ne possédez pas cet instinct. Vous aurez beau produire votre film en respectant le budget, signer les contrats les plus avantageux qui soient avec les gens les plus talentueux, ce qui compte, c'est le succès. Et il est très important que la personne qui occupe ce poste possède l'instinct de juger ce qui sera ou ne sera pas un succès. »

Sous la houlette de Frank Price, Columbia a produit des grands succès, tels que *Kramer contre Kramer (Kramer Vs. Kramer), Lagon bleu (The Blue Lagoon), Le cavalier électrique (The Electric Horseman), Faut s'faire la malle (Stir Crazy), Comme au bon vieux temps (Seems Like Old Times), Le concours (The Competition), Tess, Absence de malice (Absence of Malice), Neighbors.*

« J'ai de la chance, ajoute Price. En général, j'aime les films qui obtiennent un succès commercial. Je n'ai aucun problème de ce côté. » En réalité, il adore tous les genres de films sauf un. « J'ai bien du mal à être emballé par l'un de ces films prétentieux que tout le monde est censé trouver sublime. A mon avis, financièrement parlant, ce sont de gros perdants. »

La conquête de l'Ouest

Comment les gens font-ils leur chemin au coeur des studios? Vous n'entendrez pas deux histoires semblables. La planification de succession n'a pas cours légal à Hollywood. Les dirigeants de l'industrie cinématographique partagent le sort des présidents de réseaux de télévision ou des directeurs d'équipes de baseball. Ils demeurent en poste tant que l'équipe gagne. Mais si les échecs commencent à s'accumuler, ils se retrouvent à la porte.

Le tumulte fait partie de la vie de tous les jours, car l'émotivité est débridée. « Pensez donc à ce que nous faisons chaque jour, nous dit un cadre intermédiaire d'un studio. Nous lisons des scénarios, et pour faire correctement ce travail il faut réagir sur le plan affectif. Si vous n'êtes pas capable de réagir avec tout votre être face à une histoire, comment diable allez-vous la transformer en un film capable de faire réagir un public? Si les scénarios ne vous font jamais rire ou pleurer, vous n'avez pas choisi le métier qui vous convient. »

En outre, tout tourne autour d'un travail artistique effectué par une communauté d'artistes. Les crises de colère éclatent des deux côtés de la caméra. « En tant que dirigeant, il vous faut tenir compte en permanence du tempérament artistique et du talent. Vous avez affaire à des personnalités qui sont un mélange d'égocentrisme et de paranoïa, déclare Howard Koch.

Par exemple, admettons que vous ayez deux producteurs, X et Y, dont les films doivent être distribués par le même studio. Vous consacrez au film de X une page entière de publicité dans le *Times*. Une semaine plus tard, vous consacrez au film de Y une demi-page, et ce pour des raisons professionnelles tout à fait justifiées. Cependant, attendez-vous à entendre Y jeter les hauts cris parce qu'il sera jaloux! Il vociférera que vous n'avez pas correctement distribué son film. Il vous menacera peut-être de poursuites judiciaires. C'est pourquoi vous serez obligé de dépenser encore 20 000 dollars d'annonces pour le faire taire. Récemment, un producteur a poursuivi en justice un studio qui avait modifié les annonces publicitaires relatives à son film sans lui en parler au préalable. Il a allégué que lesdites annonces étaient de mauvais goût et qu'elles le ridiculisaient personnellement. C'est peut-être vrai, c'est peut-être faux. Mais c'est bien ennuyeux pour le studio! Vous devez posséder des qualités de diplomate pour faire ce travail.»

« C'est un milieu fondé sur la personnalité », a déclaré Gareth Wigan, ancien cadre supérieur de Fox et l'un des principaux producteurs de la compagnie de producteurs indépendants, la Ladd Company, au cours d'une entrevue accordée au *Harvard Business Review*, «Vous êtes ce que vous êtes. Votre diplôme de droit, de comptabilité, d'administration des affaires ou autre n'ont aucune valeur, en toute franchise, si vous ne possédez pas la capacité innée de nouer des contacts avec les gens, de les juger, mais aussi le courage et le talent pour interpréter vos propres réactions instinctives face à la matière qu'on vous soumet. Ajoutez à cela l'expérience, les opinions personnelles et vous obtenez un dirigeant de studio. Cette carrière vous oblige à projeter votre ego et vous conduit généralement à acquérir un esprit de compétition très poussé et un sens des intrigues très développé.» Les objectifs étant flous et les moyens incertains, l'industrie du film attire les gens qui s'apanouissent dans ce monde de l'inaccessible.

Les gens parviennent aux postes haut placés grâce à diverses combinaisons de personnalité, énergie, relations, réalisations et chance. Il n'existe pas de modèle. Étudions un peu la carrière des puissants de Hollywood.

Alan Hirschfield, président du conseil de Twentieth-Century Fox, quitta Wall Street pour l'industrie cinématographique. Vers le milieu des années 70, il fut placé à la tête de Columbia Pictures, lorsque la banque d'affaires Allen & Company acheta

l'intérêt majoritaire des studios. Il entra à Fox après le scandale
Begelman, aux côtés de Dennis Stanfill, un autre ancien de
Wall Street qui était arrivé à Hollywood quelques années auparavant. En été 1981, Hirschfield fut nommé à son poste actuel
après que Stanfill eut démissionné en raison d'un conflit personnel avec le nouveau propriétaire de Fox, Marvin Davis. Le
président de Fox, Sherry Lansing, est une autre réfugiée de
Columbia, qui a été la protégée d'un autre personnage haut
placé de son studio, Daniel Melnick, aujourd'hui producteur
indépendant.

Et puisque son nom revient souvent, qu'est-il advenu du célèbre David Begelman? Lui et son compère Freddie Fields furent les deux super-agents qui introduisirent la notion de contrats cinématographiques au cours des années 60. En qualité de
dirigeant de MGM-UA, Begelman avait la réputation de se fier
davantage à son sens des conventions contractuelles qu'à son
instinct en matière de films. Il fut licencié en 1982 pour n'avoir
pas produit suffisamment de succès importants.

Barry Diller, président du conseil de Paramount, fut d'abord
l'enfant prodige de la programmation de ABC. A vingt-sept
ans, il devint le plus jeune vice-président que le réseau eût jamais nommé. Diller, qui entama également sa carrière comme
agent, écrivit l'histoire de la programmation lorsqu'il inventa
«le film de la semaine» pour ABC, puis les romans adaptés
pour la télévision, aujourd'hui devenus les «mini-feuilletons».
Il fut ensuite élevé au poste honorable de vice-président chargé
des émissions diffusées aux heures de forte écoute. Un ancien
collègue de Diller se souvient: «Tandis que Barry négociait
pour acheter de longs métrages pour le réseau, il eut affaire à
Charles Bluhdorn, le dirigeant de Gulf+Western, à qui il dut
faire une très forte impression. Quelques années plus tard, alors
qu'il était directeur de la programmation, il eut quelques problèmes. Tout le monde le plaignait. Et soudain le voilà, à trente-deux ans, président de Paramount! Imaginez la surprise générale! Il est évident qu'il avait tiré le plus grand parti possible
de ses contacts avec Bluhdorn. Mais le jugement de Bluhdorn
s'est révélé justifié. Paramount est le studio le plus prospère, et
c'est en grande partie grâce à la gestion exercée par Diller.»
D'ailleurs, Barry Diller, autrefois le plus jeune des dirigeants de
studios, détient maintenant le record de l'ancienneté (il occupe
ses fonctions actuelles depuis 1974).

Le départ des dirigeants de studios informe autant sur les

méthodes de Hollywood que leur ascension. Alan Ladd Jr travailla comme agent, puis devint producteur. Il entra à Fox en 1973 et, en 1976, fut élevé à la présidence de la division cinématographique. C'est lui qui signa pour le studio, le contrat d'un film intitulé *La guerre des étoiles*. Mais il quitta Fox à la suite d'une querelle allumée, en partie, par le succès de ce film et emmena avec lui un grand nombre de gens, parmi les plus doués du studio, pour former, en association avec Warner Brothers, la Ladd Company. Ladd et ses proches collègues s'irritaient en effet depuis un certain temps de l'application par Stanfill, ancien de Wall Street, des méthodes de gestion par objectifs au sein de la division cinématographique. Puis en 1978, Ladd se vit refuser la permission d'accorder des primes, qui auraient été extraites du filon de *La guerre des étoiles*, aux gens qui avaient travaillé au film. Il dispensa lui-même ces primes qu'il estimait méritées à partir des 2 millions de dollars qu'il avait reçus et démissionna.

A peu près à la même époque, des événements se préparaient à United Artists. Le petit cercle de dirigeants qui avaient vendu le studio à la Transamerica Corporation, en 1967, commençait à s'irriter de l'ingérence de la compagnie mère. Ces hommes étaient responsables de trois films qui avaient remporté, trois fois de suite, l'Oscar du meilleur film : *Vol au-dessus d'un nid de coucous (One Flew Over a Cuckoo's Nest)* en 1975, *Rocky* en 1976 et *Annie Hall* en 1977. Lorsque Transamerica refusa, en 1978, d'accorder à l'un d'entre eux la voiture prestigieuse qu'il réclamait, ce fut, dit-on, la goutte qui fit déborder le vase (les voitures jouent un rôle important dans la culture hollywoodienne). Les cinq hommes quittèrent UA pour former Orion Pictures, également en association avec Warner Brothers.

D'où sortira la prochaine cuvée de dirigeants de l'industrie cinématographique ? Et quelles compagnies créeront-ils une fois leurs contrats parvenus à échéance ? Seront-ils des agents, des programmeurs, des producteurs ou des banquiers ? Ou bien assistera-t-on à l'ascension des cadres de la commercialisation ? Des ventes et de la distribution ?

D'où qu'ils viennent, ils signeront leurs propres contrats et saisiront leurs propres occasions comme ils l'entendront. Ce métier est constitué de figures libres, d'esprit d'entreprise et d'opportunisme. Cependant, quels que soient les futurs dirigeants, le drame sera toujours présent. Car l'industrie cinématographique est un milieu en fermentation constante, bouillonnant d'égocentrisme, d'ambition, de loyauté, de trahison, de réalisations spectaculaires et de chance pure et simple. Un bon film, n'est-ce-pas? Beaucoup d'argent, beaucoup de querelles et beaucoup de suspense. Ce drame possède déjà toutes les vedettes et tous les ingrédients que vous pourriez désirer pour réaliser une superproduction intitulée « Hollywood ».

« C'est un monde prestigieux, dit David Brown. La réalité de la production a toujours été plus bizarre que le mythe. Les journalistes qui n'ont pas déambulé autour des bureaux des puissants ne peuvent décrire ce qui s'y passe: la folie des risques, les réussites personnelles, et les échecs inéluctables. Tous sont plus vrais que nature. Quiconque se rend à Hollywood découvre que ses idées personnelles étaient à peine exagérées par rapport à la réalité. »

Le bal des débutantes

« Il n'existe pas de voie établie pour entrer dans cette industrie », explique Wendy Margolis, qui fut nommée vice-présidente de Columbia Pictures l'an dernier, à l'âge de vingt-quatre ans. C'est un vrai cadre supérieur affecté à la production. En qualité d'assistante de Frank Price, elle lit les scénarios, les évalue, travaille avec les scénaristes au développement des idées et à la réalisation des scénarios. Elle aide à assembler les équipes: réalisateurs, acteurs, etc., qui seront chargés du tournage des films produits par Columbia.

« Le premier emploi est le plus important, dit-elle. Il est la clé du succès. Une fois dans la place, c'est plus facile. Il existe le « téléphone arabe ». Plus vous connaissez de gens, plus les gens vous connaissent, plus grandes sont vos chances d'avoir du travail. » Wendy est un vétéran de cette industrie; elle y est entrée il y a six ans, à l'âge tendre de dix-huit ans. Elle a travaillé sur des films tels que *Le récidiviste (Straight Time)* avec Dustin Hoffman, *Le diable en boîte (Stunt Man)* avec Peter O'Toole et *Sanglantes confessions (True Confessions)* avec Robert De Niro, en qualité d'assistante des producteurs, réalisateurs et scripteurs. Elle pesa les avantages et les inconvénients d'études universitaires et décida, finalement, que pour sa carrière, les meilleures études se faisaient sur le tas.

Elle lut les journaux professionnels pendant des mois, afin de savoir quels films étaient produits, et s'entretenait avec tous

les amis susceptibles d'avoir des relations dans l'industrie cinématographique. Elle finit par obtenir un poste : à dix-neuf ans,
elle se retrouva en train de lire un scénario dans le bureau d'un
producteur. Ce premier emploi lui fournit en quelque sorte des
références et une idée de la manière dont fonctionnait cet univers. « En général, si vous faites bien votre travail, on se le dira
de bouche à oreille, et c'est comme-ça que vous grimperez. »

« J'avais obtenu un laissez-passer pour entrer dans les studios
à l'heure du déjeuner, au moment où les secrétaires étaient
sorties, se souvient-elle. Je me promenais avec une pile de curriculum vitae sous le bras et un grand sourire aux lèvres. Je
rendais visite à tous les bureaux de producteurs et je parlais à
qui voulait bien me parler. Mon exposé était bien à point. Je
leur disais : Vous ne me connaissez pas mais vous perdez quelque chose ! Consacrez-moi quelques minutes. Ce que je peux
vous offrir, avec mes talents et mon enthousiasme, pourrait
rapporter gros à votre compagnie ! Et j'apprends vite ! »

« Je vantais mes compétences à propos de la lecture de scénarios. Je me proposais pour lire les scénarios de la compagnie
de production, pour les producteurs indépendants ou les réalisateurs, tout à fait bénévolement. Je me proposais aussi pour
rédiger des synthèses et des analyses. Dans mon analyse, je
soulignais ce qui était bon ou ce qui n'était pas matérialisable
dans le scénario et je proposais des solutions de rechange. Je
n'insisterai jamais assez sur l'importance d'une grande confiance en soi. Vous devez absolument frapper à toutes les portes. Il
faut que les gens finissent par vous porter attention. Et si vous
frappez à suffisamment de portes, certaines finiront bien par
s'ouvrir. »

Au cours des cinq années suivantes, elle réussit à être engagée dans l'équipe de production de quatre longs métrages. Entre-temps, au printemps 1981, elle décida d'aller se lancer dans
un autre de ses petits exposés de ses mérites personnels à Columbia. Jack Brodsky, producteur auprès de Big Stick, la compagnie de Michael Douglas, bavarda avec elle, prit son curriculum vitae, mais n'avait rien à lui offrir et ne lui promit rien.

« Quelques semaines plus tard, il m'a téléphoné. Pourtant
nous ne nous étions rencontrés qu'une fois. Il a organisé une
entrevue avec Frank Price. J'étais si nerveuse que je pouvais à
peine parler ! M. Price et M. Veitch m'ont donné des scénarios à
lire et à évaluer. Après avoir étudié mon travail, Columbia m'a
offert un emploi provisoire, sans titre, sans contrat. Simple-

ment une occasion pour moi de montrer ce dont j'étais capable. J'ai participé à des réunions artistiques au cours des mois suivants. Ils ont heureusement été satisfaits de mon travail et j'ai reçu ma promotion de vice-présidente et assistante du président. »

« Si je peux donner un conseil aux autres, je pense que la clé de tout succès est une bonne préparation. Il faut vraiment travailler pour tout connaître du métier et, lorsqu'une occasion se présente, être prêt à en tirer le maximum de profit. Revenez me voir dans deux ans, j'aurai d'autres choses à vous dire. » Si l'on en croit son départ en flèche, elle aura probablement des tas de choses à vous raconter !

La grosse galette

On gagne beaucoup d'argent dans l'industrie cinématographique. Les grandes vedettes et les producteurs indépendants reçoivent des pourcentages des recettes de leurs films et, lorsqu'il s'agit de grands succès, ces pourcentages se chiffrent en millions. Mais les salariés des studios ne se débrouillent pas si mal non plus. Si l'on en juge par les chiffres, on ne devinerait jamais que l'industrie est réduite et que les studios ne sont pas, industriellement parlant, de très grosses entreprises. Au cours d'une année faste, un studio enregistera environ 350 millions de recettes de caisse.

Le chef de département d'un studio, par exemple du département des affaires financières et des ventes, peut jouir d'un salaire annuel variant entre 150 000 et 200 000 dollars, sans compter les primes. Toujours si l'année est faste, cette prime peut atteindre 30 à 100 pour cent de son salaire. Quant au directeur de production, il peut percevoir entre 200 000 et 350 000 dollars, sans compter les primes. De simples vice-présidents affectés à la production gagneraient, dit-on, plus de 150 000 dollars dans certains studios. Même les employés qui relèvent directement de l'autorité du chef de département peuvent gagner de 70 000 à 100 000 dollars, et parfois un peu plus. Il n'existe pas de système rigide d'ancienneté et d'avancement en vigueur pour déterminer qui doit occuper ces postes. Jeunes loups et vieux sages sont éparpillés au sein des divers studios. Des vice-présidents de vingt-six ans, affectés aux affaires artistiques, peuvent gagner 75 000 dollars et plus par année. N'oublions pas que chaque cadre supérieur conclut son propre contrat (ou le fait conclure par un avocat) avec son employeur.

Jusqu'à présent, c'est Frank Price le chef de la meute. En septembre 1981, Columbia Pictures a annoncé que le contrat de quatre ans qui lui avait été accordé lui permettrait «presque certainement» de récolter plus de 10 millions de dollars. Même si Columbia ne produit aucun grand succès, il recevra au minimum 6 millions, sans compter les revenus généreux tirés des actions.

David Begelman recevait un salaire fixe de 300 000 dollars, auquel s'ajoutaient des avances garanties de six chiffres, sur 5 pour cent des profits nets enregistrés par les films produits par MGM sous ses auspices. Les dirigeants de Fox gagnaient des sommes rondelettes lorsque Marvin Davis acheta le studio. L'ancien président Stanfill récoltait, disait-on, 75 millions de dollars pour ses actions et Alan Hirschfield, de Fox également, jouissait de profits de l'ordre de 2,9 millions. A MCA, le président d'Universal Pictures, Ned Tanen, ne gagnait que la modeste somme de 330 000 dollars, mais sa rémunération globale se montait à plus de 2,4 millions.

Dans d'autres compagnies, de taille semblable à celle des studios de cinéma, les dirigeants ne reçoivent pas, en général, des rémunérations globales aussi considérables, sauf s'ils sont propriétaires de l'entreprise. Mais cette industrie est différente des autres. Les directeurs de production des films jouent au même jeu de pourparlers et emploient souvent les mêmes agents et les mêmes avocats que les vedettes de films. «Frank Price a été notre pionnier, a déclaré un cadre supérieur de production au *New York Times*. Désormais, les hommes d'affaires vedettes pourront se tailler des contrats extraordinaires.» Et comment!

Les gens qui détiennent les pouvoirs les plus permanents n'oublient jamais, cependant, qu'ils ne sont que des pions sur un tapis rouge. «Si tout le monde se mettait à réfléchir sur les chances de réussir dans ce métier, dit le producteur Bud Austin, personne ne s'y lancerait.» Mais la détermination, l'espoir, la foi ou l'arrogance, quel que soit le nom qu'on lui donne, incite les gens à demeurer en lice. «Les chances sont incroyablement défavorables, ajoute-t-il. C'est comme jouer à la loterie. Bien sûr, vous pouvez toujours vous dire que vous «investissez», lorsque vous achetez un billet, mais qui essayez-vous de tromper? Les gens ne veulent pas entendre de propos raisonnables. Tout le monde recherche le numéro magique. Tout le monde est convaincu de le connaître. Et ce métier est rempli d'histoires à vous fendre le coeur. Je suppose que les plus intelligents se contentent de faire leur beurre et d'aller voir ce qui se passe ailleurs. Mais une fois dans le milieu, vous êtes pris, vous en voulez toujours plus. Il est difficile de faire abstraction de ce côté «drogue».

«Ce qui est merveilleux dans ce métier, déclare Frank Price, c'est qu'il fait appel à pratiquement tout ce qui existe dans la société. Vous traitez des affaires avec des hommes d'affaires, des financiers, des avocats, des comptables. Vous plongez dans la littérature, l'histoire, les relations humaines, le drame, la comédie et le talent qui permet à tout de se réaliser. Vous avez affaire à la musique, au cinéma. Au cours d'un tournage, vous devez travailler avec des gens qui exercent tous les métiers possibles, des menuisiers aux peintres, des couturières aux électriciens. Il y a peu d'exceptions et je ne connais guère de milieu plus stimulant.» Il ajoute en riant: «Et c'est le seul métier dans lequel vous n'avez pas à vous préoccuper de savoir si les Japonais mettront sur le marché un meilleur produit que le vôtre.»

Mais c'est toujours un travail, quotidien, routinier. Price admet qu'il ressent parfois de la lassitude. «Je suis quelquefois irrité à la perspective d'un long souper avec un acteur ou un artiste particulièrement capricieux. Mais lorsque je commence à m'ennuyer ou à me lasser, j'essaie de prendre du recul et de me dire que tout ce que j'ai fait jusqu'à présent n'est pas si mal.»

Pour se souvenir de ce qu'il est, Price a tapissé le mur situé derrière son bureau de photographies en noir et blanc de vieilles vedettes de Hollywood: Bogart, Cagney et d'autres. Toutes les photos sont dédicacées «A Frankie».

«Ma mère a travaillé ici, au réfectoire de ce qui était alors le studio de Warner, de 1937 à 1942. Je venais la voir et elle me faisait obtenir toutes ces photos. Je ne savais pas qu'elle les avait toutes gardées et lorsque j'ai quitté Universal pour venir ici, elle m'a proposé de me les redonner. J'ai accepté avec plaisir.»

Frank Price est-il en train de réaliser un rêve d'enfant? Dans une certaine mesure c'est peut-être vrai. Et cela jette une autre lumière sur les gens qui réussissent dans ce milieu.

Sans compter l'énergie et l'ambition, la fermeté et le sang-froid du joueur qui sont nécessaires pour faire son chemin à Hollywood, il est peut-être aussi utile d'être fou du cinéma.

LE DISQUE
La fontaine de Jouvence

En avant la musique

À tout ce que vous pourrez écrire sur l'édition musicale, il manquera un élément de réalité : la musique. Les mots imprimés sur du papier ne peuvent reproduire cet univers de sons.

Dès que vous pénétrez dans les locaux d'une compagnie d'édition musicale, vous apercevez les chaînes stéréophoniques. Le statut hiérarchique de leur titulaire est reflété par le coût et la complexité de l'équipement sonore. Au fur et à mesure que vous avancez dans le vestibule, vous entendez diverses mélodies s'échapper des divers bureaux. Les murs et les planchers vibrent continuellement sous le grondement des basses que déversent des enceintes acoustiques démesurées. Des affiches d'artistes du «rock and roll» tapissent les parois. Blue-jeans et chemises ouvertes sont de rigueur. Les secrétaires sont élégantes et sexy. Une cravate isolée se promène parfois, accompagnée d'un veston sport ou d'une veste de tweed. Ni flanelle grise ni fines rayures solennelles. On s'appelle par son prénom. Tout le monde a l'air juvénile, plein d'entrain et décontracté, même les messieurs aux cheveux grisonnants et rares et aux estomacs quinquagénaires.

Tous ici, cependant, écoutent la même chanson : celle des piécettes qui se bousculent dans la caisse enregistreuse. C'est une affaire de gros sous. Les disques rapportent plus de 3,7 milliards de dollars par an. Et c'est de loin le «pop» ou le «rock» qui produisent le plus.

Malgré toute la musique qui flotte dans l'air, on ne se préoccupe pas tant de gammes que de graphiques de ventes, lesquels sont le pain quotidien de l'entreprise. Chaque semaine, les magazines professionnels présentent des listes de ce qui se vend, dans chaque catégorie. Plus de trois mille nouveaux albums doubles et plus de dix mille nouveaux albums simples paraissent chaque année.

Bien que de grosses compagnies comme CBS, Warner Communications, RCA, dominent aujourd'hui l'industrie du disque, en se partageant un empire mondial, il n'en a pas toujours été ainsi. Il y a seulement vingt ans, l'édition musicale était une petite industrie languissante. Mais cela, c'était avant l'arrivée des générations nées de l'explosion démographique d'après-guerre. La musique populaire des jeunes prit l'ampleur d'un phénomène national et se métamorphosa en un torrent tumultueux de dollars qui s'est abattu sur l'industrie du disque. Lorsque les chiffres de ventes atteignirent, en 1967, un milliard de dollars, les membres de l'industrie du disque commencèrent à se poser des questions. Lorsque les disques en arrivèrent à dépasser la télévision et le cinéma en termes de recettes, avocats, comptables et conglomérats étaient sur les lieux, prêts à encaisser et à financer. Entre 1976 et 1978, l'industrie connut une croissance phénoménale de 70 pour cent.

Cela ne pouvait être néfaste. Les interprètes de grands succès amassèrent des dizaines de millions. Les magnats des compagnies de disques devinrent membres à plein temps de la haute société internationale. Ils n'appartenaient pas seulement à la plus grosse des industries du spectacle mais aussi à la plus en vue. Elle baignait dans une orgie de succès. Personne ne sourcillait à l'idée de dépenser 100 000 dollars pour organiser une réception à l'occasion de la sortie d'un disque. Les interprètes parcouraient le pays en tous sens, dans des avions à réaction commerciaux, convertis pour leur usage personnel. Les limousines étaient expédiées avec autant de désinvolture que si elles n'avaient été que des taxis. On créa des centaines et des centaines d'emplois.

L'année 1978 fut incroyable : les ventes dépassèrent les quatre milliards. Ensemble, les albums de *La fièvre du samedi soir (Saturday Night Fever)* et de *Grease* se vendirent à raison de 27 millions d'exemplaires, aux États-Unis seulement. Puis, en 1979, le monde s'écroula. Le raz de marée démographique qui avait porté l'industrie sur la crête de la vague vint se briser sur le rivage. Ce marché si fiable vieillissait et commençait à consacrer son argent à d'autres choses.

Des centaines de gens, à tous les paliers, perdirent leur emploi. Quiconque travaille dans l'industrie du disque a des amis qui n'ont pas retrouvé d'emploi dans ce secteur, depuis l'effondrement. On sabra dans les budgets. On comprima les comptes de frais et les réceptions descendirent de plusieurs crans sur l'échelle de la modestie quand elles ne disparurent pas complètement. De 1980 à 1981, les ventes unitaires demeurèrent stationnaires. L'enregistrement de musique sur des cassettes vierges commençait à coûter cher à l'industrie qui perdait ainsi au moins un milliard de dollars par année. D'autre part, certains détaillants découvrirent qu'ils gagnaient plus à vendre des jeux vidéo que des disques.

La demande ne s'est pas complètement épuisée et les interprètes célèbres continuent de vendre à raison de plusieurs millions. Les compagnies continuent de croître, mais à un rythme plus modéré et plus mesuré. Le «rock» et le «pop» sont toujours ce qui se vend le mieux. Il y a toujours de l'argent à faire, mais la ruée vers l'or est terminée, en attendant la prochaine.

Le jour et la nuit

Tout ce que vous voyez dans un magasin de disques résulte du long processus suivant.

Les agents du département «artistes et répertoire» (Artists and Repertoire) sont les récolteurs de talents et les gourous artistiques. Ils décident des contrats qui doivent être signés, puis ils contribuent à la conception et supervisent l'enregistrement. Mais entre la décision de l'A & R et la fabrication du disque, les agents financiers et commerciaux font leur apparition. Les contrats doivent être négociés entre la compagnie et les artistes.

Une fois que l'encre a séché et que tous les codicilles ont été acceptés, l'enregistrement commence. Le département A & R fournit un producteur, chargé de travailler avec l'interprète dans le studio. La compagnie fournit des personnes chargées des relations avec les artistes, afin de s'assurer que ces derniers sont heureux, productifs et prêts à faire tout ce qu'il faut pour le bien de leur disque et de leur carrière. À ce moment-là, les agents de commercialisation commencent à mettre au point une stratégie de vente, à discuter de l'apparence de la pochette, de la distribution, de la publicité et des apparitions de la vedette, en vue de promouvoir l'album. Le département de la publicité fera appel aux médias, une fois le disque sorti sur le marché.

Ensuite, étape cruciale, le département de la promotion expédiera son armée de soldats dans toutes les stations de radio du pays, afin de s'assurer que le nouvel album passera sur les ondes. Si tout, ou presque, se passe bien, la compagnie d'édition musicale tiendra en main un grand succès. Il n'existe pratiquement pas de limite aux millions qu'un disque peut faire rapporter.

Bien que les départements dépendent les uns des autres, ils se considèrent comme distincts. D'ailleurs, chacun d'entre eux est un monde en lui-même «Les gens d'A & R sont entièrement orientés vers le produit», déclare Dick Asher, chef d'exploitation et numéro deux à CBS Records. «Ils estiment qu'un produit valable se vendra tout seul. Quant aux agents de promotion, ils pensent que leurs collègues d'A & R ne savent pas de quoi ils parlent. Ils sont convaincus que le simple passage à la radio contribue à faire vendre un disque et que s'ils peuvent le faire entendre sur les ondes il se vendra, qu'il soit bon ou mauvais. Quant à nos agents de commercialisation, ils croient que seules leurs compétences leur permettent de vendre n'importe quoi, à l'exclusion de toute autre considération.» Asher est un homme élégant, dans la cinquantaine, portant cravate. Il est entré à CBS Records par la porte des affaires financières et administratives, après avoir exercé pendant des années sa profession d'avocat auprès des gens du spectacle. «En réalité, si l'un de ces départements s'effondre, toute la machine peut s'écrouler.»

Les compagnies de disques ne possèdent pas de structures hiérarchiques rigides. «Elles adaptent les postes aux personnalités», explique Bob Merlis, directeur national de la publicité auprès de Warner Brothers Records. «Les structures sont très floues. Que sont les services artistiques? Personne ne le sait. Tout dépend du type qui est à leur tête. Dans certaines compagnies, ils englobent la publicité et les créations artistiques, dans d'autres, il s'agit du détail et des points d'achat. Tout cela est bien fluide.»

Effectivement. «Notre milieu ne se distingue pas par le nombre d'années que les gens demeurent à leur poste», déclare Mel Furhman, directeur général d'Elektra Asylum Records à New York. «C'est exactement comme sur un terrain de sport. La plupart d'entre nous avons vagabondé d'une équipe à l'autre. Les sommes en jeu sont énormes, mais le milieu est petit. Après quelque temps, tout le monde vous connaît de réputation.»

Les gens pratiquent l'art de sautiller d'une compagnie à l'autre car, comme c'est le cas de beaucoup d'industries, le moyen le plus rapide d'obtenir un poste plus haut placé et un chèque de paye plus généreux est de changer constamment d'employeur. Mais les gens ne changent pas seulement pour améliorer leur sort : ils désirent également se protéger. «Ils ont peur de perdre leur emploi», explique un agent d'A & R qui a réussi à conserver le sien. «Nous dépendons tous de ceux qui nous entourent. Il est assez rare que vous puissiez prouver combien d'argent vous avez réussi, à vous seul, à faire entrer dans les coffres de la compagnie. C'est pourquoi, si le rendement de votre département n'est pas élevé, dans son ensemble, vous avez de bonnes chances de vous retrouver à la porte lorsque la direction décidera d'épurer le service. Il lui arrive parfois de purger tout un département. Aussi, dès que vous sentez le vent tourner, il est préférable de sauter de votre propre initiative que d'attendre d'être poussé.» Depuis la grande récession, cette angoisse ne fait que s'accentuer.

Mel Furhman ajoute : «Ce métier est très délicat. Il se peut que vous découvriez un succès un jour et que le lendemain quelqu'un vous demande : Qu'avez-vous donc fait pour la compagnie au cours des dix dernières minutes ? Il faut toujours entamer un travail nouveau. Tout le monde s'efforce d'être au courant de tout ce qui se passe. Il faut demeurer à l'avant-garde des modes. C'est pourquoi cette industrie aime les jeunes.»

Furhman, quinquagénaire svelte aux cheveux gris artistement coiffés, vêtu de jeans qui sentent son couturier, déclare : «Vous devez vous assurer d'avoir autour de vous suffisamment de jeunes au courant des dernières tendances.»

Chaque semaine, on change les graphiques. Les ventes reflètent une histoire de destins mouvants et d'anxiété sans relâche, une course qui ne finit jamais. Personne ne sait quels seront les prochains grands succès, personne ne peut prévoir dans quelle mesure ils modifieront les règles du jeu.

«Après le cinéma, nous dit un vétéran de l'industrie, c'est le milieu où s'exerce la plus forte concurrence. Tout le monde veut votre emploi, ceux de l'extérieur comme ceux de l'intérieur. Il vous faut avancer continuellement. Vous ne pouvez vous permettre de vous reposer. Mais il ne faut pas non plus suivre la mode de trop près, car vous risquez de vous engluer dans une folie toute passagère. Cependant, un conservatisme exagéré est nuisible, car ce qui s'est vendu il y a cinq ans ne se vend plus aujourd'hui. Il est également important de ne pas se fermer à un genre particulier de musique, aussi bizarre et étrange qu'il puisse vous paraître. On ne sait jamais...»

Une bonne oreille

Les agents d'A & R sélectionnent les groupes sur lesquels la compagnie misera. Ce travail est l'un des plus délicats de l'industrie.

« C'est de l'A & R que tout découle, explique Dick Asher. Si vous désirez, ne serait-ce que l'espoir du succès, c'est eux qu'il faut surveiller. Ils font de vous un gagnant ou, plus souvent, un perdant.»

Ces gens-là écoutent. Ils écoutent des groupes qui travaillent dans les clubs, ils écoutent des disques et, surtout, ils écoutent les cassettes de démonstration que leur envoient les interprètes pleins d'espoir de tous les pays. Le bureau d'un agent d'A & R est toujours encombré de douzaines de cassettes empilées. Chacune d'entre elles représente les rêves et les ambitions d'un groupe de jeunes musiciens. Quelque part dans cette pile se trouve peut-être un nouveau Chuck Berry ou un autre Peter Frampton. Peut-être que les sons distillés par l'une de ces cassettes électriseront des millions de gens et crèveront le plafond des gains de la compagnie.

C'est au département lui-même de décider. « J'écoute chaque cassette que l'on m'envoie », dit Karin Berg, directrice de l'A & R de Warner Communications pour la Côte est. «Mais je ne les écoute pas toujours jusqu'au bout. Parfois quelques secondes suffisent. J'écoute en moyenne cinq cassettes par jour, environ deux mille par an.» Ce total ne représente qu'une fraction des cassettes expédiées à Warner. Sous la direction de Karin Berg, un personnel composé d'«écouteurs» professionnels ne fait qu'écouter des cassettes, jour après jour.

Ce jour-là, des ballons étaient accrochés aux murs et au plafond des bureaux de Warner, comme si une fête venait de s'y dérouler. «L'un des groupes les a envoyés avec sa cassette, dit-elle, sans amusement exagéré. Ils font toutes sortes de choses pour attirer notre attention, mais en réalité, ils font tout cela pour rien. S'ils n'envoient que la cassette accompagnée d'une lettre d'introduction, nous l'écouterons de toute façon.»

Regardant par-dessus la monture ovale de ses lunettes «grand-mère», elle ajoute: «Nombreux sont ceux qui, dans le métier, estiment qu'ils peuvent déterminer si tel ou tel disque remportera un grand succès, uniquement après l'avoir écouté. Seulement, un disque est un produit fini. Les décisions importantes ont déjà été prises. Non, la question véritable est la suivante: Pouvez-vous écouter l'enregistrement d'un groupe qui n'a jamais gravé de disque et prédire s'il marchera ou non?»

Il s'agit de l'un de ces postes pour lesquels il n'existe pas de préparation spéciale, de formation utile et, théoriquement, aucun moyen de savoir si vous avez des aptitudes pour l'occuper, sinon en l'occupant un certain temps. Les gens arrivent à l'A & R après avoir emprunté toutes sortes de chemins. Ils ont des amis dans le métier, ou ils débutent dans un département et, à force de persuasion, finissent par aboutir à l'A & R. Ils découvrent un groupe pour quelqu'un. Il n'y a pas de modèle. Karin Berg est entrée à l'A & R après avoir été journaliste spécialisée dans le domaine musical.

En qualité de journaliste, puis de rédactrice en chef, elle avait acquis la solide réputation de distinguer les groupes avant qu'ils n'entrent dans la catégorie des grands succès. «Dans ce métier, le côté artistique est important. Il y a des choses sur lesquelles vous n'arrivez pas à mettre un nom. Même si vous avez beaucoup de talent musical, pour réussir il faut que votre intuition veuille bien vous guider. Ce métier est fait d'intuitions que certains qualifient de viscérales. Vous ne travaillez pas selon un horaire fixe. Vous passez toute la journée au bureau et toute la nuit dans les clubs de «rock and roll». Bien sûr, c'est un métier prestigieux, vous bavardez avec les vedettes, etc. Mais en réalité, c'est épuisant. Pendant des jours j'écoute intensément, puis je dois ralentir mon rythme, car tous les morceaux de musique finissent par me paraître identiques. Je ne peux pas me permettre d'aller jusqu'au bout de mon rouleau.»

Il ne s'agit pas simplement d'écouter les cassettes qu'on vous envoie. Toute la musique populaire est votre domaine. «Je passe beaucoup de temps à écouter tout le reste», dit Greg Geller, âgé de trente-quatre ans, directeur de l'A & R auprès d'Epic Records, compagnie de disque appartenant à CBS. Geller est un ancien de l'Ivy League et la coûteuse tenue décontractée qu'il porte le montre bien. «Il vous faut connaître parfaitement tout ce qui se passe à un moment donné. Ensuite, vous essayez d'extrapoler ce qui pourrait vous intéresser. Un véritable concours se déroule constamment au sein de l'industrie et vous devez être capable d'anticiper tous les événements. Par exemple, si je décide de faire signer un contrat à un groupe, il se peut que son disque ne sorte pas avant quelques mois ou avant un an ou plus. Si ma décision n'est fondée que sur ce qui était valable hier, et qui l'est encore aujourd'hui, le groupe risque d'être démodé au moment où son disque sortira. Mon travail est de prévoir.

Regarder dans une boule de cristal n'a jamais été un jeu d'enfant, mais cela l'est d'autant moins lorsque le produit en question est intangible et artistique. D'après les estimations de l'industrie, seulement 16 pour cent de tous les albums atteignent leur seuil de rentabilité, sans parler d'un profit. « Un facteur inhérent à ce travail, ajoute Geller, est que vous échouez plus souvent que vous ne réussissez. » Absolument tout le monde admet avoir parfois donné le feu vert pour des disques qui ont avorté. Tous reconnaissent leur part d'échecs, mais rares sont ceux qui acceptent de poursuivre la discussion à ce propos.

« C'est un peu comme l'incapacité du corps humain d'accepter de conserver le souvenir de la douleur », dit Jerry Wexler, pilier légendaire de l'édition musicale, l'agent d'A & R qui a produit les disques d'interprètes tels que Ray Charles, Aretha Franklin, King Curtis, Otis Redding, Wilson Pickett, Cher, Willie Nelson, Bob Dylan et beaucoup d'autres. « Si vous conserviez en vous le souvenir de tous vos échecs, vous en finiriez par ne plus vous lever le matin. » Heureusement, certains côtés sont positifs : les grands succès apaisent la douleur et payent pour toutes les erreurs.

L'agent d'A & R prend des décisions qui sont en partie économiques et en partie artistiques. Les risques que comporte la signature d'un contrat sont fonction de la somme que la compagnie d'édition musicale doit avancer. Lorsqu'il s'agit de très grandes vedettes, l'obtention de leur signature sur le contrat peut coûter plusieurs millions de dollars. Cependant, il se peut que ces valeurs prétendument sûres se révèlent des erreurs considérables, très douloureuses et très onéreuses. Avec des groupes moins connus, l'agent d'A & R joue un jeu plus sûr si le prix est raisonnable.

« On vous dira que vous pouvez signer en toute quiétude un contrat avec tel ou tel groupe, parce que sa musique est semblable à celle que produisent les groupes vedettes d'aujourd'hui, poursuit Geller. Vous pouvez vous attendre à vendre cent mille exemplaires simplement à cause de cette ressemblance. La plupart du temps, c'est à cette échelle que sont conclus les contrats. Mais à CBS, nous pouvons nous permettre de prendre de temps en temps de gros risques. »

C'est de ces gros risques que les agents de l'A & R sont les plus fiers. C'est à ce moment-là que leur jugement artistique et leur capacité de prévoir l'avenir sont mis à l'épreuve. Après tout, n'importe qui est capable de se conformer à une mode. Ce n'est pas tout le monde qui peut se permettre d'être à l'avant-garde. Dans le cas de Geller, il signa un contrat avec Elvis Costello, l'étrange chanteur britannique qui, semble-t-il, aurait stimulé et régénéré, par son côté «gamin des rues», le «rock and roll» de la fin des années 70, l'un des précurseurs de ce qu'on appela plus tard «le rock punk».

En 1977, Geller se trouvait à une réunion du personnel de CBS Records à Londres. Devant l'hôtel, il remarqua un jeune homme maigrichon qui jouait de la guitare et chantait dans un petit amplificateur portatif. Le rocker réussit à interpréter deux chansons avant qu'un «panier à salade» n'arrive et que deux hommes vêtus de l'uniforme de la police ne l'embarquent à l'intérieur. «Aujourd'hui encore, j'ignore s'il s'agissait ou non de vrais policiers, dit Geller, mais la musique m'a plu, et la mise en scène aussi. J'ai fait en sorte de lui faire enregistrer un disque avant de quitter Londres. Le «rock and roll» dépouillé et dur de Costello était à des années-lumière de ce qui se vendait alors aux Etats-Unis, où des groupes de «rock» doux, homogénéisés et banlieusards, tels que les Eagles ou Fleetwood Mac, dominaient les graphiques de ventes. Geller se mit à écouter et à réécouter son nouveau disque britannique dès son retour. Probablement en partie parce que les droits relatifs au disque de Costello n'étaient pas très élevés, Geller réussit à faire approuver un contrat avec Epic et à distribuer l'album aux États-Unis.

«Avec ce genre de disque, il n'y a aucun moyen de savoir comment les choses vont se passer. Il peut se vendre comme il peut tout simplement mourir pour ne jamais ressusciter. Nous avons conclus le contrat avec Elvis parce que cela nous a paru judicieux.» L'instinct de Geller se révéla juste. Costello finit par fêter son disque d'or (un demi-million d'exemplaires vendus). En outre, un nouveau chapitre de l'histoire du «rock and roll» venait de commencer. À cet égard, Geller ne mesure pas son succès en billets de banque. «Beaucoup d'artistes doivent leur succès à Elvis Costello et ont déjà vendu plus de disques qu'il n'en vendra jamais. Mais on se souviendra de lui comme du chef de file. Il a eu l'effet le plus pénétrant sur le style, les goûts, la mode.»

Pour obtenir un contrat d'après ces critères, il faut posséder un appui loyal et persuasif au sein du département d'A & R.

« Heureusement, dit Geller, j'ai pu tout expliquer à mes supérieurs à propos d'Elvis. Et ils étaient d'accord pour m'écouter. Mais j'aurais très bien pu tomber sur quelqu'un qui m'aurait dit : Pourquoi donc voulez-vous tant faire enregistrer un disque à ce gamin bizarre dont la musique ne ressemble même pas à celle de Fleetwood Mac ?

On vend et on s'efforce de convaincre. Lorsque Geller essayait d'obtenir le contrat Costello, il n'était pas encore chef du département et il devait suivre tout un processus d'approbation, sans compter qu'il lui fallait convaincre ses supérieurs. L'an dernier, après sa promotion à la tête du département, l'un de ses collègues vint le trouver, tout comme Geller était allé trouver son patron quelques années auparavant. Son subalterne était enthousiasmé par un groupe nommé « Adam and The Ants ». « Lorsque je les ai écoutés la première fois, ils m'ont laissé froid. J'ai réagi un peu comme le programmeur de Peoria : pour moi, cette musique n'était que du bruit. Mais un membre de mon personnel, plus jeune, a immédiatement compris le sens de la musique et est venu en discuter avec moi. Il m'a convaincu de tenter cette chance. » En outre, comme Adam and The Ants avait déjà signé un contrat avec la compagnie britannique de CBS, le coût des droits était faible et le risque financier peu élevé. Ainsi, le succès modeste, mais respectable, d'Adam and The Ants aux États-Unis fut encore plus profitable.

Nonobstant l'intuition et l'intangibilité du produit, nous en revenons toujours à l'argent. Chaque agent de l'A & R reçoit une carte de rapport rédigée en dollars et en cents. Son rendement peut être tracé sur un graphique : tant d'argent a été consacré à obtenir des contrats avec les artistes, tant d'argent a été recouvré grâce au chiffre de ventes. Il est peut-être chanceux dans la mesure où il peut réclamer la responsabilité des grands succès de la compagnie, mais l'encre rouge et indélébile des échecs est visible aux yeux de tous dans les registres.

C'est pourquoi les agents d'A & R ne sont pas célèbres pour leur longétivité à leur poste. On sait que ce travail dévore les gens. Ils sont rongés par la tension, l'incertitude, les exigences émotionnelles et le changement sans répit. Ils peuvent être poussés au-delà de leurs limites, s'ils ne sont pas mis à la porte avant.

« Prenez un agent d'A & R âgé de vingt-quatre ans, observe Dick Asher. Il comprend la musique que les jeunes aiment parce qu'il est proche d'eux. Mais après dix ans, il aura trente-quatre ans et deux générations le sépareront de l'acheteur de disques. C'est difficile. Je ne sais pas où les anciens de l'A & R aboutissent. Ils disparaissent, tout simplement. »

Dans un certain sens, les agents de l'A & R « font » l'industrie de l'édition musicale. Le talent que possèdent les meilleurs répond aux voeux de tous les autres. C'est le seul talent essentiel. « Il est bien agréable de survivre à l'A & R, nous dit un homme qui s'y trouve depuis un peu plus de dix ans. En effet, cela signifie que je peux être sûr de posséder vraiment la bonne oreille. »

Entre eux et vous

« Une tâche importante qui nous incombe, dit Greg Geller, est de faire un bon disque à partir du talent à l'état brut. Nous devons découvrir les musiciens de soutien, choisir les bonnes chansons et le bon producteur. Nous ne faisons pas que persuader des groupes de signer un contrat. Nous devons aussi avoir une idée de ce quoi ressemblera leur disque. »

L'étape suivante nous conduit dans les cellules aveugles et insonorisées des studios d'enregistrement. Semaine après semaine de journées sans soleil et de nuits tardives, l'enregistrement se poursuit. Des fragments de chansons sans contexte sont interprétés, puis écoutés, et repris des dizaines de fois. Les morceaux ne sont pas rassemblés pour former un tout reconnaissable avant la fin, lorsque le producteur rassemble les bouts de pistes au cours du travail de « mixage ».

« Un disque n'a rien de réel, dit Jerry Wexler. Ce que vous créez c'est la vraisemblance, l'apparence de la réalité. Il ne possède de réel que la magie d'une piste lorsque l'enregistrement réussit. Mais ce n'est qu'un élément. Nous travaillons par superposition. Un disque est un montage de couches, une illusion. Il faut beaucoup de travail pour créer l'illusion de la spontanéité. Un disque doit être conçu avec autant de soin qu'un tableau ou un livre. »

Bien que leurs noms ne soient pas toujours connus du grand public, les producteurs de disques deviennent des vedettes dans tous les sens du terme. Le « son » émis par un interprète peut se modifier considérablement si le producteur change. Les producteurs sont importants pour le travail d'enregistrement et la plupart d'entre eux perçoivent des redevances sur les ventes, exactement comme les artistes, sans compter des honoraires de production qui peuvent comporter six chiffres.

Si vous projetez de devenir producteur de disques, vous pouvez tout aussi bien changer immédiatement d'avis. «Il est impossible d'entrer dans ce métier de nos jours», affirme Jerry Wexler. Je ne sais pas pourquoi les gens s'obstinent.» Wexler a eu la chance de produire des disques dans les années 50, alors que lui-même et son associé, Ahmet Ertegun, luttaient pour faire survivre leur petite compagnie, Atlantic Records. À ce moment-là, être producteur n'avait rien de si extraordinaire. Wexler et Ertegun se contentaient de mettre leurs bureaux contre les murs après cinq heures, afin de créer le premier «studio d'enregistrement» de leur compagnie.

Aujourd'hui, les studios sont des merveilles de technologie de pointe. Tout est devenu très complexe. De nombreux producteurs débutent comme ingénieurs du son, mais il est également difficile de percer dans ce milieu.

Une voie possible consiste à passer par le département de l'A & R d'une compagnie d'édition musicale. Demandez-le donc à Tom Werman, d'Epic Records. Il est producteur attaché à la compagnie et recherche également des talents comme agent de l'A & R d'Epic à Los Angeles. Depuis cinq ans qu'il a commencé à produire des albums, il a recueilli douze disques d'or et six de platine (soit la vente d'un million d'exemplaires). Werman est le seul producteur de l'industrie qui est diplômé en administration des affaires. Après quelques mois dans la publicité, il obtint un poste d'agent de l'A & R auprès d'Epic. Il se porta volontaire pour abréger quelques chansons afin de les faire tenir sur les disques simples de 45 tours. Pour accomplir ce travail, il s'installait dans son bureau, muni d'un magnétophone, d'une lame à rasoir et d'une bande de collage. Les gens furent séduits par ce qu'ils entendaient. Il devint si bon qu'on l'autorisa finalement à entrer dans les studios pour y accomplir ce travail dans les règles.

Les premiers albums Epic du guitariste Ted Nugent lui permirent de faire ses armes de coproducteur. Les résultats furent positifs et il se retrouva ensuite producteur. Depuis cinq ans qu'il produit des disques, il a acquis la réputation de «gourou» du «rock» énergique, dur et métallique qui caractérise la plupart de ses groupes. Grâce aux redevances que lui verse CBS, il a réussi à amasser ce qu'il appelle un «joli bas de laine». Bénéficiaire d'un pourcentage du chiffre de ventes représenté par dix-sept millions de disques, ce «bas de laine» doit vraiment être très joliment tricoté !

«J'essaie d'agir dans l'intérêt de la chanson. Je me sens souvent coupable, car je suis incapable de créer de la matière. Je ne sais pas lire la musique. Mais je sais la critiquer. Si vous me donnez quelque chose à écouter, je peux l'améliorer, en faire quelque chose de mieux. Je peux en extraire ce qui est le plus intéresssant. »

Il décrit son rôle au sein du studio comme celui d'un «guide artistique». «Je dois être à la fois un admirateur et un membre du groupe. Je dois pénétrer leur esprit pour savoir exactement où ils en sont. C'est une espèce de collaboration, à la différence près qu'il ont terminé leur travail avant moi. »

En qualité de producteur, Werman doit en effet mixer toutes les pistes afin d'obtenir le produit fini. «Ils n'ont jamais entendu les voix ou les musiques d'accompagnement que j'ai ajoutés. Et ils n'ont pas entendu les pistes des autres membres du groupe, car tous viennent enregistrer à des moments différents. »

Le succès du producteur se mesure également en dollars, purs et simples. «Il s'agit de produire régulièrement des disques qui se vendent, dit Jerry Wexler. C'est aussi simple que cela. Vous pouvez être le type le plus doué qui soit pour distinguer des chansons, et l'ingénieur du son le plus extraordinaire du monde, si vos disques ne se vendent pas, vous ne recevrez plus de travail après un certain temps. Quel que soit votre talent et qui que vous soyez. »

Bien que Wexler ait acquis la réputation d'un véritable producteur d'artistes, il ajoute : «Nous faisons partie des grandes compagnies. Nous devons donc gagner de l'argent. Bien sûr, il y a toujours de la place pour une musique bien faite — j'hésite à utiliser le mot «artistement» —. Mais ce que nous faisons surtout aujourd'hui, c'est produire notre marchandise de consommation courante pour le grand public au goût intermédiaire, tout ce qui se vend en énormes quantités. Les seuls qui savent si vous êtes vraiment bons sont les artistes. Et encore, ils jugent la méthode, non le disque. En ce qui concerne le reste du monde, une seule question compte : le disque s'est-il vendu ? »

Le cheminement du produit

Une fois que l'A & R a livré le disque, les autres rouages du mécanisme de fabrication des succès se mettent en branle.

« Les agents de vente et de commercialisation sont plutôt des gens d'affaires, déclare l'ancien vendeur, aujourd'hui directeur des ventes, Mel Furhman, d'Elektra Asylum Records. Ils présentent une apparence plus conservatrice, ils ont affaire avec des entrepreneurs, des détaillants et autres types du même genre. »

Chaque disque fait l'objet d'un plan. Quelle tranche des acheteurs réagira face à un disque donné ? Dans quelles régions du pays a-t-il le plus de chances de se vendre ? Quel type de présentation devrait-on faire ? On discute d'histoires de vente et de considérations démographiques. La conception de la pochette, la présentation dans le magasin, la publicité, sont des questions cruciales et représentent l'ordre du jour de nombreuses réunions.

Mais le véhicule de vente le plus important demeure la radio, malgré quelques problèmes récents. Elle fournit aux gens un échantillon gratuit du produit. Le passage à la radio est le domaine du département de la promotion. Tandis que les ventes, l'emballage, les points de vente et autres fonctions du même type ont des homologues dans de nombreuses industries, la promotion des disques est unique. C'est une tâche caractéristique du monde du spectacle.

Un agent de promotion représente une compagnie de disques auprès d'un marché important de stations de radio telles que Houston, San Francisco ou Chicago. Il consacre sa vie (et un compte de frais généreux) à cultiver l'amitié des programmeurs de radio locaux afin de les persuader de faire passer sur les ondes les disques de sa compagnie.

« Le directeur de la programmation d'une station de radio reçoit chaque semaine des appels téléphoniques de quinze à vingt agents de promotion », déclare Gordon Anderson, chef de la promotion nationale auprès de CBS Associated Labels, et depuis quinze ans dans le secteur de la promotion. « Environ deux cents albums simples paraissent chaque semaine et chaque agent de promotion travaille sur un minimum d'un disque et un maximum de cinq. Chaque agent, de chaque compagnie, bombarde le programmeur. Seulement vingt de ces nouvelles chansons méritent peut-être de passer sur les ondes et le programmeur doit en choisir une ou deux, peut-être trois. C'est pourquoi il existe beaucoup de gens irascibles dans les stations de radio qui mènent la vie dure à nos agents de promotion. »

L'un des aspects les plus délicats de la promotion est que

vous n'êtes pas vraiment en train de vendre des disques. Votre client, le programmeur, ne s'occupe pas vraiment de la vente de disques. Il travaille pour la radio. Il ne se préoccupe pas de la musique. Il désire seulement vendre un contexte aux annonces publicitaires. Il se préoccupe des considérations démographiques relatives à l'audience que ses vendeurs promettent aux annonceurs, et non pas de la présentation de nouveaux talents, ni de l'orientation des goûts musicaux. Il désire seulement éviter que son audience ne tourne le bouton vers une autre station. Si un disque, vieux ou récent, bon ou mauvais, ou simplement intermédiaire, plaît au public et lui permet d'accroître son indice d'écoute afin de réaliser ses objectifs de commercialisation, c'est parfait. Sinon, pourquoi se donnerait-il tout ce mal ?

Les agents de promotion ne parlent pas musique, ils parlent radio. Tel disque plaît aux femmes de dix-huit à vingt-quatre ans, tel autre plaît aux hommes de dix-huit à vingt-quatre ans. Leur tâche consiste à introduire les portées musicales dans les catégories bien définies par la pseudo-science des études de marché. C'est ainsi qu'on détermine les catégories de stations de radio. Sur papier, il s'agit de considérations démographiques. Mais l'élément clé de la promotion, c'est la personne qui est chargée de la vente.

Écoutons un agent de promotion expérimenté: «Les agents de promotion sont souvent des gens très en vue. Ils doivent retenir l'attention des directeurs de programmation. Ils doivent se faire connaître dans la communauté des médias et leur style doit être différent. Ils doivent avoir du toupet. Ils subissent des pressions énormes pour que les disques passent sur les ondes. Ils travaillent seuls. Nous ne cherchons pas d'anciens étudiants de l'école de gestion de Harvard. Nous recherchons des gens agressifs, enthousiastes. Ils doivent vendre et se mêler aux gens avec le plus de naturel possible. Ils doivent assister à de nombreuses réceptions, se coucher tard, aller aux spectacles et dans les boîtes de nuit. Ils doivent aimer être en vue.»

Ils font n'importe quoi pour gagner les bonnes grâces des programmeurs. «J'explique toujours à mon équipe que la meilleure façon d'obtenir du crédit est d'offrir des services, dit Anderson. Ils représentent une grande compagnie de disques et les gens veulent certaines choses: des billets pour un concert, une gardienne pour pouvoir emmener leur femme au concert, etc. Si vous pouvez les tirer d'embarras, ils se souviendront de vous lorsqu'ils auront des problèmes. De cette façon, ce n'est pas toujours vous qui ferez le premier pas. Vous finissez aussi par connaître votre homme, savoir ce qu'il a dans la tête... Un bon agent de promotion transporte toujours un équipement de golf dans le coffre de sa voiture. Car il doit faire tout son possible pour approcher son homme au maximum. Pourquoi pas sur un terrain de golf? S'il le faut, il ira jusqu'à tondre sa pelouse. Et si le type aime les courses de chevaux, il faut l'accompagner et profiter des intervalles entre les courses pour lui parler de vos disques.»

Anderson estime que les agents de promotion adorent les difficultés et l'incertitude de leur travail, et sont particulièrement satisfaits d'être libres et indépendants de toutes les contraintes d'un travail de bureau routinier. «Ce sont vraiment des gens débrouillards, des joueurs, des indépendants. Vraiment extravagants, quelque peu délirants.»

Extravagants et délirants? Oui mais dans quelles proportions? Ils parient qu'ils survivront dans ce métier et c'est un pari qui leur sera bien difficile à tenir. «Ils sont très vulnérables, explique Anderson. D'abord ils mènent un grand train de vie. Ils consacrent beaucoup de temps et d'argent à recevoir et à sortir les gens qui les intéressent. D'autre part, ils n'ont aucun moyen de déterminer s'ils sont ou non efficaces, sauf lorsqu'ils entendent leurs disques à la radio. Pourtant, il arrive très fréquemment qu'il soit impossible de faire passer les disques réclamés par la compagnie pour d'excellentes raisons.»

Une compagnie d'édition musicale ne se lasse jamais d'entendre ses disques sur les ondes. Quoi qu'il réussisse à accomplir, l'agent de promotion aurait toujours pu faire mieux. Et chaque semaine, la compagnie lui envoie d'autres disques. Il ne s'arrête jamais.

Selon la force de la pression que nous exerçons sur eux, dit Anderson, nous pouvons voir défiler un nombre assez élevé d'agents de promotion en très peu de temps. Nous les épuisons assez rapidement. C'est vraiment un travail de jeune.» Quelques personnes du métier estiment que seulement 10 pour cent d'entre eux durent plus de cinq ans. Ils ne le supportent plus, explique Anderson. Ils sont alors licenciés ou ils perdent toute l'énergie nécessaire pour continuer.»

Mais nombreux sont ceux qui sont entrés à la promotion sans la moindre intention d'en faire leur métier à vie. Pour eux, le département n'est que le tremplin vers des horizons plus importants et plus intéressants au sein de la compagnie, s'ils réussissent à faire leurs preuves. Les jeunes cadres supérieurs qui semblent monter en flèche viennent de la promotion, nous dit un observateur expérimenté de l'industrie. Vous pouvez voir ces gamins entrer tout feu tout flammes sur un marché, obtenir de nombreux passages sur les ondes et amasser beaucoup d'argent. Les meilleurs gagneront 50 000 dollars avant d'avoir trente ans. Tout le monde, dans ce milieu, entend parler d'eux. Vous pouvez les voir sur des photos en compagnie de gens importants de la radio. Mais ils vont et viennent par cycle. Par exemple, il arrive soudain que la compagnie la plus dynamique de l'année perde son élan. Notre étoile filante se transforme en météorite éteinte. Ils finissent par apprendre que le métier n'est pas seulement fait de baratin et de cajôleries. Oui, la promotion c'est très, très dur. »

Rendre à César...

Personne n'entreprend de créer des disques qui s'endormiront sur les rayons. C'est le destin qui décide. Lorsqu'un artiste vend cinq cent mille exemplaires d'un album et cinquante mille de l'album suivant, ce n'est pas parce qu'il n'a pas travaillé aussi dur la deuxième fois, explique un agent de commercialisation. Il en est de même pour nous tous ici. Après avoir démontré que vous êtes intelligent et travailleur vous avez besoin d'un peu de chance. En fait, vous ne pouvez guère vous en passer. »

Les facteurs qui conspirent contre le succès de n'importe quel disque sont innombrables et la plupart d'entre eux échappent à l'autorité des compagnies d'édition musicale. Si un producteur ou un agent d'A & R fait enregistrer cinq disques de suite qui n'obtiennent pas de bons résultats sur les graphiques, explique Mel Furhman, cela ne signifie pas qu'il n'est pas doué. C'est simplement que les choses vont mal pour lui en ce moment. Si un agent de promotion ne réussit pas à faire passer ses disques sur les ondes, ce n'est pas nécessairement de sa faute. C'est peut-être à cause du marché sur lequel il travaille ou à cause des produits qu'il reçoit. «Il en va de même pour les employés d'autres départements. Mais, ajoute-t-il, les choses étant ce quelles sont, si vous êtes efficace, vous finirez par être remarqué. Lorsque des ouvertures se présenteront dans la compagnie, on songera à vous. »

En raison probablement de la fluidité du milieu, les gens ont rapidement l'occasion de progresser, s'ils réussissent à obtenir quelques succès. Ce monde n'est régi ni par une structure officielle, ni par la règle de l'ancienneté. A l'exception des postes les plus haut placés de la direction, il existe peu de postes purement administratifs. Chacun remplit une fonction, même les chefs de département.

Bien que le côté palpitant du monde du disque soit représenté par le succès que l'on peut obtenir rapidement et dans des conditions spectaculaires, la réalité de l'échec plane sur la vie de tous les jours. Comme l'a dit le gérant d'un groupe « rock » au *Wall Street Journal* : « chaque employé d'une compagnie de disques peut commettre une erreur et faire perdre des milliers de dollars à la compagnie, en perdant par la même occasion son propre emploi. Très peu d'emplois sont disponibles dans cette industrie et ceux qui les occupent font leur possible pour avancer leurs pions avec prudence. » Ce qui signifie ne pas se faire indûment remarquer et acquérir une certaine agilité afin de pouvoir se dérober sous le poids de l'échec.

« La paranoïa règne dans le milieu du disque et y a toujours régné, nous dit un jeune homme de vingt ans. Vous lancez un disque et mourez ensuite d'angoisse en espérant qu'il obtiendra du succès. On ne sait jamais. Que se passe-t-il en cas d'échec ? Si un disque ne réussit pas à percer, des tas de réunions sont organisées afin de déterminer pourquoi ceci ou cela est arrivé et pour quelles raisons. On entend les accusations voler d'une chaise à l'autre. Le département des ventes a tout fait rater parce que ceci ou cela... Le disque n'est pas suffisamment passé à la radio... La commercialisation a commis une erreur quant au marché et à la région... Ou bien encore, les annonces publicitaires étaient minables... Ou n'importe quoi d'autre. Un bon employé sait comment jeter le blâme sur quelqu'un d'autre sans éveiller le courroux de ses collègues. »

Obtenir des louanges, voilà à quoi se résume l'industrie du disque, se faire sa propre publicité. « Si vous faites signer un contrat à un orchestre qui devient par la suite un grand succès, votre carrière est en bonne voie, ajoute-t-il. Votre réputation montera en flèche et vous pourrez alors profiter de toutes sortes d'occasions afin de la monnayer à votre avantage. Et si vous pouvez plus tard vous enorgueillir de plusieurs grands succès, votre carrière est faite. J'ai vu de nombreux cadres supérieurs, dans de nombreuses compagnies, aller très loin sur la lancée d'un seul disque. Il est crucial que les gens en viennent à accoler votre nom à un grand succès. »

Tout contribue à créer un environnement très rigoureux. «Je n'étais pas très bon pour les manoeuvres diplomatiques», se souvient un agent de l'A & R à propos de ses premières années dans ce milieu. «Je n'étais pas doué pour faire l'éloge de mes propres mérites. Malheureusement, si vous ne savez pas jouer correctement vos cartes, quelqu'un d'autre recevra le crédit qui vous est dû.»

«Il est difficile de s'empêcher de regarder constamment par-dessus son épaule, déclare un agent de commercialisation. C'est dans la nature du métier. Voyez-vous, cette industrie regroupe des gens formidables, mais c'est aussi un milieu professionnel dans lequel vous pouvez faire fortune en vingt-quatre heures. C'est pourquoi il attire les gens les plus mesquins, les plus cupides, les amateurs de coups bas les plus perfides que vous ayez vus.»

L'incertitude du sort du produit et la définition floue des responsabilités créent non seulement des risques mais aussi des occasions de favoriser son propre avancement, en fonction des capacités de l'intéressé d'évoluer au sein d'une organisation. «Ce milieu est si ouvert et si peu rigide, déclare un agent d'A & R, qu'il n'est soutenu par aucune charpente hiérarchique solide par laquelle A relèverait de B, B relèverait de C, etc. Tout le monde vagabonde plus ou moins à son gré. Les membres de la haute direction participent au travail lorsqu'ils en ont envie. Des clans se forment. Certains réussissent, d'autres pas. Jetez un coup d'oeil à l'histoire des compagnies d'édition musicale: vous verrez que les régimes vont et viennent.»

Les seigneurs des albums

S'il existe un affrontement au sein de l'industrie du disque, c'est entre la musique et les finances qu'on le constatera. La plainte la plus familière est que les hommes d'affaires ont la mainmise sur ce monde musical prétendument artistique. L'un de ces hommes d'affaires, Dick Asher, explique le cheminement des événements: «Quelqu'un dans mon genre s'est trouvé sur les lieux au moment où l'industrie connaissait un essor extraordinaire, qui a fait d'un petit milieu professionnel où l'on travaillait artisanalement à la bonne franquette, un assemblage de compagnies géantes. Mais les administrateurs faisaient terriblement défaut. C'est pourquoi les avocats, les comptables, les gens qui ont une tournure d'esprit administrative ont été entraînés dans le tourbillon. »

« Je ne pense pas posséder une oreille d'or, dit-il. Du moins, je ne crois pas être exceptionnel dans ce domaine. Mais il vous faut absolument intégrer des gens qui possèdent cette oreille d'or dans votre équipe. »

Peut-on s'écarter de la musique tout en continuant à diriger une compagnie d'édition musicale? « C'est ce que j'essaie de faire. Cependant, il faut être capable de discuter de musique avec les autres. De découvrir les éléments qu'ils ont dégagés des nouveautés qui leur parviennent et de déterminer, en collaboration avec eux, quels disques semblent détenir un potentiel de succès plus élevé que la moyenne. C'est un peu comme si vous utilisiez votre intelligence pour jouer au poker. » Asher déclare qu'il aime bien déléguer ses pouvoirs lorsque cela est possible. « Les heures de travail sont longues dans ce métier. Le travail lui-même exige beaucoup de vous et vous finissez par vous y engluer. Lorsque les choses tournent mal, vous en ressentez une douleur physique. Les gens qui travaillent ici aiment ce qu'ils font et je désire leur faire sentir que leurs décisions leur appartiennent, dans la mesure du possible. Bien qu'il m'arrive parfois de devoir intervenir avec fermeté et sans beaucoup de tact, j'essaie vraiment de les laisser tranquilles et de ne pas piétiner leurs plates-bandes. »

Les collègues d'Asher parlent ainsi de lui: « C'est un entrepreneur. Il pourrait tout aussi bien travailler dans l'industrie du ciment. » «Non», réplique Asher en faisant pivoter son énorme fauteuil de cuir blanc qui ressemble au poste de commandement du capitaine Kirk dans *La patrouille du cosmos (Star Trek)*. «Diriger une entreprise n'a rien de très séduisant. Une fois pris dans les filets du travail administratif, c'en est fini de l'édition musicale. Pourtant, c'est l'édition musicale que j'aime. C'est elle qui m'amuse. »

L'un des postes auxquels fut nommé Asher en 1981 fut la présidence de la compagnie nationale de CBS Records, poste précédemment occupé par un homme d'apparence et de tempérament tout à fait différents, Bruce Lundvall.

« Je fais peut-être partie de la poignée de dirigeants de l'industrie qui s'intéressent sincèrement à la musique », déclare Lundvall, quarante-six ans, assis dans son nouveau bureau d'Elecktra Asylum Records, dont il a été nommé premier vice-président, chargé de la direction de sa propre petite compagnie, Electra-Musician. Ce nom est le symbole de la passion de toute une vie: amateur de «jazz» et de «rock and roll» depuis son adolescence, il organisait des spectacles musicaux à l'université et passait tous ses moments de loisirs à écouter de la musique. Il mendia littéralement son premier emploi en offrant à Columbia de travailler bénévolement. «Tout ce que je demandais, c'était qu'on me rembourse mon billet d'autobus depuis le New Jersey», se souvient-il. Il fut embauché comme stagiaire à la commercialisation, contre un modeste salaire.

Il progressa au sein du secteur qui se soucie des prix, de la démographie, de la publicité, de l'emballage, etc. Mais c'est son sens de la musique qui lui permit de se distinguer des autres. «J'ai proposé à la compagnie d'investir dans une pièce de Broadway mais ils ont laissé passer l'occasion. La pièce s'intitulait *Man of La Mancha* et la direction s'est souvenue de moi une fois que le spectacle eut obtenu un grand succès. C'est cela qui m'a permis de percer, aussi bien dans le secteur musical que dans le secteur administratif.» Notre agent de commercialisation commence à ressembler à un agent d'A & R tandis qu'il cite les artistes qu'il a apportés à Columbia: Herbie Hancock, Willie Nelson, Phoebe Snow, Johnny Taylor, Return to Forever. «Il s'agissait parfois de gens dont la réputation n'était plus à faire, parfois d'inconnus que j'avais découverts moi-même.»

Lundvall est facilement reconnaissable à sa chemise blanche, sa cravate, sa barbe fournie d'un poivre et sel distingué, soigneusement peignée. «Vous devez posséder deux catégories de goûts distincts», explique-t-il en regardant son vénérable jukebox Wurlitzer dans lequel sont empilés les disques d'une minute. «Il serait facile de vous laisser prendre au piège de ce que vous aimez personnellement. Mais vous devez acquérir le sens de ce qui devrait réussir commercialement. Vous devez ouvrir votre oreille aux nouveautés, aller au-delà de vos goûts personnels et de vos préjugés. A mon âge, quarante-six ans, il serait très tentant de se cantonner dans la musique que l'on aimait dans sa jeunesse. C'est ce que font la plupart des gens et c'est là que s'arrête leur intérêt pour la musique. Mais en gardant mon sens musical en éveil, tout en essayant de le combiner à mon idée de ce qui pouvait obtenir un succès commercial, j'ai réussi à faire signer des contrats à des artistes nouveaux, tout en évaluant leur futur pourcentage d'écoute. Je suis à mon aise dans le «jazz», la musique folklorique américaine, le «pop» en général, le «rock» courant et parfois le «rock» nouvelle vague. J'aime les auteurs-compositeurs-interprètes contemporains et les pièces de Broadway.

Lundvall est indubitablement un homme d'affaires. Lorsqu'il commence à parler de prix variables, de part du marché, de démographie et d'autres considérations de ce genre, il devient difficile de le distinguer d'un dirigeant de Procter & Gamble, si l'on fait abstraction de sa barbe. Mais il est réputé pour avoir parfois étiré le sens du mot « commercial ». « J'estime qu'on doit offrir un contrat à tout artiste dont la musique est neuve, originale, même si elle risque de ne pas trouver immédiatement de marché. Il nous faut des gens d'avant-garde. Pas trop nombreux, bien sûr, mais il en faut quelques-uns. »

Grâce à Elektra-Musician, Lundvall sera libre de travailler comme entrepreneur indépendant, tout en bénéficiant du soutien financier d'une grosse compagnie. En effet, les géants de l'édition musicale prennent parfois ce genre de dispositions lorsqu'il s'agit de gens exceptionnels. La compagnie Musician réussira ou échouera en fonction du goût, du jugement et de la personnalité de Bruce Lundvall.

« Il est très important d'attirer les grands artistes. Si vous êtes simplement un homme d'affaires sans le moindre sens musical, vous aurez des difficultés à y parvenir. Ce sont vos subalternes directs qui finiront par appâter les artistes, ce qui vous désavantagera par rapport à une compagnie dans laquelle c'est votre homologue de la haute direction qui réussit à amadouer les grands talents. Votre compagnie risque d'en souffrir, car les artistes ne se sentiront pas personnellement engagés envers vous. »

Afin d'illustrer combien les petites choses de tous les jours sont importantes dans ce métier, un indiscret (qui préfère demeurer dans l'anonymat) nous a confié la scène suivante à laquelle il a assisté au cours de l'une des nombreuses rencontres mondaines organisées dans ce milieu.

Le président d'une grande compagnie d'édition musicale se dirigea vers le gestionnaire responsable d'un contrat très fructueux avec Steely Dan.

— Hé! dit le président en souriant, toutes mes félicitations à propos de Dan Hill! C'est fantastique!

— Que voulez-vous dire? demanda le gestionnaire. De quoi parlez-vous donc?

— Mais du disque... de Dan Hill!

— Oh, vous voulez dire Steely Dan? s'exclama le gestionnaire fort agacé.

— Euh... Oui... bien sûr, Steely Dan. C'est ce que je voulais dire... Commentaire du narrateur de l'anecdote. « C'est la fin des relations entre le président et un gestionnaire important. Ce dernier ne voudra plus jamais parler musique avec son supérieur car il sait que le type est un fumiste, même si c'est lui qui dirige la compagnie. »

Il est un dirigeant qui ne souffre guère de ce type de problèmes musicaux : Clive Davis, président et fondateur d'Arista Records. Au départ, l'un des avocats des compagnies d'édition musicale, Davis découvrit plus tard qu'il n'avait pas seulement une bonne oreille, mais aussi une oreille exceptionnelle.

Le jeune Clive Davis, l'un des avocats de CBS, fut nommé au poste de directeur général de CBS Records en 1966, puis à la présidence l'année suivante. « Je n'avais jamais pensé posséder ce qui s'est révélé être un talent », nous dit l'homme dont le nom a été associé à tout le prestige des coulisses de l'édition musicale et dont le visage, à la mâchoire distinctive et au front haut, se retrouve aux côtés de presque tous les chanteurs « pop » au succès légendaire, sur les photos qui tapissent son bureau de Manhattan. Restent, de son premier métier d'avocat, les chemises blanches, les cravates classiques et une mallette marron qui porte les signes d'un usage prolongé.

En 1967, Davis assista au célèbre festival de musique « rock » de Monterey en Californie. Pressentant l'arrivée d'une nouvelle vague musicale parmi les interprètes qu'il y entendit, il eut tôt fait de présenter un contrat à Janis Joplin, Electric Flag, Santana, et Blood, Sweat & Tears. Tous quatre obtinrent des succès extraordinaires. « Lorsque vous choisissez quatre groupes parmi tous ceux que vous entendez et que les quatre se révèlent des numéros gagnants, votre confiance augmente, dit-il. Vous vous dites que vous êtes vraiment capable de faire ce travail. C'est ce qui m'est arrivé, sans crier gare, alors que je n'y avais jamais songé auparavant. Je n'avais reçu aucune formation dans ce but et je n'avais aucune ambition dans ce domaine. » Davis occupait un poste d'administrateur et de recruteur de talents.

Il entreprit ensuite de bouleverser l'organisation de CBS Records, en transformant l'entreprise languissante et, en général, démodée en un pourvoyeur important de talents « rock ». Clive Davis, l'avocat, était à l'avant-garde musicale. « Dans ce métier, on peut créer un produit qui lancera une mode. Il faut donc trouver un artiste à l'avant-garde de la mode. La créativité originale ne provient pas de la fabrication du produit. C'est la créativité des artistes qui compte. »

Dans son milieu, Clive acquit la réputation de l'homme aux oreilles d'or. «Au début, mes goûts personnels et mes goûts professionnels étaient différents. Mais après plusieurs années, il m'est devenu presque impossible de les distinguer les uns des autres. Lorsque j'écoute de la musique dix ou douze heures par jour, pour trouver quelque chose qui aura des chances de plaire au public, mon goût tend à s'intégrer à mon jugement objectif et j'en viens à aimer tout ce qui me paraît bon. Aujourd'hui, je n'écoute plus par plaisir. Cela me serait impossible, je ne sais plus comment faire. Lorsque j'entends de la musique, mon oreille professionnelle se met en marche. Vous pouvez dire que je ne suis pas vraiment un amoureux professionnel de la musique.»

Il pratique une politique d'omniscience. «Clive savait absolument tout ce qui se passait dans la compagnie, déclare un ancien employé de CBS. J'ai vu des messages qu'il avait adressés à mon supérieur, que je n'était pas censé lire et il était au courant de choses qui se passaient à trois ou quatre échelons en-dessous de lui.»

En 1974, il fonda Arista Records, avec le soutien financier de Columbia Pictures. Depuis, Clive a donné le feu vert aux carrières d'interprètes célèbres comme Barry Manilow, Air Supply, Melissa Manchester, The Outlaws et Gil Scott-Heron. «Je travaille entièrement par instinct maintenant,» dit-il à propos de ses capacités de sélectionner les futures vedettes et leurs grands succès. «Mais mes instincts sont soutenus par un jugement objectif. Je ne sais pas lire la musique, donc il ne s'agit pas de cela. C'est simplement un instinct auquel s'ajoute un effort pour maîtriser tous les facteurs du métier et pour me tenir toujours à jour. C'est un instinct à la fois musical et commercial. L'un ne va pas sans l'autre.»

Davis aide ses artistes à choisir les chansons qui seront gravées sur leurs albums simples et doubles. Il lui arrive même d'écrire des paroles et de remplir les fonctions de producteur délégué de certains albums. Il explique qu'il encourage ses cadres supérieurs à faire preuve de ce genre d'initiative. «Je m'efforce de ne pas les compartimenter, car je ne veux pas qu'ils s'intéressent uniquement à l'A & R ou à la gestion du produit. J'essaie d'étirer leurs compétences et de leur faire prendre conscience de l'existence d'autres domaines. Par exemple, si l'un de mes agents de publicité possède une bonne oreille pour un certain genre de musique, je lui envoie des cassettes à écouter, sans me soucier de ce que peuvent penser les agents d'A & R.»

Il est évident que les dirigeants de l'industrie du disque ne se fondent pas dans un creuset unique. Les compagnies récompensent des qualités différentes à des moments différents. Aux échelons les plus élevés, chaque dirigeant réinvente l'industrie du disque en l'adaptant à ses propres compétences et inclinations. Dans quelle mesure la musique devrait-elle hanter l'âme des cadres supérieurs de l'édition musicale? La polémique fait rage. Depuis la grosse récession, on attache considérablement d'importance à la compression des coûts, à la mise en place de méthodes administratives plus strictes. Dans de nombreuses sphères, l'administrateur pur et simple voit son étoile monter. La tension entre les deux camps existera probablement toujours, la puissance et l'influence allant de l'un à l'autre, au fur et à mesure que les joueurs changent et que les conditions de travail évoluent.

Toute peine mérite salaire

Dans les grosses compagnies d'édition musicale, les salaires varient fortement en fonction des postes. Dans la plupart des départements, les débutants reçoivent des rémunérations qui se situent entre 18 000 et 25 000 dollars. Ceux que l'on considère comme cadres intermédiaires touchent un salaire d'environ 50 000 dollars. Les chefs de département peuvent gagner de 50 000 à 100 000 dollars, selon le département. Le titre de vice-président n'est pas offert tous les jours. Les vice-présidents n'abondent pas comme dans le secteur bancaire, par exemple. Leur salaire peut aller de 50 000 à 150 000 dollars. Tout dépend de la personne et du rôle qu'elle a réussi à se forger auprès de la direction.

Certains postes clés jouissent de primes d'encouragement, fondées sur le rendement. Par exemple, le directeur de l'A & R reçoit un salaire qui se situe entre 75 000 et 100 000 dollars, mais grâce à un contrat de rémunération globale fondé sur le chiffre de ventes de certains artistes, il sera capable de doubler, tripler et même quadrupler cette somme. Les dirigeants les plus haut placés s'efforcent d'obtenir les contrats les plus avantageux possibles. Dans les compagnies principales, ils sont payés exactement comme les chefs de division qu'ils sont et reçoivent entre 200 000 et 400 000 dollars. Leurs primes sont fonction des bénéfices de la compagnie et ils peuvent profiter de l'option d'achat d'actions, de plans d'assurances et d'autres privilèges réservés à tous les dirigeants de compagnies.

Mais pour la masse des fantassins, l'industrie du disque n'est pas le chemin de la fortune. Les salaires sont, en grande partie, demeurés gelés au niveau qu'ils avaient atteint avant l'effondrement et le nombre d'emplois ayant diminué, les possibilités d'avancement se sont faites plus rares. Les interprètes les plus célèbres et leurs gérants, certains producteurs et les entrepreneurs qui sont propriétaires de leur étiquette gagnent des millions dans l'industrie du disque. Mais à moins de vous propulser jusqu'au sommet de l'échelle, vous n'amasserez pas de fortune en demeurant simple employé de la compagnie.

Cependant, si l'argent est votre seul et unique objectif, vous n'avez rien à faire dans le monde du disque. Car même l'argent ne suffit pas pour justifier les exigences du métier. «Le métier vous dévore corps et âme, déclare un agent de l'A & R. Il est difficile de ne pas le vivre vingt-quatre heures sur vingt-quatre. Une grande partie de votre travail s'accomplit en dehors des bureaux, jusqu'aux petites heures du matin. Si vous n'êtes pas prêt à travailler dans ces conditions, vous ne réussirez jamais dans le métier.»

Bruce Lundvall abonde dans ce sens: «Il est très facile de devenir un être unidimensionnel dans ce métier et de ne pas prendre le temps d'avoir d'autres centres d'intérêt. Lorsque je rencontre mes semblables, dans la collectivité où j'habite, ils veulent tous connaître les dernières nouvelles dans l'industrie du disque. Mais je n'en ai pas entendu beaucoup demander quelles étaient les dernières nouvelles dans les assurances! Oui, votre travail domine votre vie. Mais étant donné qu'il comporte certains aspects artistiques, il vous oblige à vous intéresser à toutes sortes de domaines. D'autre part, vous travaillez avec des gens peu ordinaires qui s'occupent de choses peu ordinaires.»

Sans compter que rejaillit sur vous tout le prestige du monde du spectacle! «Je suppose que c'est un métier prestigieux, dit Mel Furham. On y rencontre toutes les vedettes de renommée mondiale, on se tient dans les coulisses pendant les concerts, on va dîner avec les gens les plus en vue et on est invité à ces réceptions dont les journaux parlent. Oui, je suppose que tout cela a un certain prestige. Cependant, j'éviterais la moitié de ces réceptions si je le pouvais. Il m'arrive souvent de les considérer comme un travail, non un moment de détente. Je dois me montrer, saluer des gens, serrer des mains. Mes enfants trouvent cela formidable, mais je ne suis pas toujours de leur avis.

Pourtant, si j'allais travailler pour une compagnie sidérurgique, ce monde me manquerait. Je me sentirais plus en sécurité, mais je finirais par devenir fou. »

La poussière d'étoile joue un rôle important. « Tout le monde aime recevoir des retombées de ce prestige, dit Gordon Anderson. C'est l'une des raisons de notre présence ici. Participer à la création d'un phénomène que tout le monde peut identifier représente le côté merveilleux du métier. C'est vrai à tous les échelons. Il est fantastique de participer à la création d'une étoile. »

Il arrive que les créateurs d'étoiles deviennent eux-mêmes des étoiles. « Beaucoup d'entre nous sont des vedettes manquées, explique un cadre supérieur de la commercialisation. Nous portons tous en nous des tendances à l'ostentation et à l'exhibitionnisme. Elles ne vous empêchent pas de réussir et on peut même dire que plus vous réussissez, plus vous pouvez leur donner libre cours. Le milieu est plus individualiste et plus tolérant que les autres. »

N'oublions ni la musique qui résonne en permanence dans les vestibules, ni les dirigeants qui jouissent de revenus de six chiffres et qui chantent pendant les réunions, ni les millionnaires de dix-huit ans qui, s'ils n'étaient pas en train de jouer du « rock », seraient probablement pompistes dans une station-service quelconque. C'est toujours le monde du spectacle. Parfois, on le décrit comme plus débridé et plus dissolu qu'il ne l'est en réalité. La plupart des membres de l'industrie mènent une vie tranquille de gens de la classe moyenne. Mais il existe effectivement des cercles auxquels s'appliquent les descriptions les plus extravagantes.

Le problème universel est de suivre le rythme. « La musique est jeune, nos clients sont jeunes, notre industrie est jeune, observe Dick Asher. Le métier est dur, exigeant, les heures sont longues et vous devez passer vos nuits à courir d'un club à l'autre. Il vous faut également vous tenir au courant. Je me pose la question à savoir si je possède assez d'énergie pour continuer à suivre ce rythme jusqu'à soixante-cinq ans. Cela me paraît impossible. »

Rares sont ceux qui y réussissent. Le doyen barbu de l'industrie, Jerry Wexler, a fêté ses soixante-cinq ans au début de 1982, juste après avoir achevé la production de soń nouvel album. « Je pourrais continuer jusqu'au bout. Tant qu'on me donnera du travail, je continuerai de me présenter aux studios. Ils pourront toujours construire des rampes d'accès pour moi. »

Wexler a un avertissement à formuler à propos du monde délirant du disque. « J'exhorte tous ceux autour de moi à ne pas se laisser prendre par leur propre baratin. Car c'est le grand jeu du monde du disque. Les gens se laissent séduire par leur propre éloquence. Ils commencent à croire que chaque disque qu'ils produisent battra des records de succès, que tout ce que leur compagnie produit est touché par le feu de Prométhée. Les meilleurs, ceux qui durent, n'essaient pas de se leurrer. Ils savent exactement ce qu'ils valent et sont fondamentalement honnêtes. »

Les temps sont durs pour le disque. Les ventes languissent, les coûts continuent leur ascension. D'autre part, les nouvelles technologies risquent bientôt de métamorphoser le produit vendu par la compagnie. L'album longue durée est technologiquement désuet depuis plusieurs années. Les nouveaux disques à lecture par laser, les systèmes vidéo, la câblodiffusion et les ordinateurs de foyers risquent même de rendre désuète la notion d'achat de musique enregistrée. Qui sait ? Peut-être qu'un jour les compagnies de disques auront sous leur garde de vastes banques de données musicales dans lesquelles le public puisera ses mélodies préférées.

Quelle que soit l'importance des modifications apportées par la technologie à l'apparence du produit et à la méthode de livraison au public, les gens qui entrent à l'heure actuelle dans l'industrie trouveront une manière d'extérioriser leurs compétences. « Quoi que nous réserve l'avenir, dit Jerry Wexler, il y aura toujours une demande de musique. Je ne crois pas prendre de risque en prédisant cela. »

LE LIVRE
« On n'y fait pas des affaires d'or »

La souris rugissante

L'édition des livres est la preuve que même dans les affaires, l'argent n'est pas tout. Cette petite industrie exerce sur l'économie une influence disproportionnée à sa taille et à son importance.

Elle est particulièrement réduite si l'on fait abstraction, comme le font la plupart des gens, des 5,5 milliards de recettes annuelles engendrées par le secteur de production des livres d'enseignement et des ouvrages professionnels, et si l'on concentre son attention sur le monde très en vue et spécialisé des prestigieuses maisons d'édition qui publient des ouvrages cartonnés ou à reliure souple d'intérêt général. Il s'agit de l'édition « commerciale », laquelle lance sur le marché des ouvrages que les gens achètent pour leur propre enrichissement intellectuel ou pour se délasser. Les recettes totales enregistrées par cette seule catégorie d'édition se montent à 1,5 milliard de dollars, soit à peu près le montant des recettes annuelles d'un réseau de télévision.

L'édition commerciale ne répond pas vraiment aux critères applicables aux moyens de communication de masse. L'ensemble des acheteurs de livres à reliure cartonnée ne dépasse pas 2 millions, ce qui signifie que seulement 1 pour cent environ de la population achète parfois un livre de ce type. La vente de 80 000 exemplaires d'un livre cartonné suffit pour faire du livre un « best-seller ». La vente de 150 000 exemplaires serait un phénomène de l'histoire de l'édition. Une simple vente de 40 000 exemplaires, menée tambour battant, suffirait pour faire paraître l'ouvrage sur la plupart des listes de « best-sellers ». Par comparaison, un artiste populaire qui ne parviendrait pas à vendre 500 000 exemplaires de son dernier album ne serait plus considéré comme tout à fait populaire. Même le prétendu marché de masse des livres en format de poche n'est pas vraiment une industrie « de masse ». Bien que ces livres soient écoulés sur les rayons des magasins et des kiosques d'aéroports par millions de titres, il est rare qu'un seul titre se vende à raison de plus de 2 millions d'exemplaires. La plupart des titres lancés sur le marché de masse se vendent à concurrence de 500 000 exemplaires. Alors qu'une émission de télévision considérée comme en pleine décadence pourrait encore attirer régulièrement 8 millions de téléspectateurs.

Donc, si l'on s'en tient aux chiffres de ventes et aux recettes, l'édition commerciale ne semble pas être une affaire de taille. Mais quelle autre industrie serait capable de ne vendre que quelques centaines de milliers d'unités d'un produit tout en offrant l'occasion à ce produit de faire l'objet de manchettes tout autour du monde, ainsi que cela a été le cas pour *Les hommes du président (All the President's Men)* ?

L'édition est plus qu'une simple activité économique. C'est le tremplin des idées qui constituent la conscience nationale, qu'il s'agisse de mouvements écologistes ou féministes, de l'économie de l'offre, des régimes à la mode, de la folie des chats et même de la mode « bon chic bon genre ». L'édition exerce une influence qui s'étend bien au-delà des gens qui se contentent d'acheter des livres. D'*Autant en emporte le vent (Gone with the Wind)* à *Les dents de la mer (Jaws)*, Hollywood a extrait sa matière la plus fertile et la plus fiable des livres. La télévision continue d'utiliser les livres pour remplir des heures et des heures d'émissions consacrées à des causeries littéraires. Les livres jouissent d'un nombre d'heures d'antenne gratuites plus élevé que toutes les heures que Procter & Gamble pourrait acheter avec tous ses millions. L'édition littéraire est un élément vital de la grosse machine étincelante des médias. Même si le monde de l'édition seul ne brille pas autant.

En réalité, l'édition est une petite industrie artisanale. Bien que des conglomérats aient acheté, au cours des vingt dernières années, des parts dans des maisons d'édition, celles-ci n'ont pas revêtu l'aspect de grosses entreprises. Les salaires ont un peu augmenté mais sont encore extraordinairement bas comparés à ceux qui sont accordés dans les autres compagnies de médias. Le décor des bureaux est modeste quand il n'est pas franchement pitoyable. Les autres entreprises de médias « artistiques », telles que les compagnies d'édition musicale ou les compagnies cinématographiques sont, depuis des années, dynamiques et notoirement commerciales. Mais les efforts visant à attirer l'édition littéraire dans l'orbite des entreprises chromées de la fin du vingtième siècle n'ont que partiellement abouti. Et ce pour de bonnes raisons.

L'édition n'est pas un métier dans lequel on gagne des millions de dollars, comme dans les autres médias. Comparée aux enjeux qu'offrent les autres industries du divertissement, l'édition apporte autant de sensations fortes qu'une machine à sous. En outre, elle essaie depuis quelque temps de réaliser des économies. Tandis que les pionniers du vidéo aperçoivent sans cesse de nouvelles possibilités, les membres des maisons d'édition doivent s'efforcer d'aider leur entreprise à conserver sa place. C'est pourquoi les gens qui gravitent vers l'édition ont toujours été et seront toujours d'une espèce différente. Ils doivent se contenter de récompenses autres que l'argent et le prestige.

Sentiments partagés

« C'est une profession d'enthousiastes, dit Gloria Norris, directrice de collection auprès du club Book-of-the-Month. Ceux qui réussissent dans le métier se nourrissent de leur travail. Ils passent allègrement leurs nuits à lire. La curiosité qui les pousse est différente de celle que vous pourrez constater dans d'autres types d'entreprises. Ils ne s'intéressent pas seulement à la négociation des contrats et à la conclusion de la vente. Les gens qui réussissent ici sont terriblement perspicaces, ils ont de grandes antennes. Ils sont fascinés par les échanges de vibrations humaines qui composent les ouvrages de fiction. Ils sont sensibles à la complexité des êtres et s'y intéressent énormément. »

Nombreux sont ceux qui entrent dans le monde de l'édition littéraire parce que les entreprises ordinaires les répugnent, intellectuellement et moralement. « Nous sommes des réfugiés, dit un éditeur-adjoint. Nous ne voulions pas appartenir à ce monde des affaires et ne voulions rien savoir de ses valeurs. Lorsque vous jetez un coup d'oeil sur ce que les avocats et les banquiers font toute la journée et sur le type d'activité que leur travail facilite, vous vous demandez comment des adultes font pour accomplir de telles tâches en toute bonne conscience. Dans l'édition, vous avez l'impression que vous ne rencontrerez jamais un républicain inscrit. Entrer dans l'édition littéraire équivaut à aller vivre à San Francisco, si vous êtes homosexuel. Vous vous sentez mal à l'aise partout ailleurs. »

L'édition littéraire possède une tradition spéciale. Jusqu'à ces dernières années, c'était le genre d'occupation qui pouvait convenir à un gentleman soucieux de ne pas se souiller les mains à faire du commerce. Le travail était plus proche de celui d'un archéologue, d'un professeur d'université ou d'un curateur de musée, que de celui d'un homme d'affaires quelconque. Bien que l'édition ne soit plus le refuge des riches intellectuels méticuleux, un parfum de noblesse y demeure.

« C'est l'un des seuls métiers que je connaisse, déclare un directeur de la commercialisation, où vous décidez d'aller de l'avant avec un projet, par exemple la publication d'un premier roman, en sachant parfaitement que vous allez perdre de l'argent. Mais vous le faites tout de même parce qu'il s'agit d'un livre merveilleux. » Bien que cette attitude professionnelle se fasse de plus en plus rare de nos jours, le sentiment d'une mission de publication d'ouvrages de qualité demeure une clause du code de la profession. Il est de rigueur d'accomplir son devoir, même s'il ne s'agit que de faire l'éloge des bons livres. Bien entendu, quiconque passera devant la vitrine d'une librairie constatera que l'édition est bien, de nos jours, une activité commerciale. Les piles de livres vantant les mérites de tel ou tel régime, les manuels d'éducation sexuelle, les biographies de vedettes de cinéma et autres le prouvent. Mais contrairement aux autres médias, pour lesquels on juge la qualité en fonction du chiffre de ventes, l'édition littéraire adopte une attitude plus nuancée.

Écoutons Nan Talese, directrice de collection chez Houghton Mifflin : « Certains livres sont destinés au divertissement général et d'autres confèrent un prestige extraordinaire à la maison qui les publie, même s'ils ne sont pas très rentables financièrement. Ce n'est pas pour le profit que nous publions les très belles oeuvres. » Avec ses traits délicatement ciselés et son accent distingué, l'épouse de l'auteur Gay Talese semble personnifier le talent littéraire. « Nous nous préoccupons non seulement de livres, mais aussi de littérature. Les deux comptent. Les livres de régimes et les manuels d'idées pratiques sont un département tout à fait légitime de l'édition. La publication d'un grand nombre de ces ouvrages nous assure de gros bénéfices et c'est pour cette raison qu'une compagnie accepte ce genre de livres. Ils sont destinés à vous rapporter un profit, non à contribuer à l'enrichissement du monde des idées. Mais c'est le monde des idées qui m'a toujours intéressée et j'ai dû apprendre les recettes commerciales de l'édition afin de pouvoir satisfaire mon goût des idées. »

Donc, un genre d'édition en finance un autre. C'est l'opinion ou l'attitude d'un grand nombre de dirigeants de maisons d'édition. L'édition, telle qu'elle évolue aujourd'hui, se situe quelque part entre les deux extrêmes du commercialisme pur et simple et de l'art pour l'art. « Pour que nous le publiions, tout livre doit répondre à l'un de ces critères, déclare Larry Hughes, président de William Morrow & Company. Soit avoir le potentiel de rapporter beaucoup d'argent (donc, être un ouvrage commercial susceptible d'apporter une contribution financière), soit apporter une contribution d'ordre culturel. Nous nous efforçons de publier des livres qui répondent aux deux critères, mais nous devons refuser ceux qui, même s'ils apportaient une grosse contribution culturelle, nous coûteraient trop cher à obtenir. D'autre part, nous refusons des livres commerciaux s'ils ne nous plaisent pas. S'il s'agit d'ouvrages auxquels nous n'aimerions pas que notre nom soit associé, nous les laissons de côté. Même si nous pensons qu'ils pourraient nous faire gagner beaucoup d'argent. »

L'édition est bien une industrie. Et, malheureusement pour ceux qui pensaient échapper au monde des affaires en y entrant, il s'agit d'une industrie classique, où l'esprit d'entreprise et le courage de prendre des risques sont nécessaires. C'est une industrie où domine la spéculation à l'état pur, exactement comme dans le cinéma, le théâtre, le marché à terme des produits de base ou le forage d'exploration. « Malheureusement, nous dit un éditeur-adjoint, nous ne pouvons même pas faire fond sur le rapport d'un géologue pour aller de l'avant. » L'une des sensations fortes du métier, c'est lorsqu'un pari est gagné. Bien que dans l'édition littéraire, les chiffres quotidiens ne soient pas très élevés, certains filons prometteurs et des contrats de sept chiffres suffisent à entretenir le flux d'adrénaline. La possibilité que quelqu'un publie un *Scrupules* (*Scruples*), un *Monde selon Garp* (*The World According to Garp*) ou un *Ragtime* rend l'édition littéraire intéressante en tant qu'industrie. Le potentiel financier est là, même si le gros lot n'est pas comparable avec la récolte de *La guerre des étoiles*.

L'édition littéraire possède tous les éléments théâtraux d'une grosse entreprise. On y trouve des agents, des négociateurs, des ventes aux enchères, du bluff et des fanfaronnades et beaucoup, beaucoup de ventes. En réalité, ce foyer d'élite de l'intelligentsia démontre plus de compétences en matière de ventes au mètre carré que la plupart des autres milieux professionnels. Presque tous les membres d'une maison d'édition sont des vendeurs d'espèces variées. La différence entre eux et les membres d'autres industries est qu'ils se préoccupent d'une manière tout à fait inhabituelle du produit qu'ils vendent.

« En ce qui me concerne, déclare un cadre supérieur de commercialisation, il me faut, soit un livre merveilleux à vendre, ce qui représente déjà une satisfaction personnelle, soit un livre susceptible de nous rapporter des bénéfices. J'aime bien équilibrer les deux. Faire du profit avec des livres médiocres ne suffit pas. » Il s'agit donc d'amateurs de livres qui se trouvent être dans les affaires et non de gens d'affaires qui se trouvent être aussi des amateurs de livres.

Ils adorent la variété de sujets et d'idées auxquels leur « produit » les soumet. En une journée de travail, ils peuvent passer de la haute cuisine à la psychanalyse, et de la politique étrangère aux romans à l'eau de rose. Ils adorent les surprises de leur métier. Car le marché est effectivement imprévisible. Des livres qui, selon les prévisions, devaient obtenir un succès extraordinaire sont restés sur les rayons. En revanche, de petits ouvrages que presque personne n'avait remarqués percent et deviennent des « best-sellers ». Les livres mettent à nu la conscience nationale et deviennent des phénomènes culturels. D'autres deviennent des films, des émissions télévisées, des pages de magazine. Aucun n'a son pareil.

« Vous me prendrez peut-être pour un nouveau Candide, dit un agent du service des droits d'adaptation, mais le plaisir de mon travail renaît chaque fois que j'emporte à la maison un nouveau manuscrit. J'enlève l'élastique sans jamais savoir ce que je vais trouver entre ces pages. On ne sait jamais ce qu'on finit par vendre. »

Il y a plus. Les membres des maisons d'édition affectionnent les livres mais ils aiment particulièrement leur milieu de travail. C'est l'agréable branle-bas d'une maison d'édition qui entretient leur intérêt pour leur travail, folle journée après journée folle.

Sur le champ de bataille

« Le problème, déclare l'éditeur de Dell, Carole Baron, est que tout le monde a ses propres tâches mais que personne n'a assez de temps pour les remplir toutes. » Plusieurs personnes font la queue à l'extérieur de son bureau, attendant le moment de s'entretenir avec elle sur une douzaine de sujets différents. Quant au téléphone, il ne cesse de grésiller. Journée habituelle dans une maison d'édition. « Il est presque impossible de faire travailler tout le monde en même temps sur le même livre car nous nous occupons tous de trois listes de livres : ceux que nous achetons aujourd'hui pour publier plus tard, ceux que nous publions présentement et ceux que nous pensons inscrire sur notre prochaine liste des publications. C'est comme si vous aviez trois pistes de course sur lesquelles tout le monde était lancé à toute vitesse. »

En résumé, voici le destin d'un livre : l'éditeur achète une idée ou un manuscrit, puis travaille avec l'auteur pour mener à bien la version définitive du livre. Cette tâche peut prendre un à trois ans, parfois plus. Plusieurs mois avant la date prévue pour la publication, les employés de la conception et de la production rassemblent les éléments du livre. Les cadres de la commercialisation, de la publicité et des ventes mettent au point la stratégie de vente. Les agents affectés aux droits d'adaptation s'occupent de vendre le livre aux compagnies cinématographiques, aux magazines, aux éditeurs étrangers et autres. Chaque spécialité est une discipline en elle-même, mais toutes dépendent les unes des autres.

L'ensemble de l'industrie connaît la surproduction. Plus de quarante mille ouvrages, nouveaux ou modifiés, sortent chaque année sur le marché américain. Dans n'importe quelle maison d'édition de bonne taille, spécialisée en ouvrages cartonnés, 50 à 100 titres peuvent être publiés simultanément. Dans les maisons spécialisées dans les formats de poche, il arrive que trente nouveaux titres apparaissent chaque mois. Chaque livre est, en théorie, un produit unique et distinct, exigeant pour lui seul la mise au point d'une stratégie complète. Le temps, l'attention et la réflexion doivent être cependant également répartis.

Dans l'oeil de l'ouragan se trouve l'éditeur pour qui chaque livre devient une « cause célèbre » *. Pourquoi ? Le désir universel n'est-il pas que tous les livres obtiennent du succès ? « Bien

---

* En français dans le texte. (Note du traducteur.)

sûr, répond l'éditeur, mais au sein de l'organisation, la concurrence est rude pour ce qui est du temps et des ressources. Souvenez-vous du nombre de livres qui sont publiés simultanément! Avec l'aide des services de vente et de publicité, j'essaie de trouver le moyen de publier mes livres sans qu'ils soient noyés dans la masse. La même chose se produit au niveau du service de la production. Ils ont bien d'autres livres à concevoir. Bien sûr, il existe des échelles officielles de responsabilités qui ont pour objet, en théorie, de s'assurer que toutes les tâches sont accomplies. Mais en réalité, le travail se fait surtout par contacts directs. Ce sont les personnalités qui comptent. On ne peut en faire abstraction. Par exemple, il me faut secouer le responsable du service de la production, amadouer le directeur de la publicité ou cajoler mon patron pour qu'il m'avance encore 5 000 dollars sur le livre que je veux acheter. Je crains bien qu'il n'y ait guère d'unité de but. »

Si l'éditeur n'est pas capable de faire jaillir l'enthousiasme dans la maison, il est perdu. Il est démuni de toute autorité. « Dans l'édition, explique un publiciste, les gens ne font pas leur travail parce qu'on leur dit de le faire mais tout simplement parce qu'ils choisissent de le faire. Dans ce métier, vous vous trouvez constamment en train de faire vos choix personnels. Et vous comptez sur les autres pour faire de même. »

« La tâche la plus difficile, dit un autre éditeur-adjoint, est d'intéresser les autres départements à mes livres. Il faut parvenir à leur faire lire les livres sans avoir l'air de les en prier. Convaincre, amadouer, voilà le gros travail! Vous allez d'un bureau à l'autre avec vos affaires en vous assurant qu'ils sont tous satisfaits et qu'ils sont dans votre camp. »

Chaque protagoniste apporte sa propre conception du produit fini et, au fur et à mesure que les manuscrits sont distribués à la ronde, des opinions et des points de vue différents émergent relativement à ce que l'on doit attendre du livre. « Il existe un conflit naturel et inévitable entre le secteur administratif et financier et le secteur de la publication, explique un cadre supérieur de la commercialisation. L'éditeur a peut-être lu deux cents manuscrits avant d'obtenir celui-ci. Il a vécu chaque mot et peiné sur chaque phrase avec l'auteur. Il doit absolument croire en son travail avec une foi et une passion aveugles. Il doit vanter les mérites du livre pour convaincre le reste d'entre nous de son potentiel de vente. Mais mon travail consiste à adapter ses espoirs à la réalité. Je dois traiter constamment avec les libraires et les grossistes. Je ne peux leur laisser sur les bras plus d'exemplaires d'un livre qu'ils ne seront, à mon avis, capables d'en vendre. En général, les éditeurs ne veulent pas admettre quelles sont les perspectives réelles. Ils sont pris dans l'engrenage du livre. Parfois, ils nous considèrent comme les membres d'une Cinquième colonne chargée de saboter tous leurs espoirs. Et ils n'ont pas toujours tort. »

Chacun s'efforce de favoriser son camp, un peu comme lorsqu'il s'agit de négocier les conventions collectives. « Quelqu'un estime que tel ou tel chapitre doit être supprimé, explique Dan Green, éditeur de Simon & Schuster, ou que la couverture doit être différente. Mais c'est simplement une opinion personnelle et tous les autres ont également leur opinion. C'est pourquoi vous devez être très sûr de vous dans ce métier. J'aurai beau hurler et faire toutes les grimaces possibles, mes efforts ne serviront à rien si mon message ne passe pas et si je ne sais pas faire preuve de persuasion. Si je suis convaincu que tel livre est bon, il me faut être capable de vous convaincre aussi. »

Dans les maisons spécialisées en éditions cartonnées, ce processus mal défini commence à prendre forme au fur et à mesure que la date de la réunion sur les ventes approche. À ce moment-là, tous les intéressés doivent se mettre d'accord sur la manière de présenter le livre au service des ventes. « Cependant, ajoute Green, cette réunion n'est pas tant destinée aux vendeurs qu'à vous-même. C'est l'heure de vérité. Ce jour-là, vous vérifierez si vos impressions étaient justes ou si vous avez commis une erreur. Avons-nous réussi à transmettre le message de chaque livre ? Parfois nous retirons des livres des listes car nous nous apercevons qu'il faut refondre tel ou tel passage. Chacun lit et relit les manuscrits. Chaque département commence à débroussailler la situation en collaboration avec les autres. Nous coordonnons nos signaux. Puis nous mettons provisoirement au point les derniers plans concernant l'aspect définitif de chaque livre et les modalités de sa distribution. »

Dans ce milieu, les descriptions de postes contribuent à éclaircir la situation mais ne pèsent pas très lourd lorsqu'il s'agit de déterminer qui a le dernier mot. « Dans une maison d'édition, les pouvoirs sont diffus, dit Jonathan Galassi, directeur de collection de Random House. Ils sont répartis entre les gens qui montrent qu'ils sont capables de les exercer et de faire partager leur point de vue. Ce n'est peut-être pas facile, mais la seule manière d'obtenir le pouvoir, c'est de le prendre. »

Prophéties et pertes

Le succès de certains livres se comporte un peu comme une boule de neige qui descendrait une colline. L'enthousiasme lui donne du poids et de la force.

« Tout commence avec l'éditeur-adjoint, dit Carole Baron, de Dell.

« Mettons que je découvre un livre merveilleux. Je répartis le manuscrit entre plusieurs personnes de la maison, à l'opinion desquelles j'attache beaucoup d'importance. Puis nous distribuons des exemplaires aux organismes professionnels : aux clubs de livres, aux maisons spécialisées dans les formats de poche, aux libraires, etc. C'est vrai, nous passons beaucoup de temps à essayer de « vendre » le produit à l'intérieur de la maison. Et si nous y réussissons, notre enthousiasme se communiquera au consommateur. Si vous parvenez à faire parler de votre livre à travers toute l'industrie de l'édition, une espèce d'énergie en sortira pour aller se propager sur tout le marché. »

« Lorsque j'étais directrice de collection chez Crown, j'ai reçu un premier roman dont le sujet était la vie d'une jeune fille il y a vingt-cinq mille ans. L'auteur était une dame de Portland, en Oregon, qui n'était jamais venue à New York. Nous avons distribué des exemplaires au cours du congrès des libraires, nous avons essayé d'intéresser les médias. Puis le livre est sorti. Il s'intitulait *The Clan of the Cave Bear**. Nous en avons vendu cent mille exemplaires, un « best-seller » exceptionnel ! Ce phénomène peut se produire si toute l'industrie s'enthousiasme pour un livre mais, en fin de compte, c'est le consommateur qui décide. Vous pouvez persuader les gens d'acheter un exemplaire d'un titre, mais vous ne pouvez les obliger à en parler à leurs amis si le livre ne leur a pas plu. Pourtant, c'est lorsque les acheteurs en incitent d'autres à acheter tel ou tel livre que vous finissez par avoir un « best-seller ». »

L'élément prophétique n'est pas négligeable. Bien sûr, les résultats ne sont pas toujours aussi satisfaisants. La sagesse collective de la maison est souvent prise en défaut. « Nous avions un livre sur l'une de nos dernières listes, nous explique un cadre supérieur, un livre que tout le monde aimait. On ne pouvait s'empêcher de le feuilleter. Tout le monde était persuadé qu'il deviendrait un « best-seller ». C'est dans cette atmo-

---

*Par Jean M. Auel. Traduit en français sous le titre Les enfants de la terre.

sphère que nous l'avons lancé sur le marché. Toute la profession s'apprêtait à fêter le nouveau succès de cet auteur à la solide réputation. Pourtant, le public n'a pas réagi! Le livre n'a jamais réussi à décoller des rayons. Rétrospectivement, nous nous sommes aperçus que même si les sensations fortes procurées par l'histoire et la manière dont l'intrigue était menée nous avaient plu, le personnage principal n'était pas sympathique, la couverture n'était pas attirante. Mais ce sont des choses dont vous vous apercevez une fois que le mal est fait. Sur le moment, personne ne s'est rendu compte de rien.»

L'édition littéraire est un métier dans lequel domine l'espoir, nourri par un abondant baratin. Les dirigeants des maisons spécialisées dans les formats de poche et les clubs de livres sont les cibles préférées des maisons spécialisées en livres cartonnés qui, en leur vantant les mérites de leurs titres, espèrent obtenir des engagements préalables à la publication et des avances en espèces sonnantes et trébuchantes pour de tels livres.

«Après un certain temps, il est possible de mettre le doigt dessus», déclare William Grose, de New American Library, l'un des grands spécialistes des éditions de poche. «Voici, par exemple, un plan destiné à tromper l'industrie du format de poche: l'un de nos jeunes éditeurs-adjoints revient d'un déjeuner, tout réjoui par ce qu'on lui a raconté à propos des perspectives éblouissantes d'un livre qui doit être publié bientôt en édition cartonnée. La maison d'édition concernée déclare que le livre sera imprimé à 75 000 exemplaires et fera l'objet d'un budget publicitaire de 100 000 dollars. Elle semble prête à tout pour nous persuader qu'il s'agit d'un futur «best-seller». Cependant, il me faut gentiment faire remarquer à mon jeune subalterne que les choses ne se passent pas toujours comme prévu. On imprimera peut-être 75 000 exemplaires, mais combien seront vendus aux libraires? D'autre part, dans quelle mesure la maison en question est-elle obligée de respecter un budget publicitaire quelconque? Il faut apprendre aux jeunes à ne pas croire tout ce qu'on leur raconte.»

La vente à un club de livres est également capitale. Écoutons Maureen Mahon Egen, directrice de collection de la Literary Guild: «Le grand jeu consiste à dire: 'Voici le bijou de notre liste d'automne. Nous allons le promouvoir grâce à une grosse campagne publicitaire. Tout le monde dans la maison le trouve fantastique, ils en sont tous fous.' Oui, j'entends cela environ une fois par jour, mais si la maison en question réussit à vendre sa petite merveille à un club de livres, elle obtiendra l'appui du service des ventes, sa publicité sonnera plus juste, etc. Pour elle, il s'agit d'un contrat très important. »

Et comment! Chaque engagement supplémentaire contribue à la réalisation de la prophétie, à la montée de l'enthousiasme et vient grossir le torrent de dollars qui est l'enjeu des gros contrats d'édition. Presque toujours, le succès est fondé sur un enthousiasme soigneusement agencé et des espoirs partagés que des éléments extérieurs ont été persuadés de valider bien avant la date de publication.

Parfois l'enchantement réussit, parfois il échoue. Tant de titres rivalisent pour si peu d'espace sur les rayons des librairies. Il est difficile pour les livres dont le succès n'est pas garanti avant même leur parution sur le marché d'attirer l'attention et d'être distribués de manière à encourager les ventes. À cet égard, les éléments prophétiques sont des plus importants. Tout l'art qu'un vendeur peut déployer trouve ses limites dans le livre même. Il est toujours possible que le public n'en veuille pas.

Non, toujours non

Il en va de même dans le cinéma, l'exploitation des gisements d'hydrocarbures et dans tout jeu de hasard qui relève de la spéculation. Dans l'édition, l'échec est la règle, la réussite est l'exception. D'après certaines estimations, moins de 10 pour cent de tous les livres publiés par l'édition commerciale atteignent leur seuil de rentabilité, sans parler de profit.

« Le plus pénible, c'est lorsque les livres que vous aimez ne réussissent pas à percer, dit Larry Hughes, de Morrow. Vous compatissez avec l'auteur qui a consacré tant de temps à son livre et avec tous les membres de la maison qui ont peiné sur cet ouvrage. Nous faisons tout ce que nous pouvons faire, parfois au-delà des limites du raisonnable. Mais si rien ne se passe, que pouvons-nous espérer? C'est terriblement frustrant. »

Le taux d'échecs n'épargne personne. « Les éditeurs-adjoints, dit l'un d'entre eux, entendent des « non » en provenance de tous les services. Le service des ventes nous refuse une vente préliminaire d'un certain nombre d'exemplaires, la commercialisation refuse de nous accorder un sou de plus pour la publicité. Je dois prendre en considération les espoirs de l'auteur mais résister aux pressions exercées par son agent. En même temps, je dois refuser 299 idées de livres sur 300 que je reçois. Aussi, je continue d'aller de l'avant, même si rien ne semble marcher. »

Chacun est englué dans un conflit acharné où s'affrontent exigences et espérances. «Les gens du milieu sont toujours pris entre deux feux, dit un publiciste. Ils essuient des refus de l'extérieur et des critiques de l'intérieur. Par exemple, le critique auquel vous demandez de lire tel ou tel livre refuse, les gens qui organisent les causeries télévisées refusent d'y présenter votre livre. Lorsqu'un magazine refuse de publier des extraits dudit livre, vous devez en parler au directeur de collection qui jettera le blâme sur vous. Pourquoi donc n'avez-vous pas réussi à leur faire accepter ces extraits? Il est possible que ce fichu livre ne soit pas très bon, mais le directeur de collection n'envisage jamais cette possibilité. C'est votre faute, toujours votre faute. Vous en finissez par vous demander si vous n'êtes pas qu'un garçon de café en costume et cravate! Vous devez faire preuve d'un optimisme irrésistible dans vos rapports avec le monde extérieur, tout en digérant les refus continuels que vous essuyez à l'intérieur de votre boîte. Vous ne parvenez jamais à satisfaire toutes les exigences de la maison. Quoi que vous fassiez, ce n'est jamais assez. »

La dernière rivalité porte sur l'espace occupé par les livres dans les librairies et c'est à ce stade que les vendeurs essuient les pires refus. «D'abord, se souvient un cadre supérieur de la commercialisation qui a fait ses armes en qualité de vendeur, vous rendez visite à des gens qui viennent tout juste de s'entretenir avec dix-huit autres vendeurs chargés de placer des livres semblables au vôtre. Tout ce que vous avez, c'est la panoplie dont votre éditeur vous a muni. Vous devez vendre les cent soixante livres de la liste et vous commencez par en choisir quelques-uns. À ce moment-là, il n'y a rien de plus douloureux que d'entendre le libraire vous déclarer: mais je viens de voir trois livres semblables à celui-ci, publiés par d'autres maisons et qui sont censés paraître deux mois plus tôt! Dites-moi donc pourquoi je devrais acheter votre livre? Et ensuite, dites-vous bien que cette petite séance devra se reproduire dans quelque deux cent cinquante autres librairies!»

Quiconque travaille dans n'importe quel secteur de l'édition doit posséder une forte résistance nerveuse. Heureusement, l'atmosphère générale du milieu tend à favoriser la bonne humeur.

Petite musique légère

Le monde de l'édition littéraire est loin d'être insouciant, mais il n'est ni pompeux ni solennel. Il possède une certaine vivacité qui le rend comparable à un morceau léger de musique de chambre du dix-huitième siècle ou à un meuble de style rococo. Les gens sont sociables, civilisés, sophistiqués et quelque peu éthérés. Après tout, il s'agit d'un « show-biz » littéraire, non de métallurgie lourde ou de banque.

« Tout me paraît intéressant et amusant, nous dit un cadre supérieur de la commercialisation. Les gens sont pleins de vie et les intrigues valent la peine qu'on s'y intéresse. C'est un monde où les potins foisonnent. C'est l'idéal pour quelqu'un qui ne peut s'épanouir dans un environnement très structuré. En ce qui me concerne, une grande partie du plaisir que me procure ce métier, c'est le côté fantasque, indescriptible, imprévisible de la qualité de la vie dans la maison. Seule une poignée de gens savent ce qu'ils font. La plupart d'entre nous sommes arrivés dans l'édition par hasard et improvisons au fur et à mesure des événements. C'est un peu comme lorsqu'une troupe théâtrale part en tournée d'été. Tout le monde court de tous les côtés sans trop savoir pourquoi. Le métier attire les gens qui s'épanouissent dans cette atmosphère de liberté. »

Étant donné qu'une large part du travail d'édition s'accomplit avant que le marché ait prononcé son verdict, des éléments immatériels tels que le style de telle ou telle personne deviennent très importants. Il arrive souvent qu'on ne puisse se fonder sur rien d'autre. « Une grande partie de ce que nous faisons repose sur la personnalité, dit un jeune éditeur-adjoint. Lorsque vous écoutez parler les gens des maisons d'édition, vous vous apercevez qu'il est rarement question de choses concrètes, mais plutôt du caractère des individus. Dans beaucoup de milieux, la personnalité est plus importante que le travail lui-même. Ce n'est pas tant ce que vous faites qui compte, mais la manière dont vous le faites. C'est pourquoi il n'est pas facile de distinguer un bon livre d'un mauvais. On se laisse trop facilement prendre par les apparences. »

A certains égards, la vie au sein de l'édition littéraire présente quelques points communs avec une réception mondaine. « Les gens sont très à leur aise et parfois superficiels, déclare un agent de commercialisation. Parce qu'ils lisent tant de livres différents, ils apprennent beaucoup de petites choses sur toutes sortes de sujets sans jamais approfondir ces connaissances.

Pour parler poliment, vous pourriez dire que l'édition littéraire est un environnement rêvé pour un généraliste.» Un éditeur-adjoint décrit cet état d'esprit comme une «intimité intellectuelle». Les membres des maisons d'édition peuvent soutenir des conversations sur un nombre étonnant de sujets différents. Et les occasions ne manquent pas pour ceux qui veulent entretenir leur esprit de repartie.

Un aimable jeune homme dont la carrière progresse bon train déclare: «L'édition littéraire est le métier le plus social qui soit. Vous pourriez prendre tous vos repas, passer toutes vos soirées et toutes vos fins de semaine avec des gens qui sont directement ou indirectement liés à l'édition. Les possibilités sont infinies. Si vous désirez boucler la boucle, vous finirez par voir les mêmes soixante-quinze personnes trois soirs par semaine, cinquante semaines par an, sans sortir du milieu de l'édition.»

Bien que tout soit indubitablement très amusant, les rencontres sociales ont une autre raison d'être plus sérieuse. «Au cours de vos premières années, puis de vos années intermédiaires, conseille William Grose, de NAL, il est important de vous rendre aux soirées et aux séances de projection dont vous entendez parler. C'est ainsi que vous rencontrez les membres d'autres maisons et que vous vous faites connaître dans le milieu. C'est aussi une excellente occasion d'apprendre le métier et de recueillir toutes sortes de rumeurs. La plupart des gens du milieu ont une grande facilité d'élocution, sont d'un tempérament sociable et adorent ces rencontres. Ce métier vous oblige aussi à avoir la langue bien pendue. Si vous n'occupez pas encore de poste très en vue, c'est l'occasion rêvée pour vous faire connaître de l'industrie. En outre, vous buvez le whisky d'autrui et voyez gratuitement des films. C'est l'un des privilèges des gens du métier.»

C'est aussi l'une des grosses pressions qu'ils subissent, notamment dans le cas des directeurs de collection. «Les rencontres mondaines sont très importantes, dit Nan Talese, parce que les gens pensent à vous et à vos livres. Vous rencontrez des auteurs, des agents et apprenez à les connaître. Tout est une question de personnalité. Certains se sentent à l'aise avec vous, d'autres pas. Certains livres sont écrits parce que deux personnes sont allées déjeuner ensemble. Par exemple, il y a quelque temps, j'ai déjeuné avec un agent. Au cours de la conversation, j'ai mentionné que j'avais travaillé dans une banque pendant un an, après ma sortie de l'université. Elle a été très étonnée d'apprendre cela, et, plus tard, elle m'a envoyé un roman fantastique dont le contexte était le monde de la finance. Nous allons d'ailleurs le publier bientôt. Il est probable que si elle n'avait pas appris mon séjour à la banque, elle ne m'aurait jamais proposé son manuscrit. »

Même si les livres reflètent de nombreux aspects de la vie, l'édition littéraire est un milieu aussi isolé et aussi insulaire qu'il est possible d'en trouver. Les membres des maisons ont tendance à travailler, à s'amuser, à manger, à dormir, à se marier, à divorcer et à avoir des liaisons les uns avec les autres, presque exclusivement. Ils parlent sans arrêt de leur métier, tout en se livrant aux activités susmentionnées. Le métier les avale corps et âme ou leur permet de s'épanouir complètement, selon la manière dont on choisit de présenter la chose. La raison en est probablement très simple: s'ils ne trouvaient pas l'édition littéraire fascinante et attirante, ils la fuiraient très rapidement. Car l'ascension dans ce milieu exige tout de tout le monde et parfois plus encore.

Tous les chemins mènent-ils à Rome ?

Si vous comptez parmi les rares chanceux qui parviennent à décrocher un emploi dans l'édition, vous serez chargé des corvées contre un salaire inférieur à celui que vous récolteriez en faisant n'importe quoi d'autre.

Le poste de départ le plus courant est celui de secrétaire. Hommes et femmes l'occupent. Nombreux sont les diplômés d'universités, de l'Ivy League qui commencent par dactylographier des lettres, répondre aux appels téléphoniques et faire le café à leur entrée dans le domaine de l'édition. « Mais c'est la formation idéale, insiste un éditeur-adjoint. Vous devenez commis au classement, puis secrétaire d'une personne compétente. Vous lisez son courrier, voyez tout ce qui se passe et rencontrez tout le monde. C'est un début fabuleux. Si vous pouvez tenir le coup trois ans, en travaillant très dur et en gardant les yeux et les oreilles ouverts, vous finirez par en savoir plus que votre patron. »

De nombreux patrons ayant eux-mêmes débuté comme secrétaires, ils savent parfaitement que rares sont les personnes dont l'ambition se limite à la dactylographie. En sus des corvées habituelles, les néophytes reçoivent occasionnellement des tâches qui incombent à leur patron, sur lesquelles ils peuvent se faire les dents.

Chacun comprend comment le système fonctionne. Son seul défaut est que le niveau des services de secrétariat n'est pas élevé dans l'édition.

« Les gens s'en plaignent, admet un éditeur. Ils ont affaire à quelqu'un qui sait rédiger de merveilleux rapports, mais qui est incapable de répondre correctement à un appel téléphonique. C'est un problème. Mais employer de vrais secrétaires, hommes ou femmes, nous coûterait plus cher. » Il ne croit pas si bien dire !

Les salaires des débutants fluctuent entre un niveau insultant et un niveau carrément punitif. Et il ne s'agit pas seulement des salaires de secrétaires surqualifiés, mais de tous ceux qui sont accordés aux débutants de tous les départements. D'après certaines estimations, les rémunérations équivalent en moyenne à 9 500 dollars par an, et on raconte que certaines ne dépasseraient pas 7 000 dollars.

Voici donc notre nouveau venu, effectuant des corrections sur épreuves, inscrivant des adresses sur des enveloppes bourrées de manuscrits destinés aux critiques ou réservant des chambres d'hôtel pour les auteurs en tournée, vérifiant et revérifiant les numéros de commande du catalogue de printemps, bref, accomplissant les mille et une corvées qui constituent son apprentissage. Celui qui se révélera efficace pour remplir ces petites tâches, qui ne sont pas sans importance, aura peut-être la chance de voir son sort s'améliorer au sein du département. Ou peut-être pas. En général, il est rare que les débutants entrevoient des perspectives d'avancement sans limites, dans la maison où ils obtiennent leur premier emploi. Après un an ou deux, ils changent d'employeur. Et ainsi de suite. Au cours de ces dernières années, les employés des maisons d'édition ont pris sans pudeur l'habitude de butiner d'un emploi à l'autre. Certains pourraient même faire honte aux publicistes dans ce domaine. Mais ils ont d'excellentes raisons de vouloir faire progresser leur carrière en changeant constamment d'employeur : tout d'abord, l'argent, ou plutôt le manque d'argent. Les salaires des employés débutants de l'édition ne se situant guère au-dessus du seuil de pauvreté, les hausses annuelles normales ne peuvent leur être d'un grand secours. C'est pourquoi la méthode la plus rapide d'améliorer son ordinaire est de « changer de crémerie ». Cependant, la patience est indispensable pour gagner ses galons dans l'édition littéraire. Le premier poste de responsabilité peut se faire attendre cinq ans et plus. C'est donc en changeant perpétuellement de compagnie qu'un employé a des chances de voir sa carrière progresser à un rythme au moins raisonnable.

Sans que personne ne soit consciemment responsable de ce phénomène, il est indéniable que les maisons d'édition filtrent leur personnel et rejettent ceux qui ne sont pas prêts à se consacrer (presque) exclusivement à leur travail, lequel les condamne pourtant à la pauvreté pendant des années. Il n'est guère surprenant que certains jeunes ne persistent pas dans ce métier, car «ils ne le désirent pas suffisamment pour supporter de faire un travail ennuyeux pendant un an ou deux», déclare Gloria Norris, du Club Book-of-the-Month. Mais ensuite, quel est l'outil de sélection. «Ils ne le désirent pas non plus suffisamment pour supporter de faire un autre travail ennuyeux pendant deux années de plus.»

Dans l'édition, l'avancement n'est pas aussi institutionnalisé que dans des milieux professionnels plus formalistes et plus rigides. Il dépend de l'individu. La «progression normale de la carrière» n'existe pas. Chacun doit se tailler sa propre place, en fonction de ses aptitudes et des occasions qui se présentent.

Par exemple, Rena Wollner, aujourd'hui éditeur de Berkley-Jove, a débuté comme commis dans le service des contrats de Bantam Books. Elle «sentait» les contrats avantageux et était douée pour l'administration. Étant donné que le contrat conclu entre l'écrivain et la maison englobe l'intégralité du travail d'édition, elle put utiliser ses compétences pour acquérir de l'influence dans d'autres domaines. «On venait même me consulter avant d'acheter des manuscrits», se souvient-elle. Au bout de quelques années, elle jouait un rôle clé à Bantam Books. Les contrats, en général considérés comme un département marginal, non artistique, lui avaient servi de tremplin. Mais c'est elle qui avait choisi de faire éclater les bornes de son premier emploi.

Dans l'édition, faire son travail signifie aider la maison à publier des livres à succès quel que soit son poste. Tandis qu'il était encore directeur des ventes, l'éditeur de Bantam, Jack Romanos, fut ennuyé de voir le service de la publication rejeter un certain livre de cuisine, en 1977. «Le livre s'intitulait *Crockery Cookery* et il s'agissait de recettes que l'on pouvait exécuter dans ces marmites de céramique si populaires à l'époque. » Après que le département eut refusé le livre pour la deuxième fois, Romanos décida d'aller convaincre l'éditeur de le publier quand même. Les ventes atteignirent plus de deux millions d'exemplaires, ce qui ne fit certainement aucun mal à la carrière de Romanos.

Quel que soit le département auquel il appartient, le talent essentiel de l'employé d'une maison d'édition consiste à posséder un sens inné du livre et de son éventuel marché. Bien que seuls les éditeurs soient chargés de l'achat et de la publication des manuscrits, chaque employé doit posséder le sens de ce qui doit être publié et de la manière dont il doit l'être. « Il faut réagir instinctivement, conseille le président de St. Martin's Press, Thomas McCormack. Si vous ne pouvez vous enthousiasmer pour un livre capable d'enthousiasmer vos lecteurs, c'est que votre instinct vous fait défaut. »

Pour mettre à l'épreuve les candidats à des postes d'éditeur dans sa compagnie, McCormack leur donne trois manuscrits à lire chez eux. Il sait lequel a été accepté, lequel a été rejeté et lequel doit être révisé avant la publication. Lorsque les candidats reviennent, il compare leurs impressions. « Récemment, dit-il, j'ai fait passer cet examen à une jeune éditrice adjointe. Elle s'est trompée sur toute la ligne. Elle a accepté le livre que nous avions rejeté, puis rejeté celui que nous avions accepté et ne voyait pas comment le troisième pouvait être révisé afin de le rendre publiable. » Plaidant l'inexpérience, la jeune femme demanda si, avec le temps, il ne lui serait pas possible d'acquérir les compétences nécessaires.

« Je peux vous apprendre comment discerner pourquoi tel ou tel livre provoque chez vous telle ou telle réaction, lui répondit McCormack. Je peux vous expliquer comment analyser un livre afin de déterminer pourquoi il vous déplaît ou pourquoi vous le trouvez palpitant. Mais si, au départ, vous ne le trouvez ni palpitant ni déplaisant, je ne puis rien pour vous. Il faut que vous ressentiez les choses avant de savoir pourquoi vous les ressentez. Et je ne peux vous apprendre à ressentir. »

C'est pourquoi presque tous les services d'une maison d'édition travaillent en fin de compte à partir d'un instinct modelé par les connaissances et l'expérience. « Tous les secteurs de l'édition exigent cet instinct, ajoute McCormack. Il existe un instinct de commercialisation par exemple, qui consiste à déterminer si des apparitions publiques de l'auteur contribueraient à vendre un livre ou si les annonces publicitaires seraient suffisantes. Une bonne partie de ce métier dépasse les connaissances. Vous pouvez être cultivé, intelligent et efficace, mais si vos réactions ne correspondent pas aux réactions de nos acheteurs, vous ne monterez pas très haut dans le métier. »

Par conséquent, chaque membre d'une maison d'édition doit être un lecteur professionnel. Malheureusement, personne n'a le temps de lire au cours de la journée de travail, car la publication occupe tout le monde. Il faut donc lire à la maison, le soir, pendant les fins de semaine et aux petites heures du matin. Un flux continu de documents doit absolument être lu : des manuscrits, des propositions, des épreuves en placard et les livres des maisons concurrentes. L'efficacité et le succès de l'employé dépendent pour une large part de son enthousiasme et de son endurance de lecteur.

Une éditrice adjointe bien connue raconte l'histoire d'un de ses jeunes assistants qui vient la trouver, tout excité par un manuscrit qu'il venait de commencer à lire. Intriguée, elle le pria de lui soumettre un rapport à ce propos dès qu'il aurait terminé sa lecture.

« En passant dans le couloir ce soir-là vers 18 h 30, se souvient-elle, je remarquai sur son bureau, à demi lu, le manuscrit dont il m'avait dit monts et merveilles. Imaginez donc, son enthousiasme n'allait même pas jusqu'à emporter le livre à la maison pour le finir le plus tôt possible et me remettre son rapport sans délai ! » Que l'on puisse avoir prévu d'aller passer, ce soir-là, quelques heures au théâtre ou de vivre un semblant de vie n'entre évidemment pas en ligne de compte. « C'est pour cela que Dieu a créé les petites heures du matin », réplique-t-elle.

La lecture en dehors des heures de travail est soit l'un des grands plaisirs, soit l'un des grands sacrifices du métier, selon le cas. Personne n'y échappe. « Les seuls moments pendant lesquels je peux lire en paix, nous dit un autre vétéran de l'édition, sont les moments qu'autrement je consacrerais à ma famille. »

L'engagement est donc évident. Mais les objectifs ne sont pas toujours si bien définis. Le métier fait, pour une large part, appel à la subjectivité. Bien sûr, il existe des instruments objectifs d'évaluation, tels que les chiffres de ventes et les recettes. mais il est souvent difficile de répartir avec justesse les responsabilités.

« Il est impossible de fonder les évaluations sur les bénéfices enregistrés, déclare Susan Ginsburg, éditrice déléguée de

Pocket Books. Quelqu'un peut avoir acheté un livre extraordinaire ou participé brillamment à une campagne, il est toujours possible que le livre soit un échec, pour une centaine de raisons indépendantes de la volonté. Le résultat n'a pas de rapport avec la contribution de la personne en question.»

L'avancement dépend autant des relations que du rendement. «La diplomatie compte beaucoup dans ce métier, nous dit un «itinérant» dans la trentaine; tout est affaire de personnalité et d'atomes crochus. Il ne peut en être autrement. Nous travaillons en si étroite collaboration! Par exemple, lorsque quelqu'un de haut placé s'en va, il emmène généralement deux ou trois d'entre nous avec lui. Dans ce milieu, il existe des groupes de gens qui ont travaillé ensemble dans deux ou trois compagnies différentes.»

Même les plus grandes maisons d'édition sont divisées en un si grand nombre de divisions et de rubriques, qu'il est difficile de distinguer une véritable hiérarchie. Un gros département peut regrouper jusqu'à dix personnes, secrétaires comprises. Par conséquent, les gens n'ont pas à se battre pour être remarqués dans la foule, comme dans les grosses compagnies, et on ne compte jamais trente personnes du même rang qui rivalisent pour obtenir le premier poste qui se libère. La structure étant différente de la pyramide hiérarchique des compagnies ordinaires, la lutte pour la promotion n'est pas aussi acharnée.

«La concurrence existe bien, dit un jeune éditeur adjoint. Notamment lorsqu'il s'agit de ressources telles que les sommes accordées à la publicité ou à la promotion. Mais ce n'est pas comme dans les autres industries. Tout d'abord, l'atmosphère n'est pas favorable aux bagarres à poings nus. Les gens de l'édition ne réagissent pas bien face à ce type d'attitude. Ensuite, les livres mêmes ne sont pas en concurrence directe sur le marché. Le roman policier que je m'efforce de promouvoir ce printemps réussira ou échouera, indépendamment du livre de cuisine que vous-même êtes en train de promouvoir. Nous suivons des chemins distincts. Ce n'est pas comme si nous ne pouvions aller de l'avant qu'au détriment du travail de quelqu'un d'autre. Ou tout au moins, il est rare que cela se passe ainsi. Bien que les rivalités personnelles soient parfois intenses, le milieu de l'édition littéraire est moins agressif que les autres.»

Au sein du tout petit monde de l'édition, les gens acquièrent vite une réputation. Au-delà des postes subalternes, tout le monde connaît tout le monde ou en a entendu parler. Ceux qui jouissent de la réputation la plus favorable s'aperçoivent que les postes les plus intéressants leur sont offerts. Leur téléphone commence à résonner des propositions des maisons rivales. Pourtant, leur revenu est encore loin d'égaler celui dont ils bénéficieraient dans une autre industrie. Les éditeurs expérimentés, qui sont dans le métier depuis au moins dix ans, et dont le travail consiste à acquérir les livres les plus importants, ne s'attendent pas à gagner beaucoup plus que 30 000 dollars. La plupart de ceux qui occupent des postes de responsabilités de niveau intermédiaire reçoivent des salaires qui plafonnent à 40 000 dollars. Quiconque gagne plus de 40 000 dollars dans un département quelconque est considéré comme un génie. Dans les grandes maisons, les chefs de département peuvent parfois gagner jusqu'à 60 000 dollars, mais rarement plus. Quant aux membres des maisons d'édition dont le salaire dépasse 100 000 dollars, on pourrait les compter sur les doigts d'une seule main.

« Les récompenses sont immatérielles, dit un directeur de commercialisation. Ce que vous faites vous apporte une grande satisfaction. Pour la plupart d'entre nous, le seul fait de travailler dans l'édition littéraire est déjà une récompense. »

« Pour commencer, nous dit un éditeur adjoint bien connu, nous sommes délicieusement conscients d'avoir tous sacrifié quelque chose en étant ici. Nous nous sommes tous engagés dans la même galère et nous savons que notre milieu représente quelque chose de spécial. » En effet, comme il le fait remarquer: « Nous jouissons d'un accès unique et privilégié à l'intelligence et à la créativité. Les qualités intellectuelles des gens auxquels vous avez affaire en travaillant dans l'édition sont tellement supérieures à celles que vous rencontreriez si vous travailliez dans la marine ou dans une compagnie de pièces détachées pour équipement sanitaire. Et combien plus intéressantes! Les gens du livre ne sont pas des gens ordinaires. »

Un éditeur d'une autre maison, qui possède sa propre rubrique, ajoute: « Les membres des maisons d'édition aiment à penser qu'ils font partie d'un petit groupe d'élus. C'est ce qui les console lorsqu'ils ne peuvent se payer quelque chose ou qu'ils doivent se serrer la ceinture pour sauver les apparences. Il y a du vrai là-dedans. J'ai vraiment l'impression de remplir une fonction importante dans la société. Ou, tout au moins, j'ai la satisfaction d'être parfaitement inoffensif... »

Femmes de lettres

« L'édition est un milieu exceptionnel, nous dit un éditeur, car le public est surtout composé de lectrices. Ma personnalité possède un certain côté féminin et c'est, je crois, l'une des raisons pour lesquelles j'ai réussi dans mon métier. Car, voyez-vous, c'est essentiellement un métier de femme. »

Oui, l'édition littéraire est ouverte aux femmes depuis plus longtemps que n'importe quel autre milieu professionnel. En partie parce qu'elle n'a jamais été un bastion masculin. Les hommes qui y sont attirés ne recherchent pas à s'emparer avidement du butin traditionnel d'une victoire en affaires.

L'édition offre de belles possibilités aux femmes, de nos jours. Dans de nombreux bureaux, elles dépassent les hommes en nombre, et ce depuis plusieurs années. Par comparaison aux autres industries, on peut dire que les femmes sont extraordinairement « surreprésentées » dans l'édition. Elles ne constituent pas des bêtes rares, car leur présence ne porte pas atteinte à l'image de marque du métier. C'est pourquoi il n'est plus nécessaire d'être dotée d'une mentalité de pionnière pour atteindre les postes haut placés. Au cours de ces dernières années, les femmes ont acquis des positions de plus en plus en vue dans les strates supérieures du milieu et dans toutes les disciplines. Au moment où nous écrivons ces lignes, quatre femmes détiennent le titre d'« éditeur » dans une grande maison. Si l'on en juge par leur réputation, leur promotion ne semble pas avoir été due à un quelconque programme de discrimination compensatoire. Cependant, les éditrices Rena Wollner et Carole Baron reconnaissent que, si elles avaient débuté quelques années plus tôt, elles n'auraient peut-être pas pu accéder à des postes aussi intéressants.

Pour le moment, une seule femme occupe un poste de direction purement administratif : Joan Manley, présidente de Time-Life Books. Il est probable que d'autres surgiront dans les années qui viennent. Leur talent est là et s'extériorise déjà dans des fonctions importantes.

On ne distingue pas de véritables barrières entre des postes équivalents dans des disciplines différentes. Maureen Mahon Egen, de la Literary Guild, a évolué tout au long de sa carrière, du département des publications au département des affaires administratives, pour se diriger ensuite vers le secteur administratif de la publication. Elle n'a rencontré qu'une seule fois, à ses débuts, un patron condescendant. « Mais il y a longtemps qu'il a pris sa retraite.» Plusieurs autres prétendants au poste de direction qu'elle occupe étaient des femmes et la compagnie possédait auparavant deux directrices de collection. «Je crois que de nos jours les femmes peuvent monter aussi haut qu'elles le désirent dans l'édition. Rien, dans la structure de l'organisation, ne peut les empêcher de réaliser leurs ambitions.

Egen fait remarquer qu'il est important que les femmes en arrivent à maîtriser le côté financier et administratif de l'édition, si elles désirent se hisser au sommet de la pyramide. On pourrait dire que cela ne l'est pas moins pour les hommes.

Les chiffres des belles-lettres

Lorsque Tom McCormack fut nommé au poste de direction de St. Martin's Press, il y a dix ans, il était éditeur adjoint. Bien qu'il ne se soit pas senti trop dépaysé au milieu des chiffres, il reconnaît: «Je ne savais même pas lire un bilan, je n'avais pas la moindre idée de ce que pouvaient être des bénéfices non répartis.» Il lui a fallu apprendre le côté administratif et financier de l'édition littéraire, et c'est la tâche qui incombe à la plupart des dirigeants des maisons d'édition.

«C'est grâce aux livres que vous réussissez en affaires, dit Dan Green de Simon & Schuster. Et non l'inverse.»

Larry Hughes, de Morrow, acquiesce: «Dans une maison spécialisée en éditions cartonnées, il est essentiel que le directeur ait une bonne connaissance et le sens du métier d'éditeur, ainsi que l'amour de la vente de livres. Il n'est pas nécessaire qu'il soit un génie des finances. Si les chiffres ne lui font pas peur, il peut toujours apprendre.»

Comme l'industrie traverse une longue période difficile, de plus en plus de gens se sentent obligés de se plonger dans les finances et l'administration, au détriment parfois de leurs inclinations personnelles. «Les gens sont inquiets, dit le dirigeant d'une grande maison. Ils se préoccupent de la survie de leur compagnie et ont peur de perdre leur emploi. Ils se demandent si les grosses compagnies étrangères et les conglomérats ne prendront pas un jour le dessus dans l'industrie et ne détruiront pas tout ce qui reste d'âme dans le métier, les empêchant ainsi de publier les quelques bons livres qu'ils aiment vraiment.»

Dans de nombreux domaines, la sensibilité de l'éditeur et la mentalité de l'administrateur se heurtent. Un autre cadre supérieur déclare, à propos des nouveaux propriétaires d'une maison d'édition: «Après que les agents financiers de la compagnie eurent terminé leur analyse des recettes passées, ils découvrirent que 80 pour cent des recettes provenaient de 10 pour cent des livres. Qu'en ont-ils conclu? Eh bien! Ils ont déclaré que la maison devrait rééditer les livres qui lui avaient fait gagner autant d'argent l'année précédente!»

De leur côté, les nombreuses âmes créatrices de l'édition manquent de compréhension envers les financiers et les administrateurs. «Beaucoup de gens, dit un directeur de la commercialisation, insistent pour prendre des décisions financières simples et directes à propos de livres tout en les entourant d'un halo de mystère. Ils ont ainsi l'impression de rehausser leur propre importance, mais leur attitude n'est pas constructive. Bien sûr, certains aspects de l'édition sont véritablement mystérieux. Mais nous fabriquons, commercialisons et distribuons un produit, comme beaucoup d'autres industries. Une grande partie de notre travail pourrait être rationalisée ou même disciplinée. Mais vous attaquez l'orgueil de tous ces «Major Thompson», si vous essayez de leur faire admettre que l'édition n'est qu'une industrie parmi tant d'autres.»

Pourtant, les deux états d'esprit ne sont pas nécessairement antagonistes. Au fur et à mesure que les difficultés s'accentueront, les forces de la sélection naturelle rapprocheront les opposants pour que les maisons survivent. «Les administrateurs les plus efficaces des maisons d'édition comprennent qu'il vous faut suivre votre instinct et qu'il existe des valeurs immatérielles qui vont au-delà du chiffre de recettes, dit Maureen Mahon Egen. Quant aux éditeurs les plus efficaces, ils comprennent que l'industrie doit enregistrer des bénéfices. Dans de nombreux domaines ils ne sont pas si éloignés les uns des autres.»

Quelle que soit la profondeur des changements que connaîtra l'édition commerciale, elle demeurera toujours une industrie originale et excentrique. Elle attirera toujours les tempéraments un peu particuliers qui s'épanouissent dans une entreprise aussi diversifiée.

«J'ai découvert différents aspects de moi-même depuis que je travaille dans l'édition, nous dit un éditeur adjoint. Je suis en partie un homme de lettres, en partie un homme d'affaires, en partie un négociateur. Je suis aussi un mercanti, un promoteur et un petit malin. Ce que l'édition a de merveilleux, c'est qu'elle a besoin de tous ces gens-là.»

LA PUBLICITÉ
La pub en folie

Retour aux sources

Lorsque dans deux mille ans, des archéologues exhumeront les restes de notre civilisation, que trouveront-ils?

Le long des routes, ils découvriront des panneaux de quinze mètres, représentant des scènes héroïques mettant en vedette des bouteilles de whisky, des cigarettes et des sous-vêtements. Ces objets seront-ils considérés comme des icônes, des autels sacrés d'une civilisation qui adorait les articles ménagers? S'ils déterrent une station de télévision et mettent la main sur un projecteur en état de marche, que penseront-ils en voyant des homoncules ramer dans des réservoirs de toilettes, des chats domestiques en train de chanter, danser et jouer du piano? Ils apercevront un groupe de gens respectables, dont les membres se retourneront soudain les uns vers les autres en vociférant: «Arrêtez-le, arrêtez-le!». Ils constateront que les pâtes dentifrices, les légumes congelés et les pneus radiaux furent un jour considérés comme de puissants aphrodisiaques. Se demanderont-ils quelle sorte de gens ont fabriqué ces objets et quelle était leur signification?

Si les archéologues fouillent plus profondément dans la cinémathèque, ils trouveront la réponse à ces questions. Ils découvriront sans doute des copies de films et d'émissions télévisées tels que *Ma sorcière bien-aimée* (Bewitched), *Marchands d'illusions* (The Hucksters) ou *Kramer contre Kramer*, d'innombrables comédies avec Jack Lemmon ou Tony Randall. Dans ces représentations du monde publicitaire, les personnages sont soit sinistres et superficiels, soit idiots et gaffeurs. Personne ne semble vraiment réfléchir et personne ne semble non plus se tuer au travail. On consacre son temps à des déjeuners sans fin, à des liaisons agréables. Les personnages courent dans tous les sens, débitant inopportunément des slogans ridicules dans le vague espoir de vendre, à un public sans méfiance, des produits incongrus.

Oui, la publicité peut être sinistre et superficielle, stupide et gaffeuse. Certains produits sont incongrus et parfois le public se laisse tromper. Cependant, ces considérations s'appliquent à n'importe quelle industrie. Ce que Hollywood dépeint n'a rien de commun avec le monde réel. L'« éclat » inventé pour la publicité est artificiel. Les films n'atteignent jamais un degré de tension intolérable. Ils transforment les sensations fortes qui font vivre les publicistes en une bouffonnerie insensée. Ils créent des stéréotypes pour lesquels il n'existe pas de prototypes. Si les archéologues du lointain futur découvrent un film réellement révélateur du monde de la publicité, il pourrait peut-être commencer ainsi.

Vue des toits new-yorkais. La caméra s'immobilise face à un imposant gratte-ciel. Musique de fond jacassante, accompagnée de bruits de klaxons, donnant l'illusion de la circulation automobile. Telles des fourmis, des centaines de personnes, mallette à la main, s'engouffrent dans les portes à tambour de la tour de verre et d'acier. La caméra traverse la paroi de l'édifice pour pénétrer au quarante et unième étage. Fondu jusqu'au vestibule de l'Agence. Éparpillées sur les canapés du salon de réception, deux douzaines de jeunes femmes absolument saisissantes, âgées de dix-sept à vingt-huit ans, grandes et élancées, dotées d'une dentition, d'une ossature faciale et d'un teint si parfaits qu'ils semblent inhumains : les mannequins convoqués pour une distribution des rôles.

Passons dans le vaste bureau d'angle réservé à la directrice artistique, chargée de juger le travail de dix rédacteurs et artistes. À l'extrémité de la pièce, un élégant divan revêtu de velours voisine avec une table basse de chrome et de verre. Sur les deux meubles sont empilés des documents, des chemises cartonnées et des conducteurs visuels. La directrice artistique parle au téléphone, derrière son bureau de chrome et de verre recouvert de documents. On aperçoit une tache de café sur la moquette blanche. La directrice artistique est âgée de trente-six ans et gagne 90 000 dollars par an.

« Impossible, Bill, glapit Susan au téléphone. Nous avons promis la nouvelle campagne pour mardi prochain et nous faisons du bon travail ici. Après-demain, c'est impossible. Absolument impossible. Si le client veut un travail sérieux, il devra se

contenter de la première échéance fixée. D'accord?» Elle raccroche.

Faufilons-nous le long de la ligne téléphonique jusqu'au bureau où un homme parle dans le combiné. Il a environ trente-
huit ans et porte un costume de tissu écossais. Il appelle sa
secrétaire: «Cindy, apportez-moi ce nouveau plan de commercialisation et les états du budget de l'an dernier s'il vous plaît.»
C'est Bill, le directeur de la gestion, version noble d'un chef de
la comptabilité. Il émarge 100000 dollars. Son bureau en faux
Chippendale est immaculé. Tous les documents sont soigneusement empilés. Il tend la main vers sa tasse de café, mais au
même moment, la sonnerie du téléphone retentit.

Troisième bureau. Un homme d'environ trente-sept ans parle au téléphone, les pieds allongés sur le pupitre. C'est Dave, le
directeur chargé des relations avec les médias. «Nous serons
prêts quand vous voudrez. Nous avons le plan visant à faire
passer votre client sur les chaînes. Et lorsqu'il reprendra ses
esprits, nous lui fournirons un autre plan de passage à la télévision sur les vingt marchés sur lesquels il devrait plutôt concentrer ses efforts.» Dave gagne à peu près 85000 dollars.

Revenons à Bill. Avant qu'il n'ait pu raccrocher, l'autre ligne
l'appelle. Passons dans un autre bureau, encore plus ordonné.
«J'ai les résultats concernant les annonces de la préparation
pour gâteaux que nous avons mise à l'essai à Denver», dit-il. Il
s'agit d'un quadragénaire qui pourrait passer pour un comptable agréé. «Il semblerait que les maîtresses de maison apprécient de pouvoir diminuer le temps de cuisson de moitié, mais
ne se laissent pas prendre par la promesse de fraîcheur pendant
quatre jours, même après y avoir goûté.» Nous venons d'entendre le directeur des études de marché. Il vaut lui aussi 85000
dollars.

Bill parle de nouveau au téléphone. «Euh... Susan ne sera
pas contente. Je ferais mieux de lui annoncer la nouvelle moi-
même. Merci.» Il raccroche et fait une grimace en avalant quelques gorgées de son café froid. Quittant son bureau, il lance en
passant à sa secrétaire: «Préparez du café et des pansements
pour mon retour.» La caméra le suit. Nous passons devant des
secrétaires en train de taper sur des machines à écrire, puis
pénétrons dans une grande pièce où des gens sont assis devant
des terminaux d'ordinateur. Descendant un escalier en colimaçon, nous rencontrons des jeunes gens dans la vingtaine, vêtus
de blue-jeans, et des messieurs plus âgés en costume. Nous pas-

sons devant une pièce où six personnes sont groupées autour d'un projecteur Noviola. De la musique tonitruante s'échappe d'un bureau. Plus loin, un homme allongé par terre, dessine. Le bureau de Susan est en vue, au fond du vestibule. Les conducteurs visuels ont repris leur place sur le divan. On perçoit des rires.

Bien que la scène suivante dût, vraisemblablement, être une discussion animée des mérites d'une préparation de gâteau, ce respectable produit n'est pas vraiment la raison d'être de l'industrie. Pas plus que «Charlie The Tuna» et autres oeuvres du même type. La publicité s'occupe de gens et d'idées. De conflits et de contradictions, de querelles, d'amitiés et de la paranoïa qui règne dans un monde explosif.

Les publicistes trouvent leur travail frustrant et irritant. Ils le trouvent aussi parfois terrifiant et palpitant. Mais, en général, ils le trouvent amusant. L'amusement est la force motrice qui les pousse jour après jour, les soutient, tandis que d'autres, plus pusillanimes, auraient tout abandonné pour aller ouvrir une teinturerie.

Ils sont les supervendeurs de la culture diffusée par les médias. Ce sont des artistes, des rédacteurs et des psychologues. Ils finissent par devenir sociologues, conseillers en commercialisation et analystes financiers. Un jour, ils sont plongés dans la technologie de fabrication du café instantané, le lendemain, dans l'univers romantique des parfums. Leur travail est vital pour les compagnies les plus grosses et les plus puissantes du monde. Ils exercent une influence sur tout homme, femme ou enfant qui vit dans ce pays.

Les publicistes font à la fois partie du monde du spectacle et à la fois partie des grosses entreprises. C'est pourquoi leur industrie est l'une des plus sérieuses, pour laquelle les enjeux sont parmi les plus élevés.

Galvanisez votre compagnie par la publicité

Certains génies des écoles de gestion ont tendance à regarder de haut la publicité, en la considérant comme une affaire frivole et sans intérêt. Pourtant, les compagnies américaines y consacrent plus de 60 milliards par an. L'an dernier, certaines compagnies parmi les plus grosses et les plus riches remportèrent la palme: Procter & Gamble dépensa 650 millions en publicité,

Sears, 649 millions, et General Foods, 410 millions. Il y a de quoi se poser quelques questions.

John O'Toole, président de Foote, Cone & Belding, la neuvième agence du monde, explique le comment et le pourquoi de cette situation: «La puissance de la publicité réside dans ce qu'on appelle l'effet de multiplicateur. Lorsque vous investissez dans une nouvelle usine ou un nouveau matériel, vous savez exactement quelle sera votre production supplémentaire. Ce n'est pas le cas lorsque vous investissez dans la publicité. Vous recouvrerez peut-être 1 dollar pour chaque dollar investi, ou peut-être deux dollars, ou peut-être encore 100 dollars et, pourquoi pas, peut-être 1 000 dollars. Il n'existe pas de limite prouvée au rendement des investissements publicitaires. La publicité peut faire doubler en un rien de temps le chiffre des ventes d'une compagnie. C'est ce qu'on appelle l'effet de multiplicateur et vous le constatez en permanence.»

Les publicistes peuvent donc faire des merveilles. De nombreux produits, notamment les articles bon marché de tous les jours, vivent ou meurent, selon la publicité dont ils font l'objet. La publicité est l'outil du changement et de la concurrence le plus puissant qu'ait créé le système capitaliste. C'est pour cette raison que Dieu a jeté la première pierre de Madison Avenue. Pour brider, discipliner et perfectionner cet instrument si puissant.

«Madison Avenue» est la rue dans laquelle la plupart des grosses agences avaient leurs quartiers généraux il y a trente ans. Aujourd'hui, elles ne sont plus qu'un petit nombre à cet endroit, mais le nom est resté. Chicago, Los Angeles, Detroit et San Francisco possèdent également leur Madison Avenue, de proportions impressionnantes. Mais presque la moitié de l'industrie publicitaire du pays a son siège à Manhattan. Depuis leurs tours, les géants de Madison Avenue règnent sur des empires industriels qui s'étendent jusqu'aux confins du monde. Des agences telles que J. Walter Thompson et Young & Rubicam ont des avant-postes de Hong-Kong à Hambourg.

Nous sommes entrés dans l'ère des superagences. Au cours des quinze dernières années, les grosses compagnies ont acheté les petites et moyennes agences ainsi que d'autres grosses agences. Vers la fin des années 70, presque la moitié des 92 plus grosses agences avaient été absorbées par des fusions. Bien que quelque cinq cents agences appartiennent à l'American Association of Advertising Agencies (les 4A), le premier groupe professionnel, dix agences produisent 40 pour cent du volume monétaire de leurs opérations prises globalement.

Les deux plus grosses agences travaillent sur plus de 2 milliards. Les autres compagnies, parmi les dix premières, sur plus d'un milliard. Ces dix plus grosses agences jouissent toutes de recettes brutes se situant entre 100 et 200 millions au moins. Dans son relevé annuel des agences, *Advertising Age* fait état d'un revenu total de plus de 5 milliards, réparti entre les huit cents agences mentionnées sur sa liste. Comparées aux autres géants de l'industrie, elles ne font peut-être pas le poids, mais il faut se souvenir que les recettes ne sont pas divisées par un nombre élevé de travailleurs.

La plus grosse agence emploie moins de quatre mille personnes, la deuxième en emploie la moitié. La plus grande partie des employés travaillent à l'étranger. Les États-Unis comptent peut-être quatre-vingt mille publicistes et seulement cinquante mille d'entre eux travaillent pour une agence des 4A.

Pour créer une agence de publicité, il n'est besoin que de quelques personnes dotées de sang-froid, d'une machine à écrire et de quelques crayons de couleur. Il y a seulement quinze ans, plusieurs des cinquante plus grosses agences n'étaient constituées que de groupes d'amis assis dans des chambres d'hôtel, occupés à obtenir des contrats par téléphone. Bien que le taux de survie des nouvelles agences soit très faible, celles qui réussissent sont assez nombreuses pour entretenir l'esprit d'entreprise.

Cependant, de nos jours, la publicité à grande échelle est synonyme de grande agence. Elle seule peut obtenir des comptes pour des dizaines de millions. Elle seule peut fournir le «service complet» qu'exigent les grosses compagnies. Les agences publicitaires offrent en effet une gamme complète de services de commercialisation et d'études de marché, des étages entiers d'artistes occupés à créer des milliers d'annonces, et une influence sur les médias que l'on ne peut obtenir qu'après avoir mis sur le tapis des milliards en annonces publicitaires. Il n'est rien qu'une agence ne peut offrir, de la commercialisation aux ventes, en passant par les médias et toute question concevable en matière de publicité.

Et ces services sont gratuits! Ou presque. Les agences jouent le rôle d'agents des compagnies qui désirent promouvoir leurs produits. Elles achètent le temps d'antenne ou l'espace publicitaire aux magazines, en bénéficiant d'un rabais de 15 pour cent, mais font payer au client le plein tarif. Le système remonte à l'époque où les agences n'étaient rien d'autre que des courtiers en espace publicitaire. Aujourd'hui, même si les honoraires et autres modalités de rémunération gagnent de la popularité, cette commission de 15 pour cent qui doit être prévue au budget publicitaire du client représente le gros des recettes des agences.

Si vous demandez à un chef d'entreprise ce que vaut sa compagnie, il vous répondra en citant le chiffre des bénéfices réels. Mais si vous posez la même question à un publiciste, il citera le montant que ses clients dépensent. C'est grâce à ce chiffre que l'on mesure la taille d'une agence publicitaire. Ainsi, une «agence de 500 millions de dollars» n'est pas une agence dont les recettes annuelles se montent à 500 millions de dollars. En réalité, cette agence enregistre à peu près 15 pour cent de ces 500 millions, auxquels s'ajoutent quelques majorations en raison des coûts de production. Il serait malvenu de dire que les publicistes, en raison de la nature de leur travail, se font passer pour plus importants qu'ils ne sont. En réalité, ils sont simplement prisonniers de leur système de commission.

Tout semble aller pour le mieux dans le meilleur des mondes. Les clients apportent leurs rêves et leurs piécettes aux agences, lesquelles, par quelque tour de passe-passe, multiplient les piécettes et tout le monde fait fortune. Malheureusement, ce n'est pas si simple. Par combien de fois le multiplicateur devrait-il multiplier? Quelles piécettes permettent cette multiplication? Que font les autres pendant ce temps? Les clients se posent souvent des questions et les réponses qu'ils reçoivent sont plutôt vagues. Un client bien connu remarque: «Je sais que la moitié de mon budget publicitaire est gaspillé. L'ennui, c'est que j'ignore de quelle moitié il s'agit.» La publicité est un domaine qui relève non seulement de la spéculation mais aussi largement de la subjectivité. Les clients se demandent toujours si une autre agence ne serait pas capable de rendre la multiplication des pains encore plus avantageuse. Comme les publicistes sont des fournisseurs de services, à mi-chemin entre les garçons de café et les chirurgiens du cerveau, le client mécontent n'a qu'à se déplacer jusqu'à une autre table ou à solliciter une deuxième opinion. C'est ce qui arrive tous les jours.

Un comprimé de Sominex pour dormir jusqu'au matin

«Le jour où j'ouvre un nouveau compte, dit un membre de la direction d'une agence, je commence à me ronger les sangs car je pense au moment où je vais le perdre.»

Sur les premières pages de la presse professionnelle se bousculent les anecdotes de pertes de contrats. Chaque semaine, on y raconte qui a perdu quoi, qui a gagné quoi, qui est en mauvaise posture, qui est envisagé, et qui entrerait bientôt, dit-on, dans une des catégories susmentionnées. Parmi les plus importantes défections de l'année dernière, on compte McDonald's, avec un compte de 75 millions, PanAm, avec un compte de 40 millions, et Hallmark , avec un compte de 14 millions de dollars.

Les relations stables et durables existent. Les produits Kraft, le savon Ivory, les oranges Sunkist, Eastman Kodak et les automobiles Ford travaillent avec les mêmes agences depuis plus de cinquante ans. Il existe d'autres exemples notables mais tous sont des exceptions. Une agence qui détient un compte pendant cinq ans est une merveille du genre. Que peut-on dire alors des agences dont certains comptes sont ouverts depuis cinquante ans!

Garantir la satisfaction et la réussite du client en permanence n'est pas une mince affaire. «Si, pour une raison quelconque, les ventes diminuent ou les objectifs prévus ne sont pas atteints, l'agence est dans de bien mauvais draps, déclare un vétéran qui a vingt ans d'expérience. Même si la chute des ventes n'a pas été causée par la publicité, ce que les études de marché permettent souvent de prouver, c'est l'agence qui doit porter le chapeau. Elle sert de bouc émissaire.» Après tout, pourquoi le client serait-il à blâmer pour les lacunes de sa propre organisation, alors qu'il existe tant d'autres organisations prêtes à accepter son rejet de culpabilité? Et pour le montant modeste de 15 pour cent du budget publicitaire qu'il était de toute façon décidé à consacrer.

Mais les ventes médiocres ne sont pas les seules causes de nervosité des agences. «Une nouvelle direction à la compagnie cliente peut sonner le glas de ses relations avec l'agence, dit un publiciste qui sait de quoi il parle. Les nouveaux dirigeants veulent repartir à zéro, tout bouleverser. Cependant, les bains de sang à l'intérieur de la maison ne sont pas très populaires. Alors, on se venge sur l'agence, tout le monde est impressionné et personne (ou presque) n'en souffre.»

Par exemple, le premier geste notable de Lee Iococca à Chrysler fut de se débarrasser des deux agences qui travaillaient pour la compagnie depuis plus de quatre ans. On pourrait arguer que dans le cas d'une compagnie en aussi piteux état que Chrysler, un tel geste était, dans le meilleur des cas, futile. Cependant, il a permis à la compagnie de faire l'objet d'articles de première page, ce que désirait Iococca. En outre, ce dernier entretenait depuis longtemps des relations avec l'agence qui travaillait pour Lincoln-Mercury et, en ouvrant un compte auprès de cette compagnie pour Chrysler, il a pu entamer son travail avec la collaboration d'une équipe qu'il connaissait et à laquelle il accordait sa confiance, sans perdre de temps à former de nouveau les gens habitués à l'ancien régime. Entre parenthèses, signalons que l'agence favorite d'Iococca quitta sans hésitation Lincoln-Mercury avec qui elle entretenait elle-même depuis longtemps des relations. Bien qu'elle eût vertueusement déclaré le contraire, l'agence Kenyon & Eckhardt fut enchantée d'abandonner les 75 millions de Lincoln-Mercury pour les 120 millions et plus de Chrysler.

Même des agences qui font du bon travail peuvent être mises à la porte. Bruce Crawford, président de l'agence numéro six, BBDO, déclare: «Il faut accepter l'idée que l'injustice règne en ce bas-monde, en général, et dans l'industrie de la publicité, en particulier. Chaque année, nous perdons deux ou trois clients tout à fait injustement. Mais nous obtenons aussi des clients au détriment d'autres agences. Aussi, l'un compense l'autre.»

Les agences perdent des comptes pour des raisons justifiées et injustifiées. Elles perdent des comptes parce que les clients sont exigeants ou capricieux. Mais en général, cela arrive parce que les concurrents sont nombreux. La plupart des grosses compagnies en utilisent plusieurs (parfois des douzaines) simultanément, qu'elles affectent à différents produits ou différentes divisions. Tout le monde surveille tout le monde, agences et clients.

«Je sais bien que mes clients vont s'entretenir avec d'autres agences, nous dit un vice-président toujours à l'affût de nouveaux comptes, car je vais moi-même m'entretenir avec les clients d'autres agences. Les marchés se modifient si rapidement, certaines agences font des étincelles puis s'éteignent, les tendances apparaissent et disparaissent presque d'un jour à l'autre. Dans ce milieu, une agence vaut ce que vaut sa dernière annonce, et parfois même pas autant.»

Doublez la dose pour dormir jusqu'au matin

Si vous voulez mettre le feu aux poudres dans une agence de publicité, ne criez pas «au feu» mais plutôt «nous allons perdre un compte». Lorsque les gros comptes disparaissent, il est presque inévitable que des gens soient licenciés. Ils ne sont pas toujours personnellement visés, mais le flux de recettes qui finançait leur salaire est tari.

«Dans ce métier, vous passez votre temps à essayer de rajuster vos coûts à vos recettes, dit un administrateur haut placé. Et tout ce que vous pouvez faire, c'est rajuster l'effectif de vos salariés.» Il fait remarquer que les gens compétents survivent presque toujours au désastre et sont parfois affectés à d'autres départements. Mais la publicité n'est pas un domaine où l'on vous garantit la sécurité d'emploi.

« Dans d'autres secteurs, dit un survivant de deux épurations qui ont suivi la perte de comptes, si vous réussissez à durer cinq ans, vous êtes presque sûr d'être sauvé. Mais ici, vous pouvez gagner un gros salaire pendant quelque temps, puis ne plus rien recevoir du tout parce qu'un compte a été fermé.» Cependant, les licenciements ne sont ni aussi courants ni aussi capricieux que beaucoup de gens le pensent. Ils sont néanmoins un fait plus habituel que dans les autres secteurs. J'ai licencié des centaines de gens au cours de ma carrière, reprend notre administrateur. Des centaines! »

En réalité, les gens sont licenciés pour toutes sortes de raisons, bonnes et mauvaises. «Certaines agences sont plus féroces que d'autres à cet égard, déclare un rédacteur. Leur degré d'humanité varie, mais certaines sont impitoyables. Chez X, par exemple, si un rédacteur présente par deux fois à son supérieur des annonces qui ne plaisent pas à celui-ci, il peut s'attendre à être mis à la porte la troisième fois. Chez Y, ils sont bien connus pour transférer les gens dans d'autres villes ou en Europe, pendant quelques années. Le type se déracine, déracine sa famille et aide l'agence à mettre sur pied son nouveau bureau de Pago-Pago. Puis le jour de son retour à New York, si la direction n'a pas de poste à lui proposer, elle le met sur l'heure à la porte. Certains employeurs se fichent du nombre d'années que vous avez consacrées à leur rendre de bons et loyaux services. La situation évolue trop rapidement. Nous dépendons des événements de l'heure. Dès que l'agence pense qu'elle peut se passer de vous, elle vous jette aux orties. »

Les agences travaillent à partir de budgets plutôt restreints.

Elles ne peuvent se permettre de garder des gens à demi productifs comme les autres grosses compagnies. Un employé
d'une trentaine d'années, d'une compétence exceptionnelle, remarque : « Vous ne voyez pas beaucoup de gens âgés dans le
métier. Ils s'épuisent, abandonnent ou sont mis à la porte avant
de pouvoir devenir de vieux sages. Nous avons dix ans, peut-être
quinze, pour réaliser tout ce que nous voulons réaliser. Bien sûr,
l'expérience et les succès accumulés comptent. Mais ils peuvent
aussi vous faire du tort. Pourquoi une agence paierait-elle un
type de quarante-cinq ans pour travailler dans les tranchées,
alors qu'elle peut avoir un gamin affamé pour la moitié du prix ?
C'est pourquoi vous devez vous dépêcher avant qu'il ne soit
trop tard. »

Charles Fredericks, ancien président de Wells, Rich, Greene,
aujourd'hui à Waring & LaRosa observe : « Vous devez vous
assurer qu'en atteignant trente-cinq ans, vous êtes sur le chemin qui mène tout droit à la haute direction. Peut-être pas dans
l'agence qui vous emploie actuellement, mais quelque part.
Vous ne pouvez demeurer gestionnaire intermédiaire jusqu'à
cinquante ans. Vous serez trop vulnérable. »

Donc, la seule sécurité consiste à atteindre les hautes sphères
de la direction. Même si un dirigeant est responsable de la perte
d'un compte important, il n'en subit jamais les conséquences. Il
demeure bien tranquille dans son bureau d'angle, tandis que les
fantassins qui ont suivi ses ordres sont fusillés.

Le directeur du personnel d'une agence ajoute : « Les jeunes
peuvent se débrouiller s'ils sont licenciés. Ils sont résistants et
ne coûtent pas cher. Mais les plus vieux qui échouent avant
d'atteindre le sommet vivent des moments atroces. J'en vois
constamment passer, des types de cinquante ou cinquante-cinq
ans, parfois plus jeunes. Ils doivent payer une grosse hypothèque, les études universitaires de leurs enfants, etc. Ils arrivent
aux entrevues et sollicitent, d'un air confiant, le salaire qu'ils
gagnaient précédemment. Mais on peut lire le désespoir dans
leurs yeux et on finit par s'apercevoir qu'ils sont sans emploi
depuis plus longtemps qu'ils ne veulent l'avouer. Au bout d'un
moment, ils se mettent à trembler et déclarent qu'ils seraient
d'accord pour négocier leur salaire. Finalement, ils se disent
prêts à travailler pour rien. Et ils se mettent alors à pleurer. »

Dans cette course contre la montre, la stratégie la plus courante est de sautiller d'une agence à l'autre. Les premières années, notamment, se passent dans un grand nombre d'agences

différentes. Même s'il existe des employés attachés à une compagnie, dans la publicité on prend plus ou moins pour acquis
que tout le monde est ouvert à une proposition plus avantageuse.

Si des gens sont licenciés lorsque des comptes sont perdus,
d'autres sont embauchés lorsque des comptes sont obtenus.
Dans les minutes qui suivent l'annonce de l'ouverture d'un gros
compte, les curriculum vitae se mettent à circuler, les chasseurs
de têtes entament des appels téléphoniques mystérieux. Vingt
emplois sont supprimés dans une agence, vingt emplois sont
créés dans l'agence concurrente. D'autre part, les agences se
livrent à une concurrence féroce lorqu'ils s'agit d'appâter les
gens talentueux, car le talent est le seul produit qu'elles aient à
vendre. Elles se volent sans scrupules des employés. Les gens
qui sont sollicités voient leur salaire gonfler, toujours gonfler,
encore gonfler, au fur et à mesure qu'ils passent d'une agence à
l'autre.

Dans la publicité, le marché de l'emploi est plus qu'actif, il
est effréné. «Nous modifions notre annuaire interne tous les
trois mois, dit un chef du personnel. Et aussitôt que le nouveau
est imprimé, il est déjà dépassé.»

Chiens perdus sans collier

Bien que les Américains soient nourris de publicité depuis
leurs premières minutes de vie consciente, très peu d'entre eux
grandissent dévorés par l'ambition de rédiger un jour une meilleure annonce pour de la cire à parquet ou de voler le compte
Ford à J. Walter Thompson.

Si vous demandez à un publiciste comment et pourquoi il
s'est orienté vers ce métier, il vous répondra: «Par hasard, c'est
arrivé comme ça... Je ne savais pas quoi faire et on a eu l'air de
me trouver utile...» Presque personne ne débute sa vie professionnelle en essayant d'entrer dans la publicité. Parmi les personnes citées dans ces pages, et leurs collègues, se trouvent un
ancien étudiant en droit, un ancien étudiant en médecine, un
ancien animateur de programmes de disques, un ancien professeur, un ancien journaliste, un ancien mannequin de mode, un
ancien officier des services militaires de renseignement, un fanatique des pentes de ski, devenu respectable et même un ancien prêtre. «La publicité est bourrée de gens à tout faire», dit
un cadre supérieur de comptabilité que les antécédents de con-

duite d'un camion de livraison incitèrent à s'intéresser à la publicité.

Une directrice artistique considère cette diversité d'antécédents comme l'une des raisons majeures de la frustration latente qui est sensible dans les agences. Elle déclare : « Beaucoup de gens ici aimeraient être occupés à autre chose. Les chefs comptables parlent de devenir chefs d'entreprise, un tas de directeurs artistiques sont sûrs qu'ils feraient de bons peintres, de bons décorateurs ou de bons photographes. Les rédacteurs sont souvent des romanciers, des poètes ou des scénaristes manqués. Les producteurs aiment s'imaginer qu'ils pourraient être en train de tourner des films ou qu'ils sont faits de l'étoffe dans laquelle on taille les réalisateurs de Hollywood. Peut-être ont-ils déjà essayé de réaliser leurs ambitions, pour se rendre compte qu'ils ne possédaient ni le talent ni la chance nécessaires ? Aussi, ils échouent en publicité, là où ils pourraient accomplir des tâches relativement proches de celles dont ils rêvent. »

Les agences ouvrent les bras à toutes sortes de personnages inattendus. Ce milieu est une étrange mosaïque de qualifications et de personnalités apparemment incompatibles, qui sont réparties en quatre départements, lesquels travaillent en collaboration vigilante, parfois inconfortable. La tension est souvent palpable. Mais c'est une des raisons pour lesquelles les publicistes adorent leur métier.

« Ce que notre métier a de plus beau, déclare James Kuras, vice-président de McCann-Erickson, c'est cette diversité de gens qui le composent. Les Japonais disent que sans confrontation, il ne peut y avoir créativité. C'est vrai. Dans une agence, vous rassemblez une gamme incroyablement étendue de talents et d'opinions autour d'un seul problème. Mais en raison de la nature diverse et éclectique de notre personnel, il y a souvent des pots cassés, et c'est bon signe. Nous avons ici toutes les sortes de gens possibles : les lutteurs, les débrouillards, les négociateurs, les exhibitionnistes, les taupes introverties, les techniciens, tout ce que vous voulez. »

Étudions donc ces personnages, département par département. Plus ils sont différents, plus ils se ressemblent.

À travers le miroir

Huit maîtresses de maison sont assises autour d'une table de conférence dans un petit édifice administratif à la sortie de

Winfield, en Illinois. Elles parlent de lessive. Un homme, envoyé par une agence de New York, préside au débat. Un microphone est placé en face de chaque dame et un grand miroir orne le mur. De l'autre côté du miroir, entassées les unes contre les autres dans un petit réduit obscur, se tiennent six autres personnes de l'agence. Depuis deux heures et demie, elles observent nos maîtresses de maison à travers le miroir sans tain. Elles écoutent chaque mot retransmis par un vieux haut-parleur grinçant.

Il s'agit d'un groupe « d'intérêt spécial », l'un des nombreux outils du département des études de marché d'une agence de publicité moderne. Les études de marché sont la fenêtre des professionnels de la publicité sur l'univers des gens authentiques. Les spécialistes disposent de tests, d'enquêtes et de méthodes « scientifiques » pour découvrir tout ce qu'un publiciste doit savoir de son marché. Ils savent donc ce que la plupart des gens recherchent dans un adhésif pour prothèse dentaire, ils savent quel pourcentage de maîtresses de maison, dont le revenu se situe entre 10 000 et 15 000 dollars, sont satisfaites de leur cire à bois actuelle. Ils peuvent discerner très précisément les différences de revenu et de mode de vie entre des familles qui consomment en moyenne 1,4 kg de croustilles de pommes de terre par année et d'autres qui en consomment 3,6 kg.

« Il n'est pas un rouage du mécanisme de la publicité et de la commercialisation qui échappe à nos tests, dit un spécialiste des études. Nous pouvons obtenir des réponses à l'échelle nationale, de la part des consommateurs, sur un produit, de même que sur la publicité dont il fait l'objet, à partir du moment où il n'est qu'une idée jetée sur une carte-éclair, jusqu'à son emballage, sa distribution sur le marché et la présentation des annonces. Ce que nous apprenons à chaque stade nous aide à concevoir plus intelligemment l'opération suivante. » Après tout, des compagnies comme General Foods et Procter & Gamble ne dépensent pas insoucieusement leurs millions. Elles prennent des décisions en lisant des chiffres, non par intuition. Les études de marché, qu'elles émanent d'agences de publicité ou de compagnies spécilisées fournissent des preuves, des idées et des montagnes de chiffres.

« Les spécialistes des études de marché sont ce que j'appelle des « grosses têtes », dit Ed Rosenstein, directeur des études de marché auprès de Compton Advertising, et l'un de ces spécialistes qui n'est pas coulé dans le même moule que les autres. Ils sont souvent pédants et se conduisent comme des professeurs. Ils marmonnent des choses incompréhensibles dans leur jargon. Ils sont des psychologues chargés d'interpréter ce qui se passe dans la tête des consommateurs. »

Les spécialistes des études de marché débutent dans le métier en établissant des tableaux à partir de données extraites des questionnaires. Ils n'en finissent jamais de cocher et de recocher, afin de déterminer combien de répondants ont aimé tel ou tel dentifrice parce qu'il était vert, et combien d'autres l'ont aimé parce qu'il était parfumé à la menthe. Puis, ils sont capables de confectionner des tests et des questions destinés à répondre aux interrogations des clients et aux besoins des agences. L'étude de marché présente un certain caractère scientifique. Les spécialistes ont mis au point des normes relatives aux méthodes qu'ils jugent acceptables. Ils publient des journaux professionnels érudits qu'ils sont les seuls à pouvoir comprendre. L'exécution d'études de marché peut être considérée comme une profession à part entière, dans la mesure où une branche de la publicité peut être considérée comme telle.

« Je suis la conscience de l'agence, dit Rosenstein. Je ne vous laisserai pas jouer avec nos données. Les résultats de ces tests peuvent valoir 34 millions de dollars et je ne vous laisserai pas toucher un seul chiffre. »

L'étude de marché souffre d'un manque de fonds chronique. C'est un département de services, non une source de profits. « Je n'ai jamais vu un seul projet d'étude recevoir le budget qu'il méritait, déplore une spécialiste connue pour son esprit analytique très précis. Lorsque les clients veulent économiser, c'est nous qui voyons nos ressources diminuer. Mais ils finissent toujours par payer le prix, en incertitudes, demi-connaissances. »

Les études ont pour objet d'accroître la qualité et l'efficacité de la publicité. Parfois on les dévalorise, parfois on les ignore, parfois on les craint. En dépit de l'étalage technologique, leurs objectifs sont très humains. « Il faut que vous soyez fasciné par les gens, déclare un autre spécialiste. Tout se rapporte à l'animal humain. Il s'agit de découvrir ce qui incite les gens à agir, à saisir sur les rayons un produit plutôt qu'un autre. Le comportement du consommateur n'est pas arbitraire. Les gens achètent tel ou tel produit pour telle ou telle raison, même s'ils n'en sont pas conscients eux-mêmes. Notre travail consiste à découvrir ces raisons. Croyez-moi, c'est un art plutôt qu'une science. »

Bien que les membres des départements artistiques allèguent souvent que l'étude de marché entrave ce qu'ils considèrent comme leur liberté d'expression, c'est fréquemment l'étude qui est la clef d'un travail efficace. « Notre but est de mettre les sections artistiques sur la voie ouverte par nos études, ajoute Rosenstein. Les meilleurs du groupe comprennent parfaitement ce que cela signifie. Ils viennent s'asseoir en face de la personne qui a exécuté l'étude, pour la prier de leur dire tout ce qu'elle sait de tel ou tel consommateur. Ainsi, nous pouvons les mettre au fait, les aider et leur fournir les connaissances dont ils ont besoin pour que les idées puissent leur venir à l'esprit. »

Naissance laborieuse des étincelles divines

Le département artistique crée la publicité, soit les mots et les images des annonces publicitaires.

Les employés de ce département peuvent être répartis en trois catégories distinctes : les rédacteurs, les directeurs artistiques, les producteurs de télévision. Les rédacteurs ont des pupitres, des machines à écrire et des dictionnaires. Les directeurs artistiques ont des tables à dessin, des stylos feutre et des livres de tous les types de composition. Ce que les producteurs ont n'a aucune importance étant donné qu'ils sont toujours à l'extérieur, occupés à régler les mille et une difficultés de la production des annonces publicitaires à la télévision.

Il y a environ vingt ans, la publicité est devenue, non sans difficultés, « artistique ». On accola par paire rédacteurs et artistes qui furent chargés de « conceptualiser ». La publicité avait besoin de se doter de l'aura mystique d'une activité véritablement artistique.

« Mon collègue et moi ne sommes rien l'un sans l'autre, nous dit un rédacteur expérimenté. Je ne veux pas dire que je suis le mot et qu'il est l'image, car parfois, c'est lui qui trouve le mot et moi l'image. Mais c'est sans importance. La conception naît de nos deux esprits réunis. C'est le processus chimique qui a lieu entre nous qui crée la publicité. »

Les idées sont leur métier. Ils doivent produire un flux ininterrompu de manchettes impressionnantes, d'effets visuels percutants, de scénarios télévisés, de compositions graphiques, de couplets publicitaires. Jour après jour, pour des automobiles, des biscuits secs et des détergents. Pour des pneus, des tampons hygiéniques et des montres. Tout doit être frais, excitant, neuf. Pour vendre, vendre, vendre.

Admettons que les études de marché révèlent que 90 pour cent de la bière consommée ne l'est que par 10 pour cent de tous les buveurs de bière. Il ne s'agit là que d'une donnée intéressante, jusqu'au moment où quelqu'un fabriquera le slogan suivant: Schaeffer, la seule bière de ceux auxquels un p'tit coup ne suffit pas.

« Je peux apprendre la rédaction à n'importe qui, déclare Ed McCabe, président et cofondateur de Scali, McCabe, Sloves, et l'un des génies artistiques du métier. Mais je ne peux apprendre à penser à personne. La rédaction n'est pas tout. Les meilleurs rédacteurs ont une manière saisissante de présenter leurs idées avec simplicité. Cela consiste, à mon avis, à posséder la capacité de cerner une notion avec une telle clarté, que les mots finissent par s'imbriquer tout naturellement les uns à la suite des autres. Le secret, c'est d'élaguer toutes les notions superflues qui compliquent le travail et d'écrire ce qui vous vient à l'esprit. Il n'est pas vraiment nécessaire de posséder un don pour cela. Il faut surtout travailler dur et être doté d'un esprit très clair. »

Des douzaines de traités ronflants ont été rédigés sur la magie de la « création artistique ». Mais l'un des directeurs artistiques a une vision très humaine de la situation: « Vous vous promenez toute la journée en gardant tel ou tel produit à l'esprit. Parfois, vous en avez pour des semaines avant que soudain, l'idée surgisse. Qui sait d'où elle vient ! Probablement de toutes les futilités que vous emmagasinez dans votre esprit : des faits inutiles, des clichés, des banalités, n'importe quoi. Votre cerveau revient en arrière, fouille dans tout cet amalgame jusqu'à ce que la combinaison parfaite émerge. C'est ce que nous faisons ici la plupart du temps, nous fouillons. »

La publicité fait appel à une perspicacité profonde. « Mon travail est d'inciter les gens à se lever pour aller chercher une bière au moment où les annonces publicitaires apparaissent sur l'écran, dit George Lois, de Lois, Pitts, Gershon, l'un des artistes de la publicité les plus communicatifs de ces vingt dernières années. Et la seule manière d'y parvenir est de réveiller les gens. Je dois m'y prendre d'une manière apparemment extravagante mais qui, en réalité, est parfaitement en harmonie avec la nature du produit. Pourtant, cela ne suffit pas. Si tel était le cas, les diplômés de l'école de gestion de Harvard seraient capables de créer des annonces publicitaires. Non, il faut posséder un certain sens théâtral, il faut découvrir une idée pleine de sous-entendus, qui doit être exprimée par des mots, des images mémorables.»

Le résultat, soit l'idée qui vend vraiment la marchandise, peut modifier les habitudes d'un pays entier. Les idées fructueuses rapportent des millions aux clients et aux agences. C'est pourquoi on laisse souvent aux artistes la bride sur le cou dans certains domaines.

On leur permet d'être excentriques et on s'attend même qu'ils le soient. Leur tenue vestimentaire est celle de leur choix. Baskets et blue-jeans constituent l'uniforme de l'artiste. Les rédactrices et les directrices artistiques arborent impunément des toilettes affriolantes et flamboyantes, ainsi que toutes sortes d'affiquets en général dédaignés des femmes d'affaires habituelles. C'est une des manières d'extérioriser leur « créativité », et même les clients les plus rassis le tolèrent.

Un rédacteur raconte qu'il avait l'habitude de revêtir un costume à fines rayures les jours où il devait assister à des réunions en compagnie des dirigeants d'un grand conglomérat. Étant donné qu'il préparait une importante campagne pour ce client, il désirait produire l'impression la plus favorable possible. Malheureusement, il lui arriva un jour d'être convoqué à l'une de ces réunions alors qu'il portait des blue-jeans. Après que les plaisanteries se furent calmées, l'un des vice-présidents de la compagnie cliente le prit à part et lui dit: «Ça fait plaisir de vous voir enfin ressembler à un rédacteur. Nous commencions à avoir des doutes à propos de votre créativité. »

Mais la liberté n'est que l'attrait superficiel de cette profession. Ce qui transporte le plus un rédacteur, c'est de voir ses idées se concrétiser. «C'est ce que le métier a de plus fantastique, explique l'auteur de plusieurs campagnes publicitaires mémorables. Comme dans le monde du spectacle, on voyage, on réalise des films, on photographie des mannequins et on enregistre de la musique. Puis, votre travail apparaît sur un écran de télévision, vos annonces se retrouvent dans les meilleurs magazines nationaux. Exactement comme dans le monde du spectacle. Parfois, j'ai du mal à comprendre que l'on puisse me payer autant pour faire ce que je fais. »

Bien sûr, le monde de la publicité et le monde du spectacle présentent quelques différences majeures. Il est bien rare d'entendre un quidam s'exclamer: «Écoutons un poste AM, il y a tant d'annonces!» La publicité, pour la plupart d'entre nous, représente l'un des ornements inévitables du paysage capitaliste.

Les artistes sont pris dans un curieux engrenage. Pour produire des annonces plus fraîches, plus originales et plus perspicaces que jamais, ils doivent être farouchement indépendants, profondément sensibles et terriblement doués. Mais pour survivre dans la profession, ils doivent démontrer des talents de lutteurs bureaucratiques. Ils doivent être durs, agressifs et incroyablement peu susceptibles.

Ils rivalisent sur le sable de l'arène la plus immatérielle et la plus subjective: celle des idées. Ils peuvent accepter, rejeter, modifier et même voler des idées à leur guise. Un directeur artistique d'une grande agence nous a décrit cet événement fréquent: «Le rédacteur et le directeur artistique se présentent à la réunion munis d'un grand conducteur visuel. Tout le monde peut voir qu'ils ont brillamment résolu leur problème de commercialisation. Pourtant, le patron commence à disséquer leur travail, lambeau par lambeau. En quelques secondes, il l'a déchiqueté, complètement massacré. Il parvient à séparer l'idée de la manière dont ils l'ont traitée. Il n'en fait qu'une idée qui se promène au hasard. Cependant, le lendemain, vous la retrouvez dans une annonce qu'il a lui-même rédigée. Elle n'est pas aussi bonne que la précédente, mais c'est elle qui sera produite. Et c'est lui qui recevra tous les éloges pour avoir réussi à se tirer aussi intelligemment d'un aussi mauvais pas.»

Les artistes doivent être résistants. Un autre directeur artistique déclare: «Le gaspillage fait partie intégrante de l'éthique publicitaire. Entre 80 et 95 pour cent de ce que vous créez meurt. Si les patrons ne le tuent pas, ce sont les clients qui s'en chargent. Et si les clients ne le font pas, ce sont les études de marché qui réduisent votre oeuvre à néant. Oui, il faut produire, encore produire, toujours produire.»

Le rayon des cravates

Tandis que les artistes attisent la flamme publicitaire, quelqu'un doit veiller aux questions plus terre-à-terre. C'est au département de gestion des comptes que cette tâche incombe. Parfois, les artistes qualifient moqueusement ses membres de «costumes» (suits), car leur vêture correspond à celle des gens d'affaires traditionnels.

Les gestionnaires des comptes sont difficiles à distinguer de leurs clients. En fait, la navette est fréquente entre les titulaires des postes de commercialisation des compagnies clientes et les titulaires des postes de gestion de comptes de l'agence publicitaire. Les aptitudes recherchées sont identiques. La seule différence est que dans un cas, vous recevez le service, dans l'autre, vous l'offrez.

« Le gestionnaire des comptes, dit Robert Bruns, président de Ted Bates, l'agence numéro cinq, est celui qui rend visite au client pour apprendre le maximum de choses sur son problème. À son retour, il explique ce qu'il a appris à tous les spécialistes que compte l'agence. Il doit posséder des connaissances suffisantes pour évaluer le travail accompli dans chaque spécialité. Il rassemble tous les travaux en un tout cohérent qu'il retourne vendre au client. »

Les gestionnaires des comptes sont donc les agents de liaison avec les organismes clients. Ce sont les généralistes de la publicité. Bien qu'ils n'exercent pas d'autorité directe sur les spécialistes, ils sont responsables du succès des travaux de ces derniers. Les autres départements rencontrent les clients lorsqu'on les a chargés de missions précises, mais les gestionnaires des comptes les rencontrent tous les jours, à propos de tout. Ils exercent leurs talents de diplomates aux deux extrémités, interprétant ce que le client attend de l'agence et ce que l'agence recommande au client.

« Le gestionnaire des comptes doit jouer sur les deux tableaux, estime Bruce Crawford, de BBDO. Le mot « manipulation » possède une connotation péjorative, mais on peut dire que les hommes politiques sont des « manipulateurs ». Parfois, il s'agit d'une activité négative, mais parfois aussi d'une activité positive. Cela s'applique également au gestionnaire des comptes. Il doit faire appel à toutes les ressources de l'agence, de manière à en faire profiter son lien. Il doit cependant garder à l'esprit les intérêts de l'agence : il doit s'assurer que le compte est profitable, que nos ressources et notre temps ne sont pas gaspillés. Il doit avoir affaire à tous les spécialistes internes et s'attirer leur respect. Il doit être également assez ferme pour prendre des initiatives dans les bureaux du client. »

Une anecdote professionnelle décrit en quelques mots la position du gestionnaire des comptes : un rédacteur et son client argumentaient sur les mérites d'une annonce proposée. Puis, ils se retournèrent vers le gestionnaire des comptes pour lui demander de les partager. Celui-ci hésita un instant avant de répondre: «Euh... je penche fortement en faveur de vos deux points de vue...»

Les gestionnaires des comptes ploient sous les blâmes des deux extrémités, mais aussi sous les critiques de leurs supérieurs et subalternes. Ceux qui font preuve de faiblesse et d'inefficacité deviennent rédacteurs des listes chargées de rappeler aux employés de l'agence les corvées qui doivent être achevées avant la prochaine réunion ou présentation. Les gestionnaires des comptes acquièrent une réputation de béni-oui-oui en présence du client. La raillerie la plus méprisante dont ils sont l'objet de la part des autres départements est la suivante: «J'aime bien ces types des comptes, mais je ne sais jamais quel pourboire leur donner.» Leur travail n'est pas entièrement étranger à cette vision des choses. Leur mission consiste bien sûr à faire le bonheur du client, tout en continuant de faire clicailler les 15 pour cent dans les coffres de l'agence. Il faut donc démontrer des aptitudes différentes, face à des clients différents. Certaines compagnies se reposent lourdement sur leurs agences qui les guident et dirigent le travail. Pour les satisfaire, le gestionnaire des comptes doit se montrer à la hauteur de leurs espérances. Mais d'autres clients traitent les agences comme des garçons de café. Pour les satisfaire, il suffit d'obéir aux ordres.

«Ils doivent posséder de bonnes antennes, dit un vice-président général d'une agence. Ils doivent être capables de réunir des données sur l'organisme client. Ils doivent savoir quelles en sont les forces motrices et quelles sont les lignes directrices en vigueur. Ils doivent déterminer dans quelle mesure leur travail sera influencé par ces considérations. Ils doivent dire au client ce qu'il a envie d'entendre et ce pour quoi il est prêt à payer. Par-dessus le marché, ils doivent guider correctement les personnes de l'agence.»

Le gestionnaire des comptes remplit une grande variété de rôles à l'intérieur de l'agence: il est policier, amant, négociateur et, si nécessaire, négrier. «Il doit être prêt à tuer son client, déclare Charles Fredericks de Waring & LaRosa. Il n'y a jamais assez de temps ou assez de gens dans ce métier. Le gestionnaire des comptes qui peut persuader les autres employés à travailler sur les affaires de son client réussira dans la profession. Il doit fournir des idées et encourager l'expansion du client. Il ne suffit pas d'être commerçant, de simplement produire les annonces. Les gens qui montent dominent les événements. En dépit des difficultés, ils sont capables d'influencer l'orientation des affaires du client. »

Malgré ce rôle de cheville ouvrière, le gestionnaire des comptes doit aussi se contenter de placer ses collègues en vedette. « Les meilleurs acquièrent une solide réputation, dit James Kuras, de McCann. Tout le monde, dans l'agence et la compagnie cliente, les complimente sur leur travail. L'aspect le plus spécial de leur métier est cette capacité de jouer au chef d'orchestre : diriger le travail des artistes, des agents du département des médias, des spécialistes d'études de marché, des comptables et du client. Ils doivent motiver les gens et faire en sorte qu'ils soient loués pour ce qu'ils réalisent. La récompense consiste à se tenir dans les coulisses et, tandis que les autres saluent le public depuis la scène, à se dire : c'est moi qui ai fait tout cela. Mais l'astuce, c'est de faire croire aux autres qu'ils sont réellement responsables. Même si vous avez suggéré l'idée aux artistes ou que vous l'avez extraite de leur esprit, c'est eux qui doivent recevoir les louanges. Voilà comment travaillent les meilleurs gestionnaires des comptes, et voilà pourquoi tout le monde les apprécie. » Mais oui, il existe bien quelques rares élus.

La plus grande frustration causée aux gestionnaires des comptes est peut-être l'incapacité de faire autre chose que ce qui leur est recommandé. Dans le meilleur des cas, ils jouent le rôle de conseillers. C'est le client qui a le dernier mot. « Le côté désagréable du travail, se souvient Bruce Crawford, qui fut lui-même gestionnaire des comptes, est que vous ne décidez jamais vous-même de ce que l'on doit recommander au client. Les artistes et la haute direction de l'agence prennent en général cette décision. C'est pourquoi, étant donné la nature de votre relation avec le client, vous avez l'impression de ne jamais pouvoir agir directement. Un gestionnaire des comptes doit être d'une grande ingéniosité, s'il veut pouvoir être responsable de certaines réalisations. »

Cependant, il sera tenu pour responsable du succès ou de l'échec d'une chose sur laquelle il n'aura pas d'incidence directe : le produit du client. D'autre part, il dépend continuellement du bon vouloir dudit client. On se sent constamment sur la sellette en présence du client, déclare un gestionnaire des comptes. Bien sûr, les longs déjeuners d'affaires d'autrefois ont tendance à disparaître. Mais c'est nous qui sommes chargés d'inviter, le cas échéant, et nous en ressentons une véritable tension. Le bon vouloir est aussi essentiel qu'un bon travail. Dans ce métier, vous vous vendez tout autant que vous vendez votre point de vue. Et un type qui ne vous aime pas ne vous achètera pas. »

Dans une guerre au cours de laquelle les clients changent perpétuellement de camp, les gestionnaires des comptes opèrent à l'endroit le plus visible et le plus vulnérable : la ligne de tir.

Les médias : véhicules du message

Chaque programme que vous regardez, chaque publication que vous lisez font l'objet d'études destinées à prouver (ou tout au moins à promettre) combien et quel type de gens regardent ce programme ou lisent cette publication. Car la raison d'être des médias n'est ni de divertir ni d'informer, mais d'attirer les annonceurs. La télévision, la radio, les magazines et les journaux sont les véhicules qui livrent, pieds et poings liés, les membres du public retenus prisonniers par le contenu des programmes ou la teneur des articles.

Combien de buveurs de bière regardent *Monday Night Football* ? Combien de lectrices de *Cosmopolitan* achètent volontiers des collants à 3 dollars ? Si l'on dispose de 120 000 dollars à consacrer à la publicité, vendra-t-on plus de calculatrices en insérant six pages entières d'annonces dans *Time* ou une annonce de trente secondes au coeur de *60 minutes* ? Les experts des médias découvrent les réponses à ces questions et à d'autres, plus complexes. Ils vivent dans un monde de statistiques, de formules, de graphiques et de tableaux. Ils évaluent les nombres, comparent les objectifs de commercialisation avec les budgets publicitaires. Ils analysent, extrapolent, projettent et font tout leur possible pour découvrir un moyen d'utiliser l'argent du client, de manière que le message soit transmis au groupe pertinent de consommateurs.

Il est facile de reconnaître un agent du département des médias : toutes ses phrases commencent en général par : « l'ordinateur a dit que... » Autrefois, on considérait ce département comme un service de gratte-papiers. Bien sûr, certaines tâches exigent encore de la minutie et la paperasserie est importante. Étant donné qu'on exige rarement des stagiaires du département, des compétences mathématiques supérieures à la compréhension de l'arithmétique pure et simple, nombreux sont ceux qui l'ont utilisé comme tremplin pour se diriger ensuite vers la gestion des comptes. Cette attitude est compréhensible car pendant les premières années, le travail est souvent mortellement ennuyeux.

Comme partout dans l'agence, les gens sont pressés d'obtenir des postes intéressants. «Les gens s'épuisent ici», affirme un jeune homme à qui il ne manque plus qu'un échelon à gravir pour se retrouver au sein de la direction. «Tous ces travaux de détail! Bien sûr, nous utilisons de plus en plus les ordinateurs pour filtrer les nombres, mais on ne peut échapper à certaines questions idiotes. Les clients font appel à vos compétences et s'empressent ensuite de les ignorer. «Pourquoi ne sommes-nous pas passés dans *The New Yorker*,» vous demandent-ils? Parce que nous avons, pendant des années, analysé des données qui démontrent que nous disposons de moyens moins coûteux et plus efficaces de toucher vos clients, répondez-vous. «Mettez quand même un annonce dans *The New Yorker*», s'entêtent-ils. Vous obéissez, car après un certain temps, tout vous est égal. Ces choses arrivent constamment. La seule solution consiste à bien maîtriser le détail et à conserver votre intérêt en éveil pour vous détacher de ces difficultés.»

«Vous devez donc faire appel à votre intuition en vous débattant avec les chiffres», explique Jules Fine, vice-président général, chef du département des médias et des services de commercialisation à Ogilvy & Mather. «Vous regardez les colonnes et vous pensez: voilà qui a un sens pour moi. Combien le client devrait-il dépenser en annonces sur les chaînes locales et combien devrait-il dépenser sur les réseaux nationaux? Vous classez les zones de vente selon leur potentiel pour tel ou tel produit. Vous faites correspondre les chiffres relatifs aux médias avec les chiffres relatifs aux consommateurs. Lequel de ces cinq magazines devrais-je acheter? Voici les coûts par millier (de consommateurs), voici donc mon groupe cible. Comment dois-je m'y prendre? Oui, une affinité avec les données numériques est indispensable, mais les décisions relèvent de l'intuition.»

L'idée que les agents du département des médias sont des citoyens de second rang disparaît peu à peu. Grâce à l'ascension de nouvelles technologies telles que la câblovision, les magnétoscopes à cassettes, les ordinateurs de foyer, Teletex, les disques et les stations de télévision à faible consommation énergétique et autres, le département des médias se retrouve de plus en plus souvent sous les feux de la rampe, chargé d'expliquer ce que signifient toutes ces innovations. Lorsque les rédacteurs et les directeurs artistiques devront apprendre à créer les premières annonces destinées aux terminaux d'ordinateurs de foyer, ils s'adresseront au département des médias.

L'étoile des médias monte à une vitesse encore jamais vue. Les dirigeants du département jouent de plus en plus le rôle de généralistes de la commercialisation et abandonnent leur ancien rôle de spécialistes cantonnés dans un domaine limité. Ils deviennent les conseillers écoutés des clients et des personnes les plus haut placées de l'agence.

Le mât de cocagne

Chercheurs pointilleux, artistes capricieux, statisticiens touche-à-tout, vendeurs-diplomates anxieux, les agences publicitaires sont composées d'éléments dont la combinaison semble avoir atteint le seuil critique d'une explosion gigantesque. Mais bien que ce genre d'événement ait déjà été constaté, il se dégage, en général, du mélange, une frénésie d'activité, toute l'énergie thermique superflue qui accompagne la création des annonces publicitaires.

Même lorsque tout le monde essaie de travailler en équipe, les conflits et les rivalités empestent l'air. Chaque département est convaincu qu'il accomplit le travail le plus important. Chacun se sent malmené et lésé par l'autre. Les gestionnaires des comptes sont accusés de «vendre» à des clients stupides et arrogants, les artistes sont considérés comme des égocentristes infantiles qui refusent de se laisser guider par le jugement sain des hommes d'affaires. Les départements des études de marché et des médias sont purement et simplement ignorés jusqu'au moment où on prend les armes contre eux, car leurs réponses objectives ne sont pas agréables à entendre. Ensuite, ils sont de nouveau ignorés. Et le mouvement est continu, sans trêve.

Entre les départements et au sein même du département, les gens se battent pour obtenir le pouvoir, l'influence et leur part des éloges. Chacun désire travailler sur un meilleur compte, faire l'objet d'un meilleur budget, obtenir un meilleur emploi dans une autre agence. Et c'est à l'heure du déjeuner que tous cherchent à réaliser ces ambitions. Car le plafond peut s'écrouler à tout moment, soit en raison d'une réorientation de la politique de l'agence, soit à la suite de la perte d'un gros compte.

Comment naviguer dans ces eaux tumultueuses, faire face aux imprévisibles lames de fond? «Ce qu'il vous faut tout d'abord, déclare un directeur artistique qui émarge 125 000 dollars, c'est la foi en votre instinct et en votre point de vue. En définitive, il ne vous reste rien d'autre. Ce métier repose entièrement sur des points de vue, il est immatériel et subjectif. Si vous fabriquez des roulements à billes, vous savez exactement combien vous en avez produits, vous connaissez leur qualité et vous savez combien vous en avez vendus. Mais dans la publicité, tout est fonction des opinions et des goûts personnels. On juge les résultats en fonction de prévisions élaborées artificiellement. Nos compétences de vendeurs sont tout ce que nous avons à vendre.»

C'est pourquoi les gens qui brillent en publicité font plus que maîtriser la spécialité de leur département. Ils la transcendent. «Plus vous montez, affirme un agent haut placé du personnel, plus vous vous éloignez du travail du publiciste. Il est possible que vous obteniez de l'avancement parce que vous êtes un bon rédacteur ou un planificateur exceptionnel, mais ces compétences ne comptent plus lorsque vous avez atteint les hautes sphères. C'est votre capacité de diriger de gros effectifs, votre présence personnelle face au client et la confiance que vous lui inspirez qui acquièrent de la valeur. C'est ce qui fait toute la différence entre un homme de métier à 50 000 dollars et un cadre supérieur à 150 000 dollars. «La difficulté consiste à se frayer un chemin vers un poste où ces qualités ont des chances d'être mises en évidence.

Tout d'abord, la chance intervient dans la répartition des comptes. Certains comptes sont plus en vue que d'autres. Ceux qui grossissent sont plus favorables à l'avancement des personnes qui s'en occupent que ceux qui demeurent stationnaires. En outre, certains clients laissent aux publicistes plus d'initiative que d'autres. A ces considérations viennent se greffer les inévitables alliances personnelles au sein de l'agence et l'évolution constante du milieu de travail.

Il est évident que le publiciste doit entretenir constamment des rapports favorables avec les gens. «Bien que ce métier soit beaucoup plus intellectuel que le pense la majorité des gens, dit un cadre supérieur affecté à la gestion des comptes, il n'est certes pas fait pour des introvertis. Bien sûr, vous pouvez toujours réfléchir seul à votre problème dont la résolution constitue la raison d'être de l'agence. Mais la solution qui vous apparaît ne pourra être mise en pratique qu'avec la collaboration d'un grand nombre de gens. Tout pivote autour de la collaboration. »

La rapidité est un facteur essentiel de survie. «Vous devez être capable d'assimiler une énorme quantité de données différentes, dit Charles Fredericks de Waring & LaRosa. Mais vous devez aussi émettre pendant que vous recevez. Les clients veulent des réponses et ils les veulent vite. Les gens les plus doués travaillent sous des pressions extrêmes et traversent superbement ces moments effrénés. » Superbement ? Presque toutes les étoiles de la publicité ont des dons de cabotin. Un vétéran de vingt ans de la mise en scène publicitaire explique : «Jouer la comédie est un élément essentiel du processus de persuasion. Pensez donc comme il est important qu'un publiciste soit capable de présenter son annonce face à un public ! Le conducteur visuel soumis au client coûtera entre 60 000 et 100 000 dollars à produire et des millions seront nécessaires pour le faire passer sur les ondes. Vos dons d'acteur représentent une facture de millions de dollars en faveur de l'agence. Bien sûr, la matière compte, mais votre style et vos aptitudes face à un public ont beaucoup de valeur pour votre employeur. »

L'étoile de l'agence doit être un bourreau de travail. Écoutons un directeur artistique respecté : «L'agence me verse un salaire annuel, et ne me paye pas pour travailler de neuf à cinq. Elle paye pour que ma personne physique soit à sa disposition lorsque cela est nécessaire. Soit c'est l'état de crise, soit il faut donner un coup de collier pour respecter des délais impossibles, la journée de travail est trop courte. Aussi, je continue à travailler le soir, les fins de semaine, les jours de vacances, n'importe quand. » Le directeur général d'une autre agence déclare, à propos de ses heures de travail : «Je n'ai accompli aucun sacrifice pour en arriver là où je suis aujourd'hui. C'est ma famille qui s'est sacrifiée, pas moi. Mon travail absorbe tout de moi. »

L'épouse d'un cadre supérieur d'une agence considère cette passion d'un oeil plus détaché : «Oui, ils sont obsédés par leur travail, mais le contraire serait improbable. Ils voient partout les résultats de leurs efforts. Tout autour d'eux, chaque tendance, chaque mode y sont liés. Ils s'enorgueillissent d'être plus éclectiques et mieux informés que des comptables, par exemple, simplement parce qu'ils s'efforcent de se tenir au courant. Mais il ne s'agit que d'un aspect de leur travail. Tout ce qui les intéresse, c'est la publicité. »

La résistance, la dureté, l'agressivité sont absolument essentielles pour parvenir au sommet. «C'est un métier dans lequel vous passez de l'agonie à l'extase», dit un homme qu'un salaire de 130 000 dollars récompense de tous ces avatars. «Vous connaissez parfois ces deux sensations au cours de la même journée. La chance est si importante et il existe tant d'éléments indépendants de votre volonté, tant d'efforts sont gaspillés, des années de travail parfois, que si vous ne savez pas rebondir, vous finissez dans le caniveau.»

Un autre cadre supérieur remarque, à propos de la dureté et de l'agressivité: «Je ne crois pas que la publicité soit un métier plus diabolique qu'un autre, dans lequel la concurrence est aussi féroce. Il est simplement plus flou et plus subjectif. On ne peut déterminer exactement qui a fait quoi et on peut difficilement décerner les louanges à qui de droit. Les occasions ne manquent pas à qui veut faire preuve de méchanceté et de fourberie.»

«C'est vrai, vous devez être perspicace. Mais c'est celui qui parle qui a des chances d'être entendu et c'est en défendant vos droits que vous les protégez. Dans un métier dont la clef de voûte est la persuasion, la volonté peut être l'une des forces les plus persuasives.»

Depuis leur bouillon de culture professionnel, les publicistes vous expliquent comment les agences les paient suffisamment bien pour qu'ils pensent à prendre leur retraite plus tôt que dans les autres professions. La participation aux bénéfices, les plans d'achat d'actions et autres friandises sont souvent cités. Les salaires sont soit généreux, soit acceptables. Les chèques de paie des publicistes étaient autrefois plus élevés que ceux que recevaient des personnes qui occupaient des postes équivalents dans les compagnies clientes, mais les rémunérations globales sont aujourd'hui plus faibles ou, tout au moins, n'ont pas augmenté autant que dans d'autres secteurs. Néanmoins, la publicité permet aux gens de parvenir plus rapidement aux postes haut placés.

Dans un bureau de taille intermédiaire comprenant deux cents personnes (exception faite des commis et des secrétaires), une vingtaine de personnes reçoivent entre 50 000 et 70 000 dollars. Leur tranche d'âge se situe entre trente-deux et trente-huit ans. Environ dix personnes gagnent de 70 000 à 100 000 dollars. Cinq gagnent de 100 000 à 150 000 dollars. Dans ces deux dernières fourchettes, quiconque a dépassé quarante-cinq ans est considéré comme un vieillard. Et si certains des dirigeants de l'agence se trouvent dans le bureau, on comptera un ou deux salaires se situant entre 220 000 et 500 000 dollars. C'est ce que les présidents peuvent recevoir et il arrive que tous les petits extras les conduisent au-delà des sept chiffres. La plupart d'entre eux ont été désignés à ce poste avant d'avoir atteint quarante-cinq ans et, au jour de leur cinquantième anniversaire, ont depuis longtemps mis la dernière main à leur plan de retraite.

Certains travailleurs exceptionnels parviennent à entrer dans la catégorie des sept chiffres à trente-trois ou trente-quatre ans. Mais ils sont vraiment très rares. Le nombre important de strates hiérarchiques qui composent la plupart des grosses agences, maintient en général les employés sur les rails d'augmentations de salaire progressives, depuis les salaires de départ, qui peuvent être de l'ordre de 10 000 ou 20 000 dollars, pour les stagiaires du département des médias, et atteindre 25 000 dollars pour les gestionnaires des comptes diplômés en administration des affaires.

Chemin parcouru

Les femmes ont la vie plus belle dans la publicité que dans la plupart des autres industries.

La majorité d'entre elles estiment que le monde de l'agence est idéal pour permettre aux filles intelligentes et ambitieuses de progresser grâce à leur mérite. Les femmes sont nombreuses dans la publicité. Elles représentent une force reconnue depuis bien avant l'éclosion des mouvements féministes, et de plus en plus de femmes choisissent tous les jours d'entrer dans ce secteur. La population féminine des agences peut aller jusqu'à 50 pour cent de l'effectif total. *Ad Age* déclarait récemment que 10 pour cent de tous les postes de direction des agences étaient occupés par des femmes.

Une employée du département des médias déclarait à un journaliste: «Il n'y a rien d'extraordinaire à être une femme dans la publicité. Mon expérience a été totalement différente de celle de mes anciennes condisciples d'université qui se sont dirigées vers les banques et les grands cabinets d'avocats. Beaucoup d'entre elles font encore figure de pionnières et elles ont parfois des supérieurs qui se sentent mal à l'aise avec elles. Mais mon supérieur est une femme, son supérieur est aussi une femme. D'autres part, je crois que 40 à 50 pour cent de mes collègues de travail sont des femmes.»

La publicité a produit quelques-unes des histoires de réussites féminines les plus connues. Mary Wells Lawrence, la célèbre rédactrice qui peignit en fuschia les avions de la Braniff, fonda sa propre agence et devint la femme la mieux payée de l'univers professionnel américain, est l'exemple le plus évident. Mais la nature même de leur succès accentue deux nuages qui s'attardent à l'horizon.

Tout d'abord, les femmes ont pu percer dans les départements artistiques, des études de marché et des médias, mais n'ont que récemment pris position dans la gestion des comptes. D'autre part, les femmes ont la possibilité d'atteindre les postes de cadres supérieurs des agences, mais non les postes de la haute direction.

Les femmes firent d'abord leur chemin en qualité de rédactrices, grâce au grand nombre des produits destinés aux consommatrices. On les accueillit favorablement dans le secteur des études de marché et des médias, parce que la nature routinière du travail confié aux titulaires des postes subalternes ne faisait pas de ces titulaires les rivales des hommes. Mais la gestion des comptes était une tout autre affaire. Citons une surveillante du département de la gestion des comptes, qui n'a pas laissé l'herbe lui pousser sous les pieds: «La responsabilité revient en partie aux préjugés de l'agence et en partie aux préjugés des clients. Même si les agences se sont montrées libérales avant que cette attitude ne devienne courante, les compagnies clientes ont conservé leurs méthodes. Lorsqu'un client a l'habitude de traiter d'affaires sérieuses avec un homme, il est peu probable que l'agence lui envoie une femme...»

Mais les barrières traditionnelles de la gestion des comptes sont en train de s'effriter rapidement. Une grosse agence révèle que le tiers de ses gestionnaires des comptes est composé de femmes. Une autre déclare que les deux tiers de ses stagiaires en gestion des comptes sont aujourd'hui constitués de femmes. Bien qu'elles accèdent fréquemment aux postes de responsabilité dans les secteurs artistiques, des études de marchés et des médias, leurs soeurs de la gestion des comptes ont encore du chemin à parcourir. Mais elles ne devraient pas prendre trop de temps. N'oublions pas que dans les compagnies clientes, le nombre de femmes grossit aussi.

Il est vrai qu'à l'exception de quelques femmes célèbres qui ont fondé leur propre agence, les postes les plus élevés des grosses agences sont occupés par des hommes. Ce processus de libéralisation sera peut-être un peu plus long mais il n'apparaît pas impossible à mettre en branle, comme c'est le cas dans d'autres secteurs. Certaines agences ont beau demeurer des clubs masculins, en ce qui concerne leur attitude vis-à-vis d'éventuelles dirigeantes, il est difficile de trouver un secteur plus ouvert aux femmes que la publicité.

Cinq ans après

Retournons au film sur la publicité par lequel nous avions entamé notre étude. Tandis que le vestibule de l'agence apparaît sur l'écran, les mots « cinq ans après » se dissolvent lentement.

Le vestibule a été entièrement redécoré. Les couleurs sont maintenant audacieuses et profondes, conformément au dernier cri en matière de décoration de bureaux. Les mannequins n'ont pas l'air d'avoir bougé de leur canapé, mais une inspection précise révèle qu'il ne s'agit plus des mêmes personnes. Car cinq ans sont aussi longs que toute une vie dans ce métier.

Au fur et à mesure que la caméra avance, nous nous apercevons que nos quatre personnages du début n'occupent plus leurs anciens bureaux. Nouveaux visages, nouveaux patrons, nouveaux soldats. Soudain, notre ancienne directrice artistique, Susan, sort rapidement d'une salle de conférence. Elle est entourée d'une troupe de gestionnaires des comptes anxieux et de rédacteurs enthousiastes. Elle vient d'achever un exposé intitulé : Le consommateur d'aujourd'hui, épreuve de force. Grâce à quelques campagnes très réussies, à l'effet cumulatif de tous les articles de magazines qu'elle a écrits et à un changement de la haute direction, elle a été nommée coordonnatrice générale du département artistique national et international. « Directrice artistique du monde », dit-elle modestement. Elle n'a pas rédigé une ligne depuis sa promotion. Elle est surtout occupée à faire la navette entre les divers bureaux de l'agence et à donner son opinion. Elle est très demandée dans les conférences de commercialisation et les congrès de publicistes. Ses discours et ses articles en ont fait une célébrité dans l'industrie. Sa valeur d'agent de relations publiques et sa capacité d'attirer l'admiration de clients éventuels lors des réunions professionnelles ont contribué à faire monter son salaire à 160 000 dollars.

Bill, le surveillant harassé du département des comptes est aujourd'hui président de l'agence. Nous l'avions quitté en train de travailler sur une nouvelle perspective de contrat, dont la signature valait 30 millions de dollars pour l'agence. Plus tard, lorsque le client a décidé de consacrer 10 millions supplémentaires aux opérations internationales, les responsabilités de Bill traversèrent l'Atlantique. Grâce à ces triomphes et à quelques suggestions opportunes quant au remaniement de la haute direction de l'agence, Bill s'est trouvé détenir alors le véritable pouvoir. Lorsque l'ancien président fut nommé à la tête du conseil, on découvrit que Bill était l'héritier le plus évident et le plus logique. Il voyage beaucoup, fait de nombreux discours et ne parle qu'aux présidents des compagnies auxquelles son agence offre ses services. Leurs conversations ne dépassent pas le stade des généralités, car ni lui ni les clients ne connaissent les détails des comptes. En comptant les options d'achat d'actions, la participation aux bénéfices de l'entreprise et les autres privilèges, Bill récolte en général 400 000 dollars par année. Il vient d'obtenir un gros prêt (très bon marché) de l'agence pour acheter la grande demeure Tudor qui lui plaisait depuis longtemps ainsi qu'à son épouse.

Et qu'est devenu le directeur des études de marché, l'annonciateur de mauvaises nouvelles à propos de la préparation pour gâteaux? Peu après l'affaire de Denver, il reçut une offre plus intéressante et traversa la rue pour aller travailler pour une autre agence. En comptant tous les privilèges, son revenu atteint 110 000 dollars. Il écrit toutes sortes de mémoires, siège à plusieurs comités de planification. Il occupe le poste de directeur des études de marché pour les huit bureaux nord-américains de l'agence. Il n'a pas approché de groupe d'intérêt spécial depuis cinq ans, mais s'occupe beaucoup de «planification stratégique».

Hélas! le sort ne s'est pas montré aussi clément pour Dave, notre directeur du département des médias. Un an et demi après l'appel téléphonique, l'agence recruta quelqu'un pour occuper le poste supérieur. Les habitudes de travail des deux hommes étaient différentes et le nouveau patron de Dave s'était fait un nom à propos d'un nouveau système informatique. Dave et lui ne s'entendirent pas et six mois après Dave fut mis à la porte. Il lui fallut huit mois pour retrouver du travail. Finalement, il fut embauché par une petite agence qui lui offrit le poste le plus élevé du département des médias. Il gagne

65 000 dollars, environ 15 000 dollars de moins qu'avant et ses clients ne sont pas d'aussi grosses conpagnies. Mais il s'entend bien avec eux. Quant à eux, qui disposent de budgets restreints, ils sont impressionnés et rassurés par son expérience des grosses agences. Dave sait que ses possibilités d'avancement ne sont plus infinies, mais il aime son travail et il aime se sentir apprécié.

Nous le voyons enfin en train de bavarder avec un ami au coin de Madison Avenue et de la Quarante-sixième rue, devant la vitrine d'une luxueuse boutique de modes masculines. Dave a l'air un peu fatigué. Son ami essaie de se faire entendre malgré le vacarme de midi. « Vous autres, dans la publicité, vous devez être une bande de masochistes. »

Dave regarde sa montre et sourit. « Peut-être, mais quoi qu'il puisse m'arriver maintenant dans ce métier, je suis heureux d'être en vie. »

ÉPILOGUE
Les rois

Voici ce qu'on peut dire en théorie de toutes les personnes citées dans ce livre : leur travail leur convient. Ce qu'elles font est en harmonie avec ce qu'elles sont. Et dans une certaine mesure, leur travail cesse d'être un travail. Il ne les use pas, il les régénère.

C'est peut-être en partie la raison de l'énergie, l'enthousiasme et l'endurance exceptionnelle que toutes semblent posséder et dont elles ont besoin pour survivre. Les professions qui sont étudiées dans ce livre exercent souvent de graves pressions sur ceux qui les adoptent, mais la tension qui en résulte leur permet de se mettre à l'épreuve et de vivre un suspense toujours renouvelé. Le travail leur apporte plus qu'il ne prend.

La bonne pointure

Il est important de se sentir à sa place. Et se demander : «Est-ce un travail que je suis capable de faire correctement?» est apparemment insuffisant. Il faut aussi se demander : «Puis-je devenir telle ou telle personne? Suis-je le type de personne qui réussit dans ce métier?»

Deux personnes d'intelligence égale et d'aptitudes semblables choisissent deux carrières différentes. Toutes deux se sentent attirées vers le monde de la finance. L'une entre dans une grande banque commerciale, l'autre se dirige vers Wall Street en qualité de banquier d'affaires. Elles se retrouveront peut-être en train d'assumer le même genre de fonctions, de travailler les mêmes transactions. Mais quelle différence entre leurs milieux de travail respectifs! Entre les traits de caractère qui les conduiront au succès!

Le financier de Wall Street apprendra à se montrer agressif, impatient à rivaliser avec les autres. Le banquier commercial deviendra une personne posée, coopérative, un travailleur d'équipe. S'il n'existait pas de différence entre eux, aux plans de l'intelligence et des aptitudes, il serait cependant possible de les distinguer de deux façons: l'un s'est adapté à une organisation souple, horizontale, l'autre à un rigide univers bureaucratique.

Au sein d'un cabinet d'avocats, la concurrence avouée entre les divers associés est abhorrée et la moindre infraction à la respectable éthique professionnelle est promptement châtiée et demeure impardonnable.

Au sein d'un studio cinématographique ou d'une agence publicitaire, les luttes intestines d'influence sont un fait de la vie de tous les jours et sont même inhérentes au mécanisme de sélection des dirigeants.

« Si vous vous présentiez dans l'une des huit grandes sociétés de comptables, dit un jeune homme qui appartient à l'une d'elles, muni d'impeccables références de Harvard ou de Yale, vous n'auriez guère la vie facile. Les associés se méfieraient de vous. Vos collègues se sentiraient mal à l'aise avec vous. » Mais bien sûr, si vous alliez toquer à la porte voisine, qui est celle d'un cabinet d'avocats de la vieille école, les associés vous considéreraient d'un oeil soupçonneux si vous n'étiez pas muni de ces mêmes références.

Dans une compagnie d'édition musicale, on ne veut même pas savoir où vous avez été à l'école.

Un conseiller en gestion est un travailleur indépendant. Il aime tout faire lui-même. Personne ne le dirige. Son cabinet existe pour des raisons d'orientation et de commodité financière.

Comparons-le au cadre supérieur d'une entreprise qui n'est pas récompensé pour avoir fait le travail en personne, mais pour avoir incité autrui à le faire pour lui. Il travaille toujours avec un groupe, recherche un accord général et délègue les responsabilités. L'instinct primordial du professionnel indépendant est au dernier rang des nécessités du fantassin d'une compagnie.

« Vous devez simplement vous couler dans le moule, estime Andy, le gestionnaire intermédiaire rencontré plus haut. Vous arrivez un jour et on attend de vous que vous vous comportiez comme les autres. Tout le monde ici a appris à le faire. Vous le remarquez dans mille domaines différents, sans que personne n'y fasse allusion. Vous devez simplement comprendre des signaux, des symboles. On s'attend que vous soyez comme les autres. Les gens qui ne correspondent pas au modèle ne progressent pas. Soit ils s'adaptent, soit ils s'en vont.»

Connaître son prix

L'argent n'est pas le paramètre du succès. Pour certains (les relativistes), l'important c'est de gagner plus que les collègues et autres gens de la profession. Ils se sentent riches lorsqu'ils ont atteint ce but.

Pour d'autres (les absolutistes), l'important c'est de gagner plus que le reste du monde. Ils choisissent ou rejettent une carrière selon ce seul critère: son potentiel en matière de revenus bruts.

Le rédacteur en chef technique d'un magazine sera bien chanceux si, à l'apogée de sa carrière, son salaire atteint celui du titulaire d'un poste plutôt subalterne d'une maison de courtage de Wall Street. Au sein d'une compagnie, un dirigeant qui a eu l'occasion de brasser de vastes richesses industrielles aura peut-être amassé 1 à 2 millions au moment de la retraite. Un promoteur immobilier qui n'a pas accumulé quatre à cinq fois ce montant avant d'avoir quarante ans est considéré comme un gagne-petit par ses concurrents.

Il est possible de comparer les dollars que rapportent différents types de professions. Leur sens est différent. Le conseiller à 150 000 dollars, qui peut influencer la productivité d'une industrie tout entière ne «vaut»-il que la moitié du scénariste de télévision à 300 000 dollars qui peut élucubrer vingt-huit minutes de plaisanteries sur commande?

Une carrière donnée rapporte ce qu'elle rapporte et quiconque n'est pas satisfait des perspectives financières qu'elle offre peut toujours aller voir ailleurs.

Prendre le taureau par les cornes

Par définition, les gens qui ont réussi ont choisi de rechercher quelque chose de plus. Ils ont décidé de se heurter à la concurrence la plus féroce, d'endurer l'insécurité et l'angoisse inhérentes au succès. Ils ont supporté la peur qui accompagne l'espoir chez plusieurs. Et s'ils réussissent, ils acceptent leur succès sans le saboter.

Le président de Texaco, John McKinley, était un ingénieur

du rang à la raffinerie que la compagnie possédait à Port Arthur, au Texas. Puis un jour, on le pria de transférer ses pénates au siège social.

« Si je n'avais pas accepté, les voies qui se sont plus tard ouvertes seraient restées fermées. Je connais certains des types qui sont restés à Port Arthur et on peut dire que, dans un sens, ils ont réussi. Ils sont devenus des gens importants dans ce milieu restreint. Leur contribution a été très précieuse, il se sont rendus utiles et ont probablement mené une vie heureuse. Mais c'est une tout autre affaire. »

« Je veux avoir autour de moi des gens sûrs d'eux, dit Richard Curvin, de la First de Boston. Je peux leur apprendre le métier, je peux accroître leur motivation, mais je ne peux leur apprendre à avoir confiance en eux-mêmes. »

Vivre boutique

Lorsqu'un travail convient à quelqu'un et que cette personne s'adapte au milieu, sa carrière même peut la récompenser. En dépit de toutes les exigences, le travail apporte le flux de satisfaction le plus stable et le plus abondant. Qui a envie de rentrer à la maison après avoir joué au monarque toute la journée ?

« Je vois mes anciens condisciples de l'école de gestion courir tout aussi vite que jamais, dit un jeune conseiller. Il se peut qu'au fond d'eux-mêmes ils aspirent à une vie plus facile. Mais une fois que vous avez pris l'habitude de courir, il devient difficile de ralentir le rythme. Nous parlions autrefois d'emplois qui nous laisseraient le temps de nous consacrer à d'autres activités. En fait, nous parlions pour ne rien dire. »

« Je pensais que plus on montait dans la hiérarchie, plus la vie devenait facile, dit John Landry, premier vice-président de Philip Morris. Je me suis bien trompé! Plus on monte, plus on devient exigeant. Je répète à mes enfants qu'ils ne devraient pas aller au-delà d'un certain stade, car le travail finira par les dévorer. »

Mais Landry n'a jamais suivi ses propres conseils. « Oui, j'ai fais des sacrifices. Pendant des années, j'ai passé moins de temps avec mes enfants que j'aurais dû. Mais c'est bien facile à dire! La vie, de nos jours, n'est pas comme la dépeignent *Leave It to Beaver* et autres feuilletons télévisés, dans lesquels Papa rentre à la maison tous les après-midi pour jouer au ballon avec les enfants. »

« Si j'ai dû faire des sacrifices personnels, j'en ai été largement récompensé. Tout ce que j'ai personnellement réalisé et tout ce qui m'est arrivé au cours de ma carrière prouvent que le jeu en valait la chandelle. Je suis parfaitement satisfait de mon sort. »

« Après un an de pression incessante et de surmenage, se souvient Peter Cohen, vice-président de Shearson-American Express, après la fusion avec Loeb Rhoades vers le milieu des années 70, je suis tombé malade. J'étais nerveusement épuisé. Pendant un mois, j'ai dû rester hors de combat. Je pouvais à peine remuer. »

« Aussi, j'ai dit à ma femme que je voulais partir assez loin pour que l'on ne cherche pas à m'atteindre. Nous avons décidé d'aller au Brésil. Au bout de deux semaines, nous étions arrivés dans un endroit éloigné du reste du monde, aux chutes d'Iguaçu, au point de jonction des frontières brésilienne, paraguayenne et uruguayenne. Nous sommes descendus jusqu'en bas des chutes, une descente de trois cents mètres. Le paysage était merveilleux, vraiment extraordinaire. Nous étions là, sans bouger, lorsque soudain je me suis tourné vers ma femme et lui ai dit : mais que fais-je donc ici ? Je ne sais même pas ce qui se passe à la Bourse, j'ignore où en est le prix de l'or ! Il faut absolument que je téléphone ! »

« J'ai grimpé les trois cents mètres et j'ai marché jusqu'à l'hôtel. Il m'a fallu presque deux heures pour obtenir ma communication avec les États-Unis. Je n'avais aucune décision spéciale à prendre, rien n'exigeait mon attention. Je voulais simplement savoir ce qui se passait ! Oui, j'ai beaucoup appris sur moi-même ce jour-là. »

L'AUTEUR

GLENN KAPLAN est diplômé *cum laude* de l'Université Bowdoin. Il devint fasciné par les composantes du succès lorsqu'en tant que cadre supérieur d'une agence de publicité de Madison Avenue, il eut l'occasion d'entrer en contact avec de nombreux éminents personnages de l'industrie américaine. Trois années de recherche lui ont permis d'écrire *The Big Time*.

La composition de ce volume
a été réalisée par
les Ateliers de La Presse, Ltée

Achevé d'imprimer
en juin mil neuf cent quatre-vingt-quatre
sur les presses de l'Imprimerie Gagné Ltée
Louiseville - Montréal.
Imprimé au Canada